D1508079

« BEST-SELLERS »
Collection dirigée par Henriette Joël et Isabelle Laffont

SUSAN HOWATCH

LES BELLES APPARENCES

roman

Traduit de l'anglais par Philippe Loubat-Delranc

ÉDITIONS ROBERT LAFFONT
PARIS

Titre original : GLITTERING IMAGES
© Leaftree Limited, 1987
Traduction française : Éditions Robert Laffont, S.A., Paris, 1988

ISBN 2-221-05423-7
(édition originale :
ISBN 0-394-56206-2 Alfred A. Knopf, New York)

Pour Barbara,
en souvenir de nos conversations
sur les deux Herbert

SOMMAIRE

PREMIÈRE PARTIE

Le mystère

« Plus nous appréhendons la réalité, plus nombreuses sont les questions auxquelles nous ne pouvons répondre. »

Conseils spirituels et correspondance du baron Friedrich von Hügel, Éd. Douglas V. Steere.

I

Un évêque, me répétai-je, est un homme tout à fait différent des autres.

Herbert HENSLEY HENSON
évêque de Durham 1920-1939,
Archives de l'évêché.

1

Mes épreuves commencèrent un après-midi d'été sur un coup de téléphone de l'archevêque de Canterbury. Le temps était particulièrement beau. A l'extérieur, la cour du collège de Laud scintillait dans la lumière déclinante. Le dernier trimestre était échu, et le calme qui en résultait engendrait une atmosphère propice au travail. Aussi, lorsque la sonnerie du téléphone retentit, ce fut à contrecœur que je tendis la main vers le combiné.

Une voix annonça le palais de Lambeth et déclara que Sa Seigneurie désirait parler avec le révérend Ashworth d'une affaire extrêmement urgente. Selon toute apparence, les chapelains de l'archevêque semblaient toujours aussi contaminés par son goût du mélodrame.

– Mon cher Charles!

C'était maintenant la voix de Lang, toujours aussi puissante, au summum de la théâtralité. L'archevêque appartenait à cette génération qui considérait le téléphone, au pire comme un instrument démoniaque, et au mieux comme un défi à la dramaturgie; aussi, lorsque je m'enquis de son état de santé le plus diplomatiquement possible, il se lança dans un monologue des plus assommants sur la vieillesse. En ce premier jour de juillet 1937, l'archevêque était dans sa soixante-treizième année, se portait aussi bien qu'un dignitaire de l'Église était en droit de l'espérer, mais comme le commun des mortels, il détestait les manifestations du grand âge.

– ... Enfin, je ne vous ennuierai pas davantage avec mes petits bobos, conclut-il tandis que j'ajoutais la touche finale à la mitre que j'avais grossièrement dessinée sur mon bloc-notes. Charles, je vais prêcher à Ely dimanche prochain, et comme je suis très impatient de vous voir, je me suis arrangé pour passer la nuit à Cambridge, chez mon vieil ami, le recteur de Laud. Je passerai chez vous après les vêpres, mais permettez-moi d'insister sur le fait que ma visite doit être strictement privée. J'envisage de vous confier une mission, et cette mission, poursuivit l'archevêque en infléchissant sa voix jusqu'à n'être plus qu'un soupir pour dramatiser la situation à l'extrême, est particulièrement délicate.

Je me demandai s'il s'imaginait pouvoir arriver jusque chez moi sans être reconnu. Il est extrêmement difficile pour tout archevêque de voyager incognito, et un archevêque qui avait récemment joué un rôle important dans l'abdication d'un roi et dans le couronnement d'un autre était loin d'être le membre le plus anonyme du clergé.

– Aucun problème, répondis-je poliment. Je ferai de mon mieux pour vous aider, monseigneur.

– Parfait. A dimanche soir, donc. Merci, Charles.

Et, après m'avoir octroyé une rapide bénédiction, l'archevêque mit fin à la discussion.

Je me retrouvai à regarder fixement la mitre que j'avais dessinée mais, petit à petit, je pris conscience que mon regard avait glissé sur les derniers mots que j'avais écrits avant de raccrocher.

« Le modalisme répond au désir de monothéisme de l'Église, mais la deuxième moitié du IVe siècle décida que le Dieu modaliste se métamorphosait de lui-même pour rejoindre... »

L'influence du modalisme sur le principe de la Trinité semblait très loin des intrigues de l'archevêque.

Je me rendis compte que j'avais perdu tout intérêt pour mon nouveau livre.

Mes épreuves venaient de commencer.

2

– La mission dont je vous ai parlé, me dit l'archevêque d'un ton respectueux destiné à souligner l'importance de la question, concerne l'évêque de Starbridge. Le connaissez-vous?

– Très peu. Il est venu prêcher à la cathédrale de Cambridge l'année dernière pour les services de l'Avent.

Nous avions réussi à nous rencontrer chez moi, en tête à tête, et j'avais offert à l'archevêque une tasse de son thé préféré; un de mes amis londoniens qui, la veille, était venu à Cambridge me l'avait rapporté directement de chez Fortnum. Lang, engoncé dans ses vêtements épiscopaux, était pour l'heure assis dans mon fauteuil le plus confortable, buvant à petites gorgées dans l'une de mes plus belles tasses en porce-laine tandis que moi, portant la soutane sous ma toge professorale, je m'efforçais de réfréner mon envie d'un verre de whisky. J'avais caché mes cigarettes. J'étais même allé jusqu'à laisser les fenêtres grandes ouvertes toute la journée pour chasser le moindre soupçon de fumée.

Lang avala une autre gorgée de thé. Il faisait partie de ces individus dont les traits prenaient sans effort une expression autoritaire et, tout en le regardant, je me rappelai l'histoire qui avait fait le tour de toute l'Église après qu'il eut montré un portrait de lui peint par Orpen à un groupe d'évêques. Lang avait dit d'un air songeur :

– Je me vois obligé de protester quand j'entends les critiques dire que ce portrait me donne l'air d'un prélat trop fier et trop pompeux.

Ce à quoi le caustique Henson, évêque de Durham, avait rétorqué :

– Puis-je me permettre de demander à monseigneur laquelle de ces épithètes n'a pas ses faveurs?

L'archevêque ne comptait pas que des amis au sein de l'Église, et mes pensées passèrent de l'évêque de Durham à celui de Starbridge, mon-seigneur Jardine, qui, Lang venait de m'en informer, était au cœur de la mystérieuse mission.

– Avant d'aller plus avant dans mes explications, Charles, j'aimerais connaître votre opinion : que pensez-vous, vous théologiens de Cam-bridge, du discours tenu par Jardine il y a dix jours à la Chambre des Lords?

La réponse s'imposait. Lors du débat autour du projet de réforme du divorce proposé par Mr. A.P. Herbert et qui tendait à en faciliter la pro-cédure, Jardine avait attaqué l'archevêque dans un discours qui avait mis le feu aux poudres de l'Église anglicane.

– Nous avons tous été scandalisés, monseigneur.

– Il est vrai que Jardine est un orateur hors pair, répondit Lang, sou-cieux de faire mine de satisfaire à la charité chrétienne en accordant des bons points là où ils étaient mérités.

– Du strict point de vue technique, son discours était un chef-d'œuvre.

– Oui, mais un chef-d'œuvre lamentable.

Lang était satisfait. Mon soutien devait lui sembler acquis, mais je n'étais plus son chapelain depuis plus de dix ans maintenant et, avisé comme tout bon diplomate, il avait sans doute jugé imprudent de consi-dérer ma loyauté gagnée d'avance.

– L'attaque de Jardine est absolument inexcusable, dit-il, suffisam-ment rassuré pour s'accorder le luxe de l'indignation. Après tout, ma position était la moins enviable. Moralement, je ne pouvais pas fermer les yeux sur le moindre laxisme concernant cette loi sur le divorce; j'aurais trouvé cela répugnant. D'un autre côté, si je m'étais opposé ouvertement à toute réforme, cela serait revenu à laisser le champ libre à des critiques beaucoup plus préjudiciables pour l'Église. Pris entre le Charybde de mon devoir politique et le Scylla de mes principes moraux, poursuivit l'archevêque, incapable de résister à un élan de grandiloquence, je n'avais d'autre alternative que d'opter pour la neutralité.

– Je comprends la difficulté, monseigneur.

– J'en étais sûr! N'importe quel pratiquant sensé la comprendrait. Pourtant, l'évêque de Starbridge a non seulement eu l'insupportable audace de m'accuser de « ménager la chèvre et le chou » – quelle expression vulgaire! – mais aussi de prôner qu'élargir les motifs de divorce est compatible avec l'enseignement de l'Église! Je sais qu'il ne faut pas trop attendre d'un individu qui est loin d'être un gentleman, mais Jardine a agi envers moi d'une façon choquante et déloyale et avec une indifférence inacceptable à l'égard du bien-être de l'Église.

Ce que ce snobisme pouvait être déplaisant! Avec le temps, Lang avait pu acquérir des allures aristocratiques, mais il était issu de la bourgeoisie écossaise et avait été autrefois perçu comme un « arriviste ». Peut-être pensait-il que cela lui donnait le droit d'être virulent sur le problème des classes, mais je me dis que cette virulence ne soulignait pas l'origine modeste de Jardine mais bien la sienne.

Dans l'intervalle, il s'était débarrassé de toute sa grandiloquence pour se lancer dans une péroraison des plus brutales.

– Selon moi, dit-il, Jardine n'est plus seulement une gêne maintenant. Il est devenu un handicap. Et j'ai décidé que le moment était venu d'agir pour éviter un désastre.

Je me demandai si la méchanceté s'était alliée à la vieillesse pour sombrer dans la déraison.

– Je trouve, moi aussi, son attitude discutable, monseigneur, néanmoins...

– Discutable! Mon cher Charles, ce que vous et le grand public avez perçu jusqu'à présent n'est que la partie visible de l'iceberg – si vous saviez ce qui se dit à nos conciles! Les idées que Jardine professe sur le mariage, le divorce et – Dieu nous garde - sur la contraception sont fameuses depuis quelque temps déjà dans les milieux épiscopaux. Ma plus grande crainte, maintenant, est que, s'il persiste à afficher ses opinions plus que discutables sur la vie conjugale, il se trouvera bien un reporter de Fleet Street sans scrupules pour aller examiner la vie privée de Jardine d'un peu plus près.

– Vous ne voulez certainement pas insinuer que...

– Non, non.

Soudain, la voix de Lang était devenue très douce.

– Non, bien sûr, je ne veux pas dire qu'il a commis une faute irréparable, mais la situation familiale de Jardine est inhabituelle et pourrait parfaitement être exploitée par la presse.

Il s'interrompit avant d'ajouter :

– J'ai des ennemis à Fleet Street, Charles. Depuis l'abdication, ce sont des gens puissants à qui rien ne pourrait faire plus plaisir que de me voir humilié et voir l'Église déshonorée.

Le discours était emphatique mais, pour la première fois, j'eus

16

l'impression qu'il n'était pas uniquement motivé par la méchanceté. Ses paroles reflétaient une réalité politique incontestable.

Je m'entendis lui répondre :

– Et... qu'ai-je à voir dans tout cela, monseigneur?

– Je veux que vous descendiez à Starbridge, me répondit l'archevêque sans hésiter, et que vous vous assuriez que Jardine n'a pas commis quelque faute qui pourrait se révéler désastreuse – mais si tel était le cas, je veux que toute preuve en soit détruite.

3

L'archevêque s'exprimait en euphémismes bien sentis; il était soucieux de ne pas trop noircir la réputation de l'évêque en présence d'un membre du clergé hiérarchiquement inférieur à lui, mais il souhaitait aussi me faire comprendre qu'avec Jardine, le pire était toujours envisageable. Jardine n'était pas suspecté de « faute irréparable », c'est-à-dire d'adultère – une faiblesse de la chair qui rendait un évêque ou même n'importe quel homme d'Église indigne d'officier. Pourtant, Lang brandissait l'éventualité que Jardine ait commis une « faute qui pourrait se révéler désastreuse »; expression qui pouvait tout signifier : avoir émis un commentaire désobligeant sur l'Immaculée Conception, comme d'avoir donné le bras à une jolie blonde de vingt ans.

– Que savez-vous de lui? ajouta Lang, interrompant mes supputations.

– Les grandes étapes de sa carrière, c'est tout. Je ne sais rien de sa vie privée.

– Il a épousé un petit brin de femme à la cervelle d'oiseau qui doit maintenant, j'imagine, avoisiner la cinquantaine. Jardine, quant à lui, a cinquante-huit ans. Tous les deux font plus jeunes que leur âge.

Dans la bouche de Lang, cet avantage devenait une faute de goût, et je sentis que la jalousie qu'il éprouvait devant la jeunesse de Jardine faisait partie intégrante de son aversion pour le personnage.

– Des enfants? demandai-je en lui resservant du thé.

– Aucun de vivant.

Il but une gorgée de thé avant d'ajouter :

– Il y a une dizaine d'années, juste après que Jardine eut été nommé doyen de Radbury, il a engagé une jeune femme du nom de Miss Lyle Christie en qualité de dame de compagnie de Mrs. Jardine. Cette pauvre petite cervelle d'oiseau ne pouvait pas assumer ses nouvelles responsabilités d'épouse de doyen; tout allait à vau-l'eau.

– Miss Lyle Christie a-t-elle ramené l'ordre dans ce chaos?

– Appelons-la Miss Christie. Nous n'allons pas nous embarrasser d'un nom à rallonge entre nous – des parents mal avisés l'ont affublée du prénom de Lyle au lieu de choisir un prénom chrétien et convenable comme Jane ou Mary. Oui, continua Lang en posant sa tasse à côté de lui, oui, Miss Christie s'acquitte admirablement de sa tâche depuis son arrivée. Mais enfin, bien que cet innocent petit *ménage à trois* puisse normalement passer inaperçu, il y a trois aspects de la situation qui – au bout de dix ans – peuvent prêter, et prêtent à des commentaires. Le premier est que Miss Christie est une femme séduisante; le deuxième est qu'elle n'a apparemment aucune intention de se marier, et le troisième est que Jardine – pour en revenir à lui – a ce que l'on pourrait charitablement nommer un robuste intérêt pour le sexe opposé.

Lang, dont le physique avantageux lui avait valu un flot régulier d'admiratrices au cours de sa longue vie de célibataire, choisit cet instant pour regarder par la fenêtre afin de ne pas avoir à paraître trop accusateur. En bon chrétien, il était forcé d'approuver un robuste intérêt pour le sexe opposé si celui-ci débouchait sur le mariage, mais je savais qu'il trouvait tout à fait détestable de trop grandes préoccupations charnelles.

– En d'autres termes, dis-je, évitant habilement le sujet épineux de l'attitude de Jardine vis-à-vis des femmes, vous craignez que, si la presse commence à fouiller la vie privée de Jardine, elle ne fasse certaines suppositions embarrassantes sur cette Miss Christie. Mais, avec tout le respect que je vous dois, monseigneur, pourquoi vous en inquiéter? Même la presse à scandale n'est pas au-dessus des lois contre la diffamation et elle n'oserait imprimer aucune assertion licencieuse sans preuve écrite.

– C'est justement cela qui m'inquiète.

Lang se départit enfin de toute affectation pour révéler l'Écossais rusé qui, toujours, sommeillait derrière sa façade britannique.

– Jardine tient un journal, dit-il. Supposons qu'un reporter soudoie un domestique et mette la main dessus?

– Mais il s'agit sûrement du journal de son travail spirituel, pas d'épanchements dignes d'un écolier.

– Le travail spirituel peut inclure des confessions.

– Oui, mais...

– Laissez-moi vous expliquer très clairement ma position. Je doute qu'une preuve écrite d'une faute irréparable existe. Ce qui m'inquiète beaucoup plus est l'éventualité de l'existence d'un document tout à fait anodin qui pourrait être cité hors contexte et déformé. Vous savez à quel point la presse à scandale peut être sans scrupules.

Dans le silence qui suivit, je me surpris à nouveau à partager sa vision d'une réalité amère mais indéniable, car je comprenais que la vie de Jardine, innocente ou non, pouvait très bien se révéler être le talon d'Achille des relations déjà difficiles entre l'Église et Fleet Street. Un nouveau souverain pouvait bien avoir été couronné, le souvenir du précédent roi éveillait encore beaucoup de sympathie, et le discours de Lang critiquant Édouard VIII pour avoir abandonné son devoir afin d'épouser une femme divorcée avait fortement déplu par son pharisaïsme. En ces circonstances, un scandale à propos d'un évêque « chaud lapin » au *ménage à trois* suspect était bien la dernière chose dont Lang, qui s'évertuait à regagner le terrain perdu, avait besoin.

– Alors, Charles? Êtes-vous disposé à m'aider?

« Monsieur Loyal » faisait claquer sa chambrière, mais, en fait, il n'en avait nul besoin. J'étais dévoué à mon Église et, malgré nos grandes différences, à mon archevêque.

– Mon aide vous est acquise, monseigneur, répondis-je sans hésiter.

Le sort en était jeté.

4

– Par où dois-je commencer? demandai-je, soupesant mon nouveau rôle d'espion épiscopal et du même coup me trouvant confronté à l'abîme de mon inexpérience.

Lang se fit tout de suite rassurant.

– Une fois installé à l'évêché, je suis certain qu'il ne vous faudra pas longtemps pour juger si, oui ou non, j'ai raison de m'inquiéter.

– Mais comment diable m'installer à l'évêché?

– Enfantin. Je vais téléphoner à Jardine et lui demander de vous héberger deux ou trois jours. Il ne va pas me le refuser, surtout lorsque je lui aurai dit que vous souhaiteriez avoir accès à la bibliothèque de la cathédrale dans le but d'effectuer quelques recherches pour votre prochain livre. Connaissez-vous la bibliothèque de la cathédrale de Starbridge? Son principal titre de gloire est, comme vous le savez sans doute, le manuscrit original des *Prières et Méditations* de saint Anselme.

– Mais mon nouveau livre traite de l'influence du modalisme sur le christianisme au IVe siècle – aucun rapport avec saint Anselme.

Lang ne se découragea pas pour autant.

– En ce cas, vous auriez intérêt à vous atteler à la rédaction d'un article de fond – une nouvelle approche de la preuve ontologique du point de vue de saint Anselme, par exemple...

– Oui, et je suppose que, tout en parlant avec Jardine de la preuve ontologique, je lui demanderai l'air de rien la permission d'éplucher son journal intime dans l'espoir d'y trouver des trésors de sagesse déguisés en pensées impures concernant la dame de compagnie de sa femme!

Lang me gratifia d'un de ses plus fins sourires. Devinant que mon ironie avait été désapprouvée, je m'empressai d'ajouter :

– Excusez-moi, monseigneur, mais honnêtement, je ne vois pas comment je pourrais procéder. Si vous aviez l'obligeance de me fournir une notice explicative, même sommaire...

Cette référence directe à son autorité calma l'oiseau qui s'agitait.

– Interrogez Jardine à propos de son journal. Le fait qu'il en tienne un n'est un secret pour personne et, comme il est inhabituel de trouver un homme d'Église d'un certain âge qui continue ce type d'exercice spirituel, je pense que votre curiosité s'en trouvera tout à fait justifiée. Je veux savoir s'il utilise ce journal comme substitut à la confession. Ceci dit, je vous suggère aussi de bavarder avec cette Miss Christie et d'essayer de découvrir si Jardine lui écrit quand il est en déplacement. Pour tout vous dire, Charles, la perspective de l'existence de lettres compromettantes m'inquiète beaucoup plus qu'un journal probablement sous clef. Les hommes de l'âge de Jardine sont capables de toutes les folies – ou presque – quand il s'agit des femmes et, bien que, au fond, je doute de l'existence d'une preuve irréfutable, je peux toujours me tromper.

– Miss Christie brûlerait certainement une lettre qui serait compromettante.

– Pas obligatoirement. Pas si elle est amoureuse de lui – et c'est pour cette raison que je veux que vous regardiez ce ménage de très près, pour juger de ses risques d'implosion.

Lang, qui, dans sa jeunesse, avait écrit des romans à l'eau de rose, avait mis en branle son imagination baroque.

– Par exemple, dit-il, il n'est pas exclu que Jardine soit totalement innocent mais que cette femme soit dévorée par une passion brûlante. Jardine ne demande peut-être qu'à la renvoyer, mais sans oser passer à l'acte de peur qu'elle ne crée des ennuis.

Le scénario était outré mais, malheureusement, plausible. Pour n'importe quel membre du clergé, être l'objet des attentions de célibataires passionnées était un risque du métier. Après m'être permis une pause pour signifier à Lang que je prenais sa thèse très au sérieux, je dis brusquement :

– Et supposons que je trouve quelque chose de compromettant? Que devrai-je faire?

– Vous devrez me faire un rapport. Ensuite, j'irai voir Jardine et je lui ordonnerai d'agir. Il censurera son journal beaucoup plus minutieusement que vous ne pourriez le faire.

J'étais soulagé d'entendre que le sabotage n'était pas compris dans mes fonctions, néanmoins j'avais toujours le sentiment qu'agir dans l'ombre était un comportement punissable et je me dis que ces zones d'ombre devaient être plus clairement définies. Je m'enquis d'un ton léger :

– Au cas où le journal serait sous clef, monseigneur, j'espère que vous n'attendez pas de moi que je crochète la serrure? Ou bien suis-je censé agir comme un jésuite : tout est permis du moment que c'est pour le bien de l'Église?

– Vous représentez l'Église anglicane, Charles, pas l'Église romaine. Grand Dieu, il est évident que je ne vous demande pas d'agir autrement qu'en gentleman! s'exclama Lang avec une indignation qui faillit sonner juste.

Je compris alors qu'il avait espéré que je n'insisterais pas trop pour qu'il définisse précisément les contours de la mission.

– Tout ce que je vous demande, dit-il avec un air candide assez réussi, est que vous « preniez la température de l'eau », pour ainsi dire, avant que je ne plonge. Pour le moment, le problème est que mes soupçons sont si dénués de preuves que je ne peux absolument pas les révéler à Jardine; mais, si vous partagez aussi mes soupçons après avoir testé l'atmosphère de l'évêché, alors je saurai que je peux approcher Jardine sans crainte de commettre une erreur colossale.

Cette déclaration était assez vraisemblable, mais je me dis que le moment était venu de voir jusqu'où il me faisait confiance. Plus il disait qu'il était persuadé que Jardine n'avait commis aucune faute irréparable et plus j'étais tenté de croire que l'évêque lui donnait les pires cauchemars de ses nuits cléricales.

– Monseigneur, y a-t-il la moindre possibilité que Jardine soit en eau plus que trouble?

Lang réussit à prendre une expression d'impatience maîtrisée, comme si j'étais un gamin sous sa tutelle qui venait de poser une question idiote.

– Mon cher Charles, nous sommes tous des pécheurs et la possibilité d'une faute doit toujours être prise en considération, même dans le cas d'un évêque. Mais dans celui qui nous occupe, la probabilité d'eau trouble, comme vous dites, est infime. Bien que nous soyons aux antipodes l'un de l'autre, je suis convaincu que Jardine est un homme pieux; s'il avait commis une faute grave, il se démettrait de ses fonctions.

Cette déclaration était, elle aussi, logique. Dans le passé, il avait pu exister des évêques à la vie débridée, mais de nos jours aucun évêque n'était jamais accusé d'autre chose que de sénilité. Cependant, Jardine n'avait pas toujours été évêque.

– Y a-t-il eu quelque scandale dans son passé, un scandale qu'on aurait réussi à étouffer?

– Non. Il aurait difficilement reçu une promotion régulière si tel avait été le cas, Charles.

– Vous avez pourtant mentionné un « robuste intérêt » pour le sexe faible...

– Il est arrivé, au cours d'un dîner, qu'il ait affiché un peu trop son attirance pour telle ou telle femme, mais, en vérité, je trouve cela plutôt rassurant. S'il y avait quelque chose qui n'allait pas, je suis certain qu'il se donnerait un mal fou pour le cacher.

Je fus frappé par la sagacité de ce jugement et, tout en sachant que j'avais une fois de plus affaire à l'Écossais rusé qui sommeillait en lui, je décidai de prendre le risque de poursuivre mon contre-interrogatoire.

– Et en ce qui concerne l'épouse à la cervelle d'oiseau? demandai-je. Êtes-vous sûr et certain qu'il ne l'aime pas?

– Non. Selon certaines rumeurs persistantes, le mariage connaît des difficultés, mais il parle toujours d'elle loyalement et les ragots viennent peut-être tout simplement du fait que leur couple semble mal assorti.

Gardez-vous de tirer trop vite des conclusions sur ce mariage, Charles. Souvent, des hommes très intelligents épousent des femmes stupides; et ce n'est pas parce que les Jardine sont mal assortis sur le plan intellectuel qu'il faut automatiquement supposer qu'ils ne sont pas heureux en ménage.

Je sentis, après cette sage injonction à ne pas appréhender ma mission avec des idées préconçues, qu'il ne me restait plus qu'une seule question à poser.

– Quand dois-je partir pour Starbridge?

– Dès que Jardine sera prêt à vous y recevoir, répondit Lang, très satisfait de mon engagement à sa cause et tout en m'adressant un sourire crispé de politicien.

5

Je crus alors qu'il allait partir, mais il n'en fit rien. Pendant un moment, nous évoquâmes les problèmes du collège; il voulut savoir si les étudiants étaient toujours réceptifs aux doctrines évangéliques des « fanatiques » de Frank Buchman, mais je lui dis que je pensais que cette influence était en perte de vitesse.

– Le drame, avec de tels mouvements, dit l'archevêque qui, en 1933, avait soutenu les partisans de Buchman et l'avait probablement regretté depuis, est que leurs intentions sont bonnes, mais si fragiles. Les jeunes hommes inquiets ont le devoir de chercher la rédemption en confession privée, en tête à tête avec un pasteur, et non pas en un « soi-disant » partage des expériences douloureuses au sein d'un groupe qui, sur le plan spirituel, peut très bien ne pas valoir mieux qu'eux.

Il guidait la conversation de manière si subtile que ce ne fut qu'au moment où il posa sa question suivante que je compris les méandres de sa pensée.

– Entendez-vous beaucoup de confessions, Charles?

– En tout cas, je ne les provoque jamais. J'insiste toujours sur le fait que l'Église anglicane dit bien que quelqu'un peut se confesser, jamais ne doit. Il est évident que, si un étudiant vient à moi, je l'écoute.

– Et vous-même? Je me demandais, dit Lang révélant enfin le fond de sa pensée, si vous n'aimeriez pas tirer parti du caractère exceptionnel de ma visite pour parler d'un problème dont vous pensez qu'il pourrait être aplani grâce à une discussion confidentielle.

Je ne m'autorisai qu'un silence des plus brefs avant de répondre, mais je sus que mon silence avait non seulement été remarqué, mais aussi qu'il servirait de thème à des spéculations futures.

– C'est trop d'honneur, monseigneur, répondis-je, mais je suis heureux de pouvoir vous dire que, pour le moment, mon seul problème sérieux est de décider de ce que je vais bien pouvoir mettre dans mon nouveau livre.

– Un problème que votre intelligence n'aura aucun mal à résoudre par elle-même, j'en suis convaincu! Mais puis-je me permettre de vous demander qui est actuellement votre directeur de conscience?

– Je vais toujours voir le père supérieur du monastère des Fordites à Grantchester.

– Ah oui, le père Reid. J'espère trouver le temps de lui rendre visite pendant mon séjour à Cambridge, mais hélas! nous sommes si monstrueusement occupés.

Lang souligna ses propos d'un geste de désespoir emphatique, jeta un coup d'œil à sa montre et se leva. L'audience touchait à sa fin.

Je lui demandai sa bénédiction et, tandis qu'il me la donnait, je pris conscience de tout ce que cet homme m'avait apporté en tant qu'ecclésiastique. Je me souvins combien son souci et son intérêt pour moi m'avaient soutenu durant les années difficiles qui avaient précédé et suivi mon ordination; je me rappelai combien sa générosité d'esprit, auréolée de prestige, m'avait fait comprendre que la foi ne pouvait en aucun cas se limiter à un mode de vie superficiel, mais devait être une lumineuse réalisation de ses meilleures dispositions. Les chemins qui mènent à la chrétienté sont infinis et c'était sans aucun doute la réussite temporelle de Lang qui m'avait conduit à la certitude que la réussite temporelle, justement, était secondaire. Par-delà la belle apparence reposait la vérité absolue et incontournable. Cette juxtaposition m'avait fasciné dès le moment où j'avais décidé de devenir ecclésiastique mais, comme je regardais maintenant sans effort au-delà du prestige terrestre de Lang et que je pouvais voir tous les défauts de sa puissante personnalité, je m'étonnai qu'il ait dû avoir tant d'influence sur ma vie. Comment ce vieux célibataire vaniteux, pontifiant et ingrat avait-il jamais pu m'inspirer de le suivre dans une voie qui reposait sur l'humilité et la simplicité du Christ? Cette filiation me parut à deux doigts du miracle mais, soudain, je me sentis envahi d'un sentiment de culpabilité car, bien que je lui doive tant, je ne pouvais plus regarder Lang avec mon insouciance naïve d'autrefois.

Il partit. La solitude qui s'ensuivit vint comme un soulagement et, me retirant immédiatement dans ma chambre, j'ôtai ma toge et ma soutane avant de prendre le temps d'allumer une cigarette. Tout de suite, je me sentis plus détendu et, dès que je fus habillé le moins cérémonieusement possible, je retournai au salon, me servis un whisky-soda conséquent et commençai à réfléchir à ma mission à Starbridge.

6

Plus je considérais la situation et moins elle m'enthousiasmait. J'allais sûrement le regretter; bien que n'importe quel étudiant en éthique pût arguer que le bien-être de l'Église justifiait un petit espionnage par un suppôt de l'archevêque, je répugnais à m'investir dans l'une de ces situations où la fin n'était mise en avant que pour justifier les moyens. Lorsque, un peu plus tôt, j'avais évoqué la casuistique jésuite, Lang n'avait fait que pasticher Shakespeare : « Ceci est la Cour d'Angleterre, pas la Sublime Porte », mais tout de même, me demandai-je tout en me remémorant notre conversation, quel jeu Lang jouait-il réellement?

Jardine l'avait humilié durant ce débat à la Chambre des Lords, dix jours plus tôt.

– Que vont penser nos concitoyens, avait dit l'évêque hors de lui, lorsqu'ils sauront que, à propos d'un des plus grands problèmes moraux actuels, l'archevêque de Canterbury déclare avec un manque de courage insigne qu'il ne peut ni voter pour ni voter contre cette loi? Est-ce là diriger? Est-ce là cette sagesse que tant de gens attendent de l'Église? Est-ce là le sort final de l'Église anglicane : être entraînée dans le désert du désordre moral par un Écossais septuagénaire qui, apparemment, a perdu le contact avec ceux qu'il prétend servir?

Je m'étais dit qu'après ce numéro, Lang allait vouloir se débarrasser de Jardine, et le seul moyen dont Lang disposait pour se débarrasser lui-même d'un évêque sans faire de scandale était de trouver des preuves suffisamment déstabilisantes pour qu'une démission puisse être exigée en privé. En d'autres termes, je soupçonnai Lang de m'utiliser vaguement pour la sauvegarde de l'Église, mais surtout pour servir une guerre secrète entre deux des plus importants hommes d'Église du pays.

C'était une pensée des moins édifiantes. Tandis que je sacrifiais à mon habitude du dimanche soir, à savoir un sandwich au fromage avalé dans le petit cellier dépendant de mes appartements, je me demandais s'il existait un moyen de me sortir de la machination de Lang, mais je n'en voyais aucun. J'avais donné ma parole. Je pouvais maintenant difficilement prétendre que j'étais torturé par le doute. Lang serait très mécontent, et encourir la colère de mon archevêque était une éventualité à laquelle je ne voulais pas m'arrêter. J'en conclus que mon meilleur espoir de résoudre ce dilemme était de prouver que la vie de Jardine était blanche comme neige et d'ainsi faire fondre les plans machiavéliques de l'archevêque comme neige au soleil. Mais, la seconde d'après, je me demandai s'il était vraisemblable que Jardine menât la vie d'un saint. Même si l'on excluait la possibilité d'une faute irréparable, il restait toujours l'éventualité de quelques grains de poussière maculant la blanche neige; et la pensée de Jardine se comportant en libertin au cours de dîners n'était guère encourageante.

J'avalai mon deuxième whisky, terminai mon sandwich et me préparai un café. Puis, je décidai de m'atteler à une petite enquête préliminaire en téléphonant à deux personnes qui en savaient certainement plus long que moi sur le compte de Jardine.

Mon premier coup de fil fut pour un ami londonien qui travaillait pour *La Gazette de l'Église*. Nous avions fait nos études ensemble à Cambridge et, plus tard, lorsque je devins l'aumônier de Lang et lorsque Jack eut commencé sa carrière de journaliste, il nous avait été agréable d'entretenir notre amitié.

- Je dois t'avouer que je te téléphone par pur besoin de satisfaire une vulgaire curiosité, dis-je après la traditionnelle entrée en matière. Je suis sur le point d'aller passer quelques jours à l'évêché de Starbridge – que peux-tu me dire au sujet de son résident actuel?

- Ah, le vampire qui se nourrit du sang de nos pompeux archevêques! Je te conseille de bachoter tes théories sur l'Immaculée Conception, Charles. Emporte un revolver et tire plus vite que ton ombre – à Starbridge, après dîner, lorsque les gentes dames se sont retirées tu peux être sûr d'être mis à l'épreuve.

- Essaierais-tu délibérément de me faire peur?

- Oh, ne désespère pas de survivre! Il aime bien les théologiens – ils ne s'avouent jamais vaincus d'avance. Mais pourquoi vas-tu t'offrir en sacrifice à Jardine?

- Je commence à me le demander. Parle-moi davantage de ces gentes dames que je vais être amené à rencontrer à la table d'hôte?

- La légende veut qu'aucun homme ne soit invité à dîner à moins qu'il ne soit accompagné d'une jolie femme, mais pour moi c'est une affabulation.

- A quoi ressemble la femme de Jardine?

- C'est un joli petit bout de femme avec un cœur gros comme ça et une ahurissante collection de robes pour le thé. Tout le monde l'adore. Son sujet de conversation préféré, le temps.

- Cela doit reposer de l'Immaculée Conception. Mais n'y a-t-il pas une charmante dame de compagnie dans cette maisonnée? De quoi vais-je bien pouvoir lui parler?

- Ne t'excite pas Charles – tempère ton penchant à t'adonner à des pensées impures! Miss Christie est le type même de la jeune femme frigide. Starbridge est jonché des squelettes de ceux qui sont morts pour l'avoir aimée d'un amour non partagé.

- A vrai dire, je ne m'attendais pas à trouver une nymphomane installée à l'évêché...

- Jardine sait quand il vaut mieux être prudent. Les gentes dames, des aristocrates de préférence toujours chaperonnées par des maris vieux et ennuyeux, sont plus son type que les nymphomanes et les jeunes femmes frigides. Surtout pas de scandale, évidemment. Tout ce qu'il veut, c'est regarder et faire la causette.

- J'imagine qu'il a la chance de parler d'autre chose que du temps.

- Ah, tu es donc au courant de la rumeur qui prétend que le mariage de Jardine se meurt d'ennui, mais ne le crois pas, mon vieux! Mrs. Jardine est toujours jolie comme un cœur et je ne pense pas que Jardine se soucie de son intelligence une fois les lampes éteintes dans la chambre à coucher.

- Jack, tu es sûr que tu travailles toujours pour *La Gazette de l'Église*? A t'entendre, on aurait plutôt l'impression que tu es un échotier des *Nouvelles du Monde*!

- Arrête! Il n'y a rien de scandaleux à ce qu'un évêque couche avec sa femme. *Les Nouvelles du Monde* feraient à peine un écho s'il s'avisait de prendre une maîtresse. Mais pour autant que je sache...

– Justement, quelle est la part de vrai et la part de potins dans tout ce galimatias?

– Oh, je suis évidemment de mèche avec l'aumônier, mais comme il présente toujours son héros comme un croisement de saint Paul et de Sir Galahad, les potins qu'il me fournit sont rarement croustillants. De toute façon, je connais personnellement les Jardine. En mars dernier, j'ai été invité à Starbridge pour faire un reportage sur un comité qui discutait de l'organisation de services pour le couronnement dans les provinces du Sud; Jardine, en tant que président, était notre hôte. Bien sûr, le bruit court qu'il mange les journalistes en tartine au petit déjeuner mais, en fait, il a été fort courtois à mon égard et son épouse a été un amour. Elle m'offrait des biscuits au gingembre en me disant que je lui rappelais son neveu.

– Et l'affriolante Miss Christie?

– Elle m'a gratifié d'un regard tranquille tout en m'indiquant où étaient les toilettes. Mais je crois que tu aimeras le couple Jardine, Charles, et je ne vois pas pourquoi tu ne survivrais pas à cette visite. Accroche-toi à ton siège quand le porto commencera à faire son effet et inspire profondément quand l'évêque se mettra à discourir sur l'Immaculée Conception.

7

Ensuite, je téléphonai à un homme que j'avais connu au séminaire et qui avait maintenant la charge d'une paroisse villageoise dans le diocèse de Starbridge. Bien que nos routes aient divergé depuis notre ordination, nous avions maintenu une relation amicale grâce à une correspondance régulière et je me disais que je pouvais en profiter pour lui dire sans hypocrisie que j'espérais que nous allions nous rencontrer durant ma visite. Malheureusement cette rencontre allait être impossible : lui et sa famille s'apprêtaient à prendre leurs premières vacances depuis cinq ans. Passant sous silence mon séjour en France, au printemps dernier, je lui assurai que Bournemouth allait être délicieux, mais je frissonnais toujours à la pensée de la pauvre pension de famille qui les attendait lorsqu'il me demanda ce qui m'amenait à Starbridge.

Révéler que Jardine m'avait invité à l'instigation de Lang aurait paru, vu les circonstances, être d'une vantardise impardonnable. Aussi, je me contentai de mentionner un désir de visiter la bibliothèque de la cathédrale et dis que j'allais séjourner à l'évêché par politesse.

– Que penses-tu de Jardine, Philip? ajoutai-je. Est-il un bon évêque selon toi?

– Très franchement, je le trouve encombrant. Son discours à la

Chambre des Lords! Je me suis senti gêné pour Lang. Un évêque n'a pas le droit d'attaquer son archevêque en public.

– Mais comment s'acquitte-t-il de sa tâche quand il ne court pas après la Une des journaux de Fleet Street?

– C'est à moi que tu demandes ça? Je ne le vois qu'une fois par an pour les confirmations, c'est tout.

– Mais les confirmations ne sont-elles pas significatives de la conscience professionnelle d'un évêque? Il existe une différence énorme entre un évêque qui peut à peine déguiser qu'il fait un travail de routine et un évêque qui fait sentir aux candidats que l'occasion est aussi exceptionnelle pour lui que pour eux.

– C'est vrai, dit Philip à contrecœur. Eh bien, je dois admettre que Jardine ne peut être pris en faute ici. Pourtant, il y a cinq ans, quand il est devenu évêque, il paraissait vraiment « distrait ». Enfin, je mets cela sur le compte du manque d'expérience. L'année d'après, il était tout à fait différent, en possession de tous ses moyens face aux candidats, très détendu en coulisses, mais tout de même... J'ai entendu dire qu'il peut être dangereux.

– Comment cela?

– Eh bien, on prétend qu'il devient mauvais quand un pasteur veut se marier. Il est obsédé par le fait que des pasteurs ont vu leur carrière ruinée pour avoir épousé des femmes qui ne leur convenaient pas, et s'il pense que telle jeune femme ne fera pas le poids comme épouse de pasteur, il n'hésite pas à le dire. De quoi se poser des questions sur son mariage à lui. Les gens prétendent que Mrs. Jardine est une femme délicieuse mais totalement incompétente et qu'à l'évêché le réel pouvoir est entre les mains de sa dame de compagnie.

– Oui, j'ai entendu parler de cette Miss Christie. Jack Ryder me l'a dépeinte comme une « femme fatale ».

– Détrompe-toi! Elle n'aurait pas tenu dix ans dans la maisonnée d'un évêque si elle n'était pas la décence incarnée!

– Mais elle est attirante, non? N'aurait-il pas été moins risqué d'engager une dame de compagnie qui aurait ressemblé à un boudin?

– Jardine n'est pas le genre d'homme à prendre tous les matins son petit déjeuner en face d'un boudin.

– Philip, dis-je amusé, j'ai nettement l'impression que tu ne l'aimes pas. Est-ce seulement parce qu'il agresse son archevêque en public et démolit les fiancées des pasteurs? Aucune de ces fâcheuses habitudes n'a pu t'affecter personnellement?

– Non, Dieu merci. Mary et moi nous sommes mariés alors qu'il n'était encore que doyen de Radbury! Ce n'est pas que je ne l'aime pas, Charles – il a toujours été charmant envers Mary et moi –, mais je désapprouve sa conduite. Je trouve qu'il est beaucoup trop matérialiste et qu'il a une tendance nouveau-riche très évidente, qu'il aurait dû surmonter d'ailleurs avant de se voir accorder un revenu de plusieurs milliers de livres par an. Je n'oublierai jamais la garden-party qu'il avait organisée pour les pasteurs du diocèse il y a deux ans – en parlant de gaspillage! J'en étais choqué. Je n'arrêtais pas de penser à ce qu'avait dû coûter le buffet et je calculais le nombre de familles démunies qui, dans ma paroisse, auraient pu profiter de tout cet argent.

– Cher Philip! N'es-tu pas un petit peu trop hargneux à l'égard de notre évêque prodigue?

– Peut-être. Et peut-être aussi vis-tu dans une tour d'ivoire, Charles, et ignores-tu ce qui se passe réellement dans le monde. Cela fait combien de temps que tu n'as pas rendu visite à un foyer où le mari est sans emploi depuis la Crise, où la femme est à moitié morte de tuberculose et où les enfants sont rachitiques et pouilleux?

Il y eut un silence.

Finalement, Philip dit rapidement :

– Excuse-moi.

Mais je l'interrompis :

– Je suis parfaitement conscient, crois-moi, du fait que je manque d'expérience en ce qui concerne la vie d'une paroisse.

– Je n'ai toutefois pas voulu dire que...

– Aucune importance.

Il y eut un nouveau silence avant que je n'ajoute :

– Eh bien, je regrette que nous ne puissions nous revoir, Philip. Une prochaine fois peut-être...

– Oui, dit-il, une prochaine fois.

Mais nous savions tous deux que cette « prochaine fois » était loin, très loin.

8

Le lendemain matin, l'archevêque me téléphona pour m'informer que je devais me présenter à l'évêché tôt dans la soirée du mercredi. Jardine s'était déclaré ravi de m'offrir son hospitalité; une réaction que Lang suspectait cyniquement naître d'un sentiment de culpabilité suite au discours belliqueux à la Chambre des Lords.

– ... et je suis certain qu'il vous accueillera chaleureusement, Charles, conclut l'archevêque d'un ton sec.

– S'est-il souvenu de notre rencontre de l'année dernière?

– Et comment! Lorsque j'ai prononcé votre nom, il a dit : « Ah oui, ce jeune chanoine de Cambridge qui pense que le Monde n'a pas commencé avec Adam et Ève, mais avec le concile de Nicée! »

Ainsi Jardine avait-il au moins jeté un œil sur le livre auquel je devais ma réputation dans les cercles théologiques. Lui-même n'avait publié aucun travail de recherche historique; ce qui ne l'avait pas empêché d'écrire des articles incisifs sur les travaux des autres et j'avais été aussi surpris que soulagé lorsque je m'étais rendu compte que mon livre avait échappé à son vitriolage systématique. Comment cela avait-il été possible, je n'en étais pas certain, mais je me disais qu'il devait trouver tout débat sur l'arianisme ennuyeux et qu'il avait dû décider de laisser sa plume au repos.

Ces réflexions à propos des travaux de recherche me rappelèrent que je n'avais toujours pas décidé quel alibi j'allais invoquer pour consulter la bibliothèque de la cathédrale de Starbridge et, conscient de l'importance que mon excuse fût convaincante, je passai un moment à réfléchir sur la question avant d'imaginer un stratagème qui allait me permettre de ne pas mentir. J'avais depuis longtemps l'intention de revoir mes notes de cours sur la pensée médiévale. Je décidai donc que mes étudiants devaient en apprendre davantage sur saint Anselme et, en bon professeur, je me sentais obligé de compulser le manuscrit original de ses *Prières et Méditations* qui se trouvait à Starbridge.

Je me sentis mal à l'aise un moment encore en considérant la duplicité inhérente à cette décision, mais je me ressaisis en me disant qu'il ne pouvait rien m'arriver de mal même si Jardine devait croupir en apostasie. Au contraire, il était certain que Lang me serait reconnaissant de mon aide et que, par conséquent, je sortirais de cette affaire avec un avenir assuré au sein de l'Église.

Chassant mes derniers doutes, je commençai les préparatifs de mon voyage.

9

Ainsi, je revenais enfin à Starbridge; radieux, ravissant Starbridge, immortalisé par des artistes célèbres, photographié par d'innombrables visiteurs et loué par les dépliants touristiques comme la plus belle ville à l'ouest de l'Avon. Depuis ma visite, alors que j'étais encore étudiant, je me souvenais parfaitement des rues médiévales, des parcs regorgeant de fleurs et de la rivière languissante qui s'incurvait autour du tertre sur lequel se dressait la cathédrale qui ne dominait pas seulement la ville, mais aussi toute la vallée. Plus large que celle de Winchester, plus longue que celle de Canterbury, située dans une enceinte plus vaste que le clos de Salisbury, la cathédrale de Starbridge était célèbre pour abriter derrière ses pierres pâles et ses vitraux éclatants les visions médiévales les plus étincelantes.

La ville en elle-même était petite et comme sur trois côtés serpentait la rivière, elle donnait toujours une impression étriquée malgré le récent développement de l'habitat côté est. Elle se blottissait au creux de sa vallée verdoyante comme un bijou dans son écrin, et les pentes douces des collines alentour accentuaient l'impression que le paysage avait été conçu pour montrer la ville sous son jour le meilleur.

Le diocèse était surtout rural mais il comptait le port de Starmouth aux quartiers pauvres et tentaculaires, qui apportait une touche sombre à l'impression première de tranquillité qu'un étranger se faisait de la région. Toutefois, je me dis que Jardine était probablement satisfait de son dernier avancement. Le diocèse était riche, son revenu très au-dessus de la rétribution moyenne d'un évêque. Londres était facilement accessible par le train, ce qui signifiait qu'il pouvait rester en contact étroit avec les organes décisionnaires aussi bien laïques qu'ecclésiastiques, et l'épicospat conférait de droit un siège à la Chambre des Lords – privilège qui n'était pas celui de tous les évêchés; en effet, certains évêques devaient attendre qu'un siège ecclésiastique soit vacant pour pouvoir en disposer. Starbridge n'était ni Canterbury ni York, mais c'était une ville somptueuse et harmonieuse et nul doute que Jardine était jalousé par nombre de ses pairs.

J'avais décidé de venir en voiture; pas la voiture de sport au volant de laquelle je m'étais trouvé immanquablement dès que j'avais rêvé d'avoir une voiture, mais la respectable Baby Austin qui consommait peu et était très maniable une fois passés les virages serrés des rues bondées de Cambridge. Chaque fois que je me laissais aller à rêver d'une voiture de sport, je me rappelais combien j'étais chanceux d'avoir ne serait-ce qu'une Austin. La plupart des membres du clergé n'avaient pas les moyens d'avoir une automobile – que les évêques les plus âgés considéraient toujours comme un démon qui poussait les fidèles hors de leurs paroisses.

La route commençait à sinuer dans les collines tandis que j'approchais de Starbridge, et très vite, au loin, j'aperçus la flèche de la cathédrale. La route vira encore, la flèche disparut mais, au virage suivant, elle fut à nouveau visible, fine et éthérée, symbole grossier de l'aspiration de l'homme à tendre vers l'infini. Tandis que la route continuait à serpenter, j'avais l'impression qu'elle était la parfaite métaphore de l'existence, accordant des aperçus de la transcendance uniquement pour nous pousser à avancer avant que cette transcendance ne puisse être pleinement expérimentée. Mais, finalement, une fois passé le dernier virage, je pus voir la ville entière, en bas, miroitant dans la vallée.

Ce site était très ancien. Les Romains avaient bâti leur cité – Starovinium – sur les ruines d'un campement de la tribu britannique des Starobrigantes dont le nom ancien survivait toujours sur le cadastre et certains documents administratifs. L'évêque qui, par définition, était marié à son diocèse était habilité à utiliser le nom de Staro pour sa correspondance. J'avais d'ailleurs la preuve de cette tradition au fond de ma poche. Jardine en personne m'avait écrit pour me souhaiter la bienvenue à Starbridge.

« Mon cher Ashworth, avait-il écrit d'une main ferme, l'archevêque de Canterbury vient de me faire savoir que vous souhaiteriez effectuer des recherches dans la bibliothèque de la cathédrale et, par la présente, je me permets de vous confirmer que je serais enchanté de vous recevoir à l'évêché du 7 juillet au soir au 10 au matin. Monseigneur l'archevêque a pensé que vous viendriez probablement en voiture, mais si vous deviez voyager par le train, je vous prie d'envoyer un télégramme à mon chapelain, Gerald Harvey, qui fera en sorte que mon chauffeur passe vous prendre à la gare. Monseigneur l'archevêque a également pensé que vous ne souhaiteriez pas rester plus de trois jours, mais si vous deviez prolonger votre visite, j'espère que vous m'assisterez pour la Sainte Communion à la cathédrale, dimanche matin. Dans l'impatience de vous revoir, je vous souhaite, révérend, un excellent voyage et reste votre très dévoué, Adam Alexander Staro. »

Cette visite ne pouvait s'annoncer sous de meilleurs auspices. Ayant descendu la colline, je traversai le lit de la vallée pour finalement entrer dans la ville.

10

Les ruelles médiévales étaient un déconcertant labyrinthe mais la direction de la cathédrale était fléchée et je me retrouvai bientôt devant le portail du Clos. Je stoppai et demandai à l'agent de service de m'indiquer le chemin de l'évêché.

Je repris ma route et, peu de temps après, la cathédrale étalait au-dessus de moi sa virtuosité architecturale écrasante. Elle n'avait subi aucun rajout, aucune modification de mauvais goût. C'était un monument uniforme, non retouché, un hommage à la foi, un symbole du génie du perpendiculaire anglais.

J'empruntai l'avenue Nord, la vaste pelouse de la cathédrale s'étendant sur ma droite. Sur ma gauche, d'anciennes maisons de style dissemblable, et pourtant chacune harmonieuse en soi, servaient de parfaits faire-valoir à la splendeur de la cathédrale. Comme j'obliquais vers l'est, je fus envahi par le sentiment de la fuite du temps, impression qui n'est jamais aussi vivace que dans un lieu où un grand moment du passé est encore visible.

Au bout de l'avenue Est, les grilles de l'évêché étaient grandes ouvertes et, quelques secondes plus tard, je me trouvai face au bâtiment lui-même; un « arrangement » victorien du bâtiment original des Tudor qui, au siècle dernier, avait été détruit par un incendie. La maison de monseigneur Jardine était un chef-d'œuvre de mauvais goût dans le genre faux gothique construit dans les mêmes tons pâles que la cathédrale, mais elle n'était pas dénuée de charme. De douces pelouses et de vieux hêtres bordaient la maison et, au-dessus du porche, les armes de Starbridge étaient sculptées dans la pierre en une tentative courageuse d'unir une coutume médiévale à un caprice victorien.

Après avoir garé ma voiture dans un coin isolé de la cour frontale, je sortis mon sac de voyage et m'arrêtai pour écouter. Des oiseaux chantaient; les feuilles des hêtres brillaient d'un vert éclatant, le ciel était sans nuage; derrière les murs de l'enceinte, la ville aurait pu être à des centaines de kilomètres de là. A nouveau, je fus traversé par la sensation de l'éternité. Je vivais dans l'Angleterre du xxe siècle et pourtant, au même moment, j'avais l'impression de n'être qu'à un pas du passé, un passé qui contenait en germe un avenir attrayant. Alors, soudain, j'oubliai les dures réalités du présent, les horreurs d'Hitler, l'agonie de la guerre civile en Espagne, le désespoir de ceux dont la vie avait été brisée par la Crise. Je n'étais plus conscient que de ma position privilégiée tandis que je m'accordais le loisir de jouir du charme subtil de Starbridge et, après avoir grimpé quatre à quatre les marches qui menaient à la porte d'entrée, je tirai sur la sonnette avec toute l'impatience d'un comédien qui pouvait à peine attendre de faire son entrée en scène.

La porte me fut ouverte par un domestique qui semblait sorti tout droit d'un roman de Trollope – une réplique d'un Mr. Harding, peut-être – et j'entrai dans un hall vaste et sombre. Après quelques meubles d'inspiration gothique de divers degrés de laideur, un escalier somptueux menait à une galerie. Les murs étaient ornés de sombres portraits représentant des gentlemen du xixe siècle en vêtements sacerdotaux.

– Si vous voulez bien me suivre, mon révérend...

Le domestique m'avait déjà pris le sac des mains lorsqu'une femme apparut au fond du hall. Comme il s'arrêtait net, je m'arrêtai derrière lui. Se détachant de l'ombre, la femme s'avança vers nous d'une démarche vive, souple et silencieuse.

– Révérend Ashworth?

Elle me tendit une main fine.

– Bienvenu à Starbridge. Je me présente : Miss Christie, la dame de compagnie de Mrs. Jardine.

Je pris sa main dans la mienne et, instantanément, je sus que j'avais envie d'elle.

II

Je lui assurai d'un ton léger que, d'après moi, d'après ma propre expérience d'un long ministère, l'on pouvait affirmer que, en ce qui concernait l'Église anglicane, la moitié des ecclésiastiques mariés étaient perdus par leurs épouses et l'autre moitié sauvés par elles.

Correspondance de Herbert HENSLEY HENSON, Éd. E. F. Braley.

1

Personne ne m'avait décrit Miss Christie, et l'allusion de Jack à une vierge frigide m'avait imposé l'image d'une grande blonde. Eh bien non, Miss Christie était une femme plutôt petite, d'environ un mètre cinquante-cinq, aux attaches fines, à la taille mince, aux cheveux auburn et aux yeux sombres sous des cils très noirs. Elle avait un visage aux pommettes saillantes, un menton au contour très délicat mais très volontaire et à la bouche subtile qui, mystérieusement, renforçait l'impression diffuse d'un caractère à la fois déterminé et sensuel. Son maquillage était discret; sa jupe grise et son chemisier blanc étaient décents comme il seyait à la dame de compagnie de l'épouse d'un évêque. Je la trouvai attirante au-delà de toute description, et ma première pensée cohérente fut : comment aurait-il pu lui résister? Je compris tout de suite que cette question était beaucoup trop extravagante pour refléter la réalité de la situation. A moins qu'il ne soit un apostat, Jardine n'avait d'autre choix que celui de résister, mais le pouvoir de séduction de Miss Christie était tel que, pour la première fois de ma vie, j'envisageai sérieusement la voie de l'apostasie.

Elle me conduisit à ma chambre. Je m'efforçai d'entretenir une conversation polie tandis que nous gravissions l'escalier, mais je n'arrêtai pas de penser à Jardine, à la lumière de ce que je savais maintenant de Miss Christie. Une fois calmé, j'écartai l'idée saugrenue d'apostasie et je commençai alors à me demander si le penchant qu'avait Jardine à entretenir des relations amicales et platoniques avec de belles femmes n'était pas sa manière à lui de déjouer un penchant qui, lui, n'était pas platonique.

J'abandonnai ces spéculations tandis que Miss Christie me cédait le passage sur le seuil d'une chambre vaste et lumineuse décorée avec d'autres meubles imposants et sombres de l'époque victorienne. La fenêtre donnait sur un jardin qui s'étendait le long de la colline jusqu'à la rivière miroitante et, sur l'autre rive, parmi les boutons d'or, un troupeau de vaches paissait dans les prés. Starbridge s'étendait à l'est de ce bras de rivière tandis qu'à l'ouest s'étageaient des terres cultivées tout le long de la vallée jusqu'aux collines.

– Quelle vue magnifique! m'exclamai-je tandis que le domestique déposait mes bagages et se retirait.

Miss Christie s'était approchée d'un vase posé sur une commode et redonnait sa symétrie au bouquet en redressant une rose rebelle.

– La salle de bains est au fond du couloir, précisa-t-elle, trouvant manifestement mon commentaire sur le paysage trop banal pour mériter ne serait-ce qu'un semblant d'assentiment. Le dîner est servi à huit heures, mais nous nous retrouvons pour l'apéritif dans le salon à partir de sept heures un quart. Le soir, l'eau est chaude à partir de six heures. Je pense que vous avez tout ce qu'il vous faut, révérend Ashworth, mais si, par hasard, il vous manquait quelque chose, n'hésitez pas à utiliser cette sonnette, là, au chevet du lit.

Je la remerciai. Elle m'accorda un sourire rapide et conventionnel et, l'instant d'après, j'étais seul.

Sur la table de chevet, la présence d'une bible rappelait aux visiteurs que, malgré la magnificence du décor, ils se trouvaient dans un intérieur ecclésiastique et, dans un effort pour détourner mes pensées de la tentation de m'égarer dans des voies charnelles, je me mis à en feuilleter les pages en quête d'une citation édifiante. Le hasard ne me délivra que la diatribe d'Ezéchiel contre la prostituée. Tout en pensant à Miss Christie, je parcourus le Nouveau Testament et m'attardai finalement sur le verset : « Car il n'y a rien de ce qui est dissimulé qui ne sera révélé; rien de ce qui est caché qui ne sera connu. »

Cela me parut de bon augure pour un agent secret. Je refermai la Bible. Puis, après avoir visité les toilettes majestueuses, somptueux hommage à la plomberie victorienne, je défis mes bagages, m'assis et pris mon missel pour lire la messe du soir.

2

Lorsque je refermai mon missel, il était six heures et demie. Je me déshabillai, me débarbouillai pour effacer la fatigue de la route et décidai de me raser. Habituellement, je ne me rasais pas deux fois par jour mais aujourd'hui je tenais à apparaître complètement soigné, pas seulement pour impressionner Miss Christie, mais aussi pour en imposer à l'évêque. J'avais le pressentiment que Jardine pouvait nourrir de forts a priori quant à l'obligation pour un ecclésiastique de présenter au monde une apparence impeccable; lui-même était très élégant, très pimpant, ce jour où je l'avais rencontré à Cambridge il y avait huit mois de cela.

Il faisait lourd et la perspective de m'engoncer dans mes vêtements sacerdotaux n'était guère attrayante mais, naturellement, je n'avais d'autre alternative que celle de me martyriser au nom des convenances. Je passai un bon moment devant le miroir pour tenter d'apprivoiser mes cheveux afin qu'ils restent plats. J'avais des cheveux bouclés que je gardais coupés court mais ils avaient des tendances rebelles que l'eau arrivait rarement à dominer longtemps. Néanmoins, je n'utilisais jamais aucune huile capillaire. J'avais toujours l'air d'un épouvantail et je devenais inexplicablement nerveux dès que le miroir reflétait la mauvaise image de moi-même.

Or, ce soir-là, je trouvai mon reflet plutôt rassurant. Point d'épouvantail, point de personnage louche sorti tout droit d'un roman à scandale, mais un homme d'Église de trente-sept ans qui paraissait plus jeune. La pratique du squash et du tennis avait arrêté une tendance à prendre du poids après le cap des vingt ans, et bien qu'un peu trop amateur de bonne chère et plus qu'un peu trop amateur de bon vin, mon aspect physique prouvait que je dominais parfaitement ces petites faiblesses. Je ne voyais pas de double menton, pas de poches sous les yeux, aucune ride révélatrice aux contours de ma bouche. Je ressemblais à l'homme que je voulais être et le reflet que me renvoyait le miroir semblait irréprochable tandis que je m'examinais dans la lumière dorée du soir.

Un coup d'œil à ma montre m'avertit que le moment était venu pour moi de descendre. Sur la scène de Starbridge, l'heure du lever de rideau allait sonner et, quittant ma chambre, je me dirigeai vers les coulisses pour y attendre le moment de faire mon entrée en scène.

3

Je n'eus aucune difficulté à trouver le salon. Tout en descendant l'escalier, je pouvais entendre des murmures provenant d'une porte ouverte de l'autre côté du hall. Une femme fit entendre un rire charmant tandis qu'un homme protestait :

— Non, je suis sérieux! J'ai toujours trouvé que *Peter Pan* était une histoire sinistre!

J'en conclus que la conversation en était arrivée à l'évocation de la mort récente de Sir James Barrie.

— Mais enfin, Henry, il est tout bonnement impossible de qualifier cette petite fantaisie de sinistre!

— Et pourquoi pas? Le capitaine Crochet me fait penser à Mussolini.

– Vous voyez Mussolini partout. Oh, j'aimerais tant que vous oubliiez un peu l'Abyssinie et que vous regardiez du côté ensoleillé pour changer – après tout, voyez comme nous nous en sommes bien sortis! Nous avons survécu à la guerre, à la Crise et à l'Abdication – et voilà maintenant que ce cher Mr. Chamberlain fait de son mieux pour faire du pays une version géante de Birmingham avec ce pragmatisme qui lui est si divinement personnel. Je suis sûre que nous voilà partis pour un avenir en rose!

– Ceci m'a tout l'air d'être une autre fantaisie à la Barrie. Je ne m'étonne plus que vous aimiez *Peter Pan*, ma chère.

J'entrai dans la pièce.

Miss Christie fut la première personne que je vis. Elle se tenait debout près de la porte-fenêtre et avait l'air terriblement distant. Par contre, les trois autres occupants de la pièce respiraient cette tranquille camaraderie qui s'installe entre des personnes qui ont pu longtemps jouir d'une amitié simple. Près de la cheminée se tenait un homme assez âgé au visage franc et doux avec cet air de confiance en soi que seule donne une existence passée dans des milieux privilégiés. Il sirotait un martini. Perchée sur l'accoudoir d'un canapé, une belle femme réchauffait dans sa main un verre de martini et, assise derrière elle, une femme petite, jolie et potelée, aux cheveux grisonnants, vêtue d'une somptueuse robe du soir bleu lavande, choisissait un craquelin sur un plateau d'argent posé à côté d'elle.

Tout le monde tourna la tête à mon entrée. Tout de suite, Miss Christie s'avança pour faire les présentations, mais elle était à l'autre bout de la pièce et la petite femme jolie et potelée la devança :

– Révérend Ashworth! s'exclama-t-elle en m'adressant un large sourire, quel plaisir de vous voir! J'espère que votre trajet en voiture n'a pas été trop pénible mais ce beau temps a dû faciliter les choses. Ne trouvez-vous pas qu'il fait merveilleusement beau? Tout ce soleil est tellement bon pour le jardin.

Je n'avais pas besoin que l'on me précise que celle qui m'avait adressé la parole n'était autre que mon hôtesse.

– Comment allez-vous, Mrs. Jardine, lui dis-je en souriant tandis que je prenais sa main dans la mienne. C'est très gentil à vous de m'offrir votre hospitalité.

– Mais je vous en prie. Et c'est formidable pour Alex d'avoir quelqu'un d'intelligent à qui parler. Permettez-moi de vous présenter Miss Christie, mais vous l'avez déjà vue, c'est vrai. Et voici – elle se tourna vers le couple qui discutait tout à l'heure – Lord et Lady Starmouth, qui ont toujours été si gentils avec nous, même lorsque Alex n'était encore que pasteur de Sainte-Mary à Mayfair. Ils ont une maison tellement délicieuse, Curzon Street, et Alex y séjourne lorsqu'il est obligé d'aller en ville pour les sessions de la Chambre des Lords. Oh, mon Dieu, je ne devrais peut-être pas parler de la Chambre des Lords, surtout si vous êtes un ami de l'archevêque – Lyle, aurais-je mis les pieds dans le plat?

– Le révérend Ashworth, répondit Miss Christie, est probablement en train de se dire combien ce doit être agréable pour monseigneur l'évêque de séjourner chez des amis quand il est en ville.

En fait, j'étais en train de me dire que la belle comtesse de Starmouth pourrait bien être une des « gentes dames » de Jardine, fidèlement escortée par un de ces hommes que Jack avait qualifiés de « vieux époux ennuyeux ». Pourtant, ces épithètes des moins flatteuses ne rendaient pas justice au comte de Starmouth qui, bien qu'ayant passé le cap des soixante-dix ans, avait l'air suffisamment alerte pour pouvoir être drôle. C'était peut-être Lady Starmouth qui le maintenait jeune; j'estimai qu'elle avait au moins vingt ans de moins que lui.

– Ma femme collectionne les ecclésiastiques, me prévint Lord Starmouth en me serrant la main. Vous ferez bientôt partie de sa collection si vous ne faites pas attention.

– C'est vrai, j'adore les ecclésiastiques, approuva son épouse avec cette franchise toute aristocratique qui ne manque jamais d'embarrasser les membres plus réservés de la petite bourgeoisie. C'est à cause de vos cols, évidemment. Ils rendent un homme si délicieusement interdit.

– Que puis-je vous offrir à boire, révérend Ashworth? me demanda Miss Christie.

– Un Sherry sec, s'il vous plaît.

Aucun ecclésiastique ambitieux ne buvait de cocktails à un dîner à l'évêché.

Un jeune homme en soutane fit irruption dans la pièce et marmonna :

– Zut! Pas d'évêque.

Et il disparut.

– Le pauvre Gerald, dit Mrs. Jardine. Parfois, je me demande si nous avons eu raison de faire installer le téléphone. C'est tellement pénible pour le chapelain quand des gens appellent à des heures indues... Tiens, voilà Willy! Permettez-moi de vous présenter mon frère, révérend Ashworth.

Je fus présenté à un certain colonel Cobden-Smith, un homme robuste d'une soixantaine d'années au teint frais, aux cheveux blancs et à l'expression enfantine. Il était accompagné de son épouse, une femme sèche et énergique qui me fit penser à un lévrier. Ils étaient suivis d'un énorme saint-bernard qui traversa majestueusement la pièce et sortit rafraîchir les plates-bandes.

– Je ne connais rien à la théologie, me dit Mrs. Cobden-Smith en guise d'entrée en matière, dès que nous eûmes été présentés. C'est ce que je dis toujours à Alex : je ne connais rien à la théologie et je ne veux rien en connaître de toute façon. En ce qui me concerne, Dieu est Dieu, l'Église est l'Église et la Bible est la Bible, et je n'arrive pas à comprendre pourquoi il y a tant de disputes autour de tout cela.

– Drôle de boulot, la religion, observa son époux, proférant cette remarque d'un goût douteux avec une ingénuité teintée d'admiration qui faisait qu'aucun ecclésiastique n'aurait pu la trouver offensante; et il se mit à parler d'un moine bouddhiste qu'il avait connu aux Indes.

Le jeune chapelain fit à nouveau irruption dans la pièce.

– Excusez-moi encore, Mrs. Jardine, mais vous connaissez l'archidiacre quand il téléphone complètement affolé.

On me présenta Gerald Harvey. C'était un jeune homme d'une vingtaine d'années, de taille moyenne, portant lunettes, qui avait toujours l'air à bout de souffle et je me demandai si l'évêque de Starbridge avait pour habitude de mettre son chapelain dans cet état d'égarement.

– ... et j'ai entendu parler de votre livre, cela va de soi, me disait-il, mais j'avoue ne pas l'avoir lu. Toutes ces vieilles querelles autour de la Sainte-Trinité me donnent ni plus ni moins envie de mettre ma soutane au clou et de m'engager dans la Légion étrangère – oh, mon Dieu, on sonne à la porte et l'évêque qui n'est toujours pas descendu! Il vaut mieux que j'aille voir s'il n'y a pas de problèmes.

Et, de nouveau, il disparut. J'étais surpris que Jardine ait choisi un chapelain si direct, si simple et si peu intellectuel, mais avant que je puisse spéculer sur l'existence de qualités tangibles chez Harvey qui l'auraient qualifié pour son poste, le domestique annonça Mr. et Mrs. Frank Jennings. Jennings, je devais le découvrir très vite, venait d'être engagé au collège du Domaine pour y enseigner la théologie. Son apparence était insignifiante. Par contre, son épouse était jeune, blonde et jolie. Me remémorant les insinuations de Jack, je me demandais dans dans quelle mesure ce n'était pas le physique de la femme qui justifiait l'invitation du couple.

– J'ai trouvé votre ouvrage des plus stimulants, me dit Jennings fort aimablement; mais avant qu'il ne puisse continuer, sa femme s'exclama :

– Juste ciel, Frank, regarde, quel gros chien!

– Alex avait un chien autrefois, intervint la petite Mrs. Jardine tandis que le saint-bernard opérait un retour majestueux dans la pièce. Il l'avait appelé Rhétorique. Mais nous vivions à Londres à ce moment-là et la pauvre petite Rhéto s'est fait écraser par une de ces vulgaires Rolls-Royce. Et vraiment, depuis, j'aime beaucoup moins les automobiles. Avez-vous un chien, révérend Ashworth?

– Non, Mrs. Jardine.

– Avez-vous une femme, révérend Ashworth? demanda Lady Starmouth, m'enrobant d'un regard amical de ses beaux yeux sombres.

J'eus fortement conscience que Miss Christie suspendit son geste au moment où elle allait servir deux verres de Sherry pour les nouveaux venus.

– Je suis veuf, Lady Starmouth, répondis-je.

– Tous les hommes d'Église devraient être mariés, dit la dictatoriale Mrs. Cobden-Smith, tendant une poignée de craquelins à son chien. Il paraît que l'Église catholique a des problèmes épouvantables avec ses prêtres célibataires.

– Il paraît que l'Église anglicane a des problèmes épouvantables avec ses pasteurs mariés, trancha depuis la porte une voix forte dont je me souvenais parfaitement, et, comme nous nous tournions tous pour lui faire face, l'évêque de Starbridge fit une entrée remarquée dans son salon.

4

Jardine était de taille moyenne, mince et bien proportionné; ses cheveux bruns grisonnaient sur les tempes et ses yeux marron clair avaient presque la couleur de l'ambre. C'était, de loin, sa caractéristique physique la plus frappante. Lors des sermons, ils pouvaient prendre une expression douce et hypnotique; une particularité dont Jardine usait modérément mais avec efficacité pour augmenter la force de son formidable talent de prédicateur. Sa démarche rapide et décidée révélait une énergie puissante et évoquait une intelligence vive et sans repos. Contrairement à la plupart des évêques, il portait ses guêtres avec ostentation, comme s'il avait conscience d'arborer le symbole du triomphe par-dessus l'archaïque tenue épiscopale et, lorsqu'il entra dans la pièce, il irradiait cette assurance que ses ennemis qualifiaient de prétention et ses admirateurs de jovialité.

– Que personne ne s'inquiète, dit-il en souriant après sa première remarque qui avait capté notre attention. Je ne suis pas sur le point de me séparer de Rome, mais je ne peux jamais résister au plaisir de contredire les assertions scandaleusement dogmatiques de ma chère belle-sœur... Bonsoir, révérend Ashworth, je suis ravi de vous revoir. Bonsoir Jennings – allons, Mrs. Jennings, vous n'avez aucune raison d'être intimidée. Si, parfois, je suis un dragon, je puis être aussi doux qu'un agneau en compagnie de jolies femmes, n'est-ce pas, Lady Starmouth?

– Aussi doux qu'un tigre, répliqua la comtesse d'un air amusé.

– Nous avons connu quelques bons safaris aux Indes, dit le colonel. Ça me rappelle...

– Un jour, j'ai vu un tigre, dans un zoo, intervint Mrs. Jardine. Il était tellement mignon. Je suis sûre qu'il aurait été bien plus heureux en liberté.

– N'importe quoi! trancha l'évêque tout en prenant le verre de Sherry que Mrs. Christie lui tendait. Si ce malheureux animal avait été dans son élément naturel, votre frère aurait surgi et l'aurait abattu. Êtes-vous arrivé à temps pour l'office du soir, révérend Ashworth?

– Malheureusement non. La circulation aux alentours de Londres...

– Inutile de vous justifier, je ne distribue pas de mauvaises notes en cas d'absence. Alors, Mrs. Jennings, venez vous asseoir et racontez-moi tout. Avez-vous déjà réussi à trouver une maison?

Tandis que son épouse était accaparée par l'évêque, Jennings se mit à me raconter sa quête difficile d'une propriété dans la région. De temps à autre, je glissais un mot de compassion mais, la plus grande partie du temps, je sirotais mon Sherry en silence, tendant l'oreille vers les autres conversations tout en lançant de furtifs regards en direction de Miss Christie.

Tout à coup, Lady Starmouth entra dans mon champ visuel.

– Je crois que vous devez être le plus jeune chanoine que j'aie jamais rencontré, révérend Ashworth! L'Église se déciderait-elle enfin à penser qu'il n'est pas criminel d'avoir moins de quarante ans?

– C'est en forgeant qu'on devient forgeron, Lady Starmouth. Lorsque, au XVIIIe siècle, monseigneur Laud fonda le collège de Laud et la cathédrale de Cambridge, il stipula que le collège devait engager un docteur en théologie pour enseigner cette spécialité et se comporter comme tout chanoine résidant à la cathédrale.

Je pris soudain conscience que Miss Christie avait le regard fixé sur moi mais, lorsque mes yeux rencontrèrent les siens, elle détourna la tête. Je continuai à la regarder tandis qu'elle s'emparait de la carafe de Sherry, mais le colonel Cobden-Smith la coinça avant qu'elle n'ait eu le temps de refaire le service.

– ... et j'ai entendu dire que vous aviez été chapelain pour monseigneur Lang, continuait Lady Starmouth. Comment l'avez-vous connu?

A regret, je détournai les yeux de Miss Christie.

– C'est lui qui avait remis les prix lors de ma dernière année scolaire.

– Où vous étiez chef de classe, évidemment, dit Jardine du fond du canapé à côté.

– Eh bien oui, vous tombez pile, rétorquai-je, surpris. Oui, c'est exact.

– Quelle intuition, Alex! s'exclama Mrs. Jardine. Comment as-tu fait pour deviner que le révérend Ashworth avait été chef de classe?

– Aucun étudiant ne retiendrait l'attention de Sa Seigneurie, à moins qu'il n'ait des chances de devenir une publicité ambulante pour une chrétienté musclée.

– C'est comme ça que je la préfère, dit Lady Starmouth : musclée.

– Si la chrétienté était un tant soit peu plus musclée, le monde ne serait pas dans un tel désordre, dit Mrs. Cobden-Smith, directe.

– Si la chrétienté était un tant soit peu plus musclée, ce ne serait plus la chrétienté, rétorqua l'évêque, montrant une fois de plus le penchant qu'il avait à contredire systématiquement sa belle-sœur. Le Sermon sur la Montagne n'était pas un cours d'haltérophilie.

– La chrétienté musclée... Qu'est-ce que c'est exactement? s'enquit Mrs. Jardine. Ça m'a un peu échappé. Seraient-ce des associations de pasteurs jeunes et séduisants comme vous, révérend Ashworth?

– Que les anges et les créatures célestes nous viennent en aide! s'exclama l'évêque en levant les yeux au ciel sur cette citation de *Hamlet*.

– Quelqu'un voudrait-il un verre de Sherry? demanda Miss Christie, échappant enfin au colonel Cobden-Smith.

– Le dîner est servi, monseigneur, annonça la voix sépulcrale du maître d'hôtel depuis la porte.

5

La salle à manger était aussi vaste que le salon et donnait, elle aussi, sur le jardin et la rivière. Je me demandai s'il était d'usage que les messieurs « accompagnent les dames » à la table, mais Mrs. Jardine ne donna aucune directive et, tandis que nous nous dirigions vers la salle à manger de façon tout à fait informelle, j'espérais pouvoir être assis près de Miss Christie. Mais des cartons avaient été installés et un rapide coup d'œil ne tarda pas à me faire perdre mes illusions. L'évêque avait pris soin de prendre pour voisines ses deux gentes dames, Lady Starmouth et Mrs. Jennings; j'étais également assis aux côtés de Lady Starmouth et flanqué, à ma droite, par l'impressionnante Mrs. Cobden-Smith qui avait Frank Jennings pour autre voisin de table. Gerald Harvey avait pris place entre Jennings et Mrs. Jardine qui était assise en bout de table. En face de moi, aux côtés de Mrs. Jardine, se trouvait Lord Starmouth avec à sa gauche Miss Christie qui, une fois de plus, se trouvait piégée par le colonel Cobden-Smith qui avait hérité de la place entre elle et sa sœur, Mrs. Jardine. Le saint-bernard, se comportant de manière irréprochable, opta pour une place stratégique sur le tapis, devant la cheminée, où il s'endormit.

Une fois que l'évêque eut dit le bénédicité, nous commençâmes par une soupe au céleri trop liquide qui fut rachetée ultérieurement par une truite puis par un gigot d'agneau, le tout accompagné d'un délicieux bordeaux. Je faillis demander à l'évêque le millésime de ce vin, mais je me dis qu'il pensait peut-être que, dans les cercles religieux, un intérêt prononcé pour le vin n'était tolérable que chez les évêques, les archidiacres et les chanoines de plus de soixante ans. Grâce à un effort de volonté surhumain, je réussis à ne boire que deux verres et pris conscience que Jardine remarquait que j'en refusais un troisième.

– Passerez-vous à côté pour le porto, après dîner, révérend?

– Du porto, monseigneur, mais quelle aubaine! m'exclamai-je en affectant une surprise candide.

Le dîner battait son plein, chacun parlant de manière de plus en plus animée au fur et à mesure que le bordeaux faisait son effet. Mrs. Cobden-Smith me posa des questions sur mon éducation et, une fois établis les contours exacts de ma condition sociale, elle fut suffisamment rassurée pour me faire part de certaines de ses opinions qui allaient de la futilité d'installer des salles de bains dans les habitations de la classe ouvrière à la folie d'entendre les Indiens réclamer leur indépendance. Lorsque je réussis enfin à échapper à Mrs. Cobden-Smith, ce fut pour tomber dans les griffes de Lady Starmouth et je devins la victime d'une inquisition beaucoup plus subtile. C'est ma femme qui intéressait Lady Starmouth, mais comme je ne répondais que très vaguement à ses questions indirectes, elle décida de sonder mon opinion sur un sujet d'actualité concernant la vie maritale; elle me demanda ce que je pensais du fameux projet de loi sur le divorce de A.P. Herbert, celui qui avait provoqué l'attaque de Jardine contre Lang à la Chambre des Lords.

J'avais toujours en tête tout ce dont j'étais redevable à l'archevêque. Je répondis poliment :

– J'ai bien peur de désapprouver le fait que le divorce soit facilité, Lady Starmouth.

– Cher révérend Ashworth, vous me surprenez! J'aurais cru que vous aviez des vues plus libérales et plus modernes.

– Pas s'il est le disciple de l'archevêque, dit notre hôte, interrompant sa conversation avec Mrs. Jennings.

– Je ne suis le disciple de personne sauf de moi-même, répondis-je, piqué au vif.

Je me sentais à la fois déconcerté et agacé de voir qu'il avait pu percer à jour ma prise de position respectueusement conservatrice.

– Bien dit! lança Lady Starmouth.

– Mais approuvez-vous le divorce en soi, révérend? demanda Lord Starmouth avec intérêt.

Cette question me plongeait au cœur d'un nouveau dilemme. Si je voulais être entièrement loyal. vis-à-vis de Lang qui, sur la question du divorce, suivait l'enseignement de l'Évangile selon saint Marc, j'allais devoir dire que je pensais que le mariage était une institution indestructible, mais j'étais maintenant impatient de prouver à Jardine que je n'étais pas un simple écho de l'archevêque. Toutefois, une certaine loyauté envers Lang était indispensable; je pouvais difficilement me rallier aux idées extrémistes et discutables de Jardine. Diplomatiquement, j'optai pour une prise de position centriste et renonçai à saint Marc au profit de saint Matthieu.

– Pour moi, répondis-je, l'adultère doit être un motif de divorce – aussi bien pour l'homme que pour la femme, comme l'a dit Notre Seigneur.

– Donc, vous désapprouvez les autres clauses de la loi de A. P. Herbert? demanda Jennings, se joignant tardivement à la conversation et manifestant un désir d'académicien de clarifier un problème nébuleux. Vous ne pensez pas que les motifs de divorce doivent être élargis et inclure la cruauté, la folie et l'abandon du domicile conjugal?

– Non.

– Autrement dit, explosa Jardine, incapable de rester silencieux plus longtemps, ses yeux d'ambre éclairés par la perspective d'une discussion, si j'ai bien compris, révérend Ashworth, vous approuveriez le divorce si un homme passait dix minutes dans une chambre d'hôtel en compagnie d'une inconnue, mais vous seriez hostile au divorce dans le cas d'une femme dont l'époux lui fait subir les pires sévices depuis des années.

– Dans un tel cas, je n'exclus pas la solution d'une séparation de corps.

– En d'autres termes, vous condamneriez cette femme à un état de solitude misérable, à l'impossibilité d'un remariage! Et tout cela parce que vous et les autres membres du clergé qui définissez les orientations de l'Église vous acharnez à vous accrocher à une interprétation fallacieuse de la parole de Notre Seigneur transcrite dans les Évangiles synoptiques.

– Je...

– Vous ne voulez tout de même pas me faire croire que vous songez sérieusement que Notre Seigneur parlait du divorce en juriste?

– Je pense que Notre Seigneur disait ce qu'il pensait juste!

J'avais conscience que, dans la pièce, toutes les autres conversations avaient cessé; même les domestiques étaient comme pétrifiés près du buffet.

– Peut-être, mais il ne s'exprimait pas en termes juridiques, dit Jardine sèchement, il ne prétendait pas être un autre Moïse, le législateur suprême. Il était un principe de vie, pas une incarnation du code pénal!

– Oui, vous avez raison, il était un principe de vie, répondis-je, et il était l'incarnation de ce que devait être la vie véritable pour l'homme – il a clarifié les principes de la juste action humaine et je pense que nous ne tenons pas assez compte de son enseignement, à nos risques et périls, monseigneur!

– Mais quelle est exactement la nature de son enseignement sur la question du divorce? demanda Jardine, ouvrant une brèche dans mon argumentation. Les Évangiles ne s'accordent pas sur ce point! Il me semble me souvenir que la clause autorisant le divorce en cas d'adultère a été insérée dans l'Évangile selon saint Matthieu pour essayer de rectifier l'interprétation juridique de l'Église primitive qui avait complètement méconnu la parole du Christ.

– Ça, c'est la théorie de Brunner, mais Brunner est connu pour avoir remodelé la chrétienté afin de l'adapter au xxe siècle...

– Brunner *réinterprétant* la chrétienté *à la lumière* du xxe siècle, où est le mal à ça? Chaque génération doit réinterpréter la chrétienté...

– Monseigneur, seriez-vous en train de nous dire que A. P. Herbert a licence de réécrire saint Matthieu?

– ... et l'un des aspects les plus frappants de la chrétienté est que le Christ a prêché la pitié et le pardon, et non pas une inflexible dureté de cœur. Combien de temps avez-vous été marié, révérend Ashworth?

– Trois ans. Mais...

– Et durant ces trois années, poursuivit Jardine, n'avez-vous jamais songé à ce que pouvait être la vie maritale pour certains, moins chanceux que vous-même?

– Cela n'a absolument aucun rapport avec l'aspect théologique de notre conversation!

– Vous étiez heureux en ménage, je suppose?

– Oui, je l'étais – et c'est précisément la raison pour laquelle je suis contre le fait d'avilir l'institution du mariage par une série de mesures opportunistes sur le divorce qui dépassent, et de loin, l'enseignement du Christ!

– Ce sont les gens et non les lois qui avilissent le mariage – ces gens qui sont prêts à maintenir un couple uni dans des circonstances qui auraient arraché des larmes à Notre Seigneur! Dites-moi, depuis combien de temps êtes-vous veuf? La solitude doit être un état difficile à supporter pour vous qui considérez le mariage comme un état idéal!

J'hésitai. A ce point de la discussion, j'étais très profondément bouleversé. Je sentais que je perdais non seulement la conduite de l'entretien, mais aussi mon équilibre intérieur; équilibre que je devais sauvegarder si je voulais être celui que j'avais décidé d'être; je savais que je devais aller jusqu'au bout de la conversation, mais je ne voyais pas comment y parvenir sans perdre la face.

– Eh bien? insista Jardine. Pourquoi ce long silence? Permettez-moi de vous reposer ma question : depuis combien de temps êtes-vous veuf?

Je voyais le piège qu'il me tendait afin de mettre à jour mon hypocrisie, mais je voyais aussi qu'il n'y avait aucune issue. L'orgueil mêlé à la prudence m'empêchèrent d'improviser un mensonge et, méfiant, je finis par répondre :

– Sept ans.

Les yeux de Jardine s'agrandirent tandis que je lui donnais la réponse qu'il attendait. J'eus la sensation que mon âme avait été radiographiée. J'eus un haut-le-cœur.

– Vous m'étonnez, révérend Ashworth! Vous parlez de l'institution du mariage d'un ton si moralisateur et pourtant vous ne semblez guère éprouver le désir de vous remarier! Serait-ce à cause d'un engouement tardif pour le célibat? Ou peut-être n'êtes-vous pas si étranger que cela aux déboires conjugaux?

Le filet dans lequel il m'avait pris était si serré que je n'avais d'autre choix que de m'emparer du couteau le plus tranchant que j'avais à ma disposition pour me libérer.

– Je ne suis certainement pas étranger aux drames conjugaux, répondis-je. Mon épouse a été tuée dans un accident de voiture alors qu'elle attendait notre premier bébé, et je me dis souvent que je ne me remettrai jamais de cette perte.

Il y eut un long silence. Le regard de Jardine s'assombrit et, l'espace d'une seconde, je vis de la douleur traverser son visage comme si un souvenir lui revenait en mémoire. Autour de la table, personne ne bronchait. L'atmosphère, soudain, semblait suffocante.

Finalement, ce fut Jardine qui parla :

– Je suis vraiment navré, révérend Ashworth. Personnellement, je n'ai pas connu la douleur de perdre une épouse, mais par contre, je sais ce que représente la perte d'un enfant. Pardonnez-moi de m'être ingéré de manière si intolérable dans ce qui doit être une souffrance très profonde et très personnelle.

Je me sentais si honteux que j'étais incapable de répondre. Jardine n'avait peut-être pas réussi à me faire passer pour un hypocrite aux yeux de ses invités mais comme un hypocrite à mes propres yeux, et je savais pertinemment que, pour pouvoir préserver mon masque d'emprunt, j'avais, me trouvant au pied du mur, choisi le moyen le plus facile.

J'étais toujours occupé à me redonner une contenance lorsque, quelques secondes plus tard, ces dames se retirèrent et le colonel Cobden-Smith annonça son intention de gagner le fumoir. Lord Starmouth offrit de l'accompagner et, après s'être chacun servi un verre de porto, ils quittèrent la pièce, en quête de tranquillité après l'échange houleux qui avait agité le dîner.

– J'ai une telle aversion pour la cigarette, expliqua Jardine à Jennings tandis que la porte se refermait sur le dernier domestique, que je tiens à ce que fumer soit une activité qui reste confinée dans une seule pièce de la maison.

Il se tourna vers moi et me demanda avec une courtoisie circonspecte :

– Mais peut-être préféreriez-vous rejoindre le colonel et Lord Starmouth, révérend. Vous fumez?

– Oui, mais uniquement lorsque je suis en civil.

Ma voix résonna de manière étonnamment désinvolte.

– Admirable. Et vous, Jennings?

– Non, monseigneur, je ne fume pas.

– De plus en plus admirable. Jennings, vous pouvez m'appeler « monsieur l'évêque », laissez le « monseigneur » aux domestiques, je vous en prie. Je trouve que les évêques ont suffisamment la folie des grandeurs comme cela sans, qu'en plus, on s'adresse à eux comme s'ils étaient nés pour la pourpre... Eh bien, messieurs, vous venez de me voir sous mon pire aspect; il me faut maintenant faire tout mon possible pour me montrer sous mon jour le meilleur. Révérend Ashworth – il me tendit la carafe –, je vous supplie de vous servir le plus grand verre de porto imaginable et de me parler de votre nouveau livre. Monseigneur l'archevêque m'a bien marmonné quelque chose à propos de la chrétienté du IVe siècle et de saint Anselme, mais comme je ne vois pas vraiment le rapport entre les deux sujets, j'avoue que je suis perplexe. Ou peut-être espérez-vous prouver que les graines de la preuve ontologique ont été semées lors du concile de Nicée?

Et il me gratifia de son plus aimable sourire.

Je lui souris en retour afin de bien lui prouver que je partageais ses intentions de restaurer une atmosphère de convivialité, et je commençai à exposer mon idée de revoir mes cours mais ce fut Jennings et non Jardine qui me parla de saint Anselme. Le chapelain glissa une remarque à propos de la bibliothèque de la cathédrale mais sombra vite dans le silence comme la conversation dégénérait dans un débat académique des plus assommants autour de la théologie de saint Anselme.

Soudain, je dis à Jardine :

– Excusez-nous, nous devons être terriblement ennuyeux.

– Pas le moins du monde.

Il but une gorgée de porto.

– J'étais simplement en train de me demander pourquoi vous tourniez le dos au présent pour vous enterrer dans le passé. Mais peut-être l'histoire de l'Église actuelle vous impliquerait-elle dans la politique de l'Église actuelle, domaine qu'il vaut mieux éviter si vos idées risquent de déplaire à ceux qui sont au pouvoir.

Je compris que cette déclaration subtile et menaçante n'était pas une attaque mais une investigation; il me tendait une perche pour que je dise que ma carrière n'avait pas été menée par la forme la plus malsaine de l'ambition, et je rétorquai immédiatement :

– Il se trouve que l'arianisme et le modalisme me stimulent davantage que les théories d'Oxford.

Jardine saisit l'allusion à l'anglo-catholicisme au vol :

– Cela indique-t-il une certaine ambivalence de votre part par rapport au parti de la Haute Église [1] ?

Il m'invitait à me dissocier de Lang et, tout à coup, je compris qu'une fois de plus il décèlerait toute profession de foi qui ne serait pas entièrement sincère.

– J'avais des sympathies pour l'anglo-catholicisme lorsque je reçus l'ordination, répondis-je dans une maladroite tentative d'évasion.

– Moi aussi – cela doit vous surprendre, n'est-ce pas? Mais, aujourd'hui, je comprends que ce n'était qu'un moyen de rejeter mes dispositions anticonformistes.

Il se tourna soudain vers son chapelain.

– Gerald, j'ai promis à Mr. Jennings de lui prêter ce livre de Brunner, *Le Médiateur*. Conduisez-le à la bibliothèque et trouvez-lui cet ouvrage.

Cela nous débarrassait de la présence de Jennings et de Harvey. J'étais enfin en tête à tête avec l'évêque et, avant même que la porte ne se referme, je ne pus m'empêcher de dire :

– Je commence à croire que vous devinez tout.

– Je fais de mon mieux. Parfois, je me dis que je connais la vie à la manière d'un musicien qui posséderait une oreille parfaite. J'ai une oreille presque infaillible pour détecter les fausses notes dans une conversation.

– Durant notre discussion...

– Durant notre discussion, vous avez tenté de dissimuler que vos idées personnelles sur le divorce étaient différentes de celles que vous professez en public. Oui. Je l'ai vu. Et c'est la raison pour laquelle je n'ai pu résister à la tentation de démolir votre argumentation, mais je reste néanmoins sincèrement navré que la discussion ait si mal tourné.

– Aucune importance. Ma dissimulation n'a eu que ce qu'elle méritait. Désolé de m'en être tiré par un moyen si facile.

---

1. *High Church*, par opposition à *Low Church (N.d.T.)*.

Notre conversation actuelle était si éloignée de tout ce que j'aurais pu imaginer que j'étais incapable de l'alimenter. Me dirigeant vers la cheminée, mon verre de porto à la main, je prétendis vouloir examiner les sculptures du chambranle.

– Voilà, par contre, une échappatoire parfaitement bien trouvée, dit Jardine. Révérend Ashworth, vous commencez à m'intéresser au plus haut point.

Je lui tournais le dos, mais je l'entendis qui se servait un autre verre.

– J'ai d'abord été tenté de vous mettre dans le même sac que la plupart des brillants émules de Lang, me dit-il, mais la vérité est plus complexe que cela, n'est-ce pas? Vous trouvez maintenant que le masque imposé par la flatterie n'est plus facile à porter.

Je vidai mon verre avant de répondre :

– Lang est quelqu'un à qui je dois beaucoup.

– Oui, évidemment. Les hommes de pouvoir ont le chic pour se forger un très large crédit, mais quand on est en position de force, dit Jardine en venant vers moi la carafe à la main, on doit toujours faire particulièrement attention à ne pas mettre en faillite nos débiteurs en exigeant d'eux des remboursements exagérés. Un peu de porto?

– Oui, merci.

Je tendis mon verre sans trembler.

– Me permettez-vous de vous donner un conseil? Votre premier devoir, dette ou pas dette, n'est pas envers l'archevêque de Canterbury. Vous êtes l'obligé de Dieu qui vous a créé unique, à Son image, et non pas à celle de Lang. Soyez vous-même, révérend Ashworth, soyez l'homme que Dieu a voulu que vous soyez et non pas le flatteur que l'orgueil de monseigneur l'archevêque voudrait que vous soyez. Et maintenant, poursuivit Jardine après avoir rempli mon verre, je vais arrêter là mon sermon et nous allons nous distraire un peu avant de rejoindre ces dames, en examinant un problème qui est pour moi plus passionnant que les méditations de ce bon vieux saint Anselme. Je veux parler de la quête du Christ historique – pensez-vous que nous pourrons, un jour, percevoir, au-delà de la belle apparence donnée par les Évangiles, l'homme qu'il a réellement été?

– Je pense qu'il serait vain de chercher au-delà de ces images signifiantes, lui répondis-je, et, avec tout le respect que je vous dois, il me semble que votre génération se préoccupe un peu trop de l'humanité du Christ aux dépens de sa divinité.

Jardine eut un sourire.

– Vous pensez donc qu'en nous en tenant au concept de l'immanence de Dieu chez l'homme, nous avons fini par Le perdre de vue et par suivre l'homme, représenté par le Christ, dans une impasse historique.

– Absolument. En ce qui me concerne, les doctrines modernes qui soutiennent la transcendance de Dieu et l'importance de l'Apocalypse m'intéressent davantage et je pense que nous devons nous en tenir au message délivré par le Christ et non à l'image incertaine derrière l'image signifiante, dis-je avec fermeté, et, me servant avec grand soulagement du discours universitaire comme échappatoire, je me lançai dans l'évocation des œuvres de Karl Barth.

6

A notre retour au salon, Jardine annonça :
– Je suis heureux de pouvoir vous dire que le révérend Ashworth et moi-même avons tout à fait aplani nos divergences et qu'en conséquence, nul n'a plus besoin de se sentir gêné par notre altercation... Lady Starmouth, venez donc faire un tour avec moi sur la terrasse.
– Un café, révérend Ashworth? me demanda Miss Christie.
– Oui. Merci.
J'eus à peine le temps d'équisser un pas vers elle que je fus intercepté par Mrs. Jardine, complètement bouleversée :
– Oh, révérend Ashworth, je suis tellement navrée, si vous saviez – mon mari était complètement retourné après coup, je l'ai bien vu, quand vous avez fait allusion à l'enfant...
Comme elle s'interrompait, je me rendis compte avec terreur que ses yeux étaient emplis de larmes.
– Chère Mrs. Jardine, je vous en prie, ne vous mettez pas dans un état pareil...
Mais Miss Christie était venue à la rescousse.
– Ce n'est rien, ma chérie, dit-elle à Mrs. Jardine, et l'utilisation de ce terme tendre me surprit. Le révérend Ashworth comprend parfaitement. Venez vous asseoir. Mrs. Jennings et moi-même étions justement en train de parler du récital donné par les jeunes choristes.
Puis, après m'avoir tendu une tasse de café, elle entraîna Mrs. Jardine vers Mrs. Jennings. Je me retrouvai livré aux Cobden-Smith, mais Lord Starmouth n'était pas à plus de six pas de là, adossé à la cheminée et, au moment où nos regards se croisèrent, il dit sans emphase :
– Les passions de l'évêque ont parfois raison du meilleur de lui-même, mais c'est un homme bon.
– Ce n'est pas de la passion qu'on attend d'un évêque, dit le colonel avec une aigreur inattendue. Ce n'est pas bien.
– C'est même très mal, surenchérit sa femme, mais, évidemment, si l'on n'a pas appris à quelqu'un la différence entre ce qui est bien et ce qui ne l'est pas, ce quelqu'un va immanquablement semer le trouble dans sa vie d'adulte.
– Je t'en prie, Amy!
– Mais, très cher, Alex est le premier à reconnaître que son éducation laisse beaucoup à désirer! Entre son vieux père si bizarre et cet horrible petit pavillon à Putney...
– Ce qui est bien chez l'évêque, dit Lord Starmouth, c'est qu'il avoue

avoir vécu dans un petit pavillon à Putney. Un homme plus commun aurait caché cela purement et simplement.

– Il l'a bien caché quand il a rencontré Carrie, dit Mrs. Cobden-Smith.

– Du calme, Amy!

Le colonel était maintenant indéniablement nerveux. Il me décocha un regard méfiant, mais Miss Christie m'intéressait davantage; elle avait quitté Mrs. Jardine qui, tout à fait détendue, bavardait maintenant avec Mrs. Jennings à propos des jeunes choristes, et elle s'approchait de notre groupe, cafetière en main.

– Comment va Carrie? lui murmura le colonel tandis qu'elle emplissait sa tasse.

– Elle va bien, colonel, ne vous inquiétez pas.

– Le révérend Ashworth a toujours l'air un peu pâlot, dit Mrs. Cobden-Smith.

– Voilà qui en dit long sur les effets du porto, remarqua sèchement Miss Christie s'éloignant de nouveau, la cafetière à la main.

– Quelle fille étrange! dit Mrs. Cobden-Smith d'un air songeur, mais elle est si bonne pour Carrie.

– Elle doit être d'une grande utilité dans la maison, dis-je d'un ton désinvolte.

– Ce n'est pas peu dire. Quand je pense à la vie à Radbury avant son arrivée...

– Très chère, l'interrompit le colonel avec une fermeté surprenante, je ne crois pas que ce soit le moment de parler de cela, si tu n'y vois pas d'inconvénient.

J'éprouvai un sentiment de frustration, mais me résignai en me disant que, le moment venu, il serait certainement intéressant de cuisiner Mrs. Cobden-Smith.

Voilà que j'avais repris mon rôle d'espion. Cela signifiait-il que j'avais retrouvé mon équilibre après cette scène bizarre avec Jardine? Je me dis que oui, et pourtant je n'avais ni le désir d'espionner ni celui de m'attarder à l'évocation de scènes étranges. Échappant aux Cobden-Smith, je réussis à coincer Miss Christie qui, près de la desserte, empilait les tasses sur un plateau.

– A quelle heure est la communion demain? lui demandai-je, formulant la question la plus banale que j'avais pu trouver.

– A huit heures. Le petit déjeuner est servi à neuf heures.

Son regard devint vague.

– Voici Mr. Jennings et Gerald. Je vous prie de m'excuser, il faut que j'aille commander du café frais pour eux.

Elle partit, et je compris qu'avec elle une approche en douceur allait n'être d'aucune utilité. En tout cas, si elle s'imaginait pouvoir se débarrasser de moi avec ses histoires de café, elle se trompait lourdement.

Je résolus, à l'avenir, d'adopter une attitude beaucoup plus ferme.

Il était onze heures passées lorsque je regagnai ma chambre et, une fois dévêtu, je fumai une cigarette tout en essayant de comprendre ce qui s'était passé. Un lien bien étrange semblait s'être tissé entre mon hôte et moi, mais j'avais l'impression qu'il était de mon devoir de passer outre. Pour moi, le problème n'était pas d'apprécier ou de ne pas apprécier Jardine; ma tâche se limitait à évaluer dans quelle mesure il était à la merci d'un scandale.

Pourtant, j'avais maintenant moins envie que jamais d'être le complice de Lang dans quelque plan secret que ce soit ayant pour objectif de forcer Jardine à quitter la Chambre des Lords. Il était évident que Jardine n'avait rien à se reprocher. Un homme d'une telle intégrité serait incapable de vivre une double vie, tel un apostat plongé dans l'adultère, et j'étais également persuadé qu'il était beaucoup trop intelligent pour s'être laissé piéger par le démon de midi. Il semblait évident qu'il aimait exercer ses talents de séducteur de manière inoffensive auprès de ses gentes dames et qu'il considérait depuis longtemps Miss Christie comme faisant partie des meubles.

Cette conclusion était assez rassurante, mais il me restait à répondre à la question : que se passait-il dans la tête de Miss Christie tandis que Jardine se comportait avec une indéniable bonté. Il ne me fallait pas oublier que Jardine pouvait être à la merci d'un scandale si Miss Christie décidait de jouer à la célibataire névropathe et de se métamorphoser en blonde incendiaire. Bien qu'elle ne donnât guère l'impression d'être névropathe, je trouvais que son extrême maîtrise d'elle-même avait quelque chose de bizarre.

J'en conclus qu'il était de mon devoir d'examiner de plus près le cas de Miss Christie et de découvrir dans quelle mesure elle était susceptible de se métamorphoser en blonde incendiaire.

Aucun jésuite n'aurait pu faire un examen de conscience plus satisfaisant. Un sourire aux lèvres, j'écrasai ma cigarette, me glissai dans mon lit et échafaudai un plan pour mon espionnage du lendemain.

III

J'ai vu tant de sacerdoces stoppés net et, sans doute, définitivement gâchés, par le mariage de l'ecclésiastique, que c'est toujours avec appréhension que j'entends parler des « fiançailles » d'un homme d'Église.

Correspondance de Herbert HENSLEY HENSON, Éd. E.F. Braley.

1

Je me réveillai en sursaut. Il était sept heures et, évidemment, j'avais rêvé de Miss Christie. J'eus envie de fumer une cigarette, puis je me dis que je n'avais aucune raison d'outrepasser les petites règles autour desquelles s'articulait mon autodiscipline, et l'une de ces règles était de ne jamais fumer avant le petit déjeuner. Je dus me faire violence pour lire l'office du matin. Puis, plongeant de nouveau au hasard dans la Bible, je finis par tomber sur cette phrase de circonstance : « Cherche et tu trouveras. »

Tout en m'habillant, je constatai qu'il me restait à chercher et à trouver beaucoup de renseignements sur Jardine avant de pouvoir affirmer à Lang de manière convaincante que la vie privée de l'évêque était blanche comme neige; je le supposais innocent mais cela n'avait guère de poids si ma présomption n'était pas étayée d'une compréhension totale de sa personnalité, et je pouvais difficilement établir un portrait psychologique de l'évêque sans éléments de son passé. S'il me fallait mesurer la capacité de Miss Christie à se métamorphoser en blonde incendiaire, ma tâche principale était avant tout de parler de l'évêque avec le plus de gens possible sans qu'ils puissent soupçonner qu'ils subissaient un interrogatoire, et j'étais certain que ce serait chose aisée. Les gens adorent les potins concernant un homme en vue et, lorsque cet homme célèbre fait partie de leur entourage, la tentation de montrer à quel point ils le connaissent l'emporte sur la discrétion.

En descendant, je ne rencontrai personne. J'entendis seulement les bruits lointains faits par les domestiques occupés à leurs tâches matinales. Je sortis sur le seuil de la maison et mes yeux furent aveuglés par la lumière éclatante du soleil si bien que, pendant une seconde, je ne vis que la forme verte et floue des feuilles des hêtres et de la pelouse. Au-delà de l'allée, la masse pâle de la cathédrale se dressait vers un ciel sans nuages. Poussant le portail blanc qui se trouvait dans le mur du cimetière, je me dirigeai vers le porche, au nord du bâtiment.

Je croisai un bedeau qui m'indiqua la direction de la chapelle Saint-Anselme où, chaque semaine, étaient célébrés les services de communion. Je n'eus pas le loisir de m'extasier sur la beauté de la nef; je tenais à faire le vide dans mon esprit pour me préparer au sacrement et, dès que j'eus choisi ma place dans la chapelle, je m'agenouillai pour faciliter ma concentration. Pourtant, instantanément, j'avais remarqué l'absence de Miss Christie.

Cela ne me surprit guère. Le service de communion est rarement suivi par des laïcs et, en fait, je ne vis personne de ceux que j'avais rencontrés à l'évêché au cours de la petite réunion de la veille.

C'est alors que Gerald Harvey se précipita dans le rang derrière moi et, quelques secondes plus tard, à huit heures, le doyen et l'évêque faisaient leur apparition, précédés par le bedeau.

Tandis que la cérémonie suivait son cours, je me disais qu'il était complètement grotesque d'imaginer un évêque administrer le saint sacrement sans être en état de grâce et, à nouveau, je me remémorai l'intégrité qui avait émané de Jardine lors de notre conversation en tête à tête autour d'un verre de porto.

Mon tour vint de recevoir la communion. Balayant toute pensée se rapportant à ma mission, je me concentrai sur la réalité spirituelle que je recevais, et ce ne fut qu'au moment où j'eus regagné ma place que je m'autorisai à repenser à Jardine. Je me jurai de ne jamais oublier que j'étais avant tout redevable à Dieu et non pas à l'archevêque de Canterbury. Je demandai à Dieu la force de vaincre mes faiblesses. Et, à la fin du service, je laissai la prière familière du Christ résonner en mon âme : que Sa volonté soit faite.

La volonté de Lang devint immédiatement aussi secondaire que la mienne. Je me sentis en paix avec moi-même et, finissant par me lever, je quittai la chapelle et retrouvai Gerald Harvey qui déambulait, à l'extérieur, le long de l'allée latérale.

– C'est l'évêque que vous attendez? lui demandai-je en souriant.

– Non, c'est vous.

Cette attention me toucha et, tout de suite, je me sentis coupable de l'avoir jugé inintéressant.

– Comme c'est aimable à vous, lui dis-je. Je suis désolé de vous avoir fait attendre.

– Oh, vous n'avez pas à vous excuser de consacrer du temps à la prière, rétorqua Harvey, choqué.

Il était si jeune et si candide qu'il me donnait l'impression d'être moi-même très âgé et las des choses de ce monde.

– Comment avez-vous trouvé le service?

Je formulai un compliment bien senti à l'égard de l'évêque et fus heureux de ne pas avoir à mentir par politesse. Nous passâmes sous le porche et débouchâmes sur la pelouse. Au-delà de l'enceinte du cimetière, les maisons du Domaine se doraient au soleil; le long de l'avenue Nord, un cheval tirait lentement une voiture de laitier. Je pouvais entendre les oiseaux chanter dans le cèdre, tout près.

– Je dois avouer que l'évêque m'intrigue, finis-je par dire, l'air de rien. Selon vous, quelle est la nature fondamentale de sa foi? Centrée sur Dieu? Sur le Christ? Ou bien enracinée dans le principe de la Sainte-Trinité?

– Eh bien, c'est tout cela à la fois, dit Harvey, mais je suppose qu'elle est fondamentalement centrée sur le Christ. Il croit avant tout non seulement à la bonté et à la miséricorde du Christ, mais aussi à son honnêteté et à sa vérité; c'est pour cette raison qu'il ne peut souffrir l'hypocrisie – il la considère comme une réédition du comportement des Pharisiens décrit dans les Évangiles et il se sent autorisé à l'attaquer tout comme Notre Seigneur l'a fait.

Il me lança un regard timide.

– Je vous en prie, pardonnez-lui pour hier au soir, enchaîna-t-il rapidement. Il ne voulait pas vous blesser. Il n'a fait que méjuger votre sincérité – je pense qu'il a cru que, si vous adoptiez un tel point de vue, c'était uniquement par loyauté vis-à-vis de monseigneur Lang. Il avait tort évidemment, mais tout le monde peut se tromper, vous ne croyez pas? Et, vraiment, c'est l'homme le plus merveilleux du monde, le meilleur, je vous jure, croyez-moi.

Je compris, mais un peu tard, qu'il n'avait recherché ma compagnie que pour mieux défendre son héros et je devinai qu'il valait mieux lui montrer que je souhaitais être convaincu des qualités héroïques de Jardine.

– Il a été bon pour vous?

– Le moins qu'on puisse dire!

Emporté par son enthousiasme, Harvey en vint aux confidences.

– Mes parents sont morts alors que j'étais encore élève à l'école de la cathédrale, à Radbury, et monseigneur Jardine – qui n'était que doyen de Radbury à l'époque – s'est purement et simplement occupé de moi. Il a payé mes études, m'a accueilli pendant les vacances – et, pourtant, je n'ai jamais été un de ces gosses qui ont des visages d'ange et raflent tous les prix. Puis, plus tard, quand j'ai voulu être ordonné, je n'étais pas certain de réussir mes examens, mais monseigneur Jardine m'a juste dit : « Sottises, bien sûr que tu en es capable! » Et, quand il m'a proposé de m'aider à travailler durant ses moments de liberté, j'ai compris qu'il pensait vraiment que j'en étais capable. Je n'aurais jamais réussi si cela n'avait été pour lui, et ensuite, quand il m'a demandé d'être son chapelain... Eh bien, vous pouvez imaginer ce que j'ai ressenti! Bien sûr, j'étais terrifié à l'idée de ne pas être à la hauteur et, à dire vrai, je suis sûr qu'il pourrait trouver quelqu'un de plus compétent que moi, mais je fais de mon mieux et j'ai l'impression que, finalement, je m'en sors.

– Je suis sûr que vous vous en tirez très bien.

Il était impossible de ne pas être touché par sa franchise et, soudain, je compris pourquoi ce garçon avait plu à Jardine.

Tout en parlant, nous avions dépassé le portail de l'évêché et je formulai rapidement d'autres questions pour profiter de ses dispositions à la confidence.

– Parlez-moi un peu de la vie à l'évêché, dis-je. Il est évident que Miss Christie y joue un rôle important – elle semble être très intime avec Mrs. Jardine.

– Oh, Mrs. Jardine la considère comme sa propre fille, c'est certain.

– Et comment s'entend-elle avec l'évêque?

– C'est toujours ce que les gens veulent savoir, dit Harvey, s'arrêtant pour extirper la clef comme nous arrivions à la porte, et ils sont toujours étonnés de ma réponse qui est : « Mieux qu'à une certaine époque » et non pas l'attendu « A merveille ».

– Il y a eu des frictions?

– Enfin, pas exactement des frictions... mais ils ont connu certains orages. Le premier, c'était juste après son arrivée à Radbury – c'était à peu près à l'époque où j'ai commencé à venir passer mes vacances chez eux – et puis, il y a eu un deuxième orage après leur arrivée à Starbridge, il y a cinq ans. Je me souviens d'avoir dit une fois à Lady Starmouth que je craignais que Lyle ne s'en aille si l'évêque ne mettait pas de l'eau dans son vin, mais Lady Starmouth m'avait répondu de ne pas m'en faire. Elle m'avait dit que ce n'était pas toujours facile pour un couple marié de vivre avec une tierce personne et, c'est vrai que Lyle fait beaucoup plus partie de la vie des Jardine que moi. Moi, je suis assez éloigné de leur vie privée, même si je vois beaucoup l'évêque dans l'exercice de sa profession.

Il finit par trouver la clef, mais lorsque la porte céda, elle fut coincée par une pile d'enveloppes.

– Ciel, mais regardez-moi tout ce courrier!

– Il est anormalement important?

– Oui, on reçoit toujours des lettres à propos du projet de loi de A.P. Herbert. La semaine dernière, on a même dû engager une secrétaire supplémentaire, dit Harvey que ce souvenir semblait énerver, et il se précipita dans la bibliothèque comme s'il craignait que les enveloppes ne se multiplient dans ses mains.

Je pris note de me rappeler de demander à Lady Starmouth quelles étaient, selon elle, les difficultés encourues par un couple marié obligé de vivre avec un tiers jeune et séduisant. Puis, je me dirigeai vers la salle à manger en quête du petit déjeuner.

2

J'étais en avance. Il n'y avait personne dans la salle à manger, mais les journaux du matin avaient été posés sur une table basse et je parcourus d'un œil distrait les comptes rendus des matchs de cricket dans le *Daily Telegraph*. J'étais encore sous le coup de la victoire d'Oxford sur Cambridge lorsque surgit Jardine.

– J'ai été heureux de vous voir à la messe, me dit-il après que nous nous fûmes salués.

– J'ai moi-même été heureux d'y assister. Parfois, on a vraiment besoin de faire le vide pour affronter le jour nouveau.

Il y eut un silence au cours duquel nous pensâmes tous deux au dîner de la veille mais, avant qu'aucun de nous n'ait eu le temps de reprendre la parole, les Starmouth entrèrent dans la pièce. Ils étaient suivis de Miss Christie, virginale dans une jupe bleu marine et un corsage blanc, et je remarquai les formes discrètes et admirablement proportionnées de sa poitrine; je me surpris même à imaginer la représentation érotique de deux coupes de champagne vides.

– Bonjour, révérend Ashworth, me dit-elle de manière très formelle, tandis que je luttais contre des pensées des plus profanes, mais l'instant d'après, elle se tournait vers Jardine. Carrie préfère rester au lit un moment encore, et elle m'a demandé de prendre le petit déjeuner en sa compagnie.

L'évêque ne trahit aucune surprise, mais Lady Starmouth demanda avec inquiétude si Mrs. Jardine ne se sentait pas bien. Miss Christie, qui de toute façon avait déjà regagné le hall, laissa le soin à Jardine de répondre distraitement, tout en tournant une page du *Times* :

– C'est seulement les conséquences de l'insomnie. A deux heures du matin, poussé par un fort réflexe de survie, j'ai dû me retirer dans mon cabinet pour pouvoir replonger dans la béatitude de l'inconscience. Le principal inconvénient des insomnies de Carrie est qu'elle se croit toujours obligée de me les faire partager.

Ma première réaction fut de me dire que Jack avait eu raison de supposer que les Jardine faisaient chambre commune. Ma deuxième réflexion fut de me dire que je devenais plus lascif que n'importe quel échotier des *Nouvelles du Monde* et, dans l'effort de repousser toute pensée qui serait inconvenante pour un homme d'Église, je commençai à me demander comment j'allais bien pouvoir organiser ma matinée. Il fallait aller à la bibliothèque; cela paraîtrait trop étrange si je remettais à plus tard ma rencontre avec le manuscrit de saint Anselme, mais je me dis que je pourrais me servir du prétexte du beau temps pour ne pas rester à l'intérieur. Au cours du petit déjeuner, le comte nous fit part de son intention d'aller pêcher dans la rivière au fond du jardin tandis que la comtesse nous avouait son envie irrésistible de peindre une aquarelle du grand massif de plantes herbacées, et je me dis que chacun d'eux pourrait bien être d'humeur à avoir une petite conversation sur notre hôte.

– Avez-vous prévu quelque chose ce matin, Mrs. Cobden-Smith? lui demandai-je en finissant mes œufs au bacon.

– Oh, j'ai du courrier à terminer, je dois aller faire quelques courses, « combler la minute impitoyable », comme dirait Kipling...

Mrs. Cobden-Smith s'exprimait avec une telle énergie que je me sentis tout de suite épuisé.

– Et Willy ira promener George...

A son nom, le saint-bernard leva vers nous un regard plein d'espoir.

– ... et ensuite, qu'est-ce que tu vas faire, Willy?

– Rien, j'espère, répondit le colonel Cobden-Smith.

– Bravo! dit Lord Starmouth.

– Eh bien, on peut dire que le clergé se prépare pour une matinée de dur labeur, conclut Lady Starmouth, tout en m'accordant, pour la seconde fois, un de ses sourires radieux et sophistiqués.

3

La principale caractéristique de l'ouvrage passant pour être les *Prières et méditations de saint Anselme* est que la part des travaux que l'on pouvait attribuer au saint est sujette à caution. En 1932, Dom Wilmart avait attribué dix-neuf des prières et trois des méditations à celui-ci, qui avait été archevêque de Canterbury à l'époque de William Rufus, mais la question éveillait toujours l'intérêt des intellectuels et cet intérêt était surtout centré sur le manuscrit qui se trouvait à Starbridge, car c'était le texte original avant qu'il n'ait subi l'insertion de beaucoup d'additifs.

Passé les amabilités d'usage avec le bibliothécaire, je me lançai dans la lecture du manuscrit. Il était parfaitement lisible et je le déchiffrai sans la moindre difficulté, mais des erreurs dans le latin indiquaient que le scripteur avait sans doute été un jeune moine qui avait souffert de problèmes de concentration. Pour confirmer cette hypothèse, je trouvai quelques gribouillis amusants dans la marge, notamment un dessin représentant un chat bondissant, une souris dans la gueule. Je me dis combien il était curieux de penser que ce manuscrit, considéré par son scripteur comme un travail de transcription routinier et ennuyeux, avait survécu et était devenu un document d'une importance capitale. Le jeune moine était mort depuis des siècles, mais son travail perdurait; au passage, je me demandai comment j'allais bien pouvoir m'y prendre pour intégrer ce thème à un futur sermon et, instantanément, le célèbre texte d'Isaïe me revint en mémoire : « L'herbe blanchit, la fleur se fane, mais la parole de Dieu est éternelle. »

Je pris des notes pendant plus d'une heure, comparant le texte original à celui du livre de Wilmart, puis je quittai la bibliothèque, retournai à l'évê-ché, posai ma serviette dans l'entrée et ressortis dans le jardin.

Je vis tout de suite Lady Starmouth. Assise sur un tabouret pliant, son bloc à dessin sur les genoux, elle regardait d'un air méditatif la longue plate-bande qui s'étirait en pente jusqu'à la rivière dans un feu d'artifice de couleurs. Lorsqu'elle me vit, elle m'adressa un sourire, me faisant signe de la rejoindre. Et, tandis que je traversais la pelouse, j'aperçus, au loin, le comte qui pêchait près des saules pleureurs.

– J'avais cru comprendre que vous comptiez faire une aquarelle, lui dis-je, comme j'avisais un crayon dans sa main.

– Je commence toujours par faire une esquisse et je viens à peine de commencer – je suis allée bavarder avec la pauvre Carrie.

– Elle va mieux?

– Oui, mais elle est toujours bouleversée par cette horrible scène d'hier au soir. J'ai bien peur qu'elle ne soit parfois trop sensible mais jamais autant que lorsque la conversation évoque la mort d'un enfant... Vous êtes au courant pour l'enfant des Jardine?

– Monseigneur Lang m'a seulement dit qu'ils n'en avaient aucun. Pourquoi? Que s'est-il passé?

– Seriez-vous en train de me pousser à cancaner sur monseigneur l'évêque? J'en ai bien peur – comme c'est délicieux! Asseyez-vous, je vous en prie, révérend Ashworth, et aidez-moi à retarder l'instant fatidique où je vais devoir ouvrir ma boîte de couleurs et jouer les artistes!

Pour l'encourager, je lui dis :

– Si vous êtes d'humeur bavarde, sachez que je suis d'humeur à vous écouter – après mon altercation d'hier avec l'évêque, je meurs de curiosité sur son compte.

– Vu les circonstances, rétorqua Lady Starmouth, je trouve que la curiosité est une réaction d'une charité admirable. Maintenant, voyons un peu, dois-je me lancer sans préambule dans la saga du bébé, ou bien préférez-vous que je commence par l'arrivée de Jardine à Mayfair? Je vous avertis qu'il est passablement dangereux de me faire parler de l'évêque, car je le trouve si mystérieux qu'une fois que j'ai commencé, j'ai tendance à papoter gaiement pendant des heures.

– Je suis bien certain que papoter est une chose que vous ne faites jamais, Lady Starmouth – je ne peux que vous imaginer discourant de manière charmante.

Elle éclata de rire.

– Quel plaisir d'avoir un auditoire si flatteur! Soit! Vous l'aurez voulu. Laissez-moi donc essayer de discourir, comme vous dites, avec tout le charme dont je puis disposer.

M'allongeant nonchalamment sur la pelouse à la chaleur du soleil, je me préparai à lui accorder toute mon attention.

– Jardine a eu une existence des moins ordinaires, commença Lady Starmouth. J'ignore ce que vous savez déjà sur sa carrière mais, il y a vingt et un ans, en 1916, il abandonna une obscure paroisse du nord de Londres pour venir s'installer à Mayfair – qui est, bien sûr, l'une des paroisses les plus chics du West End. Henry et moi-même firent de notre mieux pour accueillir le nouveau pasteur et, comme il était célibataire, j'entrepris de lui présenter des jeunes filles respectables. Saviez-vous que Jardine s'est marié sur le tard? Il avait trente-sept ans quand il a connu Carrie, mais il faut dire aussi qu'avant de venir à Mayfair, il n'avait pas les moyens d'entretenir un foyer. Malheureusement pour lui, il avait un père bizarre grevé de dettes, et c'est Jardine, avec son maigre traitement, qui devait subvenir aux besoins de toute sa famille...

– On m'avait déjà dit qu'il avait un père un peu étrange.

– La famille entière, dit Lady Starmouth sur le ton de la confidence, était des plus étranges. Outre ce père un peu hurluberlu, Jardine avait une belle-mère suédoise bizarre elle aussi, et deux sœurs dont l'une est devenue folle.

– Cela m'a tout l'air d'un sombre drame élisabéthain.

– Non, non, ils ne se sont pas tous entre-tués – cela aurait peut-être mieux valu – mais vous avez raison en faisant un rapprochement avec la littérature. On aurait dit un roman de Gissing sur les horreurs de la misère et les malheurs de la vertu.

– Les Jardine étaient-ils donc si vertueux? Que faisait le père pour vivre?

– Personne ne le sait. A dire vrai, je n'ai jamais sondé les profondeurs de l'abominable famille Jardine. Lui-même préfère ne pas en parler. Une de ses sœurs – celle qui n'est pas devenue folle – était si vertueuse qu'elle faisait peine à voir, la pauvre chérie, un accent affecté et une façon épouvantable de tenir sa tasse de thé. Pour moi, ils étaient tous une bande de petits-bourgeois qui essayaient de faire comme s'ils appartenaient à la haute bourgeoisie. Mon Dieu, il y a tellement de gens qui souffrent à cause du système de classes anglais, remarqua l'aristocrate Lady Starmouth d'un ton léger mais sincère.

– Est-ce que toute la famille a suivi Jardine à Mayfair?

– Non, le père bizarre et la sœur déséquilibrée étaient déjà morts à ce moment-là, mais Jardine est venu s'installer au presbytère avec son autre sœur et sa sinistre marâtre suédoise et, tout de suite, il s'est mis en quête d'une épouse...

– ... que vous lui avez fort obligeamment fournie.

– Pas tout à fait! Mais j'ai assisté, effectivement, au repas au cours duquel lui et Carrie se sont rencontrés pour la première fois. La rencontre a été d'un romantisme torride : coup de foudre et, quatre jours plus tard, il demandait sa main.

– Quatre jours?

– Oui, quatre jours, répéta Lady Starmouth, qui prenait plaisir à mon étonnement. La famille de Carrie était complètement affolée, bien sûr, à cause des curieux ascendants de Jardine, mais d'un autre côté, il occupait ce poste sensationnel de pasteur de Sainte-Mary qui faisait de lui un prétendant difficile à repousser.

– La famille a fait des difficultés?

– Ils ont fini par se faire une raison. Je soupçonne que c'était parce que Carrie n'était déjà plus très jeune et sa famille devait craindre qu'elle ne finisse au placard.

– Il est difficile d'imaginer qu'une femme aussi jolie que Mrs. Jardine puisse finir au placard.

– C'est vrai, mais dans la vie, une des choses les plus horribles, révérend Ashworth, c'est que les hommes préfèrent que les jolies femmes n'aient pas dépassé la trentaine. Après, elles doivent compter sur d'autres ressources.

Je compris qu'elle sous-entendait que Mrs. Jardine n'avait pas d'autres ressources sur lesquelles elle aurait pu compter, mais je me contentai de dire :

– Donc, rien n'a empêché Jardine de se ruer vers l'autel?

– Au contraire, la marâtre suédoise en a profité pour faire une scène terrible et pour déclarer qu'elle ne vivrait pas sous un toit où Carrie serait la maîtresse de maison. Elle s'est donc retirée avec la pauvre sœur de Jardine dans un appartement à Putney, que l'évêque a dû payer, bien entendu.

– Mais c'était certainement une bonne chose, non? N'est-ce pas mieux pour une femme de commencer sa vie conjugale sans avoir sa belle-mère à demeure?

– C'est certain. Carrie était aux anges. Mais Jardine était mortifié. Il avait une passion pour sa belle-mère – Dieu sait pourquoi, car elle avait vingt ans de plus que lui, pesait au moins cent kilos, avait des yeux délavés, une bouche trop mince et parlait avec un fort accent étranger; oh, elle était affreuse, je vous assure! Après l'esclandre, j'avais pensé qu'elle refuserait d'assister à la cérémonie, mais non, elle a surgi, hors d'elle – avec une de ces têtes d'enterrement! La pauvre sœur de Jardine n'était guère plus gaie – elle a pleuré d'un bout à l'autre du service mais, au moins, était-ce par sensiblerie. La sœur m'était plutôt sympathique, la pauvre chérie, quelle vie malheureuse a-t-elle eue! Elle a fini par mourir d'un cancer, évidemment. Je dis « évidemment » parce qu'elle était le genre de personne destinée à mourir de quelque chose de terrible... Mais voilà que je n'arrête pas de faire des digressions! Vous faites preuve d'une patience admirable, révérend Ashworth, mais je vous jure que je vais bientôt arriver à l'épisode du bébé...

– Ne vous excusez pas, Lady Starmouth. L'effrayante marâtre me fascine.

– Eh bien, après la cérémonie, elle a disparu dans les ténèbres de Putney, Dieu merci, et les Jardine ont appareillé pour leur lune de miel. A leur retour, Carrie s'est mise à faire des projets pour une nursery, alors, bien sûr, nous avons tous espéré... Mais rien n'arrivait. Et puis, finalement, elle a été enceinte. Nous étions tous si soulagés, le plus soulagé d'entre nous étant Jardine – et puis Carrie, bien entendu. Il a commencé à discuter avec Henry des écoles que l'enfant pourrait fréquenter et Carrie ajoutait les touches finales à son projet de nursery. Oh, quelle erreur de vouloir vendre la peau de l'ours avant de l'avoir tué! Car le pire est arrivé : le bébé, un garçon, est mort-né.

Lady Starmouth s'interrompit comme pour choisir ses mots avec circonspection.

– Je me demande comment arriver à vous faire comprendre à quel point ce fut affreux pour les Jardine. Bien sûr, un enfant mort-né est toujours une tragédie, mais dans leur cas... Vous comprenez, Carrie était tellement persuadée qu'elle était faite pour être mère. Ce ne serait facile pour aucune femme d'être l'épouse d'un homme brillant et Carrie pensait que la maternité serait pour elle le moyen de faire ses preuves et de gagner l'admiration de Jardine. Et Jardine lui-même avait envie de fonder une famille. Il voulait recréer une vie familiale dont il pouvait se souvenir, d'avant la mort de sa mère; une vie certainement idéalisée mais qui, à ses yeux, représentait l'idéal de la félicité conjugale. Ainsi, lui et Carrie étaient-ils unis par des rêves vivaces et très puissants – et c'est la raison pour laquelle ce fut si terrible lorsque cet enfant mort-né réduisit ces rêves à néant.

Elle se tut une fois de plus et je laissai durer le silence afin de montrer ma compassion avant de demander :

– Il n'y a pas eu d'autres enfants?

– Non, et d'une certaine façon, c'est cela le plus affreux, car aucun médecin n'a pu expliquer à Carrie pourquoi. Alors, elle a continué d'espérer et lui aussi – en fait, Alex m'a dit un jour qu'il avait espéré jusquà ce que... enfin, jusqu'à ce que l'espoir ne soit plus permis. Tiens! voilà que je l'appelle Alex – très cavalier, n'est-ce pas, d'appeler un homme par son prénom quand cet homme n'est pas un membre de votre famille, mais je le connais depuis si longtemps maintenant et nous sommes de si bons amis et Henry ne s'offusque pas si, de temps à autre, je me permets d'appeler Jardine « Alex »... Je suppose que vous vous êtes posé des questions au sujet de mon amitié avec l'évêque, n'est-ce pas? ajouta-t-elle en me gratifiant d'un bon sourire. Peut-être même êtes-vous un peu choqué?

– Moi? Pas du tout. Je suis surtout profondément jaloux! J'ai entendu parler des gentes dames de monseigneur Jardine et, selon toute apparence, vous en êtes la souveraine.

Elle rit.

– Il faut absolument que vous fassiez partie de ma collection d'hommes d'Église, me dit-elle. Vous êtes un auditeur si exceptionnellement charmant!

- Lady Starmouth, je pourrais vous écouter éternellement. Continuez.
Elle soupira.
- C'est vraiment trop affreux de voir à quel point j'ai besoin de si peu
d'encouragement pour parler. Mais que vous dire de plus? Je vous ai dit
ses origines, son mariage romantique et son fils mort-né.
- Donnez dans le rose, lui suggérai-je, et parlez-moi des gentes dames
de monseigneur Jardine.

5

- Il est vrai qu'Alex a beaucoup de connaissances parmi le sexe dit
faible, enchaîna Lady Starmouth tout en ajoutant un autre trait à la forme
indécise tracée sur son bloc à dessin, mais seulement trois d'entre nous
peuvent vraiment être appelées ses amies. Nous l'avons toutes connu en
1916; la première année où il a été pasteur à Sainte-Mary.
Je fus immédiatement intrigué.
- Pourquoi était-il si enclin à se lier d'amitié cette année-là?
- Arriver à Mayfair a été un grand changement pour lui et, au tout
début, il s'est senti seul et peu sûr de lui.
- Qui sont les deux autres élues?
- Sybil Welbeck et Enid Markhampton. Alex s'est pris d'amitié pour
nous parce que nous étions toutes parfaitement inattaquables – heureuses
en ménage, croyantes et pratiquantes, très attachées aux conventions...
Ciel, cela semble d'une tristesse! Mais nous sommes toutes trois passablement drôles, je vous assure.
- Vous n'avez pas besoin de me le préciser, Lady Starmouth, mais ce
qui m'étonne, c'est la chance qu'a eue monseigneur Jardine de trouver,
d'un seul coup, trois gentes dames respectables. Il n'a jamais complété sa
collection?
- Non, répondit Lady Starmouth tout en examinant la pointe de son
crayon. Jamais.
- Était-ce parce qu'il avait l'intuition que vous étiez si incomparables
qu'aucune autre femme ne pouvait prétendre rejoindre vos rangs?
Nous éclatâmes de rire avant que Lady Starmouth ne réponde sans se
troubler :
- Il s'est marié peu après nous avoir rencontrées, et peut-être a-t-il
craint que Carrie ne voie pas d'un bon œil toute nouvelle amitié féminine.
- En ma qualité de pasteur, dis-je, je trouve que cette idée de se lier
d'amitié avec des femmes mariées est lourde des possibilités les plus
effrayantes.
- Ah, mais vous appartenez à une autre génération, voyons, dit Lady
Starmouth. De telles amitiés peuvent paraître étranges aujourd'hui mais,
quand j'étais jeune, elles n'étaient pas du tout inhabituelles. La guerre a
changé tant de choses, et l'une des premières pertes venues avec la liberté
nouvelle a été celle du concept d' « amitié amoureuse ».

– Quoi qu'il en soit, je ne peux m'empêcher de me dire qu'à la place de Jardine, j'aurais certainement connu des moments difficiles pour m'empêcher de tomber amoureux de l'une d'entre vous.

Lady Starmouth m'accorda un autre de ses sourires indulgents, mais répondit le plus sérieusement du monde :

– Je peux vous assurer qu'Alex n'a jamais été amoureux ni d'Enid ni de Sybil et encore moins de moi. Au risque de vous paraître affreusement snob, je dirais que nous n'appartenons pas à un genre de femme qu'il aurait pu considérer comme accessible, je veux dire dans le domaine des familiarités les plus extrêmes.

A nouveau, j'étais très intrigué.

– Je ne suis pas certain de bien vous comprendre, dis-je, tout en me demandant comment j'allais bien pouvoir l'attirer sur un terrain aussi épineux.

Mais Lady Starmouth n'avait pas besoin d'encouragement. J'avais oublié que l'aristocratie, contrairement aux classes moyennes, ne trouvait pas que la sexualité fût un sujet tabou.

– Durant son adolescence, dit-elle, Alex a côtoyé des femmes qui – au mieux – faisaient partie de la bourgeoisie. Puis, les années qu'il a passées à Oxford lui ont apporté assez de confiance pour épouser une fille de la haute bourgeoisie comme Carrie Cobden-Smith. Mais je pense que, s'il avait eu l'occasion de vivre une relation avec une aristocrate, il aurait reculé. Je crois qu'il aurait été intimidé.

Je compris immédiatement qu'il s'agissait là d'un détail capital dans le portrait que je construisais de Jardine. Avec ses gentes dames, l'évêque était en sécurité, mais pas forcément grâce à une indestructible vertu dont il serait doté, mais à cause d'une barrière psychologique. Jardine avait certainement conscience de cela; un ecclésiastique apprend à bien se connaître afin de trouver le meilleur moyen de contrôler ses faiblesses et, aimant la compagnie des femmes, il ne pouvait avoir confiance en lui qu'avec celles qui lui paraissaient définitivement hors d'atteinte.

– En parlant de gentes dames, dit Lady Starmouth, tout en ajoutant un autre trait à son esquisse, êtes-vous tombé amoureux de Miss Christie?

– Miss Christie!

J'étais tellement abasourdi que je me dressai sur mon séant.

– J'ai remarqué les regards brûlants que vous lui adressiez hier soir, au salon. Mon cher révérend Ashworth, me permettez-vous de profiter des quelques années d'avance que j'ai sur vous pour vous donner un conseil d'amie? Ne vous embarrassez pas de Miss Christie. Elle a passé ces dix dernières années à prouver qu'elle n'était pas du tout intéressée par les hommes.

Je répondis d'un ton léger :

– Ne nourrit-elle pas une passion secrète pour l'évêque?

– Je la soupçonnerais plutôt de nourrir une passion secrète pour Carrie.

Je m'exclamai, horrifié :
– Mais c'est impossible!
– Mon pauvre révérend Ashworth, je parie que vous êtes mordu! Évidemment, je ne dis pas que la passion est réciproque – Carrie adore Alex. Mais, à votre avis, pourquoi une femme jeune, belle et intelligente comme Miss Christie se contenterait-elle de rester dame de compagnie alors qu'elle a eu de nombreuses propositions et certaines venant de partis plus qu'acceptables?

Je demandai brusquement :
– Comment les Jardine expliquent-ils le célibat prolongé de Miss Christie?

– Eh bien, la version officielle veut qu'il y ait eu une histoire de fiançailles brisées avant qu'elle ne rentre à leur service et que cela l'aurait définitivement laissée dégoûtée des hommes. Mais moi, je trouve cela difficile à croire – Miss Christie me paraît être tout à fait le genre de femme pour qui surmonter une telle situation était une question de principe.

– Est-ce que Jardine vous a déjà parlé d'elle?

– Parfois. En ce moment, moins qu'avant. Mais il y a eu des périodes dans le passé où il a trouvé que la situation était lourde à supporter.

Je sentis que nous approchions des difficultés que rencontre un couple qui vit sous le même toit qu'un tiers.

– Lourde à supporter? répétai-je, impatient d'en entendre davantage. Pourquoi?

– Oh, j'ai bien peur que ce ne soit encore une question de milieu social! Alex n'a pas grandi dans une maisonnée où certains employés font « partie de la famille », et la présence d'un tiers avait tendance à l'agacer, fort heureusement, le déménagement à Starbridge a semblé résoudre ce problème-là. Il y a plus de place ici qu'il y en avait à Radbury – et puis, l'un dans l'autre, le mariage des Jardine est suffisamment heureux pour supporter une présence étrangère... Révérend Ashworth, j'aperçois mon mari qui vous fait signe. Je suppose que les poissons commencent à l'ennuyer et qu'il veut se changer les idées – mais revenez me voir quand vous l'aurez distrait!

Nous échangeâmes un sourire.
– Me comptez-vous parmi votre collection, maintenant?

Et, tandis qu'elle riait, je me redressai tant bien que mal, époussetai ma veste et descendis le jardin à grandes enjambées pour interroger mon témoin suivant.

6

– Je me disais qu'une petite conversation allait peut-être réveiller les poissons, dit le comte comme j'arrivais à sa hauteur. Soit ils dorment, soit ils sont morts.

De l'autre côté de la rivière, le troupeau de vaches paissait à nouveau dans le pré. C'était une scène typiquement anglaise que la tenue campagnarde du comte accentuait et, tout en m'adossant au tronc du saule le plus proche, j'eus une fois de plus conscience du charme subtil de Starbridge, tandis que la matinée se fondait en un après-midi lumineux. C'était une journée propice aux mirages. J'avais non seulement conscience d'être un pasteur jouant à l'espion – ou bien étais-je un espion jouant au pasteur? – mais aussi que le comte était un grand propriétaire foncier jouant au pauvre pêcheur. Avec sa mine ouverte, il avait l'air d'être étranger à la comédie, mais l'atmosphère de cette mi-journée me rappelait à quel point il était difficile de cerner la vérité, même à propos du plus accessible des individus.

– Je suis prêt à parier que mon épouse vous parlait de monseigneur l'évêque et usait de tous ses effets pour vous prouver que, hier soir, vous n'avez pas été impressionné par le regard de ce diamant brut, me disait le comte. Oui, quand on le voit pour la première fois, il est comme un diamant brut, mais quand il s'en donne la peine, il sait être un gentleman.

– Il s'en est donné la peine quand nous avons bu un porto ensemble... Avez-vous été déconcerté, Lord Starmouth, lorsqu'un diamant brut a surgi à Mayfair en 1916?

Le comte sourit.

– J'ai davantage été intrigué que déconcerté.

– Vous ne l'aviez jamais rencontré auparavant?

– Non, mais j'avais entendu parler de lui. Il écrivait toujours des lettres au *Times*. A vrai dire, je n'avais qu'une vague idée de lui jusqu'au jour où, rentrant de mon club, ma femme m'a dit que le nouveau pasteur lui avait rendu visite et elle a ajouté : « Il a de jolis yeux dorés et une voix terriblement tranchante, il ne sait pas trop comment se comporter et je l'adore! » Il faut dire que ma femme a un penchant pour les pasteurs et je ne l'ai pas trop prise au sérieux, pourtant, le dimanche suivant, en l'écoutant prêcher son premier sermon, je compris soudain pourquoi elle avait été impressionnée. D'habitude, j'ai tendance à m'assoupir pendant les sermons, mais cette fois, je suis resté éveillé du début à la fin – et pour tout dire, à la fin, j'étais subjugué. Bon sang, je me rappelle même encore le texte! C'était : « Je ne suis pas venu pour guider les vertueux, mais pour mener les pécheurs vers le chemin du repentir », et tandis qu'il revenait sur ce point avec insistance, on avait l'impression que sa voix faisait vibrer l'église, et ses yeux luisaient comme ceux d'un chat. Extraordinaire. J'ai tout de suite compris qu'il irait loin.

– Et qu'avez-vous pensé quand vous avez eu l'occasion de lui parler en tête à tête?

– J'ai été surpris par sa timidité – sa timidité et son embarras. Il s'exprimait de manière parfaite; Oxford avait fait disparaître toute trace d'intonation banlieusarde, mais il avait soit la manie de parler beaucoup trop et de manière agressive, soit de ne rien dire du tout. Mais c'était juste de la nervosité. Une fois que mon épouse l'eut pris en main, choyé et eut tenté de lui trouver un beau parti, il s'est très vite épanoui. Il ne lui manquait qu'un peu de confiance sur le plan social.

- Peut-être qu'il avait mal supporté son passage à Oxford?
- Oui, c'est plus que certain. L'université peut être une rude épreuve pour qui n'y est pas destiné – à vrai dire, je dois avouer avoir eu quelques préjugés sur son compte, au début, puis un jour, il m'a parlé sans détour; c'était une critique, une critique parfaitement justifiée d'ailleurs et alors, je me suis dit : il faut du courage pour parler ainsi. Et je l'ai respecté pour cela. Il n'a jamais été un flatteur. Il était prêt à accepter un appui, comme la gentillesse de mon épouse, mais sans que cela l'empêche de dire la vérité telle qu'il la concevait. Très exceptionnel. C'est un homme d'une haute moralité. Il a mérité son succès.
- Comme cela a dû être gratifiant pour votre épouse de voir son protégé se frayer un chemin jusqu'au sommet de l'Église anglicane !
- Oui, c'est ce que je dis toujours : elle a contribué – très modestement, mais de manière significative – à sa carrière. Il avait besoin de quelqu'un qui l'invite aux dîners intéressants et qui lui garantisse de développer une assurance indispensable à sa position. Il a été également soutenu par Mrs. Welbeck et Lady Markhampton, mais c'est Evelyn qui a le plus fait pour lui.
- Votre épouse me parlait à l'instant du groupe de gentes dames de monseigneur Jardine – et je dois avouer que je suis profondément jaloux.
Le comte éclata de rire.
- J'ai moi-même mes crises de jalousie! Connaissez-vous Mrs. Welbeck ou Lady Markhampton?
- Malheureusement non.
- Toutes les deux sont charmantes. Mais, pour parler franchement, la gente dame qui avait ma préférence, à l'époque, c'était Loretta Staviski. Je suis sûr que ma femme vous a parlé d'elle. Elle arrive des États-Unis le week-end prochain et va rester un moment avec nous. Je suis diablement impatient de la revoir...
Il y eut un silence. La rivière suivait son cours et, dans le pré, le bétail paissait toujours. J'observai le comte qui regardait fixement l'eau dans l'espoir d'y apercevoir un poisson. Puis, mon regard revint sur sa femme qui dessinait toujours près du massif de fleurs et, finalement, je m'entendis demander du ton le plus détaché possible :
- Non, votre épouse ne m'a pas parlé d'elle. Qui est-ce?

IV

*Nul n'ignore qu'aucun pasteur, aussi consciencieux
et aussi dévot soit-il, ne peut continuer à exercer son
influence spirituelle si sa vie privée est décousue et malheureuse.*

Herbert HENSLEY HENSON,
Archives de l'évêché.

1

Lorsque je revins auprès de Lady Starmouth, je la trouvai en train d'examiner son esquisse d'un œil critique.

– J'ai bien peur que ce ne soit pas bon, murmura-t-elle. A croire que j'ai perdu la « formule magique »... Comment allaient les poissons?

– Selon votre mari, ils étaient tous soit endormis, soit morts.

Je restai un moment immobile, l'observant. Puis, je dis d'un ton léger :

– Lady Starmouth, j'espère que vous ne me jugerez pas impertinent, mais puis-je me permettre de vous demander pourquoi, lorsque vous m'avez parlé des gentes dames de monseigneur Jardine, vous avez négligé d'évoquer le professeur Staviski?

La réaction de Lady Starmouth ne se fit pas attendre.

– Loretta?

– Votre mari vient de me parler d'elle. Ainsi, il y avait quatre gentes dames, n'est-ce pas? Et non pas trois?

– Oui, mais seulement pendant une courte période, pendant la guerre.

Lady Starmouth arracha le dessin de son bloc, roula le papier en boule et rangea son crayon dans une boîte en bois. Elle ne dit rien d'autre, et son silence contrastait avec sa volubilité précédente. Je me sentis obligé de dire :

– Excusez-moi. J'ai peur de vous avoir blessée.

– Mon cher révérend Ashworth – Lady Starmouth s'exprimait sur le ton de quelqu'un qui se trouve au cœur d'un dilemme des plus crispants –, mais non, vous ne m'avez pas blessée. Je m'en veux simplement de n'avoir pas parlé de Loretta et, bien sûr, il est tout à fait naturel que vous vous demandiez pourquoi je l'ai passée sous silence alors que je vous parlais en long et en large du passé de l'évêque. Cela dit, la vérité est des plus simples. Si je n'ai pas parlé d'elle, c'est qu'Alex ne l'a plus revue depuis qu'elle est retournée en Amérique, en 1918; aussi, elle ne peut guère prétendre aujourd'hui au titre de gente dame.

– Elle n'est jamais revenue en Angleterre depuis?

Il y eut un autre silence.

– Mais je deviens intolérablement curieux.

– Une curiosité bien pardonnable, vous voulez dire. Je suis sûre que vous vous demandez pourquoi j'hésite à ce point à vous répondre.

Soudain, et de manière tout à fait inattendue, elle éclata de rire.

– Mon Dieu, n'importe qui croirait que j'ai quelque coupable secret à cacher alors que tout ce que je veux protéger n'est qu'un petit sentiment de gêne personnelle.

– Lady Starmouth, je vous en conjure, ne vous croyez pas tenue d'aller plus loin! Je ne puis que renouveler mes excuses pour...

– Cher jeune homme, c'est maintenant vous qui vous comportez comme s'il y avait quelque coupable secret à cacher! Je vois que la chose la plus intelligente qu'il me reste à faire est d'éclairer votre lanterne avant que vous ne soyez tenté d'user d'une imagination débordante. Mais vous devez me promettre d'être discret. L'histoire n'a rien de scandaleux; elle est simplement triste, et je ne tiens pas à ce qu'elle soit répétée.

– Je vous donne ma parole que tout ce que vous me direz sera marqué par le sceau du secret.

– Parfait. Alors, apprenez que Loretta est, en fait, revenue en Angleterre depuis la guerre, mais en touriste. Elle et Alex n'ont plus été en contact. Je suis désolée de devoir dire que, bien qu'Alex se soit toujours comporté tout à fait correctement envers elle, Loretta était tombée amoureuse de lui et leur amitié a particulièrement mal tourné.

2

– Pardonnez-moi, Lady Starmouth, dis-je, mais en fait, je ne peux m'empêcher de me demander si les amitiés platoniques de monseigneur Jardine ne sont pas un peu trop belles pour être vraies. Je maintiens que n'importe quel ecclésiastique qui fraye avec le sexe faible joue avec le feu.

– Alors, dans ce cas, je dois admettre qu'il s'y est brûlé... Révérend Ashworth, asseyez-vous comme tout à l'heure – je vous trouve intimidant quand vous me dominez comme cela. J'ai l'impression de subir un interrogatoire de police.

Je m'assis immédiatement sur l'herbe tandis qu'elle coupait court à mes excuses.

– Mais non, bien sûr, je sais que ce n'est pas vraiment un interrogatoire – tout est de ma faute. C'est moi qui vous ai encouragé à me questionner tout à l'heure. Mais avant que je ne devienne aussi muette qu'une tombe, laissez-moi vous en dire un peu plus au sujet de Loretta, afin que vous puissiez comprendre pourquoi je préfère, pour son bien, considérer l'incident comme clos. Elle et moi, nous nous sommes rencontrées pour la première fois en 1917, mais j'avais entendu parler d'elle des années auparavant car ma mère, qui était américaine, et la sienne avaient été amies d'enfance et étaient toujours restées en relation. Lorsque Loretta vint en Angleterre, elle était dans une situation inextricable. Elle s'était mariée très jeune avec ce monsieur Staviski qui était un diplomate; quand l'Amérique est entrée en guerre, il a été muté de Washington à Londres, et à peine furent-ils arrivés en Angleterre que leur mariage est allé à vau-l'eau.

– Il l'a quittée?

– Non, c'est elle qui l'a quitté. Mais ce n'était pas elle la coupable – il lui rendait la vie tout à fait impossible, aussi n'ai-je pas hésité à voler à son secours. Elle a habité chez nous jusqu'à ce qu'elle aille mieux et, bien sûr, elle n'a pas tardé à faire la connaissance d'Alex. Bref, pour aller à l'essentiel, je me contenterai de vous dire qu'elle était si douée pour cacher ses vrais sentiments que, pendant longtemps, ni Alex ni moi n'avons soupçonné qu'elle pouvait être amoureuse de lui. Mais, finalement, la vérité a fini par éclater au grand jour et Alex a été contraint de briser leur amitié. Loretta a été bouleversée. Je la plaignais tellement. C'était à la fois embarrassant et pathétique, comme l'est tout attachement qui n'est pas réciproque. Et, plus tard, nous sommes convenues de ne plus jamais en reparler.

– Que lui est-il arrivé ensuite?

– Elle est retournée en Amérique et s'est lancée dans une carrière universitaire. Maintenant, elle enseigne l'histoire dans une université de la côte Est. Elle ne s'est jamais remariée mais je me demande bien si elle n'en serait pas capable un de ces jours. Elle est beaucoup plus jeune que moi, à peine quelques années de plus que vous, et bien qu'elle ne corresponde pas vraiment aux canons actuels, elle est loin d'être sans attrait... Que voulez-vous, beaucoup d'hommes n'aiment pas qu'une femme soit trop intelligente.

Je songeai à Jardine, prenant plaisir aux discussions intelligentes qu'il avait avec Loretta et qu'il n'était pas en mesure d'avoir avec sa femme et je ne pus m'empêcher de dire :

– Monseigneur Jardine a dû être peiné de perdre cette amitié – n'a-t-il jamais été tenté de la revoir quand elle revenait en Angleterre?

– Comment l'aurait-il pu? Comment aurait-il pu renouer avec une amitié qui avait été si douloureuse pour elle, et, en puissance, si dangereuse pour lui?

– Mais elle, n'a-t-elle jamais été tentée de...

– Mais c'est un interrogatoire, ma parole! Cher révérend Ashworth, ne surestimez pas votre charme – par ailleurs considérable.

Je maudis intérieurement mon imprudence et tentai de battre discrètement en retraite.

– Je suis confus, Lady Starmouth, mais souvent un pasteur se voit obligé de s'occuper de difficultés similaires à celles qu'a dû affronter monseigneur Jardine, et j'ai peur que mon intérêt professionnel pour le sujet ne m'ait fait aller trop loin. Je vous prie de m'excuser.

Elle me scruta du regard et opta pour l'indulgence.

– Je ne suis pas contre la curiosité quand elle est dictée par la sympathie, dit-elle, mais peut-être aussi avez-vous de la chance que j'aie un faible pour les ecclésiastiques... Grand Dieu, voici Mrs. Cobden-Smith!

Elle se leva précipitamment, plia son tabouret et ramassa son cartable.

– Pour votre pénitence, révérend Ashworth, vous allez devoir écouter avec une expression d'intérêt intense les péripéties de l'histoire des Indes revue et corrigée par le colonel et Mrs. Cobden-Smith.

– Mais dites-moi, vous me semblez avoir un charmant petit tête-à-tête, tous les deux! nous lança Mrs. Cobden-Smith en s'approchant de nous. Je viens de conseiller à Carrie de s'habiller. Ce n'est pas bon de rester couchée après une insomnie – je lui ai dit de se lever et de s'occuper toute la journée pour qu'elle soit bien fatiguée ce soir. Je me souviens, quand nous étions aux Indes...

– J'étais justement en train de dire au révérend Ashworth que vous saviez des choses passionnantes sur les Indes – mais, je vous prie de m'excuser, il faut moi aussi que j'aille voir Carrie, dit Lady Starmouth et, s'esquivant habilement, elle s'éloigna en traversant la pelouse.

Mon témoin suivant était venu me trouver de lui-même avec un sens admirable de l'à-propos. Luttant contre mon peu d'enthousiasme, je souris à Mrs. Cobden-Smith et lui suggérai d'aller nous asseoir sur un banc du jardin et de profiter du soleil.

3

– Quel plaisir de s'asseoir une minute, dit Mrs. Cobden-Smith. J'ai dû faire toute la ville pour trouver de la viande de cheval pour le chien, et le bon sirop contre la toux pour Willy. Si Willy n'avale pas sa dose de sirop toutes les nuits, il tousse comme un ramoneur et si George n'a pas sa ration de viande de cheval trois fois par semaine, il devient paresseux – au fait, en parlant de paresse, on dirait bien que vous faites tout pour éviter votre travail, jeune homme! Je croyais que vous étiez censé vous enfermer dans la bibliothèque de la cathédrale et non pas être aux petits soins pour Lady Starmouth! Vous êtes comme Alex – lui aussi adore être aux petits soins pour ces dames, mais dans son cas, il ne fait que profiter des avantages qui ont fait d'Adam Jardine, de Putney, l'ecclésiastique préféré d'une comtesse. Saviez-vous qu'Alex a passé les trente-sept premières années de sa vie à se faire appeler Adam? C'est son premier prénom. Mais, lorsque Carrie est tombée amoureuse de lui, nous lui avons dit : « Mais, chérie, il est tout simplement impensable que tu épouses un homme qui s'appelle Adam Jardine – on dirait le nom d'un aide-jardinier! » Alors, elle a découvert que son second prénom était Alexandre et nous l'avons rebaptisé Alex. Sa belle-mère en était malade! Je n'arrive pas à comprendre pourquoi.

J'eus enfin l'occasion de pouvoir placer un mot, et je me dis que la perche qui m'était tendue était prometteuse.

– Quelle coïncidence! lançai-je, Lady Starmouth était justement en train de me parler de la belle-mère de monseigneur Jardine.

– Tout le monde a été, comment dire, épouvanté par cette vieille dame, dit Mrs. Cobden-Smith, tout à fait disposée à être indiscrète. C'était une femme très étrange, une Suédoise, et, comme nous le savons tous, ces Scandinaves sont des gens très particuliers. Il suffit de regarder leurs pièces de théâtre.

Je passai outre cette condamnation des chefs de file du théâtre contemporain et j'insistai :

– Mais j'ai appris que l'évêque aimait beaucoup sa belle-mère.

– Il l'adorait. Très bizarre. Carrie la détestait, mais à la mort de la sœur d'Alex, il fallait bien prendre une décision au sujet de cette vieille qui, à cette époque, était clouée sur une chaise roulante à cause de son arthrose. Alors bien sûr Alex a annoncé : « Elle va venir vivre avec nous! » La pauvre Carrie! Je ne peux pas vous dire les effets désastreux de cette décision.

– Comment a-t-elle réagi?

– Bonne question, dit Mrs. Cobden-Smith, utilisant une expression qui, j'allais bientôt devoir m'en rendre compte, était l'une de ses préférées. C'était il y a cinq ans, juste après leur arrivée à Starbridge, Carrie traversait – disons, une période difficile; tout était sens dessus dessous. J'ai dit à Willy : « Je suis sûre que Carrie va faire une dépression nerveuse. » Mais, bien sûr, j'avais compté sans Miss Christie. La vieille s'est amourachée de Miss Christie, n'a aucunement ennuyé Carrie et s'est éteinte, aussi bonne que du pain blanc, six mois plus tard. J'ai dit à Willy : « Cette Miss Christie est un don du ciel. »

– N'existe-t-il donc pas de problème insoluble pour Miss Christie?

– Bonne question, répéta Mrs. Cobden-Smith. Étrange comme elle a dompté la vieille, je dois dire. Je me souviens qu'un jour je me suis dit qu'il existait une ressemblance surprenante entre elles deux – pas une ressemblance physique, bien sûr; la vieille pesait une tonne alors que Miss Christie est si petite et si svelte, mais une étrange correspondance de caractère. Je soupçonne que la vieille, quand elle était jeune fille, devait avoir cette même capacité lénifiante dont Miss Christie fait preuve maintenant avec ostentation. La vraie mère d'Alex est morte quand il avait six ans, laissant son père seul avec huit enfants de moins de douze ans, ou quelque chose d'aussi effrayant que ça; et la belle-mère est venue remettre de l'ordre dans la maisonnée – un peu comme l'a fait Miss Christie quand elle est arrivée à Radbury.

J'avais maintenant le choix entre deux possibilités. J'étais tenté de poser des questions sur Radbury, mais j'étais aussi curieux d'en apprendre davantage sur les origines obscures de Jardine. Je finis par demander :

– Qu'est-il arrivé aux autres enfants Jardine?

– Une des filles est devenue folle et elle est morte dans un asile, trois des garçons sont partis pour les Colonies et y sont morts éthyliques ou pis encore, un autre a fait faillite à Londres et s'est pendu et le benjamin a tout simplement disparu. Et puis, il y a la plus jeune des sœurs qui s'est occupée de la vieille, et enfin Alex.

– Apparemment, la survie de monseigneur Jardine tient du miracle?

– C'était la volonté de Dieu, dit Mrs. Cobden-Smith, avec cette certitude inouïe du laïc qui connaît toujours très précisément la volonté divine. Bien sûr, aucun de nous n'est absolument certain de ce qui s'est passé dans cette famille mais – tout au long des années, j'ai pu récolter des détails affreux – il ne fait aucun doute que ses origines relèvent du cauchemar. J'avais bavardé avec la sœur d'Alex, Edith – c'était une femme très bien, terriblement commune, mais très bien tout de même –, et, parfois, elle laissait échapper une révélation à vous faire dresser les cheveux sur la tête.

– Lady Starmouth l'aimait bien elle aussi. Elle me disait qu'elle avait eu une vie difficile...

– A ne pas croire! Le père était un fou – jamais interné, malheureusement, mais complètement cinglé, c'est évident. Il souffrait de « religio-mania » et voyait le péché partout. Ainsi, il n'avait pas permis à ses enfants d'aller à l'école de peur qu'ils n'y soient corrompus.

– Mais alors, comment se fait-il que Jardine soit allé à Oxford?

– Bonne question, dit à nouveau Mrs. Cobden-Smith, jouissant de l'attention de son auditoire. C'est grâce à la belle-mère. Elle l'a finalement envoyé à l'école quand il a eu quatorze ans et l'a fait bûcher jusqu'à ce qu'il obtienne une bourse d'études.

– En ce cas, dis-je, Jardine lui devait beaucoup. N'était-ce donc pas une rare preuve de justice que de lui permettre de venir passer les dernières années de sa vie près de lui, à l'évêché?

– Oui, sans doute, concéda Mrs. Cobden-Smith à contrecœur, mais à l'époque, Carrie ne voyait pas les choses sous cet angle. Dieu merci, Miss Christie a apprivoisé la vieille avant que Carrie n'ait fait une autre dépression nerveuse.

– Une autre? Vous voulez dire que...

– Zut! j'aurais mieux fait de me taire; Willy serait furieux s'il savait.

Mais, d'un autre côté, c'est un secret de polichinelle : Carrie est victime de ses nerfs. Je lui ai souvent dit dans le passé : « Carrie, il faut que tu fasses plus d'efforts sur toi-même – tu ne peux pas te contenter d'aller te coucher et d'abandonner ! » Mais j'ai bien peur qu'elle ne soit pas du genre combatif. Moi, c'est tout à fait le contraire et c'est tant mieux ! Je n'arrête pas de me battre et de faire des efforts. Quand nous étions aux Indes...

Je la laissai bavarder sur les Indes, à l'affût d'une occasion qui ramènerait la conversation sur la dépression nerveuse de Mrs. Jardine. Les personnages du passé de l'évêque défilaient dans mon esprit : le père excentrique, les enfants aux destins tragiques, la sœur qui avait survécu et qui avait « une façon épouvantable de tenir sa tasse de thé », la mystérieuse belle-mère suédoise qui avait eu une influence si décisive et puis, après les années d'obscurité, les années de lumière et un univers neuf, un nouvel entourage : Carrie et les Cobden-Smith, la séduisante et spirituelle Lady Starmouth, la jeune Américaine intelligente qui se débattait pour se dégager des cendres de son mariage...

– ... un mariage désastreux, disait Mrs. Cobden-Smith, remarquant combien il était heureux que Carrie n'ait pas épousé un officier de l'armée des Indes. Elle n'aurait jamais survécu au climat.

– Non, je suppose que non, Mrs. Cobden-Smith. En parlant de survivre...

– Il est vrai que Carrie a connu des moments de survie difficile pour avoir épousé un ecclésiastique, dit Mrs. Cobden-Smith, entrant dans mon jeu avant que je n'ose risquer une question directe sur les difficultés qu'avait rencontrées Mrs. Jardine à Radbury. Bien que le plus drôle de l'histoire soit qu'elle est faite pour être la femme d'un ecclésiastique : elle est aimée de tous, c'est une petite femme d'une bonté, d'une dévotion et d'une gentillesse extrêmes, mais il aurait mieux valu pour elle qu'elle ait épousé un homme ordinaire, et non un pionnier dévastateur qui, régulièrement, ébranle les fondements de l'Église anglicane. Mais c'est un terrible drame qu'ils n'aient pas eu d'enfants. Il est vrai que les enfants peuvent être insupportables, je ne suis pas une inconditionnelle des enfants, mais il est vrai aussi qu'ils soudent un couple et, bien que Carrie et Alex soient tout dévoués l'un à l'autre, le premier venu peut voir qu'ils n'ont pas grand-chose en commun. Si vous saviez comme sa fausse couche de 1918 a été terrible ! On comprend que Carrie ait craqué, la pauvre chérie...

– C'est à ce moment-là qu'elle a fait sa dépression nerv...

– Enfin, ce n'était pas à proprement parler une dépression nerveuse, dit Mrs. Cobden-Smith d'un ton léger. J'ai un peu exagéré. Une dépression nerveuse, c'est quelqu'un qui grimpe aux rideaux, non ? Quelqu'un qu'on doit emmener dans une clinique privée. La dépression de Carrie était d'une nature tout à fait différente. Elle ne faisait que rester allongée sur une chaise longue toute la journée et quand, finalement, elle trouvait la force de se lever, c'était pour aller consulter des spirites pour savoir si

elle pouvait entrer en contact avec l'esprit de son enfant mort – terriblement embarrassant pour Alex, vous pensez : être un ecclésiastique dont
l'épouse consulte des spirites! Aussi, il fut décidé que Carrie irait faire
un petit séjour à la campagne, chez ses parents. Ce qui lui a fait le plus
grand bien, Dieu merci. Et, ensuite, tout a été parfait jusqu'à ce qu'ils
viennent s'installer à Radbury.

– J'ai entendu dire que ce déménagement n'avait pas été très facile à
vivre pour elle...

– Pauvre Carrie! Si seulement Alex avait été nommé pasteur de quelque paroisse tranquille au diable vauvert! Mais non, il est parti pour
Radbury s'occuper de cette immense cathédrale et Carrie s'est retrouvée
propulsée dans une vie mondaine – des centaines de personnes nouvelles à rencontrer, tous les résidents du Domaine de la cathédrale à
l'affût de la moindre de ses fautes, des nouvelles réunions à assumer, des
dîners en chaîne à organiser, la femme de l'évêque la traitant avec
dédain, les femmes des chanoines essayant de se mêler de ce qui ne les
regardait pas...

– A quel moment a-t-elle pris la décision d'engager une dame de
compagnie?

– C'est Alex, pas Carrie, qui a pris cette décision. Très vite, l'état de
Carrie était devenu tel qu'elle a été incapable de prendre la moindre initiative – ceci dit, je maintiens qu'elle n'était pas en dépression nerveuse.
Pas vraiment. Mais, par exemple, elle allait tous les jours faire des
courses, et il lui arrivait d'acheter des choses dont elle n'avait nul
besoin. Pour moi, c'était une façon de compenser ses problèmes. Et,
quand elle ne faisait pas d'emplettes, elle était toujours si fatiguée qu'elle
devait garder la chambre. Et puis, un beau jour, elle a acheté du papier
peint vraiment à vomir – ce fut sa dernière extravagance car Alex décida
qu'il fallait quelqu'un pour la surveiller quand elle allait faire les
courses. C'est ainsi que Miss Christie fit son apparition et obtint un succès immédiat. Alex parlait d'elle comme d'un « don du ciel », ni plus ni
moins.

– Monseigneur l'évêque a dû se faire beaucoup de soucis pour
sa femme, murmurai-je, choisissant un terme faible dans l'espoir de
pousser Mrs. Cobden-Smith à faire d'autres confidences, mais elle se
contenta de dire :

– Oui, en effet.

Et elle s'agita, comme si, tout à coup, elle prenait conscience qu'un
étranger pouvait interpréter ses remarques et découvrir plus qu'elle
n'avait eu l'intention de révéler. Je soupçonnai que, comme la plupart
des gens de peu d'imagination, il lui était difficile de se représenter ce
qui se passait dans un esprit qui n'était pas le sien.

– D'où vient Miss Christie? demandai-je, changeant de sujet afin
d'apaiser sa gêne.

– D'un village du Norfolk – un de ces endroits où la consanguinité est
monnaie courante et où tout le monde s'exprime par des grognements.
Elle vient d'une famille d'ecclésiastiques, évidemment.

– Quel hasard! Mais, Mrs. Cobden-Smith, il y a une chose qui me chiffonne au sujet de Miss Christie : pourquoi ne s'est-elle jamais mariée?

– Ah, répondit Mrs. Cobden-Smith, mais c'est ce que nous aimerions tous savoir! Le bruit court qu'elle aurait été abandonnée autrefois mais, pour moi, elle a fait circuler cette histoire pour masquer une raison beaucoup moins respectable à son célibat.

– Oh! dis-je. Qu'est-ce que cela pourrait bien être?

– Je soupçonne fort, dit Mrs. Cobden-Smith en baissant le ton de sa voix pour prendre celui de la confidence, que Miss Christie aime le pouvoir.

4

Cette conclusion me parut si absurde que je dus me retenir pour ne pas rire mais, fort heureusement, Mrs. Cobden-Smith était plus impatiente de m'expliquer sa théorie que de juger de mes réactions.

– Bien sûr, la *vox populi*, continua-t-elle, clame que Miss Christie est secrètement amoureuse d'Alex, mais ceci est complètement stupide, car je ne peux me la représenter bête au point de perdre les dix meilleures années de sa vie à prodiguer un amour sans espoir à un homme marié. Non, retenez bien ce que je vais vous dire, révérend Ashworth, elle ne rêve que de pouvoir. Il y a des femmes qui sont ainsi faites; nous ne voulons pas toutes nous marier, et je crois que Miss Christie adore avoir des responsabilités ici, tout simplement : organiser la vie domestique, s'occuper de Carrie, aider l'évêque, rencontrer les dignitaires de l'Église et tous les aristocrates, comme les Starmouth, qui sont invités ici. Pour moi, conclut Mrs. Cobden-Smith d'un ton sans réplique, Miss Christie est simplement l'exemple type de la femme moderne qui n'a qu'un mari : son ambition.

Ayant surmonté mon envie de rire, je pouvais maintenant voir que la théorie de Mrs. Cobden-Smith n'était pas aussi stupide que j'avais bien voulu le penser; elle était même plus vraisemblable que l'allusion gratuite de Lady Starmouth au saphisme. De toute façon, avant que je ne puisse dire quoi que ce soit, Mrs. Cobden-Smith s'exclama :

– Tiens, voici Carrie – elle est descendue à temps pour le déjeuner, Dieu merci! Et voici Willy avec George. Voulez-vous m'excuser, révérend Ashworth? il faut que je donne sa viande de cheval à George.

Elle partit en courant à travers la pelouse et, dès l'instant où je me retrouvai seul, je pris conscience que la chaleur m'incommodait. Je décidai d'aller me reposer dans ma chambre avant le déjeuner et d'en profiter pour passer en revue les témoignages fournis par mes divers interlocuteurs.

Au moment où j'atteignais la terrasse, Mrs. Cobden-Smith avait disparu avec le colonel et George, mais Mrs. Jardine m'attendait, avec son sourire le plus engageant. Maintenant que j'en savais davantage à son sujet, son visage me parut poignant et, à nouveau, j'eus conscience de la réalité cachée sous l'illusion dans la chaleur de cette mi-journée, à Starbridge.

– Comment allez-vous, Mrs. Jardine? lui demandai-je tout en gravissant les marches qui menaient à la terrasse. J'ai été navré d'apprendre que vous vous sentiez fatiguée.

– Oh, je vais beaucoup mieux maintenant, je vous remercie! C'est si bête ces insomnies. J'ai dû boire beaucoup trop de café hier soir, sans m'en rendre compte. Et puis, une fois au lit, je me suis mise à penser à votre pauvre femme et à votre enfant et... Enfin, vous savez ce que c'est, j'imagine, quand des pensées vont et viennent dans votre tête, à l'aube surtout, et puis j'ai eu peur, tout à coup, je ne sais pas pourquoi; parfois, j'ai des moments de réelle panique, particulièrement quand il fait si chaud. Croyez-vous qu'il va faire un orage, révérend Ashworth? L'air est si lourd, si étouffant, presque menaçant. C'est comme si quelque chose de terrible allait arriver.

Le ciel était sans nuages. L'air était chaud, mais humide. Je dis gentiment :

– Il est vrai qu'il fait très chaud. Si nous allions à l'intérieur?

Et, d'un geste, je l'invitai à me précéder dans la maison, mais Mrs. Jardine hésita, lançant des regards incertains sur la terrasse.

– Je me demandais si nous devions prendre l'apéritif ici, dit-elle, mais je n'arrive pas à me décider. Alex ne boit jamais dans la journée, mais mon frère et son épouse ainsi que les Starmouth apprécient un apéritif. Et vous, révérend Ashworth?

– Non, habituellement, non.

Derrière les portes-fenêtres ouvertes, j'aperçus Miss Christie et le domestique qui entraient dans le salon. J'entendis Miss Christie lui dire :

– Mais non, dehors il fera trop chaud, Shipton.

Et le domestique posa le plateau de verres sur une table basse.

– Lyle vient de dire qu'il ferait trop chaud sur la terrasse, dit Mrs. Jardine, soulagée que la décision ait été prise pour elle.

Elle cria à l'adresse de Miss Christie :

– Le révérend Ashworth ne prend pas d'apéritif, ma chérie, il y aura donc un verre de limonade en plus.

– Oui, j'y avais pensé, répondit Miss Christie, nous rejoignant sur la terrasse. Re-bonjour, révérend Ashworth. J'espère que vous avez apprécié votre bain de soleil en habit de clergyman.

– Absolument, répondis-je. En fait, la matinée a été si agréable que je suis bien décidé à passer un après-midi *ad hoc*. Accepteriez-vous de m'accompagner faire une promenade en automobile après déjeuner?

Miss Christie m'avait accordé un centimètre et je lui demandais le mètre. Au moins, personne ne pourrait m'accuser de laisser passer une occasion quand elle se présentait. Mais Miss Christie semblait regretter le centimètre concédé. Elle répondit sans hésiter :

– Mais, je ne suis pas libre de mes mouvements, révérend Ashworth. J'ai du travail, ici, à l'évêché.

– Oh, mais je compte me reposer cet après-midi, intervint Mrs. Jardine. Je t'en prie, va donc te promener avec le révérend Ashworth, ma chérie, pourquoi pas?

– Oui, absolument, pourquoi pas? trancha une voix familière et, faisant volte-face, je découvris Jardine qui nous observait depuis le seuil du salon.

5

Il y eut un silence. Mon regard revint sur Miss Christie, mais elle avait déjà pris la sage décision qu'il était maintenant moins étrange d'accepter l'invitation que de la refuser. Elle dit poliment :

– Merci. Une promenade en automobile sera très agréable.

Puis, elle disparut dans le salon où l'on venait de déposer une grosse cruche de limonade.

– Il fait abominablement chaud, vous ne trouvez pas? dit Jardine tandis que je regardais Miss Christie et le domestique disparaître tous deux dans le hall. Carrie, tu as l'air d'être bien partie pour une insolation. Tu ferais mieux de rentrer.

– Je me sens si bizarre, Alex...

– Je propose que nous nous jetions tout de suite sur la limonade glacée.

La fraîcheur du salon nous fit l'effet d'un baume exquis mais, au moment où Mrs. Jardine s'asseyait sur le rebord du canapé, je remarquai les mouvements nerveux de ses mains, et je ressentis plus que jamais sa fébrilité.

– Eh bien, révérend Ashworth, me dit Jardine tout en tendant un verre de limonade à sa femme et à moi-même. Dois-je conclure que les trésors de la bibliothèque vous laissent froid? D'après ce que j'ai pu voir, vous avez passé la matinée à bavarder avec une jolie femme et, maintenant, vous vous proposez de passer l'après-midi à bavarder avec une autre.

Je répondis en souriant :

– Ayant passé plus d'une heure à admirer les trésors de la bibliothèque, je me suis autorisé à passer moins d'une heure...

– A admirer les trésors de Lady Starmouth? Je vous comprends.

L'évêque faisait de son mieux pour paraître amusé, mais j'avais la nette impression que son plaisir était aussi mince qu'une hostie, et je commençai à me sentir mal à l'aise.

– Mais je croyais que vous parliez à Amy et non pas à Lady Starmouth! dit Mrs. Jardine.

Elle avait l'air curieusement embarrassée.

– Oh, mais le révérend Ashworth a tout simplement parlé à tout le monde, dit l'évêque.

Et je pouvais maintenant clairement percevoir une note aigre dans sa voix.

– Il semble souffrir d'un besoin irrépressible d'étaler l'aspect sociable de sa personnalité! continuait-il.

– A moi, en tout cas, il ne m'a pas parlé, dit le colonel Cobden-Smith en entrant dans la pièce tandis que je commençais à me demander si Lady Starmouth ne s'était pas plainte de ma conduite.

– C'est parce que vous étiez occupé à faire courir ce malheureux chien par cette chaleur épouvantable, en vous exposant vous-même à un infarctus. Et maintenant, j'imagine que vous allez demander un gin-tonic bien frais!

– La chaleur est si mauvaise pour tous, dit Mrs. Jardine semblant morte d'inquiétude et coupant la parole au colonel. Je suis certaine qu'il va faire un orage, pourtant selon les prévisions météorologiques...

– Oh, pour l'amour du ciel, Carrie! s'écria l'évêque au comble de l'irritation, cesse de parler du temps!

Mrs. Jardine fondit en larmes.

– Grand Dieu! grommela Jardine tandis que le colonel et moi-même restions cloués sur place.

Puis, il hurla d'une voix suraiguë :

– Lyle!

Miss Christie entra dans la pièce. On aurait dit qu'elle avait attendu en coulisse le moment de faire son entrée en scène.

– Lyle, Carrie ne supporte pas cette chaleur. Faites quelque chose, voulez-vous, dit l'évêque.

Et, se penchant gauchement vers sa femme, il l'embrassa en lui murmurant :

– Excuse-moi.

– Ma chérie, dit Miss Christie à Mrs. Jardine, buvez donc votre citronnade, vous vous sentirez mieux. Il est très important de boire quand il fait très chaud.

– Je ferais peut-être mieux de boire moi aussi régulièrement de la citronnade, remarqua Jardine. Cela m'éviterait peut-être de piquer des colères après une matinée de travail pénible. Je viens juste de terminer de lire la dernière pelletée de lettres à propos du projet de loi sur le divorce. Figurez-vous qu'il y a des gens qui pensent que c'est moi qui ai officié pour le mariage d'Édouard VIII!

C'était une tentative habile pour ramener la conversation dans les limites de la banalité, mais avant qu'une atmosphère plus détendue n'ait pu s'installer, Mrs. Cobden-Smith entra en trombe dans la pièce.

– Willy, George ne mangera jamais cette viande de cheval, dit-elle. Est-ce que tu crois – oh, mon Dieu, que se passe-t-il? Carrie chérie, il faut absolument que tu prennes sur toi! Je sais que cette chaleur est épuisante, mais...

– Amy, l'interrompit l'évêque, voudriez-vous avoir l'obligeance de ne plus vous adresser à ma femme comme si elle était une paysanne hindoue civilisée par l'Empire britannique?

– Franchement, Alex!

– Mrs. Cobden-Smith, dit Miss Christie avec un charme sans égal, auriez-vous l'extrême amabilité de m'aider à ramener Carrie dans sa chambre afin qu'elle puisse s'y reposer? Vous devez certainement avoir eu une grande expérience des insolations aux Indes et j'aimerais tant que vous me conseilliez – pensez-vous que nous devrions appeler le médecin?

– Tout à fait inutile, trancha Mrs. Cobden-Smith, calmée. Mais peut-être a-t-elle absolument besoin de s'allonger. Venez, Carrie.

C'est alors que le chapelain eut la mauvaise idée de débouler dans la pièce avec une mauvaise nouvelle.

– Monseigneur, l'archidiacre est encore au téléphone et il est complètement affolé!

– Oh, qu'il aille se faire pendre! explosa l'évêque. Et qu'on en profite pour pendre aussi cet instrument abominable qu'est le téléphone!

Mais il profita de l'occasion qui lui était offerte pour fuir prestement le chaos occasionné par son irritabilité.

6

La promptitude avec laquelle l'ordre fut rétabli me surprit. Cajolée par Miss Christie, Mrs. Jardine but toute sa citronnade et déclara qu'elle se sentait beaucoup mieux. Les Starmouth arrivèrent et, pendant qu'ils hésitaient à choisir leur boisson, je pus entendre les Cobden-Smith qui parlaient de George qui, de fait, faisait une entrée assez terne dans la pièce. Miss Christie appela le domestique pour qu'il remplisse le broc de citronnade mais, avant que je n'aie eu l'occasion de lui reparler de notre petite sortie, quatre invités arrivèrent de divers coins du diocèse et toute chance d'avoir une conversation en tête à tête avec elle fut réduite à néant.

Le déjeuner fut tranquille, pour ne pas dire ennuyeux. Je m'efforçai d'être aimable avec une grosse matrone dont le sujet de conversation préféré était l'Association des mères de famille et, si Miss Christie ne daignait m'accorder aucun de ses regards, je surpris, de temps à autre, un coup d'œil compatissant lancé par Lady Starmouth, assise en face de moi.

Enfin, vers deux heures et demie, le petit groupe se dispersa. Revenu dans ma chambre, je me préparai pour une balade dans la campagne passablement éloignée de mes devoirs religieux. Je retirai ma tenue ecclésiastique. Ayant enfilé des vêtements civils légers, je laissai le col de ma chemise ouvert, inclinai savamment le bord de mon chapeau et me tournai une fois de plus vers le grand miroir pour juger de mon reflet. Tout de suite, je me demandai si je n'avais pas été un peu trop loin dans la décontraction; je trouvai que j'avais l'air d'un représentant de commerce en vadrouille, mais quand je décidai d'essayer une cravate, je me sentis trop étriqué. Ayant remis la cravate dans le tiroir, je redéfis le col de ma chemise et décidai que j'avais exactement l'air de ce que j'étais : un révérend en vacances sur le point d'aller faire un tour en voiture avec une femme des plus séduisantes.

Mais, comme je regardais à nouveau dans le miroir, je vis l'espion qui se tapissait derrière l'ecclésiastique, l'envers de l'image; et, derrière cet espion, un autre homme encore, l'envers de l'envers de l'image. La réalité se brouilla. Le fantasme et la vérité devinrent inextricablement liés. Je me dis que j'avais imaginé cet étranger d'au-delà l'image mais, comme je sentais ma personnalité qui commençait à se dédoubler, je me couvris le visage de mes mains.

M'agenouillant près du lit, je murmurai :
– Mon Dieu, pardonne-moi mes offenses. Délivre-moi du mal. Aide-moi à Te servir de mon mieux.

Alors, je me sentis rasséréné et, lorsque je regardai encore dans le miroir, je pus voir que le révérend en vacances était maintenant la seule image visible. Il arborait une expression sévère, comme pour souligner que je ne devais pas laisser la chaleur brouiller mon esprit et, sans plus réfléchir, chassant toute pensée morbide, je sortis rejoindre Miss Christie.

V

L'expérience a démontré que la femme d'un ecclésiastique se doit d'épouser sans réserve la carrière difficile et particulière de son mari. Elle tire sa récompense d'une influence personnelle, étendue et profonde qui reste inégalée chez toute autre femme mariée. Mais, si elle se détache de la mission et de la vie de son époux, elle entraînera des conséquences ruineuses à la fois pour la réussite de ce dernier et pour son mérite à elle; ainsi que, est-il besoin de le préciser, pour leur bonheur commun.

Herbert HENSLEY HENSON,
Archives de l'évêché.

1

Miss Christie portait une robe vert pâle à manches courtes qui dévoilait ses bras fins, et des sandales blanches et plates qui valorisaient la grâce de ses chevilles. D'autres courbes plus pulpeuses étaient érotiquement dissimulées par la coupe simple de sa robe. Elle avait abrité son visage sous un chapeau de paille blanc à larges bords.

– Vous voulez passer inaperçue? lui demandai-je comme je la retrouvais dans le hall.

– Je pourrais vous retourner la question!

– Eh bien, au moins, n'avez-vous pas dit...

– ... Oh, comme vous paraissez différent en civil!

Nous éclatâmes de rire et, tandis que je la précédais jusqu'à ma voiture, il m'apparut que, si Miss Christie pouvait venir à bout de n'importe quelle crise, elle pourrait certainement venir à bout d'un docteur en théologie qui était assez fou pour avoir peur de son propre reflet. Soulagement, bonheur, nervosité de l'attente, désir sexuel dans des proportions raisonnablement stimulantes : tout était en place pour que l'après-midi soit un succès.

Miss Christie suggéra d'aller à Starbury Ring, un groupe de pierres mégalithiques circulaire, au sommet des coteaux des Downs et, après qu'elle m'eut indiqué comment sortir de la ville, nous remontâmes la vallée vers le nord. Les collines qui nous entouraient formaient, dans la luminosité limpide de l'après-midi, une courbe d'une volupté extrême. Quittant la route principale, nous passâmes devant quelques fermes et, à un moment donné, nous fûmes bloqués derrière une charrette. Mais hormis cela, rien ne vint détourner notre attention des paysages qui se succédaient régulièrement.

Tout à coup, Miss Christie déclara :

– Je devrais emmener Mrs. Jardine se promener ainsi. Cela lui ferait le plus grand bien. Nous pourrions même prendre de quoi pique-niquer et disparaître tout un après-midi.

– Et l'évêque?

– Oh, je le laisserai chez lui. Il a horreur de manger al fresco. Pour lui, la détente, c'est écrire des lettres au Times.

– J'ai entendu dire que c'est ainsi qu'il s'était fait un nom avant de devenir pasteur de Sainte-Mary à Mayfair.

– Oui, il n'avait pas grand-chose d'autre à faire quand il était chapelain dans le nord de Londres.

Je sautai sur l'occasion pour poursuivre mon enquête.

– Personne ne m'a encore expliqué, dis-je, pourquoi il vivait dans une telle obscurité avant d'aller à Mayfair. Que lui est-il arrivé après son ordination?

– On lui a confié une paroisse dans ce diocèse – dans les quartiers pauvres de Starmouth. Il y est resté sept ans et y a fait du bon travail, mais sa tâche était trop difficile et trop décourageante et, au bout du compte, il est tombé malade.

– Cela arrive souvent aux ecclésiastiques qui s'occupent de paroisses plus ou moins sordides, dis-je et, tout de suite après, l'accusation de mon ami Philip me disant que je vivais dans une tour d'ivoire me revint en mémoire.

Un sentiment de culpabilité me poussa à ajouter :

– Quoi qu'il en soit, n'allez surtout pas croire que je parle par expérience. J'ai bien peur d'avoir toujours servi les riches.

– Le Christ prêchait aussi bien pour les riches que pour les pauvres, non? dit Miss Christie d'une voix posée. Et monseigneur Jardine dit que, sur le plan spirituel, les riches peuvent être tout aussi démunis que n'importe quelle famille au chômage.

Je lui lançai un regard de gratitude, mais elle regardait, par la vitre, le dessin des collines.

Après un moment de silence, j'ajoutai :

– Parlez-moi encore de Jardine – que s'est-il passé quand il est tombé malade?

– Sur les conseils de son médecin, il s'est démis de sa cure et a emprunté de l'argent pour prendre de longues vacances. Le repos lui a été bénéfique mais il s'est dit néanmoins que son état de santé ne lui permettrait pas de supporter la charge d'une autre paroisse. Il a donc décidé de se consacrer à l'écriture et au travail de recherche à Oxford. Je suppose que vous savez qu'il est un des administrateurs du collège d'All Souls. Quoi qu'il en soit, à l'époque, ses difficultés financières étaient si aiguës qu'il lui a fallu absolument trouver un moyen de gagner de l'argent. Au bout du compte, le directeur du collège lui a dégoté cette obscure aumônerie dans un hôpital au nord de Londres. Il était payé par le collège.

– J'en conclus que Jardine avait de lourdes obligations familiales à Putney?

– Il entretenait son père, sa belle-mère et ses deux sœurs, répondit sèchement Miss Christie. Sans être indigent, on peut difficilement dire qu'il roulait sur l'or. Bref, l'aumônerie lui convenait. L'hôpital était très petit, pas plus grand qu'un hospice, alors comme il n'y avait pas grand-chose à faire, il pouvait passer plusieurs journées par semaine à Oxford. Il écrivait quelques articles, donnait des sermons – sa réputation de prédicateur était déjà bien établie – et il envoyait régulièrement des lettres au *Times*. En fait, sans que monseigneur Jardine ne soit au courant, le directeur du collège parla de lui à Mr. Asquith qui était alors Premier ministre, et lui demanda s'il pouvait faire quelque chose, puisqu'il était évident que la santé de Jardine était tout à fait rétablie. Il se trouve que Mr. Asquith appréciait les lettres parues dans le *Times* et il se souvint immédiatement que le poste vacant depuis peu à Mayfair était à la discrétion de la Couronne.

– C'est ce que nous autres, ecclésiastiques, appelons une histoire édifiante, dis-je. Après beaucoup de vicissitudes, les bons finissent toujours par être récompensés.

– Vous n'avez aucune raison d'être envieux, dit Miss Christie, d'un ton qui indiquait qu'elle avait l'impression d'avoir été trop amicale et se sentait maintenant obligée de remettre les points sur les « i ». Il semble évident que vous êtes bien parti pour obtenir l'évêché de votre choix.

– Vous croyez? dis-je. Vous me flattez. Mais pensez-vous sincèrement que je sois fait pour devenir évêque simplement parce que j'ai publié un livre sur l'Église primitive et peux survivre à la cathédrale de Canterbury sans me quereller avec le doyen?

– Oh, je ne me permettrais pas de juger de vos capacités, révérend Ashworth. Je laisse ce soin à Dieu et à monseigneur Lang.

Je sentis qu'il me fallait montrer que je n'étais pas disposé à tolérer une attaque, sans doute provoquée par un sentiment de culpabilité parce que nous nous entendions si bien. Arrêtant la voiture, je coupai le moteur, me tournai vers elle et lui demandai :

– Pourquoi vous montrer hostile envers moi?

Elle blêmit. Tout d'abord, je crus que c'était de colère, mais je compris, par la suite, que c'était de peur, à la manière dont elle protesta :

– Je ne vous suis pas hostile.

Je lui répondis du tac au tac :

– Non ? alors, pourquoi faire semblant ?

Et, me penchant vers elle, je l'embrassai sur la bouche.

C'était un comportement plutôt cavalier pour un gentleman au cours d'une tranquille promenade en automobile par un bel après-midi, en compagnie d'une dame qu'il connaissait depuis moins de vingt-quatre heures; et, pour un ecclésiastique ce comportement était si cavalier que j'avais l'impression d'aller à la vitesse de la lumière. De fait, ma rapidité stupéfia tant Miss Christie que cinq secondes après que nos lèvres se furent touchées, elle semblait toujours paralysée. Et cinq secondes, c'est long, pour un baiser. Quoi qu'il en soit, vers la sixième seconde, elle réagit. Mais, contrairement à mon attente, sa réaction fut loin d'être hostile. Sa bouche céda sous la pression de la mienne. Je la serrai plus fort dans mes bras mais, l'instant d'après, elle me repoussait et, à contrecœur, je la libérai de mon étreinte. Son visage n'était plus blême mais légèrement rosé. Je n'avais pas la moindre idée des teintes que pouvait avoir le mien, mais j'avais l'impression d'avoir couru un cent mètres et les pensées qui tourbillonnaient dans ma tête n'étaient plus seulement celles de coupes de champagne vides; c'étaient des visions d'épées étincelantes, de tunnels sombres et autres objets ambigus définitivement stigmatisés par Freud.

Miss Christie défroissa le bas de sa robe – que je n'avais pas touchée – ce qui me permit de remarquer qu'elle portait une chevalière à son annulaire gauche.

Au bout d'un moment, elle dit :

– Nous nous sommes rencontrés hier pour la première fois. Nous ne nous appelons même pas par nos prénoms. N'avez-vous pas le sentiment de vous comporter plutôt curieusement pour un ecclésiastique ?

– Maintenant, je vous connais suffisamment pour vous appeler Lyle.

– Révérend Ashworth...

– Charles. Oui, je sais, mon comportement est plutôt curieux pour un homme de robe, mais dès que quelqu'un s'avise de faire une remarque qui sous-entend qu'un homme d'Église devrait être une sorte de bon samaritain, j'ai envie de citer le monologue de Shylock dans *Le marchand de Venise*, vous voyez lequel, quand il déclare saigner et souffrir exactement comme tout le monde...

– Mais je ne voulais pas dire que...

– Ah non ?

– Révérend As...

– Charles.

– Je crains de ne pas être intéressée par une amourette.

– Alors là, je vous arrête : n'allez pas prétendre que je ne vous intéresse pas. J'ai vu que vous écoutiez, hier soir, en retenant votre souffle, quand Lady Starmouth m'a demandé si j'étais marié !

– Je...

– Écoutez.

J'adoptai le ton le plus calme et le plus raisonnable possible.

– Je pourrais procéder de la manière conventionnelle. Je pourrais vous servir des petits compliments joliment inoffensifs, vous écrire des petits billets doux respectueux, vous faire porter des fleurs et venir à Starbridge tous les quinze jours juste pour le plaisir de vous inviter à boire un thé. Je pourrais faire tout cela. Je suis parfaitement capable de me comporter en gentleman et de respecter les règles du jeu. Mais où cela me mènerait-il? Tout simplement nulle part. J'ai compris cela hier soir quand j'ai tenté une approche en douceur et que vous vous êtes esquivée avec vos tasses de café. Eh bien, vous esquiver de la sorte vous amuse peut-être beaucoup mais, pour tout vous dire, je n'ai pas l'intention de me faire traiter comme un bibelot. Je veux vous connaître beaucoup mieux et aussi vite que possible – voici la raison pour laquelle je vous ai proposé cette petite promenade...

– Alors, pourquoi ne roulons-nous pas? Je n'ai pas envie de passer le reste de l'après-midi devant un portail à vous entendre débiter vos sornettes d'un air exalté!

Je remis le moteur en marche et redémarrai.

2

Quelques minutes plus tard, nous avions débouché sur un large plateau et, devant nous, je pouvais voir un chemin qui partait de la route et filait vers la corniche au sommet des Downs.

– Garez-vous là, dit Lyle en désignant l'entrée du sentier. C'est ici que commence la randonnée jusqu'au Ring.

– Inutile de parler comme si vous regrettiez de ne pas être chaperonnée! dis-je d'un ton léger tandis que j'arrêtais une fois de plus la voiture. Maintenant que j'ai très précisément défini ma position, je vous promets de me comporter comme un saint pendant au moins deux heures.

– Et ensuite?

– Ensuite, nous serons rentrés à l'évêché et vous pourrez vous cacher dans les jupes de l'évêque.

Tandis que j'ouvrais la portière du passager, elle me lança :

– Vous semblez vous intéresser beaucoup à l'évêque, n'est-ce pas?

– Comme tout le monde au sein de l'Église anglicane.

Nous avions commencé à remonter le sentier. J'avais très envie de lui prendre la main, mais je réussis un impeccable exercice de maîtrise de soi et maintins mes poings fermement enfoncés dans mes poches. De toute façon, je n'étais pas mécontent des progrès accomplis. Au moins, elle ne m'avait pas giflé et elle n'avait pas non plus exigé de moi que je la ramène sur-le-champ à Starbridge.

– Si vous avez envie de me connaître davantage, finit-elle par dire, pourquoi ne donnez-vous pas l'exemple en m'en apprenant un peu plus sur vous? D'habitude, la plupart des hommes ne peuvent pas résister à raconter leurs petites aventures, mais vous, vous semblez particulièrement réticent.

– Il n'était pas dans mes intentions de transformer cette promenade en leçon d'histoire. Je préférerais parler du présent.

– Vous avez un problème avec votre passé?

– Il est ennuyeux. Je suis né dans le bon comté, dans le bon quartier résidentiel de la bonne ville. Mon père avait un bon métier et ma mère s'adonnait à de bons passe-temps. J'ai fréquenté les bonnes écoles et la bonne université, j'ai été ordonné au bon âge et j'ai commencé une bonne carrière au bon moment, épaulé par la bonne personne. Ensuite, j'ai enseigné dans de bons établissements, écrit le bon livre et, finalement, je suis devenu chanoine de la bonne cathédrale. Mortel, vous ne trouvez pas? Le passé de monseigneur l'évêque est tellement plus intéressant que le mien.

Lyle se contenta de répondre :

– Vous avez oublié de parler du bon mariage avec la bonne épouse.

– Effectivement. Négligence de ma part. Je suppose que c'est parce qu'elle a fait la chose qu'il ne fallait pas faire, qu'elle est morte.

Nous marchions toujours. Le soleil flamboyait sur les collines herbeuses parsemées de brebis et, tandis que nous nous dirigions vers le sommet du coteau, le panorama s'élargit dans toutes les directions. Il régnait ici un calme étrange.

Lyle finit par dire :

– Vous ne vous livrez pas beaucoup.

– N'est-ce pas le cas de tout le monde, même de ceux qui ne demandent qu'à débiter les morceaux choisis de leur existence?

J'étais en train de tenter de donner à la conversation un tour qui inciterait Lyle à contrecarrer mon argument en me faisant quelques révélations sur elle-même, mais elle se contenta de dire d'un ton détaché :

– Oui, je pense aussi qu'il est, la plupart du temps, impossible de connaître la vérité exacte sur les gens, mais on peut quand même s'en faire une idée précise.

Elle s'interrompit pour regarder la vallée derrière nous.

– Prenez les Starmouth, par exemple. Le comte est un respectable Britannique de la vieille école qui prend un intérêt consciencieux à ses propriétés, fait son devoir pour le pays en assistant régulièrement aux débats de la Chambre des Lords et reste dévoué à sa femme et à ses enfants. Lady Starmouth s'ennuie très probablement avec lui, mais elle est foncièrement bonne et respectable elle aussi et elle ne se trémousse pas dans tous les sens comme une demi-mondaine. Au lieu de cela, elle se divertit avec des hommes du milieu le plus inoffensif qui soit – les ecclésiastiques – qui ont un grand intérêt à fréquenter les propriétaires fonciers. Bon, je ne dis pas que tout cela soit le reflet exact de la vérité sur les Starmouth, mais je pense qu'il est pratiquement certain que je vous ai donné d'eux une esquisse valable. Je veux dire, je ne crois pas sérieusement, et vous non plus d'ailleurs, que Lady Starmouth puisse être une toxicomane et que son mari entretienne une maîtresse dans le quartier de St. John's Wood.

– Lady Starmouth n'est certainement pas une toxicomane. Mais – et je pensais à la candide admiration du comte pour Loretta – je ne serais pas aussi catégorique que vous en ce qui concerne l'existence éventuelle d'une maîtresse. Avec les années, j'en suis arrivé à la conclusion qu'il est impossible de se faire une opinion infaillible sur la vie privée de qui que ce soit.

Je ne la regardai pas, et pourtant j'étais impatient de connaître sa réaction.

Mais elle se contenta de dire :

– Vous ne croyez pas que le comte est un peu vieux pour aller faire des galipettes à St. John's Wood?

– Il est très possible qu'avoir une maîtresse lui fasse l'effet d'une cure de jouvence. Mais non, continuai-je en souriant tandis que nous reprenions notre ascension vers le sommet du coteau, j'avoue que je ne pense pas vraiment que le comte mène une double vie, pas plus que je ne pense que Lady Starmouth se languisse d'amour pour monseigneur l'évêque.

Elle rit.

– Vous savez, si Lady Starmouth plaît tant à l'évêque, c'est qu'elle, au moins, ne risque pas de jouer à l'amoureuse passionnée!

– Y a-t-il donc tant de femmes amoureuses qui harcèlent monseigneur Jardine?

Soudain, Lyle choisit de ne plus traiter le sujet à la légère.

– Pas en ce moment, dit-elle. Un évêque est quelqu'un de plus impressionnant qu'un simple ecclésiastique. Mais, quand il était doyen à Radbury, il y a eu une ou deux paroissiennes à problèmes; aussi quand il a été pasteur à Mayfair, il a toujours évité la compagnie des femmes qui n'avaient pas les principes de Lady Starmouth.

Je répondis, également sérieusement, pour bien lui signifier que je comprenais les problèmes que pouvaient rencontrer certains ecclésiastiques :

– Mais les femmes gênantes réservent certainement leurs attentions aux célibataires?

– Oh, il est certain que sa vie est devenue un peu moins agitée une fois marié. Mais, malheureusement, même encore aujourd'hui, certaines femmes sont tentées de considérer Mrs. Jardine comme sans importance et vont s'imaginer que l'évêque s'ennuie en ménage. Ce sont des bêtises, évidemment. Aux yeux d'un étranger, les Jardine peuvent sembler former un couple mal assorti, mais tous ceux qui les connaissent bien vous diront qu'ils s'adorent. C'est le principe des contraires qui s'attirent.

Tout en parlant, nous avions atteint le sommet du coteau et, tandis que nous nous taisions pour admirer le panorama, nous vîmes bientôt les contours du paysage pâlir dans la brume du soleil. Détournant mon regard des sombres perspectives atmosphériques, je tournai mon attention vers Starbury Ring qui était maintenant visible à moins d'une cinquantaine de mètres. Le Ring était constitué d'une vingtaine de hauts rochers, plantés plusieurs milliers d'années auparavant, pour des raisons que nous ne connaissions plus aujourd'hui mais qui, instantanément, firent jaillir dans mon esprit des images de sacrifices humains et autres adorations païennes. Je me dis combien il serait réconfortant de pouvoir penser que toutes ces idolâtries sanguinaires n'appartenaient plus maintenant qu'au passé de l'Europe et, l'espace d'un instant, j'aurais voulu vivre à l'époque victorienne où l'on croyait encore au Progrès. Combien merveilleux aurait-il été d'attendre impatiemment, en toute confiance, le moment où la race humaine aurait atteint son inévitable perfection! Quel apaisement de se figurer un Dieu immanent, accessible, qui pourrait être appréhendé grâce à la raison et à un bon enseignement! Mais la guerre avait maintenant détruit cette illusion qu'était la notion de progrès; une fois encore, une nouvelle idolâtrie sanguinaire s'était répandue sur l'Europe et Karl Barth avait perçu que Dieu était totalement transcendant et uniquement accessible grâce à la révélation.

– Excusez-moi, dis-je soudain à Lyle. Voir ces pierres païennes m'a fait partir dans des digressions théologiques. Vous disiez donc que les Jardine s'adoraient...

– Oui, Mrs. Jardine adore l'évêque et l'évêque, comme tous les hommes, adore être adoré. Bien sûr, elle l'énerve de temps à autre – vous en avez été témoin pas plus tard que ce matin – mais, dans l'ensemble, il pense qu'une épouse foncièrement bonne, très aimée et totalement loyale envers lui dans tous les domaines vaut bien une petite colère.

– Monseigneur l'évêque semble posséder le don remarquable de s'entourer de femmes qui l'adorent!

– Un don qui s'est probablement développé en réaction à son enfance difficile. Une période sans beaucoup d'amour.

– Je croyais que sa belle-mère lui était dévouée.

– Elle n'était pas très démonstrative. Jusqu'à ce qu'il ait dix-huit ans, il n'avait pas le moindre indice sur ses sentiments.

– Qu'est-il arrivé quand il a eu dix-huit ans?

– Il est parti pour Oxford et, quand il lui a fait ses adieux, elle a fondu en larmes. C'était, pour elle, un moment de grand triomphe, vous savez. Elle avait vu en lui le meilleur de la famille, et elle avait tout fait pour qu'il aille à Oxford, mais lui avait toujours cru qu'il n'était qu'un jouet pour elle car elle n'avait pas d'enfant.

Lyle s'interrompit avant d'ajouter :

– Je pense qu'au début au moins il n'a été peut-être qu'un jeu pour elle, mais, au bout d'un moment, il s'est trouvé que l'ambition qu'elle avait mise en lui l'aidait à supporter un mariage difficile. « Adam le méritait », m'avait-elle dit vers la fin de sa vie. Elle l'appelait Adam. Elle avait horreur de ce prénom Alex; elle trouvait que cela faisait frivole, que c'était une mauvaise influence des Cobden-Smith. « Adam n'est pas Alex, m'a-t-elle dit un jour, Alex est juste un masque, et derrière ce masque, il y a Adam, que personne ne connaît sauf moi. » C'était une chose triste à dire, vous ne pensez pas? Parfois, j'observe l'évêque et je me dis : il y a un Adam quelque part en lui! La personnalité est quelque chose de si mystérieux, si inquiétant, si insondable...

Nous nous trouvions maintenant au milieu du cercle formé par les pierres, elles-mêmes sombres et austères, recouvertes d'un lichen vert-brun. Dans ce paysage désertique, elles augmentaient le mystère du Ring et semblaient projeter un lointain passé au cœur même du présent. J'eus l'impression que des druides côtoyaient Karl Barth, tandis qu'un siècle sanguinaire se mêlait à un autre, défiant la conception rationnelle du temps.

– C'est l'endroit idéal pour parler de mystères, dis-je, et particulièrement de celui de la personnalité. Asseyons-nous un moment.

Quand nous fûmes chastement installés à une cinquantaine de centimètres l'un de l'autre, à l'ombre de l'une des pierres, je lui offris une cigarette.

– Vous fumez? lui demandai-je.

– Seulement dans ma chambre. Mais puisque vous comptez vous faire ce plaisir, je ne vois pas pourquoi je me le refuserais.

– Vous avez l'air d'être le genre de femme qui fume des Craven A.

– Ah bon? Vous me voyez donc en aventurière?

– Disons simplement que j'ai du mal à vous imaginer en dame de compagnie.

Tandis que je lui donnais du feu, je remarquai que ses mains étaient petites et que la grosse chevalière accentuait le délicat contour de son doigt. A l'intérieur de son poignet, sa peau était très blanche.

– Êtes-vous sûr que vous n'allez pas recommencer à me sauter dessus? dit-elle après avoir tiré une bouffée. Vous avez le regard de quelqu'un qui va bondir.

– C'est sans doute parce que vous me donnez du ressort. Allons, cessez de me provoquer en me suggérant des pensées impures et parlez-moi encore de cette belle-mère suédoise. L'influence qu'elle a dû avoir sur Jardine m'intéresse beaucoup.

3

– C'est à Radbury que je l'ai vue pour la première fois, commença Lyle. Elle a rendu visite aux Jardine deux ou trois fois là-bas. Et puis, voyager est devenu trop difficile pour elle, à cause de son arthrose, alors l'évêque allait la voir dès qu'il le pouvait mais, pour ma part, je ne l'ai plus revue jusqu'au moment où elle est venue vivre avec nous, à Starbridge, vers la fin de sa vie.

– C'est une bonne chose qu'elle ait pu finir ses jours dans le palais épiscopal de son Adam.

– Une autre histoire édifiante, c'est cela? Oui, je suppose que ce fut une bonne chose, bien que la situation n'ait pas été complètement paradisiaque ; la pauvre Carrie avait une peur bleue de sa belle-mère. Enfin, dit Lyle, passant sans effort sur la crise qui avait fait trembler les fondations du palais épiscopal, nous avons tous fini par bien nous entendre. Mrs. Jardine mère se disait que Dieu lui avait donné l'occasion de racheter sa froideur passée vis-à-vis de Carrie.

– Elle était croyante?

– Oui. Elle était luthérienne, comme tant de Suédois, mais elle avait épousé un homme qui pensait que n'importe quelle religion officielle ne valait rien. Alors, elle n'allait pas à l'église.

– Mais je croyais que le père de monseigneur Jardine était un pratiquant fanatique?

– Son fanatisme avait pris une forme anticléricale. Il pensait que tous les ecclésiastiques étaient des suppôts de Satan.

– Quelle situation compliquée pour monseigneur Jardine!

– Être mariée à un fanatique n'était guère facile non plus pour Mrs. Jardine mère!

– Vous avait-elle fait des confidences? A vous entendre, on en a l'impression.

– Oui. Parfois, elle aimait bien raconter les horreurs qu'elle avait endurées par le passé pour que « son Adam », comme vous l'avez appelé, puisse se sortir de cette épouvantable famille. Son premier grand combat a été de réussir à l'envoyer à l'école. Mr. Jardine pensait que les écoles étaient les cloaques du vice.

– Il est certain qu'il a l'air d'avoir été un bien ennuyeux mari. N'at-elle jamais songé à quitter Putney et à repartir pour la Suède? Ou bien est-ce que ses convictions religieuses lui fournissaient une compensation suffisante?

– Il est certain que sa foi a été pour beaucoup dans sa décision de rester – elle s'est convaincue qu'elle avait été envoyée dans cette famille dans le but de sauver cet enfant. « J'avais l'impression que c'était Dieu qui me le demandait, disait-elle. Je ne voyais pas autre chose à faire. »

– Mais je suppose qu'une fois que monseigneur Jardine a été grand, une fois qu'il a fréquenté Oxford...

– C'est à ce moment-là que le pire a commencé. Sa bourse ne permettait de payer que ses frais de scolarité, et son abominable père ne lui aurait pas donné un sou pour vivre. Sa belle-mère se saignait aux quatre veines afin de lui envoyer un peu d'argent sur le budget du ménage – le vieux en a rabattu seulement au moment où elle a été à moitié morte de faim.

Je dis, intrigué :

– Mais le père n'était-il pas heureux que son fils aille à Oxford?

– Il pensait que toutes les universités étaient des lieux de débauche.

Quoi qu'il en soit, l'évêque a survécu et a non seulement été reçu dans les premiers, mais il est aussi devenu un des administrateurs du Collège.

– Tout est bien qui finit bien!

– Grand Dieu, non – c'est justement le contraire. Le vieux Mr. Jardine a déclaré: « Je t'ai entretenu pendant toutes ces années, maintenant c'est ton tour de m'entretenir », et à ce moment-là on a découvert qu'il avait vécu au-dessus de ses moyens et que l'existence oisive qu'il avait menée avait complètement épuisé son capital.

– Quel gredin! Donc monseigneur Jardine a dû entretenir sa famille sur sa bourse d'études?

– Oui, il a longtemps pensé qu'il ne pourrait pas entrer dans les Ordres mais, finalement, il a pris la décision d'être ordonné...

– ... Et j'imagine que son père l'a désapprouvé.

– Ils ont dû s'entre-tuer.

Je dis, consterné:

– Mais ce vieillard ne pouvait-il donc pas comprendre que son fils optait pour une vie décente et droite?

– Oh, il ne pensait pas que son fils réussirait à mener une vie décente, quelle que soit la profession qu'il aurait choisie. Le vieux l'imaginait s'enfonçant inévitablement dans le stupre.

– Mais cela a dû être terrible pour monseigneur Jardine!

J'avais maintenant du mal à trouver les mots justes pour exprimer mon indignation et Lyle me regardait avec surprise.

– Terrible... Monstrueux... Intolérable.

– Il a connu pire. Jardine est devenu pasteur de la misérable paroisse de Starmouth, et il était dans l'impossibilité de demander la main d'une jeune fille, alors, comme il avait désespérément besoin de quelqu'un pour s'occuper de son intérieur, il s'est tourné vers son père qui était installé à Putney, servi au doigt et à l'œil par une épouse et deux filles célibataires. Eh bien, le vieux Mr. Jardine a refusé de laisser partir une de ses filles pour qu'elle aille s'occuper de son frère. Il était obsédé par la pureté de la femme et s'imaginait que ses filles seraient violées dès qu'elles mettraient le nez dehors.

– Mais, puisque c'est l'évêque qui l'entretenait, n'était-ce pas à lui d'avoir le dernier mot?

– De toute façon, son père n'aurait pas changé d'avis. Il disait qu'il aurait préféré mourir de faim plutôt que courir le risque de voir ses filles déshonorées.

– Et elles, n'avaient-elles pas droit au chapitre dans cette affaire?

– Ne soyez pas naïf, cela se passait bien avant la guerre et cela faisait des années qu'il les menait à la baguette.

– Je ne m'étonne plus que l'une d'elles soit devenue folle!

– Mrs. Jardine a bien cru qu'elle allait devenir folle elle aussi, mais, bien sûr, elle est venue à la rescousse. Elle a dit au vieux chenapan: « Si vous ne laissez aucune de vos deux filles y aller, eh bien moi j'irai! », et comme il n'a pas cédé, elle est partie.

– Mais comment Jardine, en tant qu'ecclésiastique, a-t-il bien pu justifier de priver ainsi un mari de son épouse?

– Oh, son père n'était pas trop privé – elle allait lui rendre visite tous les quinze jours. Et puis, la première fois qu'elle est venue à Starmouth, ni elle ni monseigneur Jardine n'auraient cru que l'arrangement ne serait pas provisoire. Ils pensaient que le père finirait par libérer une de ses filles; mais comme il n'était pas raisonnable, il ne l'a jamais fait.

– Alors, elle est restée?

– Oui. Elle appréciait sa nouvelle vie après la tristesse de Putney. Elle s'est consacrée au travail paroissial, a rencontré de nouvelles têtes...

– Mais qu'est-il arrivé...

– A la fin? Elle est rentrée. La plus âgée des deux sœurs commençait à perdre la raison et Mrs. Jardine s'est sentie moralement obligée de rentrer car son mari avait besoin d'elle. Quoi qu'il en soit, une fois qu'elle a été partie, monseigneur Jardine n'est plus arrivé à s'en sortir; il était déjà épuisé par le travail et il n'a pas pu supporter de perdre son soutien.

– C'est donc parce qu'elle est partie qu'il est tombé malade?

– Quel raccourci équivoque! Je voulais simplement dire que...

– Que s'est-il passé ensuite à Putney?

– Je n'en ai pas la moindre idée. Mrs. Jardine évitait d'en parler, mais une année plus tard, la sœur aînée de monseigneur Jardine est morte dans un hôpital psychiatrique et le père est devenu gâteux. Mrs. Jardine disait placidement que c'était la volonté de Dieu.

– Comment a réagi l'évêque face à cette épreuve?

– A cette époque, il était dans le nord de Londres. La maison dont disposait l'aumônier de l'hôpital était petite mais il est venu à l'aide de son père, de sa belle-mère et de la sœur qui lui restait. Il a réussi à les héberger. Le père devait mourir six mois plus tard. Ensuite, l'évêque a vécu avec sa belle-mère jusqu'à son mariage.

Je me dis qu'il serait judicieux de lui montrer que mon esprit n'allait pas toujours aux conclusions les plus scabreuses.

– Je ne comprends vraiment pas pourquoi Mrs. Jardine mère a fait tant de raffut à propos de ce mariage, dis-je d'un ton candide. Elle devait bien avoir envie que son beau-fils fasse un beau mariage dès qu'il en aurait les moyens?

– En l'occurrence, elle ne considérait pas qu'il s'agissait là d'un beau mariage. Carrie ne recevait que cent livres de rente par an; elle la trouvait aussi un peu trop âgée – trente-deux ans – et elle trouvait cela de mauvais augure. Elle se demandait pourquoi Carrie ne s'était pas mariée plus tôt... Mais, bien sûr, la vérité vraie est que Mrs. Jardine, tout en ayant envie que son beau-fils se marie, n'aurait trouvé aucune femme assez bien pour être son épouse.

– Apparemment, elle a choisi la meilleure solution en décidant de ne pas vivre avec eux après leur mariage. Mais n'a-t-elle pas été tentée de venir habiter plus près de chez eux? Radbury est à une grande distance de Putney.

– Elle craignait de se quereller avec Carrie. C'est la raison pour laquelle elle s'est tenue à l'écart jusqu'à ce quelle soit devenue trop impotente pour rester seule.

– Je comprends maintenant, dis-je, incapable de résister à traquer une indiscrétion en m'aidant d'une allusion, que l'apothéose que représentait Starbridge n'était pas seulement une fin édifiante pour Mrs. Jardine mère, mais avait toutes les caractéristiques d'une fin romantique.

Lyle prit un air soucieux.

– C'était une fin heureuse, certainement, dit-elle du ton de quelqu'un qui considère le romantisme comme une faute de goût. Mais romantique? Ce serait schématiser une relation complexe et marquante.

– Auriez-vous un a priori contre le romantisme?

– Bien sûr – il mène tout droit à l'illusion, ne pensez-vous pas? dit Lyle d'un ton léger. N'importe quelle personne un tant soit peu réaliste sait cela.

Elle écrasa sa cigarette.

– Je crois qu'il est temps que nous retournions à la voiture – voilà que vous faites encore vos yeux d'agresseur.

– Je suppose que vous avez parfaitement conscience, dis-je, tout en éteignant ma cigarette à mon tour, que vous me repoussez d'une main tout en m'attirant de l'autre?

Et, avant qu'elle n'ait eu le loisir de protester, je l'avais prise dans mes bras.

4

Cette fois-ci, je n'avais pas l'avantage de l'effet de surprise et elle avait préparé sa défense. Tandis que je l'attirais vers moi, elle dit :

– Non!

Son ton était sans réplique. Elle me poussa sur le côté et se redressa.

Je la rejoignis au milieu des dolmens mais, avant que je n'aie eu le temps de dire quoi que ce soit, elle fit volte-face et me demanda :

– Où voulez-vous en venir au juste? Vous me proposez une promenade en automobile pour, soi-disant, mieux me connaître et alors, vous ne faites que me poser des questions à propos de l'évêque!

– Mais si, je vous connais mieux! Je sais que vous fumez dans votre chambre, que vous pensez que le romantisme est une invention du diable et que vous avez une profonde admiration pour cette dame formidable qu'était Mrs. Jardine mère!

– Je regrette de vous avoir parlé d'elle! s'exclama Lyle avec colère. Il est évident que vous pensez qu'elle nourrissait une espèce de passion malsaine pour son beau-fils...

– Est-ce que « penchant romantique » ne serait pas un terme plus exact?

– Aucun rapport avec le romantisme!

– Pas à première vue. Mais elle a sacrifié sa vie pour lui, non? Et n'est-ce pas là le geste romantique par excellence? C'est certainement à cela que pensait Dickens quand il a écrit *A Tale of Two Cities* et personne n'a encore accusé Sydney Carton de nourrir une passion malsaine pour Charles Darnay.

– Pour moi, Carton s'est sacrifié pour sauver Lucy, pas Darnay. Je vous conseille de relire Dickens!

– Et moi, je vous conseille de revoir vos idées sur le romantisme. Cigarette?

– Oui, merci. Je crois que j'en ai besoin après cet entretien.

Une fois que nous eûmes allumé nos cigarettes, nous errâmes le long de la corniche. Les dolmens disparurent derrière nous et, au loin, nous aperçûmes mon automobile, tapie comme un cafard au bord de la route poussiéreuse.

– J'avais beaucoup d'admiration pour Mrs. Jardine mère, dit Lyle, car je savais par quel enfer elle avait dû passer pour le bien de l'évêque, mais je dois reconnaître qu'il lui arrivait d'être une horrible mégère. Pendant ses deux séjours à Radbury, elle a réduit Carrie en miettes. Et le pire, c'est qu'elle y prenait du plaisir!

– Vous aimez beaucoup Mrs. Jardine, je me trompe?

– Elle représente un peu la mère que j'ai toujours rêvé d'avoir. La mienne était invalide – elle était malade du cœur – et cela l'avait rendue très ronchon et très égocentrique.

– Et votre père?

– Il était militaire de carrière, dans le haut du panier, très intelligent, très brillant et très fort. Il a été tué à la guerre, vous savez, comme tous les meilleurs soldats. Et, quand ma mère est morte de chagrin, je suis allée vivre chez mon grand-oncle à Norfolk. C'était un très vieux pasteur qui m'a recueillie par charité chrétienne parce que personne d'autre ne voulait de moi.

– Quel âge aviez-vous?

– Douze ans. Cela se passait en 1914. Vous vouliez savoir mon âge, c'est cela?

– Savoir que vous avez trente-cinq ans m'autorise à vous dire que j'en ai trente-sept. Comment avez-vous trouvé Norfolk?

– Mortellement ennuyeux. J'ai fini par écrire les sermons de mon grand-oncle, juste histoire de tuer le temps.

– Vous n'écririez pas ceux de monseigneur Jardine par hasard?

Elle éclata de rire.

– Non, pas encore!

Nous descendîmes le sentier sans nous presser.

– Et pourtant, ajoutai-je, on m'avait parlé de vous comme de celle détenant le vrai pouvoir à l'évêché. Comment s'en sortiraient les Jardine si vous partiez?

– Mais je ne compte pas partir. Ne vous avait-on pas dit cela aussi?

– Quelle chance pour les Jardine! Et où cela vous mène-t-il?

– Exactement là où je veux être : auprès de ma mère adoptive à prendre soin d'elle et à gérer la vie à l'évêché pour l'évêque. Faire autre chose ne m'intéresserait pas.

– Apparemment, vous n'avez guère le temps de vous intéresser à autre chose, dis-je. Faire en sorte que ce mariage reste soudé doit être une tâche particulièrement absorbante.

Elle s'arrêta net. Je fis de même et, comme nous nous faisions face, je vis que je l'avais prise au dépourvu.

– Ne vous méprenez pas, dis-je vivement. Je ne dis pas que vous êtes une menteuse. Tout à l'heure, vous avez dit clairement que, malgré ses frottements en surface, l'union des Jardine était une union heureuse correspondant au phénomène bien connu de l'attirance des contraires, et je ne vois aucune raison de remettre cela en cause. Lady Starmouth m'a dit, elle aussi, qu'elle pensait que ce mariage était une réussite. Mais cette réussite repose sur vous, n'est-ce pas? Si vous n'étiez pas là pour vous acquitter de toutes les tâches dont Mrs. Jardine est incapable, le mariage se briserait tout comme elle – exactement comme cela s'est passé à Radbury avant que vous n'y surgissiez, armée de votre pot de glu pour recoller les morceaux. Bon, il est toujours gratifiant de se sentir indispensable, mais êtes-vous absolument certaine qu'une fois les Jardine morts et que, au bout du compte, vous vous retrouverez seule, lorsque vous vous retournerez vers le passé, vous ne regretterez pas une vie d'occasions manquées? Ou bien vous contenterez-vous de vous dire, comme Mrs. Jardine mère à la fin de sa vie : « Adam le méritait »?

Elle était si pâle que, pour la première fois, je remarquai de faibles taches de rousseur sur ses pommettes. Il était impossible de ne pas en conclure que la flèche que j'avais décochée au hasard avait frappé dans le mille. Mais elle se contenta de répondre d'une voix glaciale :

– Je ne l'appelle pas Adam.

– Eh bien, je préfère penser cela, dis-je, ou cette fois, mon imagination va s'enflammer pour de bon. J'ai remarqué qu'il lui arrive de vous appeler Lyle, mais je suppose qu'il est assez naturel, au bout de dix ans, qu'il suive l'exemple de son épouse et vous traite comme faisant partie de la famille. Mais je tiquerais certainement si vous vous mettiez, vous, à l'appeler par son prénom.

– Oh, taisez-vous. Vous avez fait suffisamment de commentaires sarcastiques pour un après-midi!

– J'avais plutôt l'impression de faire quelques observations pertinentes destinées à percer le mystère!

– Quel mystère?

– Celui que vous incarnez aux yeux de tout homme qui vous admire : quel est le mobile mystérieux qui vous permet de vous contenter de vivre comme une simple dame de compagnie...

– Je commence à croire que le vrai mystère, ici, c'est vous, Charles Ashworth, vous et votre curiosité maladive pour l'évêque, vous et vos manières de Don Juan, vous et l'épouse dont vous ne parlerez jamais et votre passé sur lequel vous restez si évasif. Pour quelle raison ce jeu d'avances passionnées?

– Ce n'est pas un jeu. Hier, dès l'instant où je vous ai vue, j'ai su que vous m'attiriez terriblement...

– C'est le début le plus invraisemblable qu'une déclaration puisse avoir! Vous ne connaissez rien de moi! Vous m'avez surtout l'air d'être en plein délire romantique!

– Pourquoi ne pas me parler de ces fiançailles rompues qui vous ont donné une sainte horreur de l'amour?

– Je ne vous dirai rien de plus.

Elle s'était raidie de colère.

– Ramenez-moi immédiatement à l'évêché, je vous prie. Je trouve que cette conversation prend une tournure particulièrement offensante!

Nous continuâmes de marcher en silence. Elle accélérait l'allure sans toutefois aller jusqu'à courir, et je dus allonger le pas pour rester à sa hauteur.

Arrivés à la voiture, je lui dis :

– Je suis extrêmement navré si je vous ai froissée, mais je vous prie de croire à ma sincérité quand je vous dis que l'admiration que j'éprouve à votre égard est réelle.

– Je n'ai que faire de votre admiration.

Après avoir ouvert violemment la portière, elle s'assit sur le siège avant.

Il était évident que je l'avais bouleversée.

5

Nous n'avons pas échangé un mot durant tout le trajet de retour jusqu'à Starbridge mais, au moment où j'arrêtais la voiture dans la cour de l'évêché, je lui lançai :

– Voulez-vous bien présenter mes excuses à Mrs. Jardine et lui dire que je ne descendrai pas pour le thé? Il faut que je consulte un peu mes notes sur saint Anselme.

– Comme vous voudrez.

Elle avait repris contenance. Elle était toujours blême, mais sa voix était plus assurée.

Je me demandai combien de temps il lui faudrait pour décider – complètement contre son gré, bien sûr – qu'elle avait envie que je l'agresse encore.

6

A l'étage, dans la sombre salle de bains victorienne, j'emplis une demi-baignoire d'eau froide et m'y assis un moment, le temps de me débarrasser de la transpiration de l'après-midi et de mes pensées très charnelles fixées sur la personne de Miss Lyle Christie. Ensuite, je regagnai ma chambre, enfilai des sous-vêtements et jetai un œil sur mes notes concernant saint Anselme, mais cette lecture rapide n'était que pure formalité. J'étais simplement soucieux de donner, à mes propres yeux, une apparence de vérité à l'excuse que j'avais invoquée pour ne pas descendre prendre le thé et, finalement, ma conscience apaisée, je me pris à imaginer ce que j'aurais dit à l'archevêque s'il s'était matérialisé devant mes yeux et m'avait demandé un rapport sur les progrès de mon enquête.

Maintenant, j'en savais beaucoup plus sur Jardine qu'avant mon arrivée et il ne faisait aucun doute que j'étais sur la bonne voie pour dresser un portrait psychologique de l'évêque qui permettrait à Lang de décider si, oui ou non, son ennemi était le genre d'individu dont la vie pourrait être désastreusement exploitée par Fleet Street. Mais je n'avais toujours pas obtenu de renseignements sur les soucis principaux de Lang, à savoir le journal et l'existence éventuelle d'une correspondance amoureuse. Pour ma part, j'étais maintenant convaincu que Jardine était beaucoup trop astucieux pour commettre des imprudences épistolaires, mais le journal restait une inconnue. Personne n'y avait encore fait allusion devant moi, mais ce silence n'était guère surprenant si ce journal intime était une occupation de longue date que tout le monde tenait pour normale.

Je réfléchis là-dessus un moment et en arrivai à la conclusion qu'il était peu probable que Jardine se soit servi de son journal comme substitut à un directeur de conscience du vivant de sa belle-mère. En effet, pourquoi se confier à un simple carnet quand on dispose d'une confidente qui fait preuve d'une indulgence et d'une compréhension sans bornes? J'aurais pu l'imaginer griffonnant frénétiquement quelques lignes si sa belle-mère avait été quelqu'un d'inaccessible, mais j'étais certain qu'une censure sévère se serait bientôt installée une fois que la compréhension et la compassion auraient été obtenues.

Puis, je me demandai s'il était vraisemblable qu'il ait utilisé son journal comme substitut à la confession depuis la mort de sa belle-mère, mais tous mes témoins avaient certifié qu'après le bouleversement occasionné par l'arrivée de Mrs. Jardine mère à Starbridge, l'existence de Jardine n'avait connu aucune crise; il était donc logique de penser qu'il n'avait pas eu besoin de recourir au service d'un directeur de conscience. Selon le chapelain, Jardine s'était mieux entendu avec Lyle;

Lady Starmouth avait remarqué que la superficie du palais épiscopal facilitait la vie d'un couple avec un tiers; Mrs.Cobden-Smith avait sous-entendu qu'à cette époque, Lyle avait été à son « zénith » de faiseuse de miracles. Je me souvins tout à coup des propos de mon ami Philip qui avait trouvé que Jardine était « distrait » durant la première année de son épiscopat, et cette remarque venant d'un étranger s'harmonisait avec les faits que je connaissais maintenant : les débuts incertains de la carrière à Starbridge suivis des années durant lesquelles Jardine eut l'opportunité de poursuivre sa vocation dans un environnement des plus tranquilles. Je me dis que ce journal devait certainement être aussi pénible que la haire sans, pour autant, justifier les cendres.

J'arrêtai là mes méditations, le temps d'allumer une cigarette mais, tandis que je soufflais sur l'allumette, mes pensées dérivèrent une fois de plus vers les gentes dames de monseigneur Jardine. Je m'étais déjà forgé l'opinion que la contrainte psychologique de l'évêque sur la question des classes m'autorisait à dire à Lang en toute confiance qu'il n'y avait pas le moindre risque de scandale avec une femme appartenant à l'aristocratie britannique et, bien que l'épisode avec l'étrangère Loretta Staviski doive certainement être considéré avec méfiance, j'avais cru Lady Starmouth lorsqu'elle s'était portée garante de la conduite de Jardine. Il était apprécié des femmes; ce type d'ecclésiastique risquait fatalement d'attirer une paroissienne mais, la plupart du temps, sa conduite était irréprochable et j'étais convaincu que Jardine, marié depuis peu et sans doute désireux de faire de son avancement une splendide réussite, avait eu de fortes raisons de traiter Loretta comme il convenait de le faire.

J'étais presque arrivé à me convaincre que Jardine était blanc comme neige. Mais j'avais gardé l'éventualité la plus dramatique pour la bonne bouche.

Je commençai à penser à Lyle.

J'avais remarqué que, tout en admettant qu'elle considérait Mrs. Jardine comme sa propre mère, elle n'avait pas dit qu'elle considérait l'évêque comme un père de remplacement. Pourtant, elle avait, pour évoquer son père, employé les termes « intelligent », « brillant » et « fort », épithètes qui, toutes, pouvaient s'appliquer à Jardine. Apparemment, elle aimait bien l'évêque; apparemment, elle le respectait et l'admirait mais il ne transparaissait dans son attitude aucune trace de béguin d'écolière ou de passion de célibataire frustrée. J'en fus amené à me dire que, ici aussi, ses sentiments devaient être filiaux. En fait, j'en étais arrivé à partager la conviction de Mrs.Cobden-Smith : Lyle restait chez les Jardine non par amour pour l'évêque mais par amour du pouvoir – et pas seulement le pouvoir d'organiser la vie à l'évêché, mais aussi celui de préserver l'union de ce couple; pouvoir venant du fait qu'elle faisait en sorte que l'évêque puisse continuer d'exercer son ministère. Qu'arrivait-il à un évêque dont le mariage était sacrifié? C'était une pensée qui donnait froid dans le dos et je me dis que c'était là un frisson devenu familier à Jardine.

Je fis des conjectures sur les éventuels effets neurologiques qu'auraient pu avoir des fiançailles rompues sur Lyle mais, à ce sujet, je ne pouvais faire plus qu'en arriver à la conclusion incertaine que quelque histoire romantique ayant mal tourné semblait probable. Sa réponse à mon baiser indiquait qu'elle n'était pas frigide; son rejet indiquait une peur anormale d'un investissement amoureux. L'ignorance des faits m'empêchait de pousser plus avant ma théorie mais, néanmoins, je sentais que je pouvais dire à Lang que l'aversion que Lyle professait à l'égard du mariage avait davantage de chances de provenir de fiançailles rompues que de sentiments malvenus à l'égard de l'évêque.

Ayant fait le tour du comportement probable de Lyle, je me pris à considérer la relation sous un autre angle : celui de l'attitude probable de l'évêque vis-à-vis d'elle. Ce fut plus facile car, en tant qu'ecclésiastique, je pouvais me mettre mentalement dans la peau de Jardine sans effort d'imagination excessif : je me suis marié à la va-vite et, avec le temps, j'ai fini par le regretter. Comme conséquence de mon impétuosité, me voilà maintenant flanqué d'une épouse qui est parfois un boulet. Je suis un ecclésiastique éminent pour qui le divorce est exclu et donc la question exaspérante dans ces conditions exaspérantes est : comment faire pour survivre à mon mariage? Fatalement, Lyle est la réponse tombée du ciel. Et, comme Lyle est indispensable non seulement à l'équilibre de mon mariage mais aussi à l'équilibre de ma carrière de plus en plus brillante, je ne prends aucun risque et j'exerce un contrôle de fer sur toute tentation de séduction insensée mais bien compréhensible. Évidemment, il a fallu que je trouve Lyle terriblement séduisante, ce qui ne facilite pas les choses – il a fallu que j'aille jusqu'à dire à Lady Starmouth que je trouvais que la présence d'un tiers était une intrusion dans mon ménage –, mais, grâce à la prière, à la volonté et à beaucoup de conversations délicieusement risquées avec mes gentes dames, je réussis à me contrôler, détournant dès que possible l'émotion dans des voies sans danger, et supprimant celle qui ne peut être détournée.

Cela ne laissait subsister qu'une seule question vitale à résoudre avant que je ne quitte la peau de Jardine.

Je suis un homme d'un tempérament versatile, doté d'une énergie physique à revendre et d'un fort penchant pour les femmes; est-ce que, oui ou non, je mène l'existence d'un moine? Non. Je dors avec ma femme qui est toujours jolie, toujours gentiment attirante – même si elle est un peu exaspérante – et, le plus important de tout, toujours disponible.

Certainement personne d'autre ne l'était et les ecclésiastiques mariés, comme les mendiants, sont de ceux qui n'ont pas le choix.

Je me dis que tout ceci n'était peut-être pas une analyse totalement infaillible du couple Jardine, mais la seule raisonnable. J'eus le sentiment que je pouvais maintenant dire en toute confiance à Lang : « La fille, qui a certainement d'excellents motifs pour ne pas se remarier, considère Mrs. Jardine comme sa propre mère et l'évêque comme un moyen de satisfaire ses ambitions. Mrs. Jardine considère Miss Christie comme sa propre fille et aime son mari. Jardine considère sa femme comme un boulet mais aussi comme une source de satisfaction charnelle, et considère Miss Christie comme un don du ciel, mais tabou sur le plan sexuel. Le mariage ne court aucun danger tant que ce triangle est maintenu et je ne vois aucun signe avant-coureur d'une catastrophe. »

Mais, évidemment, cette dernière assertion allait se révéler fausse. Je sais maintenant que le signe avant-coureur de la catastrophe, c'était moi, moi décidé à pulvériser le triangle.

J'étais en train d'envisager cette possibilité avec une fascination frisant l'épouvante lorsque, tout à coup, on frappa à ma porte.

Je sursautai, me levai et enfilai mon peignoir.

– Entrez, dis-je, persuadé de m'adresser à un serviteur venu faire part d'un message téléphonique ou me remettre une lettre qui, peut-être, était arrivée par le courrier de l'après-midi.

Je me tournai pour écraser ma cigarette dans le cendrier.

La porte s'ouvrit toute grande et ce fut la silhouette de l'évêque qui se dessina dans l'embrasure.

– Le moment est venu, révérend Ashworth, dit-il sèchement tandis que je faisais volte-face sous le coup de la surprise, de me dire la vérité – et quand je dis la vérité, je parle de toute la vérité et rien que la vérité. Pour quelle raison êtes-vous venu à Starbridge, pour y jouer quel jeu exactement?

VI

L'appétit sexuel (qui est le plus oppressant et le plus important de nos désirs physiques) exige sa satisfaction... En conséquence, partons du principe que la pratique sexuelle sera chose courante et que c'est précisément là que les préceptes chrétiens seront difficiles à tenir.

Autres Lettres de Herbert HENSLEY HENSON, Éd. E.F. Braley.

1

Dans la seconde qui suivit, je vis l'évêque avec une clarté photographique et remarquai que le marron de ses yeux n'était plus brillant mais opaque. Sa bouche était crispée, ses mains jointes derrière son dos comme pour dissimuler ses poings serrés et il émanait de la pugnacité de sa personne.

– J'attends, révérend Ashworth, insista-t-il.

Sa combativité était vraiment terrifiante.

– Parlez. Qu'avez-vous à dire pour votre défense?

Je compris immédiatement qu'il me fallait lui faire sentir que je ne comptais pas me laisser intimider mais, malheureusement, j'étais loin de me sentir à l'aise. Il me fallait à tout prix faire quelque chose pour me défendre.

– Excusez-moi, monseigneur Jardine, dis-je, mais je me refuse à avoir un entretien avec un évêque alors que je suis en sous-vêtements et peignoir. Je vous demande de m'accorder un moment pour m'habiller.

Il y eut un court moment de silence tendu. Puis, Jardine se mit à rire et s'exclama :

– J'admire votre impudence!

Il s'assit à la table qui était à côté de la fenêtre.

Tout en enfilant à la va-vite ma tenue de clergyman, je ne compris que trop clairement ce qui avait dû se passer. Lady Starmouth s'était plainte de mes questions, le chapelain avait révélé mon intérêt pour le ménage de l'évêché, Mrs. Cobden-Smith avait vanté mes qualités d'auditeur et Lyle avait rapporté ma curiosité obsessionnelle envers la personne de l'évêque. J'étais sur le point d'être démasqué – espion déplorable et raté – mais, d'un autre côté, mes découvertes étaient toutes favorables à Jardine. Si je le laissais donner libre cours à sa colère, j'aurais peut-être une chance de le raisonner une fois le gros de la crise passé. C'était le mieux que je pouvais espérer. Quoi qu'il arrive, je devais, entre-temps, faire avec sa colère.

– Merci, dis-je une fois rhabillé, et je m'installai à la table, face à lui. Maintenant, je me sens un peu plus civilisé. Avant tout, monseigneur, permettez-moi de vous présenter des excuses sincères pour...

– Je n'ai que faire de vos excuses. C'est la vérité que je vous demande. Pourquoi êtes-vous venu ici?

– C'est monseigneur Lang qui m'a envoyé.

Jardine ne trahit aucune surprise.

– L'archevêque ferait bien d'être prudent, se contenta-t-il de dire d'une voix acide. Il professe un don pour le maquignonnage inégalé depuis les papes Borgia. Et quel était son objectif? Ou, plutôt, qu'a-t-il prétendu avoir pour objectif?

– Il agit dans votre intérêt, monseigneur. Il craint que ses ennemis de Fleet Street ne se servent de vous comme bouc émissaire de l'Église, et il m'a dépêché pour juger de votre vulnérabilité au scandale.

– Je veux bien croire que c'est ce qu'il vous a dit, mais je suis sûr que la vérité est qu'il vous a envoyé espionner ma vie privée dans l'espoir que vous trouverez certaines preuves qu'il pourrait utiliser pour me contraindre à me démettre de mes fonctions.

– Monseigneur...

– C'est monstrueux! Des archevêques ont été pendus pour moins que cela.

Je sentis que je n'avais d'autre choix que d'essayer de défendre mon protecteur.

– Monseigneur, Sa Grâce ne vous suspecte d'aucune faute importante ni même d'aucune imprudence sérieuse, et je me dois absolument d'insister sur le fait qu'il n'essaie pas de se débarrasser de vous...

– Ah non? J'ai plutôt l'impression qu'il est allé récemment, incognito, assister à une représentation de *Meurtre dans la cathédrale* et qu'il déclame maintenant à la manière de Henry II : « Qui me débarrassera de cet agitateur? »

– Ce qui inquiète surtout Lang, répondis-je d'un ton ferme, ignorant cette pique, serait l'existence d'une imprudence mineure qu'un journaliste sans scrupules pourrait exagérer. Il s'inquiète aussi de ce que votre situation familiale inhabituelle puisse être mal interprétée. En considérant la masse d'attentions que vous avez reçues de la presse ces temps derniers, pensez-vous vraiment qu'il soit si condamnable que Lang envoie un homme de confiance pour se faire une idée de la situation et s'assurer que vous n'êtes pas à la merci de la pire forme d'exploitation de Fleet Street?

Jardine avait suffisamment de contrôle sur lui-même pour répondre d'une voix égale :

– Vous faites des efforts surhumains pour défendre l'archevêque contre son ingérence inexcusable dans ma vie privée, et je respecte votre loyauté à son égard. Mais Sa Grâce n'a-t-elle pas conscience que je suis parfaitement capable d'assurer moi-même ma défense contre les intrusions de la presse?

– L'archevêque tenait simplement à s'assurer qu'il n'y avait aucun défaut dans votre cuirasse.

– Et me permettez-vous de demander à quel genre de défaut songeait Sa Grâce?

– Ce qui l'inquiétait particulièrement était l'éventuelle existence d'annotations imprudentes dans votre journal intime et d'une correspondance amoureuse.

Jardine éclata de rire. Puis, il s'exclama avec un mépris des plus cinglants :

– Me prendrait-il pour un imbécile?

– Monseigneur, je sais que cela peut paraître ridicule mais il est un fait que les hommes de votre âge – aussi brillants soient-ils – s'égarent parfois, et Sa Grâce a senti de son devoir d'être absolument certaine, pas seulement pour l'Église, mais aussi pour vous-même...

– Cela suffit. Je vois ce que vous voulez dire. Je suppose que, lorsque l'on est archevêque de Canterbury, on doit toujours prendre en compte la possibilité qu'un évêque devienne complètement cinglé. Sa Grâce a sans doute interprété mon attaque contre lui à la Chambre des Lords comme les prémices de la folie. Enfin, laissez-moi tenter d'apaiser les craintes mélodramatiques de monseigneur Lang aussi vite que possible.

Jardine se pencha en avant, posant ses coudes sur la table et joignant ses mains en un geste affecté.

– Tout d'abord : mon journal. Ce n'est pas le journal intime d'un adolescent truffé d'allusions charnelles. Ce sont des commentaires sur mes lectures, des notes de voyage, les brouillons de mes sermons, des remarques sur les personnes que j'ai rencontrées et, de manière générale, des réflexions sur le sens de servir Dieu au sein de Son Église. Je ne prétendrai pas n'avoir jamais utilisé mon journal pour y consigner certaines difficultés personnelles – ce serait faux – mais, comme j'ai toujours fini par arracher ces pages-là et que je les ai brûlées, vous pouvez dire à l'archevêque que mon journal intime, dans sa présentation actuelle, tomberait des mains du pire échotier de *Nouvelles du Monde*. Ou bien trouvez-vous cela impossible à croire?

Je répondis sincèrement :

– Non. J'en étais arrivé à la conclusion que vous aviez censuré votre travail. Je me demandais simplement...

Je m'interrompis.

– Eh bien?

– Non, ma question relèverait de l'impertinence.

– Autant que vous la posiez. Étant donné que j'ai l'air de survivre plutôt bien à la monstrueuse agression de l'archevêque à l'encontre de ma vie privée, un zeste d'impertinence venant de vous n'a guère de chances d'entamer mon sang-froid qui tient du miracle. Quelle était votre question?

– Je me demandais ce qui vous avait poussé à censurer votre journal.

Jardine haussa les sourcils, me décocha un regard inquisiteur mais finit par conclure que j'étais seulement inquiet de l'éventualité de récentes difficultés dans sa vie privée.

– Vous n'avez aucune raison de vous inquiéter, dit-il sèchement. Singulièrement, ma vie se déroule sans événements majeurs depuis quelque temps maintenant. Cela fait cinq ans que je n'ai plus jeté une page de mon journal dans la cheminée de la bibliothèque.

– Étiez-vous encore à Radbury à ce moment-là? demandai-je, certain que la réponse allait être négative mais espérant l'aiguiller vers de nouvelles révélations.

– Non, je venais d'emménager à Starbridge – et j'ose espérer, révérend Ashworth, que vous ne passerez pas de l'impertinence à la grossièreté en me demandant ce qui se passait dans ma vie à cette époque.

– Non, bien sûr que non, monseigneur.

Je pensai alors à Mrs. Jardine sombrant de nouveau dans une dépression nerveuse comme elle affrontait non seulement la venue de sa belle-mère mais aussi ce que Mrs. Cobden-Smith avait pudiquement décrit comme « une période difficile », euphémisme que j'avais traduit comme désignant sa ménopause. J'imaginai tout à fait l'évêque soulageant son âme dans son journal tout en attendant l'arrivée de sa confidente.

– Il m'a fallu prendre une décision difficile, poursuivit l'évêque de manière tout à fait inattendue, et il me fallait mettre la situation noir sur blanc afin de clarifier mes idées.

Cela me surprenait vraiment. A priori, je ne voyais pas quelle décision avait dû être prise. Il est possible qu'il se soit demandé, vu l'état psychologique de son épouse, s'il n'était pas de son devoir d'installer sa belle-mère non pas à l'évêché, mais dans la meilleure maison de retraite de Starbridge.

– Bon, assez parlé de mon journal, disait maintenant Jardine d'un ton brusque. Venons-en maintenant à ma correspondance. Il existe quatre femmes à qui j'écris régulièrement. En premier lieu : mon épouse. Dès que nous sommes séparés, je fais en sorte de lui envoyer un petit mot chaque jour. Il me semble qu'il s'agit là d'un comportement assez normal pour un homme de ma génération qui déteste le téléphone. Mais je suppose qu'un jeune homme comme vous y verra du gaspillage de papier à lettres. Après mon épouse, l'autre femme que je mettrais sur ma liste serait l'incomparable Lady Starmouth, à qui j'écris une ou deux fois par semaine. Nous parlons surtout des derniers potins religieux et parfois littérature et politique – sujets qui intéressent Mrs. Welbeck et Lady Markhampton à qui j'écris régulièrement aussi mais moins souvent qu'à Lady Starmouth. Ai-je été assez clair? La correspondance que j'échange avec ces femmes délicieuses, aussi stimulante soit-elle, ne peut, en aucun cas, être considérée du type de celle qui pousserait un mari jaloux à me provoquer en duel au pistolet, à l'aube. Vous pouvez assurer Sa Grâce qu'elle n'a aucune raison de s'alarmer.

– Me permettez-vous de risquer une autre impertinence, monseigneur?

– Vous êtes un homme téméraire, révérend Ashworth. Mais continuez.

– Vous arrive-t-il d'écrire à Miss Christie?

– Uniquement lorsque j'ai des renseignements importants à lui communiquer. Par exemple, la dernière fois que je lui ai écrit, c'était au mois de mai, lorsque ma femme et moi étions à Londres pour le couronnement. J'ai envoyé un petit mot à Miss Christie pour la prévenir que nous resterions en ville un jour de plus pour dîner avec de vieux amis de Radbury.

– Pourquoi Miss Christie n'était-elle pas allée à Londres avec vous?

– Ceci n'est plus une question impertinente, révérend Ashworth, mais, pour moi, elle est tout simplement hors de propos. Je devais participer à la cérémonie du couronnement et mon épouse avait une place réservée à l'abbaye. Plutôt que de courir le risque d'être piétinée par la foule qui se pressait le long de l'itinéraire de la procession, Miss Christie avait pris la sage décision de rester à la maison et d' « écouter » la cérémonie au poste. Avez-vous d'autres questions du même genre, ou m'autorisez-vous à vous demander quelle sorte de rapport vous comptez présenter à Lang?

Je lui souris et répondis :

– Je dirai à Sa Grâce que, selon moi, votre cuirasse n'a aucun défaut.

– Splendide! Et avez-vous également l'intention de lui dire que, outre le fait que vous vous êtes introduit chez moi sous de faux prétextes, vous avez abusé de mon hospitalité en proposant la bagatelle à la dame de compagnie de ma femme?

C'était comme si je m'étais retrouvé au sol sur un terrain de rugby, plaqué par surprise. Il me fallut faire un effort considérable pour le regarder droit dans les yeux et lui répondre d'une voix ferme :

– Je l'ai peut-être entreprise, mais pas pour la bagatelle.

– Non? Miss Christie trouve que votre comportement manquait de stabilité et ce n'est pas moi qui la contredirai. Ne pensez-vous pas que vous avez été quelque peu impétueux en soumettant une femme respectable à des avances passionnées moins de vingt-quatre heures après avoir fait sa connaissance?

– Pas plus impétueux que vous ne l'avez été à mon âge, dis-je, lorsque vous avez demandé la main de votre future épouse sur la foi de quatre jours de fréquentation.

Il y eut un long silence. Nous nous regardions fixement. Les yeux ambrés de Jardine étaient dangereusement brillants.

– Ceci est une grave impertinence, révérend Ashworth.

– Elle ne l'est pas davantage que votre précédente remarque, monseigneur – avec tout le respect que je vous dois. Je ne laisse à personne, pas même à un évêque, le soin de diriger ma vie.

– Quelle affirmation extraordinairement arrogante! Êtes-vous en train de me dire que vous n'avez jamais besoin de conseils spirituels?

– Je...

– Qui est votre directeur de conscience? Ou bien vous êtes-vous égaré au point de croire que vous n'en avez nul besoin?

Sous la table, je serrai mes poings, mais je réussis à répondre d'une voix égale :

– Mon directeur de conscience est le père James Reid du monastère des Fordites de Grantchester.

– Tiens, j'ai connu les Fordites quand j'étais à Radbury – et, bien sûr, je me souviens parfaitement du père Reid, un bon vieux moine de la meilleure souche, très gentil, très bon et très amène. Mais ne croyez-vous pas qu'il vous faudrait, sur le plan spirituel, les conseils de quelqu'un d'un peu plus rude que ce bon vieux moine, révérend Ashworth?

Je restai silencieux et, lorsque Jardine comprit qu'il n'était pas dans mon intention de répondre, il ajouta d'un ton subitement compatissant :

– N'allez pas croire que j'ai oublié ce que c'est que d'avoir trente-sept ans et d'être célibataire. Mais un comportement romantique et impulsif n'est pas une solution, révérend, et vous êtes, j'en suis certain, suffisamment intelligent pour savoir que, pour ceux d'entre nous qui ne sont pas faits pour le célibat, les contraintes d'une existence solitaire peuvent mener à une instabilité émotionnelle si elles ne sont pas soutenues par des conseils réguliers et efficaces de quelqu'un qui connaît exactement les problèmes en jeu.

Il s'interrompit à nouveau et, comme je demeurais silencieux, il poursuivit :

– Parlez-en à l'évêque dont vous dépendez. Voyez s'il peut vous recommander auprès de quelqu'un de plus approprié que ce cher vieux père Reid : il est célibataire depuis si longtemps qu'il a certainement oublié que les organes sexuels pouvaient servir à autre chose qu'à uriner. L'évêque de Cambridge est un type bien, même s'il passe beaucoup trop de temps à rédiger des thèses sur l'antériorité d'Ezra sur Néhémie, et vice versa, et je suis sûr qu'il fera son possible pour vous aider.

Une fois de plus, le silence dura mais, cette fois, je fus capable d'articuler :

– Merci, monseigneur. Et maintenant, je suppose que, puisque j'ai tant abusé de votre hospitalité, vous souhaitez me voir quitter votre demeure le plus rapidement possible.

Jardine s'adossa à sa chaise et me dévisagea comme si je présentais un problème difficile mais fascinant.

– Mon cher révérend Ashworth, dit-il tout en se levant, si vous abrégiez votre séjour et quittiez l'évêché en état de disgrâce, vous déclencheriez le type même de ragots que Lang est si zélé à vouloir éviter. Ne voyez-vous pas d'ici le compte rendu de la presse à scandale? « Nous apprenons de source sûre (ce serait l'aide-femme de ménage qui écoute aux portes) qu'un orage vient d'éclater à l'évêché de Starbridge : le révérend Charles Ashworth en a été chassé après avoir tenté de violer la jeune et jolie dame de compagnie de l'évêque, Miss Christie. » Évidemment, ils ne feraient aucune allusion à ma femme. « Nous savons de source sûre que cette ravissante jeune personne, au retour d'une promenade en automobile, en tête à tête avec le beau révérend, s'est précipitée en sanglotant dans les bras de monseigneur Jardine : " Il m'a agressée à Starbury Ring ", sur quoi l'évêque a hurlé à l'adresse du révérend : " Ne remettez plus jamais les pieds chez moi! " Et cætera, et cætera. » Ah non, révérend Ashworth! Je ne commettrai pas l'erreur de vous demander de partir! Notre devoir, après tout, est de sauvegarder les apparences pour l'archevêque, même s'il nous insulte tous deux : vous en vous considérant comme un espion, et moi, comme un fou.

Durant ce discours, l'évêque avait marché de long en large dans la pièce. Il ouvrait maintenant la porte et se retournait vers moi :

– Achevez votre séjour ici, comportez-vous en gentleman et réfléchissez à mon conseil concernant votre directeur de conscience, me dit-il. En attendant, il me tarde de reprendre nos discussions théologiques autour d'un verre de porto. Je suis curieux de connaître votre opinion sur l'Immaculée Conception.

Il sortit en claquant la porte.

2

J'avais été mis en garde.

Je commençais à me demander s'il arrivait souvent à l'évêque d'intervenir dans les histoires d'amour de Lyle. La plupart de ses soupirants avaient dû battre en retraite dès que l'évêque avait montré les dents, mais j'étais loin d'être un jeune pasteur influençable et je n'avais pas l'intention de m'en laisser conter. J'étais soutenu par Lang et je n'avais pas à me soucier de l'opinion de l'évêque de Starbridge; je ne voyais aucune chance pour que Jardine soit un jour dans une position qui pourrait gêner ma carrière. Il avait trop d'ennemis au sein de la classe politique pour recevoir l'un ou l'autre des deux avancements les plus élevés : les archevêchés de Canterbury ou de York.

Après avoir ôté mon col, j'allumai une cigarette pour me calmer. Je me demandais si je devais interpréter de manière pessimiste le fait que la première chose qu'ait faite Lyle ait été d'aller trouver l'évêque, mais je ne pus que reconnaître que j'aurais dû prévoir cette réaction. Apparemment, au cours des années, il s'était développé une intimité amicale entre Lyle et Jardine et, une fois que je l'eus accusée de fournir la colle qui évitait au mariage de l'évêque de se désintégrer, sa réaction naturelle avait été de courir l'avertir que je semblais décidé à percer le secret de la famille. Dans ces conditions, je ne me souciais guère que Jardine ait décidé en retour d'agiter son sabre, surtout si Lyle avait cru de son devoir d'employée modèle d'avertir l'évêque que j'avais l'intention de porter atteinte à son ménage à trois. Si le bien-être de son mariage et de sa carrière dépendait de Lyle, il n'allait pas devoir se contenter d'agiter son sabre; il allait devoir trancher ma veine jugulaire.

Quoi qu'il en soit, tout en acceptant de reconnaître que le caractère belliqueux de la conduite de l'évêque était justifié, je trouvais que, du point de vue spirituel, son attitude était malsaine. J'éprouvais un désir très chrétien de me remarier. Jardine semblait décidé à faire échouer ma tentative actuelle d'atteindre ce but. De plus, le bien-être de Lyle comme le mien pouvaient s'en trouver affectés; et, après mûre réflexion, j'aboutis à la conclusion qu'il avait tort.

Je me rendis soudain compte que j'avais, une fois de plus, raté les vêpres. Avec un soupir exaspéré, j'éteignis ma cigarette, réajustai mon col et m'installai pour lire l'office du soir.

J'en étais arrivé à la moitié du « Nunc dimittis » lorsque je réalisai que Jardine avait souvent dû envisager l'éventualité du départ de Lyle; il n'avait pas engagé une femme laide au point que son avenir en était tout tracé. Je me dis qu'à la place de Jardine, j'aurais depuis longtemps préparé un plan d'urgence que je pourrais mettre à exécution si Lyle menaçait de rendre son tablier, à savoir : garder toujours en tête une remplaçante valable. Bon nombre de dames de compagnie venaient de familles religieuses pas assez fortunées pour entretenir des jeunes filles destinées à devenir des « ladies » et, en qualité d'évêque, il se trouvait dans une position idéale pour repérer les candidates possibles.

Évidemment, il était difficile de trouver l'équivalent de Miss Christie mais, comme une femme aimable et compétente pouvait probablement être dénichée sans trop de problèmes, j'en conclus que Jardine ne se battait que pour s'épargner certains désagréments. Le départ de Lyle ferait certainement l'effet d'un séisme dans le palais épiscopal, mais tout le monde se remet d'un tremblement de terre; la vie finit toujours par revenir à la normale.

Pourtant, on était en droit de se dire que, au vu du comportement belliqueux de Jardine à mon égard, si cette catastrophe se produisait, toute vie cesserait peut-être à l'évêché.

J'étais toujours sous le coup de la botte de Jardine contre ma veine jugulaire. Revenant à mon missel, je fis un nouvel effort pour me concentrer sur l'office. Mais, bien avant la fin, la conclusion inévitable s'infiltra dans mon esprit. Supposons, me dis-je, que l'explication du ménage à trois soit complètement fausse; et supposons que je cesse de tirer des plans sur la comète et que je commence à concevoir l'inconcevable. Si Lyle était la maîtresse de Jardine, cela expliquerait à la fois son dédain du mariage et l'agressivité de l'évêque envers un prétendant dangereux.

L'inconvénient de cette théorie qui, au premier abord, semblait grotesque – et, à y bien réfléchir, désagréablement plausible – était qu'elle ne résistait pas à un examen approfondi. En premier lieu, je ne pouvais concevoir que Mrs. Jardine puisse considérer comme sa propre fille la femme qui couchait avec son mari chéri. Mrs. Jardine n'était certes pas la plus intelligente des femmes, mais je la croyais suffisamment intuitive pour deviner si les deux personnes qui comptaient le plus dans sa vie entretenaient une liaison ou non. Et puis, le véritable problème de cette théorie restait celui-ci : je n'arrivais pas à imaginer qu'un homme aussi intègre que Jardine puisse mener une double vie spirituelle. J'étais toujours prêt à parier qu'il n'était pas apostat et, à moins d'être apostat, l'adultère était impensable.

Je réussis tant bien que mal à terminer la lecture de la liturgie et je commençai à me préparer pour le dîner. Tout était possible, même une apostasie des plus improbables, mais c'était une perte de temps que de vouloir concevoir l'inconcevable, sauf si je dénichais quelque indice, même minime, qui tendrait à prouver que Jardine était capable d'un tel comportement.

Je cessai d'aplatir mes cheveux et regardai fixement mon reflet dans la glace.

D'autres ecclésiastiques avaient failli. Pourquoi pas Jardine ? Soudain, pour des raisons floues qui dépassaient mon entendement, je ressentis un désir ardent de trouver la preuve que Jardine avait, au moins une fois depuis sa consécration, commis une faute grave – et c'est alors que, pour la première fois, je m'interrogeai sérieusement sur le compte de Loretta Staviski.

3

La menace de parler de l'Immaculée Conception autour d'un verre de porto n'aboutit jamais. L'un des invités, l'architecte le plus en vogue de Starbridge, se révéla être non-fumeur et ne put être relégué au fumoir. Par courtoisie, Jardine évita de se lancer dans des subtilités théoriques. Après avoir évoqué les récentes arrestations qui avaient eu lieu dans l'Église évangélique allemande, l'architecte dit avec déférence :

– Puisque nous en sommes à parler de problèmes religieux, monseigneur l'évêque, j'espère que vous ne m'en voudrez pas de parler du projet de loi d'A. P. Herbert. Votre avis m'intéresse, surtout parce que je pense, moi aussi, que les motifs de divorce doivent être étendus ; mais j'aimerais bien savoir comment vous justifiez votre opinion du point de vue théologique. Comment pouvez-vous avoir la certitude que le Christ ne dictait pas une loi sur cette question précise, mais ne faisait que professer une ligne de conduite?

C'était un laïc sympathique et intelligent qui méritait d'être encouragé. Jardine lui dit gentiment :

– Eh bien, la première chose que vous devez ne jamais perdre de vue est que Notre Seigneur n'était pas un sujet britannique du XXᵉ siècle vivant dans une culture qui porte la modération aux nues. Il venait du Moyen-Orient et, dans la culture de son temps, les gens se transmettaient des vérités essentielles à l'aide de formulations imagées que nous qualifierions aujourd'hui d'excessives. Cette parole du Christ en est un exemple célèbre : « Il est plus facile à un chameau de passer par le trou d'une aiguille qu'au riche d'entrer dans le royaume des Cieux. » Un Anglais d'aujourd'hui aurait simplement dit : « Absolument impossible. »

– Donc, si j'ai bien compris, vous voulez dire que...

Mais notre architecte ne faisait absolument pas le lien entre cette assertion sur le « non-britannisme » du Christ et son enseignement sur le divorce.

– La deuxième chose qu'il ne vous faut pas perdre de vue, poursuivit Jardine sans relever cette intervention et déroulant activement son raisonnement, est que l'on doit toujours tenter de replacer le Christ dans son époque. En fait, il y avait alors, au sein du judaïsme, deux attitudes opposées sur la question du divorce. L'école de Hillel prônait que le divorce pouvait être accordé même pour les raisons les plus banales – si l'épouse brûlait le rôti, par exemple. Les autres soutenaient que le divorce ne devait être accordé qu'en cas d'adultère et seulement aux hommes – en fait, le divorce était effectivement demandé par un homme quand sa femme le trompait; il n'avait pas le choix.

– Ciel! s'exclama l'architecte, fasciné à l'idée d'un divorce obligatoire.

J'eus l'impression qu'il avait failli dire : « Nom de Dieu! » mais s'était rappelé juste à temps qu'il était à la table d'un évêque.

– Maintenant, dit Jardine, certain que son interlocuteur était toujours attentif, venons-en à Notre Seigneur. Pour sa part, il critiquait l'attitude laxiste de l'école de Hillel et insistait sur l'enseignement d'une école de pensée beaucoup plus stricte. Et il formula sa critique d'une manière moyen-orientale – « fortissimo », par des commentaires extrêmes, et non « pianissimo », par des approximations à l'anglaise. Notre Seigneur a dit : « Ce que Dieu a uni, nul ne pourra le désunir. » Bien sûr, il avait conscience que les deux écoles autorisaient le divorce, mais il ne s'exprimait pas en juriste, il ne parlait pas en termes de droit. Il s'en prenait au divorce d'un point de vue moral quand il était recherché pour des raisons futiles, et c'est pour cela qu'il insistait sur le caractère sacré du mariage.

– Ah! dit l'architecte, reconnaissant une expression qui lui était familière, le caractère sacré du mariage, oui, oui, oui...

– Laissez-moi vous donner un équivalent moderne, poursuivit Jardine. Si je vous disais que, récemment, à Reno dans le Nevada, une femme s'est vu accorder le divorce parce que son mari avait pressé le tube dentifrice par le haut et non par le bas, vous auriez raison de réagir en disant : « Mais c'est une honte! Le mariage doit durer toute la vie! Avilissement de l'institution! » Mais vous ne pensez pas vraiment que le mariage doit durer toute la vie; s'il se brise de telle sorte que son essence même est détruite, si l'union cesse d'être une union véritable dans tous les sens du terme, alors vous et moi, et plusieurs milliers d'autres penserons que le mariage est spirituellement caduc et doit être dissous légalement. Et, selon moi, cela relève de la bonté qui existe indéniablement au-delà des déclarations de Notre Seigneur insistant sur le caractère sacré du mariage.

– Donc, si j'ai bien compris, dit l'architecte qui était maintenant, comme un élève prometteur, en « progrès constants », vous voulez dire que le Christ aurait désapprouvé le cas de divorce du Nevada, mais n'aurait pas été contre le projet de loi de Mr. A. P. Herbert.

– Absolument, dit Jardine. La loi proposée par Herbert a deux objectifs : l'un est de diminuer la souffrance – et croyez-vous que le Christ y serait hostile? – et l'autre est de renforcer le caractère sacré du mariage en permettant la dissolution des faux-semblants conjugaux; les cas où la spiritualité du mariage a été dissoute, pas seulement à cause d'un adultère, mais aussi à cause de la cruauté mentale, de l'abandon, de la folie aussi. Et pensez-vous que Notre Seigneur qui refuse l'avilissement du mariage s'opposerait à l'annulation de mariages qui sont devenus des caricatures? Moi, je ne le pense pas.

– Comme tout cela semble logique! s'exclama l'architecte, ravi de voir ses idées personnelles – embrassées par inclination morale – théologiquement justifiées. Et comme il est amusant de penser que le Christ approuve le projet de loi d'A. P. Herbert – bien que l'on puisse déduire cela du fait qu'il est certain maintenant que le projet passera au Parlement. Monseigneur, pourrions-nous aller jusqu'à dire que le succès de la seconde présentation du projet de loi à la Chambre des Lords le mois dernier soit l'indication de la volonté de Dieu?

– Eh bien, du moins pouvons-nous affirmer que ce n'était pas celle de l'archevêque de Canterbury, plaisanta Jardine. Mais il est vrai que, pour autant que je le sache, Sa Grâce n'a pas encore prétendu être Dieu. Révérend Ashworth, je commence à penser que votre silence prolongé est de mauvais augure. J'espère que vous ne pensez pas que je devrais être envoyé au bûcher?

– Non. Nous vous acquittons pour votre hérésie de ce jour, dis-je en lui souriant.

Immédiatement, je vis l'amusement briller dans son regard. Si l'on considérait l'ensemble de nos divergences, il était vraiment étrange de voir à quel point nous nous estimions.

4

Était-il apostat? Je n'arrivais toujours pas à le croire et, bien que ses idées puissent paraître choquantes aux yeux d'un laïc, je savais, moi, qu'il ne faisait que suivre un chemin théologique déjà bien battu; une analyse des propos tenus par le Christ à la lumière des conditions dominantes de la Palestine du Iᵉʳ siècle était aujourd'hui une démarche considérée comme un effort louable pour essayer de distinguer, au-delà de la belle apparence du Christ délivrée par les Évangiles, le personnage historique dont nous savons si peu de chose. Le point de vue de Jardine sur la question du divorce était certainement critiquable, surtout par l'aile conservatrice de l'Église, mais il était loin de relever d'une croyance suspecte, et l'ardeur de sa conviction indiquait qu'il croyait de toute son âme à la vérité du Christ et non pas qu'il vécût en apostasie et dissimulât la perte de sa foi sous quelques formules bien senties.

De plus, sur cette question, Jardine était en excellente compagnie. Martin Luther était allé encore plus loin qu'A. P. Herbert en préconisant de nouveaux motifs de divorce quand la spiritualité du mariage était détruite; mais le problème de vues si libérales, pensai-je, était : une fois qu'on y avait adhéré, il était difficile de savoir où s'arrêter. A moins d'être prudent, on pouvait facilement aller jusqu'à prétendre que la bonté du Christ justifiait le divorce pour avoir maladroitement pressé sur le tube dentifrice.

– Vous m'avez l'air bien pensif, révérend Ashworth, me lança Lady Starmouth après mon retour au salon.

– Je suis toujours sous le coup des bons mots de l'évêque...

Mon opinion personnelle sur le divorce était complexe. Malgré le soutien que je proclamais publiquement à l'égard de Lang – qui voyait le projet de loi d'un mauvais œil – je ne pouvais m'empêcher d'approuver intérieurement ledit projet sur un plan humanitaire. Ce qui, en d'autres termes, signifiait que j'arguais de la bonté du Christ pour justifier le fait que j'approuvais l'élargissement des motifs de divorce. Mais je pensais toutefois que, d'un point de vue théologique, il était difficile d'affirmer que le Christ aurait approuvé cet élargissement des motifs de divorce à autre chose que l'adultère. Jardine avait fait une excellente démonstration du problème, mais l'adhésion enthousiaste de l'architecte n'indiquait pas la validité de son raisonnement mais plutôt la qualité de son pouvoir de persuasion sur un auditoire réceptif. Selon moi, le Christ avait été un bon juif, non pas « libéral » dans le sens moderne du terme – ce qui signifierait étendre une foi à ses limites extrêmes au nom de la liberté – mais plutôt « radical » dans le sens premier du terme – c'est-à-dire creusant sa foi jusqu'à ses racines pour redécouvrir son sens véritable. Ce radicalisme avait été illustré par son opposition aux Pharisiens et par sa détermination à réagir fidèlement au judaïsme; ce qui impliquait une conception beaucoup plus stricte de la question du divorce que celle proposée par Mr. A. P. Herbert.

Tout à coup, je me rendis compte que Lady Starmouth me parlait.

– ... et j'espère vivement que vous viendrez nous rendre visite la prochaine fois que vous passerez par Londres.

– Vous êtes trop aimable, Lady Starmouth! lui répondis-je. Je vous remercie.

Je me rappelai soudain que le comte m'avait dit que Loretta devait arriver à Londres le week-end suivant.

A l'autre bout de la pièce, Lyle nous regardait. Elle m'avait évité toute la soirée mais, maintenant, elle faisait impulsivement un pas dans ma direction et, tandis que Lady Starmouth se détournait pour répondre à une question que lui posait l'architecte, je réussis à me glisser discrètement derrière le canapé, à un endroit invisible depuis la terrasse où l'évêque déambulait en compagnie de la charmante épouse de l'architecte.

Lyle me rejoignit quelques instants plus tard.

– Je suis navrée que cet après-midi ait si mal tourné, dit-elle rapidement. J'ai apprécié la promenade au Ring. Je vous en remercie.

Ainsi donc, elle était prête à subir un nouvel assaut.

– Déjeunons ensemble, lui dis-je.

– Oh, c'est tout à fait impossible. Les Starmouth nous quittent, d'autres invités arrivent et Mrs. Jardine aura besoin de moi toute la journée, répondit-elle sans hésiter.

Mais, tandis qu'elle prenait son courage à deux mains pour me regarder droit dans les yeux, je me dis que son expression était porteuse d'un tout autre message. Finalement, elle ajouta d'une voix douce :

– C'est dommage. J'aurais adoré. Mais c'est absolument exclu.

– Ça ne fait rien. L'occasion se représentera. Évêque ou pas évêque.

Durant un moment, elle resta complètement immobile. Puis elle dit de sa voix la plus aimable :

– Voulez-vous bien m'excuser?

Et elle s'esquiva avant que l'évêque ne revienne dans la pièce pour s'assurer que rien de subversif ne s'était passé durant son absence.

5

Il me fut totalement impossible de fermer l'œil de la nuit. Je me tournai dans tous les sens, je lus les généalogies les plus ennuyeuses de l'Ancien Testament, je m'aspergeai d'eau froide, je priai, comptai les moutons et finis aux toilettes. Vers deux heures du matin, je descendis à pas feutrés à la bibliothèque de l'évêque en quête de quelque lecture distrayante. Les goûts littéraires de Jardine étaient variés et nous nous étions déjà découvert une faiblesse commune pour les romans policiers.

Une fois dans la bibliothèque, j'allumai la lumière et me mis à longer les rayonnages. Au moment même où je me disais que la collection de livres de l'évêque était moins éclectique que je ne l'avais imaginé, je découvris une étagère consacrée au roman du XIXe siècle et comprenant une série de volumes délabrés de Sir Walter Scott. Cette découverte me ravit : les romans de Scott avaient toujours eu le don de me mettre en état de somnolence et, m'emparant d'*Ivanhoé*, j'ouvris négligemment le volume.

A ma grande surprise, je me trouvai face à une page de garde noircie d'annotations. En haut de la page, quelqu'un avait écrit INGRID ASHLEY 1885 et, sous ce paraphe, une autre main avait tracé d'une écriture ferme : « Roman offert par ma belle-mère pour m'occuper; mais je jure solennellement de ne jamais le lire, car je sais que le roman est une invention du Diable. » Adam Alexandre Jardine, 1888 (neuf ans). Mais ce n'était pas la dernière annotation de cette page. Un peu plus bas, la même écriture, maintenant imprégnée de l'élégance de la maturité, avait ajouté : « Très chère, jetez un œil sur cette inscription que j'avais écrite pour me protéger au cas où père aurait trouvé un roman dans ma chambre! Quel petit monstre pitoyable je faisais et quelle idée merveilleuse vous aviez eue de me faire connaître *Ivanhoé*, la littérature et la civilisation anglaises! Permettez-moi aujourd'hui de rendre ce livre à sa propriétaire d'origine et de vous dire : bienvenue à Starbridge! Je vous embrasse très fort, Adam. (Adam Alexandre Staro, 1932 – cinquante-trois ans!) »

Un bruit de pas me fit faire volte-face. *Ivanhoé* m'échappa des mains et fit un bruit mat en tombant sur le sol.

– Avez-vous besoin d'aide, révérend Ashworth? s'enquit Jardine de sa voix la plus sardonique. Y aurait-il quelques renseignements qui vous feraient défaut?

6

Je réussis, sans trop savoir comment, à lui répondre :

– Je vous assure que mon espionnage a des limites, monseigneur. Je n'étais pas en train de recopier à la sauvette le contenu de votre journal.

Pour cacher ma confusion, je me baissai pour ramasser le volume tout en ajoutant :

– Je cherchais un roman distrayant qui allégerait l'ennui de mon insomnie.

– En ce cas, c'est un même but qui nous a poussés à venir ici; mais, personnellement, je préfère venir à bout de mon insomnie avec un roman policier.

Il se pencha pour saisir un livre dans l'étagère du bas.

– Avez-vous lu *Le meurtre de Roger Ackroyd* de l'autre Miss Christie?

– Oui. C'est bien celui où l'on ferait mieux de se méfier du narrateur?
– Précisément. Plus je relis cette histoire et plus ses omissions et ses faux-fuyants me passionnent.

Il jeta un œil sur le livre que je tenais en main et ajouta :

– Enfin, peut-être faites-vous un meilleur choix en optant pour Sir Walter Scott. Celui-ci en particulier a pour moi une grande valeur sentimentale.

– J'étais justement en train de lire les annotations de la page de garde. Votre belle-mère semble avoir été une femme remarquable, monseigneur.

– Elle n'a eu guère le choix. La mort prématurée de la mère représente une catastrophe pour n'importe quelle famille et, à l'époque où Ingrid est entrée dans notre existence, nous étions tous profondément bouleversés... J'imagine que votre mère n'est pas morte jeune, elle au moins?

Cette question me surprit, mais j'y répondis sans embarras.

– Non. Mon père et elle se portent toujours à merveille. Ils vivent dans le Surrey.

Je replaçai l'exemplaire d'*Ivanhoé* sur l'étagère pour prendre un roman de Dorothy Sayers.

– Quel genre d'homme est votre père?

Cette fois-ci, je n'étais plus seulement surpris par sa question, mais ébahi.

– Pourquoi? demandai-je d'un ton brusque.

Mais Jardine se contenta de rire.

– Puisque vous avez tiré diverses conclusions sur mon compte, dit-il, j'ai décidé d'en faire autant sur le vôtre. Lady Starmouth a remarqué que vous restiez très évasif sur ce sujet. Miss Christie a trouvé que vous sembliez compatir profondément avec moi quand elle a évoqué les difficultés que j'avais connues avec mon propre père. Il est donc naturel que je me sois demandé si vous aussi aviez un parent qui était un boulet pour vous.

– Mon père était très hostile à mon ordination, dis-je, mais, maintenant, nous nous entendons parfaitement.

– Oui, c'est ce que je répondais toujours quand les gens me questionnaient sur mon père, dit Jardine. C'était moins pénible. Enfin, il se peut que le vôtre soit plus tolérant que le mien ne l'a été.

– Tolérant?

– N'est-ce pas du manque de compréhension que naissent la plupart des malheurs au sein des relations familiales? J'ai passé des années à essayer de comprendre la personnalité de mon père, mais ce ne fut qu'à la fin de sa vie que j'ai finalement compris ce qui s'était passé.

Je ne pus m'empêcher de dire :

– Cela a-t-il changé quoi que ce soit?

– Bien sûr. Grâce à la compréhension, le pardon est possible... J'avais donc raison : vous avez des problèmes avec votre père, n'est-ce pas? insista Jardine.

Mais je me contentai de répondre :

– Non. Il y a longtemps que nous avons réglé tous nos différends.

Nous restâmes silencieux, en proie à une étrange curiosité qui dépassait mon pouvoir d'analyse, mais Jardine finit par dire, de manière tout à fait inattendue :

– Asseyez-vous un moment, révérend Ashworth. Je vais faire quelque chose qui m'est inhabituel. Je vais parler de mon père car, en dépit de ce que vous prétendez, je pense que vous allez peut-être juger mon histoire par comparaison avec votre vie privée – que vous semblez si décidé à tenir secrète.

7

– Mon père était le fils d'un fermier pauvre du Cheshire, commença Jardine. Quand il a eu seize ans, il a fui pour Londres dans le but de devenir ecclésiastique. Mais il n'a pas tardé à découvrir que ni l'Église anglicane ni les respectables Églises anticonformistes ne voulaient entendre parler d'un fils d'ouvrier sans le sou qui avait des idées de grandeur. Dans la fureur de sa désillusion, mon père a fini par se dire : « Au diable les organisations religieuses, au diable la prêtrise ! »

Pour apaiser son sentiment d'exclusion, il s'est rallié à une secte obscure au sein de laquelle la prêtrise n'existait pas officiellement et où chacun à son tour prêchait le feu de l'enfer et la damnation éternelle. C'est à ce moment-là qu'il s'est rendu compte qu'il était doué. Bientôt, il fit ses sermons en plein air certains soirs d'été et, finalement, une riche veuve lui proposa de lui faire construire une chapelle. Plus tard, il s'est arrangé pour l'épouser pour son argent. Le pauvre homme ! Dès son arrivée à Londres il avait dû gagner sa vie comme manutentionnaire dans un entrepôt de Putney où il savait qu'il n'avait aucune chance de promotion ; en ces circonstances, est-il surprenant qu'il en soit arrivé à considérer son talent de prédicateur comme un sésame qui lui permettrait d'accéder à cette vie de gentleman que, selon lui, il méritait tant ?

Je me demande si vous avez déjà lu *Elmer Gantry*. Il s'agit d'un roman sur un prédicateur itinérant américain qui... Enfin bref, c'est une étude de la face cachée de l'évangélisme ; la face dont nous autres, ecclésiastiques orthodoxes, sommes honteux. C'est l'histoire d'un prédicateur qui utilise son pouvoir sur les femmes pour gagner de l'argent, non pas pour Dieu mais pour lui-même...

Vous pouvez sans difficulté imaginer ce qui s'est passé. Mon père était sans directeur de conscience et, bien sûr, il a commis les erreurs les plus graves. Il avait ce don, son talent de prédicateur, mais vous savez le danger qu'un tel charisme peut représenter. Voilà pourquoi moi-même, révérend Ashworth, je ne prêche jamais, jamais, *ex tempori*. Dès l'instant où l'on quitte l'écrit, on est tenté d'influencer son auditoire en jouant sur les sentiments les plus discutables.

Mon père n'écrivait jamais ses sermons et il savait exactement ce qu'il fallait dire pour que les femmes les plus riches continuent à s'évanouir sur les bancs – et il savait aussi, je regrette de devoir le préciser, ce qu'il lui fallait faire pour les ranimer dans la sacristie. Dans *Utopie,* Sir Thomas More appelle cela « quitter le droit chemin ». C'est pour les femmes que mon père quittait sans cesse le droit chemin. Sa première épouse était une vieille infirme qui ne pouvait le satisfaire que sur le plan financier et j'ai bien peur qu'il ne se soit convaincu que tout lui serait pardonné aussi longtemps qu'il prêcherait la parole de Dieu avec ferveur.

Pourtant, à la mort de sa femme, il a vraiment eu honte de son passé. Il pensait qu'il pourrait, grâce à l'argent qu'elle lui avait légué, s'offrir une bonne retraite et il décida de se consacrer à l'étude de la théologie. Il faut dire aussi qu'à cette époque, il avait une autre raison de tourner la page : il venait de rencontrer ma mère. C'était une jeune fille issue d'une famille très respectable, et il savait qu'il n'obtiendrait pas sa main à moins de lui offrir une existence convenable.

Je suis certain que leur mariage fut une réussite, pas seulement parce que je revois encore le bonheur familial dû à ma mère, mais aussi parce que je me rappelle parfaitement comme il s'est effondré lorsqu'elle est morte.

Il avait vu en ma mère une récompense divine pour sa bonne conduite, le pauvre, et c'est pour cette raison qu'il a vécu la mort de celle-ci comme une mise à l'index. Il a tout de suite été convaincu que ses anciens péchés ne lui avaient pas été pardonnés.

Alors, sa culpabilité commença à le torturer. Existe-t-il pire culpabilité que celle de l'homme qui a mis un don inné au service de Satan? Pendant longtemps, il est resté cloîtré chez lui. Il ne parlait plus. Ses anciens péchés finirent par le hanter complètement et, de là, il s'en fallut de peu qu'il ne devienne hanté par les péchés du monde. Les péchés de tous ceux qui, en le rejetant, l'avaient placé sur la voie de la corruption.

Vous pouvez imaginer les effets d'un tel comportement sur ses huit enfants. Finalement, les choses arrivèrent à un point tel que même mon père, malade mentalement comme il l'était, se rendit compte qu'il fallait faire quelque chose. A cette époque, il s'était remis à prêcher – mais, cette fois-ci, pas pour de l'argent. Il pensait que la moindre chose qu'il pouvait faire pour apaiser la colère de Dieu était de Le servir aussi honnêtement que possible et donc il avait repris le chemin de la chaire de la secte dans laquelle il avait débuté. Or, un beau dimanche, il remarqua un nouveau visage parmi les fidèles. Une femme qui avait assisté à la messe par curiosité, une femme qui, apparemment, n'était pas du tout impressionnée par son sermon, une femme totalement différente de toutes celles qui le flattaient après l'office en se pâmant d'admiration.

C'était celle qui allait devenir ma belle-mère. Elle travaillait comme dame de compagnie d'une vieille dame. Elle avait pris cet emploi après la mort de son mari, un commis-voyageur du nom d'Ashley, qui la laissait sans le sou. Elle ne disposait pas de l'argent nécessaire pour retourner dans son pays natal, la Suède, mais elle économisait pour le voyage.

Mon père la persuada de demeurer en Angleterre, mais Dieu seul sait où elle a puisé la force de rester une fois que son attirance pour mon père eut disparu. Mon père était quelqu'un de très difficile à vivre; beaucoup trop difficile à supporter pour mes frères. Dès qu'ils l'ont pu, ils ont tous quitté la maison pour tenter leur chance à Londres. Moi-même, j'ai failli partir : quand j'ai eu treize ans, mon frère préféré m'a trouvé une place d'employé de bureau dans l'entreprise pour laquelle il travaillait. Mais cela n'a pas marché. Dès que nous apprîmes la nouvelle, ma belle-mère se tourna vers mon père – je la revois encore – et lui dit : « Toi qui prétendais qu'il te fallait un signe de Dieu avant que tu ne permettes à ce garçon d'aller à l'école, eh bien tu l'as! Ou bien il va à l'école ou je quitte cette maison pour n'y plus revenir! »

Et c'est ainsi que je fus envoyé à l'école. Je détestais cela. Je voulais en partir, mais elle ne le permettait pas. Elle était très sévère, sans pitié. Elle me disait : « Tu veux finir comme ton père ou quoi? » Et, bien sûr, la réponse s'imposait d'elle-même. Elle me disait aussi : « Tu auras la vie que ton père n'a jamais pu mener. Tu ouvriras grandes les portes qu'on lui a claquées au nez et tu seras celui qu'on ne lui a jamais permis d'être. Alors seulement toute cette souffrance n'aura pas été vaine, alors seulement toutes ses plaies se cicatriseront, la signification des choses apparaîtra et il sera fier de toi et, enfin, heureux. »

C'était un rêve sublime, vous ne trouvez pas? Mais je ne voyais pas du tout comment il allait se réaliser. Très vite, mon père est devenu jaloux de moi. Il ne pouvait pas supporter de me voir mener l'existence qui lui avait toujours été refusée. Il est devenu hostile et agressif. Nous avions de ces disputes! Nous nous rendions si malheureux! Mais chaque fois que je voulais tout laisser tomber et partir pour l'Australie, ma belle-mère commençait par me dire : « *Tu dois continuer!* » Et je savais que je ne pourrais jamais partir.

En outre, à cette époque, j'avais compris la vérité – j'avais compris que j'étais cloîtré dans une pièce obscure et que ma belle-mère essayait de me tirer vers la lumière. Aussi, je supportais toutes les scènes, tous les désagréments, en m'accrochant à l'idée de la liberté; mais je ne l'ai sûrement pas fait pour racheter ses fautes à lui – oh, non! Je l'ai fait pour moi-même. Je l'ai fait pour elle. Pour ce qui est de mon père, il pouvait toujours périr dans les flammes de l'enfer, cela m'était complètement égal. A son égard, je me montrais impoli, méchant, méprisant, irritable, coléreux, amer, rancunier, froid et, une ou deux fois, franchement cruel. Existe-t-il un fils qui ait eu un comportement moins chrétien que le mien envers un père psychologiquement affaibli? Je crois bien que non. Même après mon ordination, je n'ai fait que masquer mes sentiments inavouables derrière une expression pieuse et je remplissais mes devoirs filiaux les dents serrées.

Ainsi, quand, à la fin de sa vie, mon père devint complètement sénile, ma première réaction fut-elle d'espérer qu'il ne serait pas trop long à mourir. En fait, je n'arrivais pas à comprendre pourquoi Dieu jugeait bon de le laisser en vie. Cela me paraissait n'avoir aucun sens.

Mais alors, il se remit un peu. Il redevint lucide. Suffisamment lucide pour se rendre compte qu'il était sur le point de mourir et c'est alors qu'il se mit à me parler. Au début, il me parlait de théologie, mais ensuite il se mit à reconsidérer sa vie et, soudain, je compris son besoin de me dire tous les détails de son passé – le pathétique, le futile – pour que mon présent prenne une nouvelle signification. Et, finalement, tandis que mon père me parlait avec une sincérité si douloureuse, le miracle de la communication eut lieu et je fus capable de comprendre son drame dans toute son ampleur. Alors, le pardon fut chose facile et, une fois que je lui eus accordé mon pardon, je ne le vis plus comme un monstre mais comme un père qui m'avait donné une éducation chrétienne, même si elle avait été bizarre, et qui, maintenant, voulait cautériser la blessure de notre longue et terrible brouille avant qu'il ne soit trop tard.

Il avait un texte préféré. C'était : « Je ne suis pas venu pour guider les vertueux, mais pour mener les pécheurs vers le chemin du repentir. » Il a insisté pour que je prêche à partir de ce verset mais il ne m'inspirait pas ; je trouvais qu'il correspondait tellement à mon père et à son obsession du péché. Mais il a tellement insisté que, pour ne pas le contrarier, j'ai fini par lui assurer que je ferais selon son désir. Mais je ne l'ai pas fait. Le dimanche suivant, j'ai construit mon sermon à partir d'un autre verset et, lorsque je suis rentré à la maison, j'ai compris qu'il était mort en voyant baissé le store de la fenêtre de sa chambre.

Je me sentis envahi par un sentiment de culpabilité. J'ai pensé : si seulement j'avais prêché à partir de ce texte ! Et alors, avant de me rendre compte de ce qui m'arrivait, je me suis senti coupable pour mon attitude de mauvais fils, pour toutes mes cruautés passées, pour mon épouvantable manque de compréhension et d'amour. J'étais, pour ainsi dire, écrasé sous le poids de la culpabilité et je ne voyais pas comment j'allais le supporter ; mais je savais sans l'ombre d'un doute qu'il fallait que j'écrive un sermon sur ce verset qui, à ce moment-là, me semblait avoir été écrit pour moi. J'avais le sentiment que c'était moi le pécheur qui devait se repentir, et que le repentir sincère, le rejet de mes erreurs passées, reposait dans la lutte pour devenir le meilleur pasteur que la fureur que j'avais emmagasinée en moi contre mon père m'avait empêché d'être jusque-là.

Donc, j'ai fait mien ce verset et, au fil des années, j'ai dit sermon sur sermon fondés sur lui – jusqu'à ce jour où je me suis retrouvé debout, évêque de la cathédrale de Starbridge, disant : « Je ne suis pas venu pour guider les vertueux, mais pour mener les pécheurs vers le chemin du repentir ! » Le rêve de ma belle-mère s'était enfin réalisé ; je sus que le passé avait été racheté et, bien que mon père mourût alors que je n'étais qu'un obscur chapelain, il revivait dès que je prononçais ces mots en tant que pasteur, doyen et enfin évêque ; ce qu'il n'avait jamais réussi à être. L'aspect le plus émouvant de cette cérémonie à Starbridge fut la présence de ma belle-mère, et qu'elle ait pu me voir prendre place sur le

trône épiscopal. Mais il n'y eut aucune démonstration de tendresse, aucun débordement de sentiments, aucune larme. Elle n'appartenait pas à ce genre de femmes. Elle se contenta de me dire :
– Je savais que cela en valait la peine.
Et je lui répondis sur le même ton :
– Dieu merci, vous n'avez jamais eu les moyens de retourner en Suède.
Et voilà, Charles Ashworth. Ceci n'était pas un sermon, et deux heures et demie du matin n'est pas l'heure idéale pour faire la morale. Aussi n'ajouterai-je qu'une chose : éclaircissez au plus tôt la relation que vous avez avec votre père car plus vous attendez, plus coupable vous vous sentirez à sa mort...

8

Jardine se tut. Nous étions à son bureau, assis face à face : derrière lui, les livres s'étageaient du sol au plafond. Le dessus de son bureau était encombré mais en ordre; de chaque côté du sous-main, des piles de papiers proprement agrafés sous des presse-papiers en verre et, à côté, l'encrier en argent, les stylos et les crayons étaient minutieusement disposés sur un petit plateau.
– Merci, monseigneur, lui dis-je. Vous avez fait montre d'une grande bonté en me jugeant digne de vos confidences et je considère cela comme un grand honneur.
Je me rendis compte, tout à coup, que, durant mon inspection de son bureau, j'avais recherché un objet que je ne voyais pas. Je ne pus m'empêcher de lui demander :
– Possédez-vous une photographie de votre père et de votre belle-mère?
– Oui, bien sûr. A Putney, tous les couples « comme il faut » se font photographier le jour de leurs fiançailles.
Il ouvrit un tiroir de son bureau et en sortit une photographie qu'il me tendit. C'était un portrait fait en studio représentant un homme d'âge moyen, barbu, malgré cela identifiable comme une réplique victorienne de l'évêque, et une jeune femme d'une trentaine d'années, jolie et sensuelle, aux cheveux blonds, aux yeux clairs et à l'expression résolue.
– Comme elle était belle! m'exclamai-je, stupéfait. Je ne sais pas pourquoi, mais je me l'étais imaginée plus quelconque.
– Oh, elle ne se souciait guère de son apparence. Peu de temps avant que je n'aille m'installer à Mayfair, elle avait pris du poids – un problème de thyroïde – et elle était devenue assez renfermée, mais je n'ai jamais attaché la moindre importance à son physique. Un jour, je lui ai dit : « Mince ou grosse, vous serez toujours Ingrid pour moi. » Et elle m'a répondu : « Jeune ou vieux, pour moi, tu seras toujours Adam. »

Plus personne ne m'appelle Adam, poursuivit l'évêque en remettant la photographie dans son enveloppe, mais cela ne signifie pas que cet Adam n'existe plus. Quelquefois, je me dis que porter deux prénoms, c'est un peu comme mener une double vie. Alex, c'est l'évêque, le personnage officiel...

– La belle apparence, dis-je.

– ... mais, au-delà de cet Alex, il y a Adam, fantôme porteur du poids de mon passé, obsédé par tant de souvenirs effrayants, luttant toujours avec cette culpabilité filiale qui ne sera jamais complètement vaincue.

– Parfois, moi aussi, j'ai le sentiment d'avoir une double personnalité, mais mon double porte le même prénom que moi.

Jardine eut un éclair de compréhension. Il dit d'un ton un peu brusque :

– Coupez les ponts avec Lang et permettez ainsi à votre autre vous-même de respirer librement. Être le larbin de l'archevêque ne vous vaut rien.

Il n'attendit pas ma réponse et se dirigea vers la porte, le roman d'Agatha Christie à la main.

– Je suggère que nous tentions à nouveau de vaincre notre insomnie, jeta-t-il par-dessus son épaule. Pardonnez-moi de vous avoir ennuyé avec mes histoires ainsi imposées en pleine nuit.

– Mais vous ne m'avez pas ennuyé, monseigneur. Au contraire. Je vous remercie encore.

En silence, nous regagnâmes nos chambres.

9

Je repensai alors au père de Jardine et à cette jeune femme sensuelle qui avait remis de l'ordre dans la maisonnée. Puis, je pensai à cette femme d'âge moyen, mais probablement toujours sensuelle, quittant son mari pour s'occuper d'un beau-fils de vingt ans son cadet qui n'avait pas les moyens de fonder un foyer.

Elle avait dit : « Adam le méritait », et je pouvais encore entendre la voix de Lyle répétant ces paroles.

– C'est vraiment l'homme le plus extraordinaire que je connaisse, croyez-moi, me disait Gerald Harvey tandis que je basculais dans l'inconscience et que mon esprit était libéré de toute appréhension.

– Vous n'êtes guère loquace, n'est-ce pas? me dit Lyle dans une église immense où nous attendions en vain que l'évêque vienne nous unir. S'il y a un mystère ici, c'est bien vous.

– Karl Barth a percé à jour le mystère du Christ historique, me dit Jardine tandis que nous nous trouvions au centre de Starbury Ring. C'est d'ailleurs lui qui a découvert que, dans *Le meurtre de Roger Ackroyd*, il fallait se méfier du narrateur.

– Ah! je suis si heureuse de vous avoir trouvé, révérend Ashworth, s'exclamait Mrs. Jardine, tout en levant vers moi un visage souriant tandis que nous arrivions au bord de la rivière au fond du jardin, car je tenais à vous signaler que je sais, moi, qui a vraiment assassiné Roger Ackroyd. Et c'est Mr. A. P. Herbert! N'est-il pas merveilleux que Notre Seigneur ait approuvé le projet de loi sur le divorce? Cette question est des plus passionnantes, vous ne trouvez pas? Surtout quand il fait beau.

– Loretta avait déjà divorcé, me lança le comte par-dessus son épaule tout en ramenant un énorme poisson vers la rive. Bien sûr qu'elle a été la maîtresse de Jardine. Pendant des années.

– Non, non et non, Henry! s'écriait Lady Starmouth qui nageait nue dans la rivière. Elle n'a jamais couché avec Alex! Il a toujours agi convenablement!

– C'est vous qui le dites, Lady Starmouth! dit Mrs. Cobden-Smith flanquée de son saint-bernard. Mais pourquoi diable devrions-nous vous croire?

– Je vais vous dire ce qu'il faut croire, répliqua Lady Starmouth, sortant de l'eau et révélant une poitrine à la rondeur surprenante. Il faut croire que le révérend Ashworth a envie de coucher avec moi.

– Je suis navré, Lady Starmouth, mais j'ai bien peur que ce ne soit impossible. Je préférerais coucher avec Loretta.

– Je suis celle par qui vous atteindrez Loretta, me répondit Lady Starmouth qui avait revêtu une robe de bal blanche et qui me tirait hors de la morgue où reposait le corps de ma femme. Mais je ne peux pas vous la présenter si vous ne me pénétrez pas, moi, d'abord!

Derrière moi, Lyle dit :

– J'ai vraiment envie de faire l'amour avec vous, mais j'ai tellement peur de la réaction de l'évêque.

– Avez-vous couché avec lui? demandai-je à la sensuelle Suédoise qui m'attendait au bout d'un sombre couloir.

– Il faut que je vous emmène à l'église, répondit-elle, car je suis une femme profondément croyante.

– Charles est si croyant, dit ma mère qui jouait au bridge dans la nef au moment où Ingrid et moi pénétrions dans la cathédrale de Starbridge. Cela ne l'empêche pas de réussir brillamment. Son père est particulièrement fier de lui.

– En général, je ne parle de mon père à personne, dit Jardine en montant en chaire. Ma famille était particulièrement perturbée.

– Nous sommes une famille merveilleusement unie, dit ma mère en éclatant de rire tout en distribuant les cartes. Nous n'avons jamais eu de dispute!

– Espèce d'idiot! cria mon père en défonçant la porte et en déboulant dans la nef.

– « Je ne suis pas venu pour guider les vertueux, ânonna Jardine du haut de la chaire, mais pour mener les pêcheurs vers le chemin du repentir. »

– Salaud! criai-je à mon père.

– Je ne suis pas venu pour guider les *vertueux,* proclama Jardine d'une voix plus forte, mais pour mener les *pécheurs* vers le chemin du *repentir.*

– Non, Charles, arrête! hurla ma mère.

– *Je ne suis pas venu pour guider les vertueux, mais pour mener les pécheurs vers le chemin du repentir,* brailla l'évêque.

– Tu ne seras jamais ecclésiastique, aboya mon père. Jamais!

– JE NE SUIS PAS VENU POUR GUIDER LES VERTUEUX, MAIS POUR MENER LES PÉCHEURS VERS LE CHEMIN DU REPENTIR – LES PÉCHEURS, *LES PÉCHEURS...*

– Père! hurlai-je en me dressant dans mon lit, le visage dégoulinant de sueur. Père! PÈRE...

Le silence régnait dans la pièce.

La chambre était très sombre. D'une main tremblante j'allumai la lumière. Puis, je me glissai hors du lit, tombai à genoux et commençai mes prières.

10

Le lendemain matin, les Starmouth partirent après le petit déjeuner et, après quelques signes d'adieu, je me tournai vers l'évêque et lui demandai si, plus tard, il aurait le temps de m'accorder une entrevue en privé.

– Bien sûr, me répondit-il, mais je préférerais que ce soit maintenant, avant que je ne commence à travailler sur mon sermon.

– Vous prêchez ce dimanche?

– Aux matines, oui. Je remplace le doyen qui a été appelé dans le Nord pour les obsèques d'un de ses cousins. Comptez-vous prolonger votre séjour ici et m'assister pour les communions du matin?

J'étais très surpris.

– Je suis certain, dis-je, que vous préféreriez annuler l'invitation que vous avez formulée dans votre lettre, monseigneur.

– Je ne vois pas pourquoi. Je suis un chrétien, révérend Ashworth, pas un politicien païen, pressé de vous bannir de quelque coterie. Réfléchissez encore à ma proposition et faites-moi connaître votre décision plus tard.

Au moment où il entrait dans sa bibliothèque, il jugea bon de changer de sujet de conversation, et ajouta dans un sourire :

– Je parie que je suis venu à bout de votre insomnie, la nuit dernière!

– Oui. C'est avec soulagement que je me suis endormi dans les dix minutes.

Je m'interrompis et ajoutai prudemment :

– Vous avez été très franc avec moi et c'est maintenant mon tour de l'être avec vous. Je soupçonne l'archevêque de poursuivre une vengeance personnelle, mais il ne m'a jamais demandé ouvertement de trouver une preuve qui vous couperait l'herbe sous le pied; et même si je l'avais trouvée, je ne la lui aurais jamais communiquée. Je ne pense pas que couper l'herbe sous le pied de quiconque fasse partie de mon devoir d'ecclésiastique. Pas plus que je ne pense qu'un évêque de votre trempe mérite d'être sali par la presse tout simplement parce que Lang a fait preuve d'une attitude pontifiante à propos de l'abdication. Me croyez-vous quand je dis que je suis entièrement de votre côté? Et, si vous me croyez, me permettez-vous de vous poser une question impertinente dans le but de confirmer que vous êtes absolument imperméable au scandale?

— J'ai bien l'impression que vous me préparez à une insolence franchement monstrueuse, révérend Ashworth. Mais, heureusement pour vous, votre arrogance commence à m'amuser. Que voulez-vous savoir?

— S'il y a, actuellement, une quelconque relation entre vous et le professeur Loretta Staviski.

VII

Notre attitude vis-à-vis des femmes est d'une·impor-tance extrême.
Autres lettres de Herbert HENSLEY HENSON,
Éd. E. F. Braley.

1

Grâce à mon subtil avertissement, Jardine réagit remarquablement bien face à cette nouvelle inquisition; peut-être, comme il paraissait évident que Lady Starmouth lui avait rapporté mot pour mot notre conversation, s'était-il attendu à une question concernant Loretta. Ne montrant ni surprise, ni colère, il ne fit qu'émettre un soupir de résignation.

– Mon cher révérend, votre zèle me touche, et je ne voudrais pas vous paraître ingrat puisque vous avez été généreux au point de me garantir votre complet dévouement, mais n'avez-vous pas le sentiment que votre zèle est en train de prendre une tournure excessive?

– Pas si l'on considère que le professeur Staviski arrive bientôt en Angleterre et que n'importe quel canard du dimanche en quête de scandale est tout à fait capable de vous faire espionner. Si vous deviez la rencontrer...

– Ce n'est absolument pas dans mes intentions. Cela va faire dix-neuf ans que je n'ai plus du tout de contact avec elle et, de toute façon, même à l'époque, il n'y avait pas lieu de faire un scandale. La seule chose qui se soit passée fut que l'une de mes paroissiennes tomba amoureuse de moi et que je fus assez bête pour ne pas le comprendre à temps.

– Monseigneur, puis-je me permettre de vous demander combien de personnes sont au courant de cet incident ?

– Uniquement Lady Starmouth.

– Voulez-vous dire que personne d'autre n'est au courant? m'exclamai-je. Absolument personne ? Et votre épouse?

124

– Elle n'était pas à la maison quand mon amitié avec Mrs. Staviski vit sa conclusion malheureuse. Après la mort de notre enfant, le médecin avait conseillé à Carrie d'aller séjourner à la campagne et elle était partie chez ses parents.

– Donc, personne n'a soupçonné ce qui se passait? Après tout, vous pouviez difficilement vivre coupé du monde à Mayfair!

– Apparemment, l'essentiel de l'incident vous a échappé. Mrs. Staviski réussissait à merveille à dissimuler ses sentiments. Et moi, je la considérais tout simplement comme une amie, au même titre que Lady Starmouth. Nous n'inspirions aucun cancan.

– Mais votre femme n'a-t-elle pas été surprise de la disparition subite de Mrs. Staviski?

– Si. Mais nous étions en guerre, beaucoup de gens allaient et venaient. Il faut dire aussi que ma femme était loin d'être en bonne santé et trop préoccupée par ses propres soucis pour s'intéresser à ceux des autres. C'est pour cela que je ne me suis jamais confié à elle. J'aurais trouvé cela égoïste d'ajouter à son lot à cette époque.

– Et comment Lady Starmouth a-t-elle su?

Jardine prit un temps, réfléchissant à la question. Puis, il dit d'un ton un peu brusque :

– Je vais vous dire comment les choses se sont passées. Au point où nous en sommes, je ne vois pas de raison pour ne pas vous mettre au courant et, en votre qualité d'ecclésiastique, il se peut même que vous tiriez quelque enseignement des erreurs que j'ai commises. Ceci n'est pas le récit d'un échec moral, révérend Ashworth, mais celui d'une simple faute professionnelle. En d'autres termes, c'est maintenant qu'il vous faut discerner au-delà de la belle apparence d'Alex, l'évêque, le pauvre Adam, luttant pour devenir un bon pasteur et s'en sortant plutôt mal...

2

– C'était surprenant de voir le nombre de gens qui appelaient Loretta par son prénom, continua Jardine. Je n'ai jamais pu décider si c'était parce qu'elle était américaine – et donc hors des limites du système social anglais et de toutes ses contraintes mesquines – ou bien si c'était parce que les Britanniques regimbaient devant son nom à la consonance étrangère. Pourtant, moi, pasteur tenu de respecter les convenances, je l'ai toujours appelée Mrs. Staviski, jusqu'au terme de notre amitié. Et si, maintenant, je l'appelle Loretta, ce n'est pas que j'avais l'habitude de le faire à l'époque, mais c'est parce que je trouve que « professeur Staviski » – son titre actuel – sonne mal.

Je l'ai connue en 1917. Elle venait de se séparer de son mari et Lady Starmouth lui avait suggéré de me demander conseil. J'ai très vite compris que son mariage était détruit sans espoir de reconstruction. Le mari était homosexuel. Aussi décidai-je qu'il était de mon devoir de pasteur non pas de tenter de sauver leur union, mais plutôt de sauver Loretta elle-même, si abominablement traitée que sa confiance en elle en avait été détruite. Son mari lui avait donné la sensation d'être un objet de répulsion pour les hommes, et j'en conclus que, si elle devait retrouver un jour une existence normale, un autre homme se devait de réparer le mal qui avait été fait. Je trouvais qu'il s'agissait là d'un raisonnement parfaitement valable, mais le problème était que je m'étais choisi pour exécuter cette tâche.

Inutile de me regarder avec cet air stupéfait; je n'étais pas aussi stupide que ce que je viens de vous dire peut le laisser croire. Je rencontrais Loretta chez Lady Starmouth ou bien chez moi en présence de ma femme. Et même lorsqu'elle s'est acheté un appartement, je n'y suis jamais allé sans être accompagné d'un novice. Je disposais de trois novices et je faisais toujours en sorte que l'un d'eux m'accompagnât lorsque je rendais visite à des femmes seules.

Mais, évidemment, je commettais une grave erreur. J'aurais dû me rendre compte que Loretta n'était pas assez forte pour se contenter d'une amitié platonique. L'homme et la femme, après tout, n'ont pas été créés par Dieu pour des relations intimes asexuées et d'ailleurs, il y a un aspect sexuel à mes trois longues amitiés platoniques, mais Lady Starmouth, Lady Markhampton et Mrs. Welbeck sont toutes les trois mariées, équilibrées et heureuses en ménage; notre amitié n'est que la crème d'une pâtisserie délicieuse. Le problème avec Loretta, c'est que je n'étais pas seulement la crème mais tout le gâteau. Elle n'était qu'une étrangère à Londres, sa séparation d'avec son mari l'avait éloignée de personnes qui auraient pu la soutenir et elle était seule. N'ai-je pas pris suffisamment en compte son extrême vulnérabilité? Non. J'ai été lui rendre visite plus souvent que je n'aurais dû le faire; pour lui faire oublier ses problèmes, je lui ai prêté beaucoup de livres – mais uniquement des romans, aucun ouvrage spirituel – et pour lui redonner confiance, je lui faisais beaucoup de compliments. Évidemment, une telle idiotie ne pouvait avoir qu'une conséquence. Tout prit fin par un beau samedi de septembre 1918. Après mon petit déjeuner, je venais juste de travailler sur mon sermon du dimanche, lorsque arriva un télégramme m'annonçant que le frère préféré de Lady Starmouth avait été tué au front et me demandant si je pouvais me rendre immédiatement à Leatherhead. Comme vous le savez sans doute maintenant, c'est là que les Starmouth ont leur maison de campagne. Loretta était là, bien sûr, avec son amie, lorsque j'arrivai ce matin-là à Starmouth Court. Elle avait pris le train précédent. J'ai parlé en tête à tête avec Lady Starmouth pendant un moment, puis nous avons tous déjeuné ensemble. Le comte était absent; il devait revenir d'Écosse et on ne l'attendait que plus tard.

Après le déjeuner, Lady Starmouth décida de faire la sieste et j'étais sur le point d'envisager de repartir pour Londres lorsque Loretta m'annonça qu'elle avait quelque chose à me dire et suggéra une promenade dans la vallée. J'acceptai. La villa des Starmouth est bâtie sur le versant d'une colline qui donne sur la rivière de Mole – mais peut-être le savez-vous déjà? Je viens de me rappeler que vous êtes natif de cette partie du Surrey, c'est bien cela? Et vous êtes probablement souvent passé devant leur maison – on peut la voir de la grand-route entre Leatherhead et Dorking.

Jardine s'interrompit, le regard assombri par ses souvenirs, les mains jointes tandis qu'il se penchait en avant sur son bureau.

– Nous avons marché jusqu'à la rivière, poursuivit-il, et puis, nous avons fait demi-tour. C'était la première fois que nous étions seuls tous les deux. Il y avait beaucoup de circulation sur la route – des charrettes tirées par des poneys, des cyclistes, et même une automobile – mais c'était comme si nous avions été seuls. C'est alors qu'elle m'a tout avoué et que notre amitié a également pris fin.

Il s'interrompit encore puis ajouta d'un ton brusque :

– Elle a beaucoup pleuré. A notre retour, Lady Starmouth était redescendue. Un coup d'œil lui a suffi pour tout deviner – ce qui, dans un sens, fut une bonne chose. Elle seule était capable de nous venir en aide. Elle a fait en sorte que Loretta puisse repartir pour l'Amérique – chose pratiquement impossible pendant la guerre – et elle m'a aidé en ne proférant jamais aucun reproche à mon égard. Mais, bien sûr, à ce moment-là, je compris à quel point j'avais failli à mon rôle, et ainsi, je sus beaucoup mieux que Lady Starmouth à quel point j'étais à blâmer...

3

Je laissai passer un moment de silence plein de compassion avant d'oser dire :

– Je comprends parfaitement pourquoi vous n'avez pas tenté d'avoir d'autres amitiés platoniques.

– Je vois que vous trouvez l'idée même d'amitié platonique un peu fantasque car, après tout, vous faites partie de cette génération d'après-guerre que la sexualité obsède. Dans ma jeunesse, les relations entre hommes et femmes étaient envisageables sur un plan plus large... Mais je ne cherche pas à me justifier. J'ai vraiment commis des erreurs grossières envers Loretta.

– Mais pas de scandale. Vous n'avez pas échangé de correspondance, je présume?

– Pas après qu'elle m'eut avoué ses sentiments, non. Nous avions échangé quelques lettres anodines auparavant, mais je les ai toutes brûlées.

– Aucune allusion dans votre journal?

– Fort heureusement, je n'étais pas tiraillé par le besoin de déverser mes remords sur papier car j'avais la possibilité d'en parler à Lady Starmouth.

Une pensée me vint à l'esprit.

– Vous êtes-vous confié à votre belle-mère?

– Ah!

Jardine eut un sourire entendu.

– Je le lui ai dit bien plus tard, vers la fin de sa vie, mais en 1918, je n'ai rien dit. Ma belle-mère avait fait une telle histoire quand je me suis marié que j'évitais de lui parler de mes amies... Dites donc, ce que cela lui donne un air possessif! Laissez-moi corriger immédiatement cette fausse impression en ajoutant qu'elle avait toujours eu envie que je me marie mais, malheureusement, l'idée qu'elle se faisait de l'épouse qu'il me fallait était différente de la mienne. Ce qui n'est pas rare entre mère et fils, j'imagine.

Il se cala sur sa chaise en souriant.

– Alors, révérend Ashworth? Le dernier défaut de ma cuirasse est-il enfin décelé?

– Je pense que, pour ce qui est de la presse, vous êtes, effectivement, inattaquable.

– Et en dehors de la presse?

– Oh, vous avez votre talon d'Achille, c'est certain, lui dis-je tout en me levant, mais fort heureusement, il vous est facile de vous protéger. Puis-je me permettre de vous suggérer de chercher sans délai une remplaçante à Miss Christie?

Et, tandis que le sourire de l'évêque s'évanouissait sur ses lèvres, je quittai vivement la pièce.

4

Je connaissais maintenant l'épisode Loretta. Ou, pour être plus précis, je connaissais la version de Jardine; récit qui concordait parfaitement avec celui de Lady Starmouth. Bien sûr, il ne m'avait pas tout dit; j'étais prêt à parier qu'il y avait eu un baiser ou deux au bord de la rivière, entre deux passages de ces véhicules que Jardine avait pris soin de mentionner. Mais, néanmoins, je pensais qu'il avait été assez sincère avec moi. Un baiser entre un pasteur et une jeune femme passionnée représentait, bien sûr, le type d'imprudence que craignait Lang mais, d'après moi, il n'y avait là aucun danger pour l'évêque dix-neuf ans après, surtout si personne, sauf Lady Starmouth et Mrs. Jardine mère, n'était au courant des raisons pour lesquelles leur amitié avait mal tourné.

J'étais sincèrement content que Jardine soit inattaquable. Pourtant, j'étais en même temps déçu de n'avoir pas de raison de concevoir l'inconcevable. Une imprudence bénigne, même répréhensible, était à cent lieues d'une faute morale grave. Ma déception me perturbait. Je trouvais qu'il était déraisonnable de vouloir démasquer un homme que j'admirais, et je commençais à me demander si mes deux personnalités n'étaient pas secrètement liguées l'une contre l'autre.

Bref, ce n'était que mauvaises pensées qui ne valaient pas la peine qu'on s'y attardât et, les laissant de côté, je regagnai ma chambre pour me préparer à la prochaine manche.

Nous étions maintenant vendredi. J'avais pensé partir le lendemain matin mais comme Jardine avait eu l'élégance de confirmer l'invitation qu'il m'avait faite par écrit, je me dis qu'il aurait été enfantin de ma part de ne pas rester. De plus, je n'avais jamais été du genre à laisser passer une occasion, et prolonger mon séjour allait me permettre de voir Lyle plus longtemps. Du tiroir de la table, je sortis une feuille de papier à en-tête de l'évêché et je m'installai pour écrire :

Monseigneur, il va sans dire que je considère comme un grand honneur de vous assister aux Communions et comme un grand plaisir de demeurer à l'évêché. Merci de votre généreuse hospitalité. Votre dévoué, Charles Ashworth.

Mais je me demandais s'il ne regrettait pas déjà sa proposition.

5

La journée se révéla frustrante car je n'eus pas le bonheur de voir Lyle seul à seul. Après avoir déposé ma lettre sur la table du hall, je me forçai à travailler pour la forme à la bibliothèque de la cathédrale mais, à mon retour à l'évêché, on m'annonça que Lyle avait accompagné Mrs. Jardine à la gare pour aller chercher de nouveaux arrivants.

Il y avait foule au déjeuner. Je comptai dix-huit couverts sur la table à rallonges de la salle à manger et je découvris bientôt, écœuré, que Lyle et moi étions séparés par six invités. En outre, à peine les derniers visiteurs repartis, elle accompagna en voiture Mrs. Jardine qui devait présider une fête de charité. Je me demandais si je n'étais pas victime d'une machination. De mauvaise humeur, j'arpentai la ville, histoire de passer le temps, je fouinai dans les librairies anciennes et, finalement, je réussis à aller entendre la chorale aux vêpres.

Au dîner, les invités se limitaient à ceux qui séjournaient à l'évêché. Les nouveaux venus, quatre cousins de Mrs. Jardine, semblaient incapables de parler d'autre chose que de chasse au renard, et je pouvais voir que Jardine regrettait l'absence du charme et de la sophistication de Lady Starmouth. Bref, une fois la table desservie et le reste des convives habilement dirigés vers le fumoir, Jardine put se remonter le moral en discutant avec moi de l'Immaculée Conception. Comme je m'en étais douté, il croyait à la version *ex animo* et, à sa façon moderniste, il était totalement conformiste.

Nous regagnâmes le salon. Lyle s'occupait du café mais l'évêque vint avec moi chercher sa tasse et refusa obstinément de faire un tour sur la terrasse avec une invitée. Il avait probablement l'impression qu'elles étaient toutes trop « tartes » pour mériter une telle faveur, mais il était également possible qu'il soit décidé à m'empêcher d'avoir le plaisir d'échanger un mot en tête à tête avec Lyle.

– Venez vous asseoir, révérend Ashworth! me lança Mrs. Jardine, tapotant l'espace vide à côté d'elle sur le canapé, où elle avait la place d'honneur au milieu de ses cousines plus âgées. Nous mourons d'envie d'en savoir davantage sur monseigneur Lang.

J'étais sûrement victime d'une machination!

– J'arrive.

Je me tournai vers Lyle et lui dis tout à trac sous les yeux de l'évêque :

– Vous êtes libre demain?

– Non. Je sors toute la journée avec Mrs. Jardine. Elle veut emmener ses cousins à la plage.

– Dînez avec moi à votre retour.

Elle hésitait. Alors, l'évêque dit d'un ton brusque :

– Accordez-vous une petite sortie, Lyle, et acceptez cette invitation. A moins, évidemment, que vous n'ayez l'impression que le révérend Ashworth ait été un peu trop loin à Starbury Ring et que vous n'ayez pas envie de ressortir avec lui. Si tel est le cas, vous feriez mieux d'être franche et de le lui dire.

– Merci, monseigneur, lui dis-je.

Je me tournai vers Lyle.

– Réfléchissez-y et tenez-moi au courant.

Et, la laissant à sa cafetière, je rejoignis Mrs. Jardine pour évoquer les souvenirs les plus flatteurs que j'avais de l'archevêque.

6

Le lendemain, je m'éveillai d'une nuit aussi agitée que les précédentes pour trouver un mot glissé sous ma porte.

« Je serai libre ce soir à partir de 19 h 30, disait l'écriture fine et précise de Lyle. Si vous ne savez pas où dîner, je me permets de vous suggérer le *Staro Arms,* rue de l'Éternité. Lyle Christie. »

Je me dis que j'avais complètement fantasmé cette histoire de machination.

Et pourtant...

Je me demandais ce que l'évêque avait en tête.

Je me forçai à travailler toute la journée à mes notes sur saint Anselme jusqu'à ce que j'atteigne le stade où je pourrais terminer mes recherches à la bibliothèque de l'université de Cambridge. Ensuite, soulagé au point d'en devenir badin, je m'essayai à l'écriture automatique et, après avoir gribouillé trois strophes stupides sur mon bloc, je quittai la cathédrale pour retourner à l'évêché où je retranscris mes *limericks* au propre.

Il était une fois une fille prénommée Lyle
Qui voulait toujours quitter la ville
Chaque fois que Charles A
Lui disait : Ah,
Comment faire
Pour te plaire ?

Il était une fois un évêque nommé Jardine
Élégant bien que son nom rimât avec sardine
Qui lui dit : partez,
Méchant révérend A
Laissez Lyle servir
Mrs. Jardine

Il était une fois un révérend nommé Ashworth
Au rêve errant prénommé Lyle...

Sous ces derniers vers, j'écrivis : « Désolé que ce ne soit pas un sonnet mais, malheureusement, tous les ecclésiastiques ne peuvent pas rivaliser avec John Donne. Pourquoi ne prendriez-vous pas quelques jours de congé et n'en profiteriez-vous pas pour venir à Cambridge? Avez-vous déjà fait du bateau sur la Cam? Avez-vous déjà visité la chapelle de King's College? Vu le coucher du soleil sur les Backs? Le monde existe au-delà de Starbridge, et je pense qu'il est grand temps que quelqu'un se charge de vous le rappeler. » Je signai de mon prénom et ajoutai mon numéro de téléphone suivi d'un post-scriptum : «Amenez donc Mrs. Jardine puisque vous semblez ne pas pouvoir vous en séparer. Pourquoi pas? Le changement d'air lui fera le plus grand bien. »

Ayant contrecarré son meilleur prétexte pour refuser mon invitation, j'allai cueillir une rose dans le jardin et revint dans la maison. C'était le milieu de l'après-midi. Jardine était sorti; sa femme et ses compagnons n'étaient pas revenus de leur excursion à la mer. Le maître d'hôtel fut probablement très surpris en entendant retentir la sonnette du salon mais, lorsqu'il fit son apparition, il arborait son expression sinistre et habituelle et ne cilla même pas en voyant que j'avais une rose à la main.

– Je voudrais déposer ceci dans la chambre de Miss Christie, Shipton, lui dis-je, épiant chez lui un signe qui aurait pu m'indiquer que les serviteurs considéraient Lyle comme définitivement inaccessible à tout admirateur. Comment m'y rendre?

Shipton sembla enchanté à la perspective d'une histoire d'amour; surtout d'une histoire d'amour vouée à l'échec. Son expression sinistre s'adoucit; il dit sur le ton de la confidence :

– La chambre de Miss Christie est passablement difficile à trouver, monsieur. Si vous voulez bien me suivre.

Nous fîmes un voyage très digne jusqu'en haut de la maison, moi avec la rose à la main et Shipton avec son expression sépulcrale; je le suivis au travers d'un dédale de couloirs gothiques jusqu'à une chambre éloignée, au sommet de l'aile sud de la maison.

– Les nouveaux serviteurs doivent avoir besoin d'un plan pour arriver jusqu'ici, remarquai-je tout en ouvrant la porte.

– Miss Christie aime respecter l'intimité de Mr. et Mrs. Jardine, comme il convient à une femme dans sa position, vivant comme un membre de la famille. Ce sera tout, monsieur? Ou bien voulez-vous que j'attende pour vous raccompagner?

– Non, je retrouverai bien le chemin tout seul, merci, Shipton. Mais, si je ne suis pas revenu dans vingt-quatre heures, lancez un avis de recherche.

– Bien, monsieur.

Il s'éloigna sans avoir daigné sourire et j'entrai dans la chambre de Lyle.

C'était une pièce haute et lumineuse, avec des meubles très ordinaires. Un lit simple recouvert d'une couverture bleue et, posé sur la table de chevet, un exemplaire de *L'Adieu aux armes* d'Hemingway. Il y avait aussi une photographie jaunie qui représentait un soldat aux yeux clairs, en uniforme. Il se dégageait quelque chose d'insupportablement poignant de son air optimiste et sûr de lui. Sur la table de toilette étaient posés plusieurs brosses en argent, un modeste plateau de produits de maquillage et un pot de confiture qui contenait du chèvrefeuille du jardin. Sur le mur trois tableaux : une aquarelle représentant un lac qui aurait pu être un de ceux de Norfolk Broads, un dessin encadré représentant une grande maison citadine du XVIIIe siècle que je soupçonnai être le doyenné de Radbury et une superbe gravure de l'incomparable cathédrale de Starbridge. Je restai là, me concentrant sur le décor afin de pouvoir, quand je serais loin, à Cambridge, imaginer Lyle dans sa réclusion. Puis, je déposai la rose sur l'oreiller, sortis le poème de ma poche et laissai la feuille de papier pliée sous la longue tige de la fleur.

En sortant, je m'arrêtai pour jeter un œil sur sa bibliothèque et je découvris que, outre les romans contemporains, elle possédait le livre très controversé *Quête du Christ historique* d'Albert Schweitzer, une tentative d'interprétation de la carrière du Christ liée à l'eschatologie. C'était l'unique ouvrage théologique qu'elle possédait – en dehors de l'inévitable collection des œuvres de Jardine. Du coup, je me demandai s'il lui était déjà arrivé d'emprunter d'autres ouvrages de théologie dans la bibliothèque de l'évêque. Je passai en revue des livres signés Jardine : anthologies de sermons, polémique sur la modernisation – vouée à l'échec – du Prayer Book [1], dans les années vingt, et sa fameuse attaque des entretiens de la ligue de Malines, mais je ne découvris aucun livre que je n'avais déjà lu. Il m'intéressait de voir que, outre la collection des Jardine, il y avait un exemplaire de *Désunion sacrée* d'A. P. Herbert, dans lequel l'auteur du fameux projet de loi avait fait une satire de la loi sur le divorce.

Je trouvai que les goûts littéraires de Lyle étaient un peu inquiétants. A part les romans, sa collection évoquait un intérêt superficiel pour la religion et non, autant que je pouvais en juger, une foi véritable et personnelle. Il n'y avait pas d'exemplaire de la Bible visible dans la pièce.

Je commençai à me demander si l'apostat ne serait pas Lyle.

Je pourrais peut-être, au cours du dîner, découvrir la nature exacte de ses convictions religieuses. Jetant un dernier regard sur la pièce, je refermai la porte et entrepris le voyage difficile de retour jusqu'à la pièce principale de la maison.

8

La première chose qu'elle me dit quand nous nous retrouvâmes ce soir-là dans l'entrée fut :

– Comment avez-vous trouvé ma chambre?

– Grâce à une carte, un compas, une provision de nourriture pour une semaine et grâce à Shipton.

– Je n'aime pas du tout qu'on vienne fureter dans ma chambre. En fait, j'ai horreur de ça.

– Oh? Cela ne doit pas faciliter le travail des domestiques! lui répliquai-je en souriant.

– Excusez-moi, je suis idiote, je le sais, et très ingrate de surcroît. Je vous remercie pour la rose. Elle est très belle. Et merci pour vos amusantes petites rimes. Heureusement que vous n'avez pas écrit de sonnet : il se trouve qu'ils m'ennuient.

Nous sortîmes et nous dirigeâmes vers la rue de l'Éternité où le *Staro Arms*, une ancienne auberge datant du XIVe siècle, était construite autour d'une cour pavée. Derrière, dans le jardin, des tables en fer forgé que des parasols ombrageaient étaient disposées sur la pelouse qui descendait jusqu'à la rivière; et, le long du muret qui séparait le jardin du bord de

1. Prayer Book : Rituel de l'Église anglicane. *(N.d.T.)*

l'eau, une rangée de géraniums s'agitait sous la faible brise du soir. Nous choisîmes une table d'où nous pouvions apercevoir, dans l'eau, le reflet des maisons moyenâgeuses qui s'étalaient sur la rive opposée. Bientôt, le serveur vint nous apporter les boissons que nous avions commandées. Lyle avait pris un Schweppes au citron vert bien glacé tandis que je buvais une bière.

– Vous ne buvez jamais de cocktail? me demanda Lyle.

– Je crois qu'il vaut mieux que les ecclésiastiques évitent d'en boire comme ils doivent éviter de fumer en tenue de clergyman, répondis-je indirectement. Cela parachèverait le tableau pastoral!

– Eh bien, je suis ravie de voir que vous choisissez la lumière pour ce soir. Je craignais que vous ne vous sentiez d'humeur entreprenante.

– Quelle pensée stimulante! dis-je promptement.

Mais, tandis qu'elle faisait entendre un petit rire crispé, j'ajoutai pour la rassurer :

– Notre dîner sera des plus civilisés. Nous ne parlerons même pas des Jardine, à moins que vous n'y teniez. Nous parlerons littérature, théologie, et tout ce que nous pourrons nous trouver en commun. Et puis, si cela vous intéresse, je vous en dirai un peu plus sur ma vie à Cambridge; et vous m'en direz un peu plus sur la vie rurale dans le Norfolk profond où, selon Mrs. Cobden-Smith, tout le monde s'exprime en grognant. Autrement dit, nous allons passer un bon moment tous les deux et nous détendre sans penser à demain.

– Cela me semble trop beau pour être vrai, dit Lyle, un peu plus détendue tout de même.

Et, tandis que nous échangions un sourire, je me dis que je faisais, enfin, quelques progrès concrets.

9

Je ne me détendis moi-même qu'à la moitié du repas, au moment où je découvris qu'elle n'était pas apostat. Elle possédait une foi véritable et un intérêt intelligent de laïc qui souhaitait étendre ses connaissances religieuses. Comme je m'en étais douté, elle empruntait souvent des livres dans la bibliothèque de l'évêque. Je dis avec hésitation :

– J'ai remarqué qu'il n'y avait pas d'exemplaire de la Bible dans votre chambre.

Elle répondit d'un ton un peu méprisant :

– Eh bien, je suis au moins certaine que vous n'avez pas ouvert le tiroir de ma table de nuit!

Je fus profondément soulagé. J'avais beau être persuadé que Lyle était la femme qu'il me fallait, je n'aurais pas eu d'autre choix que de renoncer à elle si elle ne s'était pas révélée pieuse. Comment vivre intimement avec une femme incapable de comprendre le sens fondamental de votre vie? L'attirance des contraires était désastreuse pour tout ecclésiastique.

Le fait que je semblais très pointilleux sur le plan spirituel éveilla la curiosité de Lyle et, à la fin du repas, elle céda à la tentation de s'informer de ce qui m'avait poussé à entrer dans les ordres.

– Et ne me dites pas simplement que vous aviez la vocation, dit-elle. Je m'en doute. Mais comment cela s'est-il passé?

Je répondis, très à l'aise :

– Depuis ma dernière année de scolarité, j'allais régulièrement à l'église et lorsque monseigneur Lang a remis les prix, il a fait un discours qui a frappé mon imagination; mais, bien qu'à l'époque je jouasse avec cette idée d'entrer dans les ordres, je savais que mon père voulait que je prenne sa relève en devenant courtier dans l'entreprise familiale. A la fin de ma première année à Cambridge, je me suis rendu compte que les affaires n'étaient pas mon truc et, très vite, je me suis senti si perdu que j'ai écrit à Lang pour lui demander conseil. J'avais décidé que, si sa réponse était encourageante, j'allais devoir envisager de rentrer dans les ordres, et s'il devait se contenter de m'envoyer une réponse polie par l'intermédiaire de son chapelain, cela voudrait dire que j'aurais à reconsidérer la question.

– Et il vous a répondu de manière encourageante?

– Il m'a proposé un rendez-vous. A l'époque, il n'était pas encore archevêque de Canterbury mais archevêque d' York et il m'a invité à Bishopthorpe pour le week-end. Naturellement, j'étais dans tous mes états. Il était si bon et si compréhensif.

Je m'interrompis. Le contraste entre mes sentiments passés et présents pour Lang était étonnamment douloureux.

– Et bien sûr, vous avez eu le sentiment d'être élu?

– Oui, j'en étais sûr. Mon père était furieux, mais il s'est calmé par la suite. Maintenant, il est très fier de ma réussite.

D'un geste, je demandai l'addition et dis d'un ton léger :

– Assez parlé de ma vocation. J'ai bien peur que ce ne soit pas très spectaculaire. Aucun éclair aveuglant sur la route de Damas, aucune voix céleste!

– J'imagine que c'était tout de même assez spectaculaire, sur un plan humain et non pas divin. Enfin, je pense qu'il est tout à fait naturel que votre père ait été déçu quand vous avez choisi de ne pas suivre ses traces.

– Oh, ça n'a pas été un drame, dis-je tandis que le serveur nous apportait la note. Il a finalement eu ce qu'il désirait. Mon frère Peter a pris ma place dans l'entreprise et tout le monde vit pour le mieux dans le meilleur des mondes.

– Vraiment? Ou bien serait-ce une autre de vos illusions romantiques?

– Que voulez-vous dire?

– Passons. J'ai passé une soirée divine, Charles, dont j'ai apprécié tous les instants. Merci.

Cinq minutes plus tard, nous remontions à pied la rue de l'Éternité, sous la lune. Je lui avais proposé de venir au *Staro Arms* en voiture mais il était évident qu'elle avait décidé qu'une promenade à deux valait mieux d'être évitée. Ou peut-être les Jardine ne l'avaient-ils laissée sortir avec moi qu'à la condition de s'abstenir de voyager dans mon tombereau du diable? Je n'avais rien appris de nouveau sur les relations qu'elle entretenait avec eux, mais j'avais toujours en tête l'impression qu'ils la chaperonneraient et j'avais beau me dire que cette idée était absurde, je n'arrivais pas à me convaincre du contraire.

Devant la librairie ancienne qui faisait le coin de la rue de l'Éternité, nous tournâmes à droite et, devant nous, se dessina le portail du domaine de la cathédrale illuminé par les pâles lumières des réverbères. La cathédrale, massive contre le ciel lunaire, se dressait au loin; il s'en dégageait une beauté ombrageuse et sinistre tandis que nous traversions le cimetière.

Nous étions silencieux. Il était presque onze heures du soir et, aux fenêtres des maisons alentour, les lumières s'éteignaient une à une. Sur le côté est de la cathédrale, nous atteignîmes le portail blanc dans le mur du cimetière et, avant de lever le loqueteau, j'hésitai. D'un commun accord, nous nous enlaçâmes. Le baiser qui suivit fut intense, mutuel, parfait, et je me sentis envahi par cette satisfaction bien connue lorsqu'on comprend que le corps de la femme peut être à la fois si différent et si complémentaire du corps dans lequel on existe, bouge, vit. Une fois de plus, je pris conscience de sa fragilité, de sa délicatesse et au-delà de cette sensation, je sus à quel point je la désirais, et à quel point ce désir chassait tous mes doutes, toutes mes difficultés, tous mes désespoirs. Je voulais continuer à l'embrasser. Je voulais entretenir la chaleur qui alimentait cette force exquise et indescriptible, mais elle s'écarta de moi, ouvrit le battant du portail et s'enfuit.

Je la rattrapai dans l'allée de l'évêché.

– Mon Dieu, quelle idiote je fais! souffla-t-elle, s'interrompant pour fouiller dans son sac en quête de la clef. Quelle idiote!

– C'est en disant cela que vous l'êtes! Quand viendrez-vous me voir à Cambridge?

– Jamais!

Elle finit par trouver la clef.

– Tout est de ma faute, dit-elle. Je n'aurais jamais dû vous embrasser. Je me dégoûte. Je m'étais juré de ne pas vous encourager.

– Mais que diable se passe-t-il dans cette maison?

– Rien!

Elle réussit à ouvrir la porte et je vis qu'elle avait les yeux pleins de larmes.

Je l'empoignai et tentai de l'embrasser à nouveau. Elle essaya de me repousser mais je la tenais fermement.

– C'est l'évêque que vous aimez?

– Oh, pour l'amour de Dieu, non! Bien sûr que non!

– Alors, c'est sa femme?

– Pardon?

Elle était si éberluée qu'elle en oublia de se débattre.

– Alors, il n'y a absolument aucune raison que vous ne soyez pas amoureuse de moi. Écoutez, ma chérie...

Des voix résonnèrent au loin et, comme je relâchais mon étreinte, elle en profita pour s'enfuir, se précipitant à l'abri de la maison. Je m'arrêtai pour essuyer les traces que son rouge à lèvres avait laissées sur ma bouche et, au moment où j'entrai dans le hall, sa silhouette disparaissait en haut de l'escalier.

Je refermai la porte au moment où les invités de l'évêque sortaient du salon et, comme Mrs. Jardine faisait une tentative maladroite pour faire les présentations, je dus rester dans le hall. Enfin, le dernier invité partit mais, Mrs. Jardine, souriante, devança mon désir de fuite.

– Avez-vous passé une bonne soirée, révérend Ashworth? C'est une si bonne chose pour Lyle de sortir avec quelqu'un de son âge, et je suis certaine que cela lui a fait le plus grand bien. Elle était si déprimée à l'époque du couronnement.

Immédiatement, la voix tranchante de l'évêque retentit :

– Carrie!

Mrs. Jardine sursauta.

– Oh, Alex, je suis désolée, je...

– Lyle est tout à fait remise maintenant.

– Oui, je le sais bien – la pauvre chérie, elle a toujours été si courageuse – enfin, il faut bien l'être, n'est-ce pas révérend Ashworth? Mais quelle chance que le temps, ce soir, se soit maintenu au beau! Comme le jardin du *Staro Arms* a dû être agréable, au bord de la rivière!

Je me dis qu'il me fallait coûte que coûte résoudre le mystère de Lyle Christie; fût-ce ma dernière action sur cette terre.

10

Le lendemain matin, tandis que j'accompagnais l'évêque à la cathédrale afin de l'assister pour le premier office du matin, je ne m'attendais pas devoir entretenir une conversation. Le silence est préférable avant un acte d'adoration mais, au moment où nous sortions de la maison, l'évêque me dit sur un ton anodin :

– Je suis heureux que vous ayez apprécié votre dîner au *Staro Arms*. Un exemple plutôt réussi d'auberge moyenâgeuse; c'est ce que j'ai toujours pensé.

– Oui, vous avez raison.

– Et comme ma femme l'a souligné hier soir, cela fait le plus grand bien à Lyle de sortir avec des gens de sa génération.

Au moment où nous franchissions les grilles de l'évêché, il joua un moment avec sa croix avant d'ajouter :

– Je ne vois vraiment pas pourquoi ma femme a cru bon de parler de l'époque du couronnement. C'est vrai que Lyle était un peu déprimée à ce moment-là car elle n'avait pas pu assister à l'événement contrairement à Carrie et moi-même, mais c'est de son plein gré qu'elle est restée à la maison. Je lui avais proposé de lui fournir un billet pour une tribune près du Parlement, mais elle s'était obstinée dans son refus... Et vous, étiez-vous à Londres au moment du couronnement?

– J'avais une place à Haymarket.

– La cérémonie a été splendide, continua l'évêque, j'avais trop chaud sous ma chape et devoir attendre pendant des heures a été pénible pour les évêques les plus âgés.

Il s'interrompit mais, au moment où nous atteignions la porte de la sacristie, il me dit fort courtoisement :

– Eh bien, révérend Ashworth, je suis ravi de vous avoir à mes côtés ce matin – et, pour la seconde fois, bienvenu à la cathédrale de Starbridge!

Je marmonnai des remerciements, mais tout en me dirigeant vers la sacristie, je me demandais ce que cette formule banale était destinée à cacher – si, toutefois, elle cachait quelque chose.

11

Lyle n'apparut pas à la communion et, tout en aidant l'évêque à administrer le sacrement, je me sentais plus désorienté que jamais. Un baiser échangé avec un homme veuf pouvait difficilement être considéré comme un péché suffisamment grave pour la tenir écartée de l'état de grâce. Je me dis qu'elle avait sans doute eu du mal à se réveiller mais je demeurai inquiet car je savais qu'elle venait communier tous les dimanches. Plus tard, je constatai que Jardine, lui aussi, était troublé. Je l'entendis demander à sa femme qui nous attendait à la sortie :

– Qu'est-il arrivé à Lyle?

– Elle m'a dit qu'elle ne se sentait pas bien, le pauvre ange. Je lui ai conseillé de retourner se coucher.

– Mais Lyle ne se sent jamais faible!

L'évêque semblait scandalisé.

– Non, c'est exact, très cher, pas habituellement. Mais n'importe quelle femme peut avoir un moment de faiblesse de temps en temps.

– Oh, je vois, dit l'évêque d'une voix neutre.

Je m'approchai d'eux.

– Lui apportons-nous la communion, monseigneur?

– Non. Un état de faiblesse n'a rien à voir avec un état de prostration, trancha l'évêque, et je compris tout de suite qu'il était hostile au cas réservé.

Tandis que nous nous mettions en route, je murmurai :

– Je suppose, monseigneur, que vous êtes contre les Saintes Réserves?

– Certainement! Pas de pratiques papistes ici! dit l'évêque furieux et, tout en me disant qu'il réagissait probablement comme son anti-conformiste de père, je pensai à quel point l'hérédité était une force mystérieuse, se répandant comme une tache sur la texture des êtres.

Nous rentrâmes en silence à l'évêché.

12

Lyle ne participa pas au petit déjeuner, elle apparut plus tard au moment où nous étions réunis dans le hall prêts à partir pour le culte.

– Je vais mieux maintenant, dit-elle en réponse à la question sèche de l'évêque. Ce n'était qu'un malaise passager.

Et comme elle me souriait, je compris qu'elle tenait à supprimer cette nouvelle tension dans notre amitié.

– Merci encore pour la soirée d'hier, Charles.

– J'avais peur que ce ne soit le repas qui vous ait incommodée.

– Je reconnais que ces champignons délicieux ont provoqué quelques rêves intéressants.

– J'en ai fait moi-même, dis-je, surveillant, du coin de l'œil, l'évêque qui paraissait anormalement nerveux. Faites-moi penser à vous les raconter un de ces jours.

– Bon, vous êtes prêts? demanda l'évêque franchement agacé, ou bien vais-je devoir faire mon sermon en hurlant depuis le pas de ma porte?

Une fois de plus, nous repartîmes pour la cathédrale.

13

Je m'étais attendu à un prêche de tout premier ordre et je ne fus pas déçu.

– Oui, disait Jardine, quel profit tirera l'homme qui gagnera la confiance du monde entier en perdant son âme?

Je l'écoutais, sachant qu'il avait écrit chaque mot tout en donnant l'impression d'improviser et je l'admirais de si bien dominer le talent qu'il avait reçu de Dieu.

Son sermon, parfaitement construit, irréprochablement délivré, s'ouvrait comme une fleur exotique déploie ses pétales au soleil. Je suis toujours fasciné de voir un spécialiste au travail, quelle que soit la discipline et, incontestablement, Jardine était un spécialiste de l'homélie. Il choisissait ses métaphores avec parcimonie et les tissait avec une efficacité et une habileté totales en un exposé judicieux de l'enseignement chrétien. Finalement, il atteignait la péroraison, nouait les fils de son discours en une phrase éblouissante, intensifiait la force de son message et le faisait passer avec toute la puissance de son pouvoir oratoire.

Je pensai : j'abandonne ma tour d'ivoire. Je me fais missionnaire en Afrique, ou alors je deviens prêtre dans un quartier louche.

Alors, je sus que j'avais été hypnotisé par les doux yeux d'ambre.

Agenouillé durant la bénédiction, mes pensées redevinrent plus raisonnables tout en restant révolutionnaires. Je me disais qu'au lieu de passer le reste de mes vacances au collège de Laud à travailler à mon nouveau livre, je ferais mieux de me porter volontaire pour un remplacement afin qu'un pasteur de province surmené puisse prendre des vacances. Soudain, une pensée impure me traversa l'esprit : l'expérience d'une paroisse serait un plus sur mon curriculum vitae. Je me méprisai pour cela.

Durant le silence qui suivit la bénédiction, je priai ardemment : ne me soumets pas à la tentation; guide-moi; que Ta volonté soit faite, et non la mienne.

Alors, l'organiste exécuta une toccata finale et comme je me levais, je songeai de nouveau à Lyle.

14

Un peu plus tard, nous étions tous rassemblés dans le salon de l'évêché avant le déjeuner dominical. Comme je félicitais l'évêque pour la qualité de son sermon, j'ajoutai impulsivement :

– J'avais dans l'idée de rendre visite à un ecclésiastique de votre diocèse avant de repartir pour Cambridge mais il se trouve qu'il est en congé. Il s'appelle Philip Wetherall. C'est un de mes vieux amis.

– Wetherall, répéta l'évêque. Ah oui, je vois. La paroisse de Starrington Magna. Il a une excellente épouse, deux enfants bien élevés et une petite gamine terriblement braillarde.

– Je ne connais pas ses enfants, mais son épouse est merveilleuse, je vous l'accorde, et Philip travaille si dur et si consciencieusement que j'ai été très heureux d'apprendre qu'il avait pu enfin partir en congé.

Je n'avais pas l'intention d'en dire davantage mais l'autre moitié de ma personnalité pressentait qu'il y avait autre chose à dire. J'ajoutai très vite :

– Parfois, je me sens coupable d'avoir, moi, une position privilégiée.

Jardine me regarda sans la moindre expression. Comme il ne me répondait toujours pas, je me dis qu'il devait sans doute considérer que mon propos était une impertinence et ma culpabilité une affectation. Enfin, il me dit :

– Je vous assure que Wetherall n'a échappé ni à la surveillance de mon archidiacre ni à mon intérêt personnel. Mais je suis heureux de voir que vous soutenez votre ami, révérend Ashworth; je suis heureux de voir que vous n'êtes pas seulement préoccupé par le côté mesquin de la politique du clergé.

Je réussis à dire :

– Ce fut un grand sermon. Il m'a fait réfléchir. Je voulais changer de direction, mais... pas si facile que ça... un peu piégé... Je ne suis pas certain de vraiment comprendre.

– Allez voir votre évêque, me dit Jardine. Demandez-lui de vous aider à trouver un nouveau directeur de conscience près de Cambridge. Ne tardez pas.

Le maître d'hôtel annonça que le dîner était servi. A l'autre bout de la pièce, le colonel finissait son verre de gin et Mrs. Cobden-Smith déclarait que les réfrigérateurs marchaient mieux à l'électricité qu'au gaz, Mrs. Jardine disait à ses cousins qu'elle avait des serviteurs merveilleux, et Lyle regardait sa montre. Chacun se leva.

– Mais je ne veux pas aller voir mon évêque, m'entendis-je dire à Jardine. Je ne veux pas qu'il pense que j'ai des ennuis. D'ailleurs, je vais bien, tout est pour le mieux et je n'ai aucune raison d'aller déranger mon évêque, absolument aucune.

– Venez, Alex! Le dîner va refroidir s'il faut que nous attendions que vous ayez dit le bénédicité! s'écria Mrs. Cobden-Smith.

Jardine l'ignora. Il dit d'une voix inaudible pour les autres :

– Les moines de Fordite ont une résidence dans mon diocèse, comme vous le savez. Je parlerai à l'abbé. Je lui demanderai de vous recommander auprès de leur meilleur conseiller à Grantchester.

– Vous êtes très bon, monseigneur, mais...

– Il n'y a pas de mais. Il est impératif que vous ayez un conseiller valable. Maintenant, dépêchons-nous de passer à table avant qu'Amy ne se plaigne que la soupe est tiède.

Je le suivis sans souffler mot.

15

Une heure plus tard, je quittai l'évêché. Après avoir échangé les adieux habituels et remercié chaleureusement mes hôtes, la seule chose que je dis à Lyle sous le porche fut :

– Je reviendrai.

Lançant dans le rétroviseur un dernier regard sur l'évêché, je la vis, là où je l'avais quittée, silhouette petite et tendue, énigmatique et solitaire.

16

Lorsque, plus tard, j'arrivai à Londres, je me faufilai parmi les rues étouffantes jusqu'à mon club où je réservai une chambre pour la nuit. Je laissai ma voiture garée non loin de là et je marchai jusque chez les Starmouth qui habitaient tout près, Curzon Street.

J'étais maintenant plus décidé que jamais à rencontrer Loretta Staviski dans ma quête d'une preuve qui me permettrait de concevoir l'inconcevable. Raisonnablement, je n'arrivais toujours pas à croire que Jardine ait commis une faute grave avec elle ou avec une autre, mais j'étais au-delà de la raison. La veille, j'avais ressenti quelque chose d'étrange dans la détresse de Lyle; son absence inexpliquée à la communion, la tentative bizarre de l'évêque de vouloir atténuer sa dépression et son irritabilité tandis qu'elle et moi échangions des remarques aimables avant l'office. J'étais maintenant convaincu qu'il se passait quelque chose d'étrange à l'évêché de Starbridge et, bien que le mystère m'apparût de plus en plus inextricable, cela ne me rendait que plus déterminé à le résoudre. Prenant une profonde inspiration, je grimpai les marches le plus légèrement possible jusqu'à la porte d'entrée de la haute demeure couleur crème des Starmouth. Je tirai la sonnette.

Pourtant, il devait être dit que je serais déçu : Lord et Lady Starmouth, appris-je, étaient partis en compagnie de leurs invités pour leur maison de campagne et n'étaient pas attendus à Londres avant le jeudi suivant. De retour à mon club, je mijotai une virée sur Leatherhead tout en faisant un bon dîner : rôti d'agneau froid arrosé de bordeaux.

17

Starmouth Court, la maison de campagne des Starmouth, sommeillait, isolée, sur le versant boisé d'une colline qui donnait sur la vallée de la Mole. Cette propriété dégageait un charme campagnard indéniable. Près de la rivière, des champs entouraient des marécages et, au-delà, les collines se dressaient, abruptes, donnant au paysage son équilibre et sa beauté.

Il était difficile de croire, me dis-je tandis que j'approchais de la maison le lendemain de mon arrivée à Londres, que j'étais à moins de quarante kilomètres de mon club au cœur du West End.

Je tendis ma carte au gardien à l'entrée et, une fois le portail ouvert, je grimpai une allée sinueuse et escarpée. J'étais intrigué de voir la maison de près après être passé devant des années durant. Ce manoir de l'époque de la reine Anne était somptueux, calme et en parfait état –

comme une vieille douairière qui aurait vécu une vie sans histoires. Après avoir garé ma voiture, je plongeai mon regard dans la vallée mais les arbres, tout en bas, masquaient le paysage et accentuaient l'impression d'isolement.

Un jeune domestique ouvrit la porte et, déclinant mon identité, je demandai à voir Lady Starmouth.

– Je regrette, monsieur, mais Lady Starmouth est partie pour Leatherhead ce matin et ne rentre pas avant le déjeuner.

Je compris soudain que la chance était de mon côté.

– Alors, peut-être pourrais-je voir le professeur Staviski?

– Je vais voir, monsieur. Si vous voulez bien vous donner la peine d'entrer.

Il prit ma carte et me conduisit à un petit salon qui donnait sur l'allée. J'attendis. J'attendis longtemps. Si longtemps que je finis par croire que le professeur Staviski avait dû se cacher pour préserver son coupable secret. Soudain, j'entendis des pas. La porte s'ouvrit et, enfin, je me trouvai face à celle qui avait bouleversé la carrière de Jardine.

VIII

Son assurance, son manque de réticence et sa complète indifférence en matière de sexualité m'intéressèrent beaucoup et ne laissèrent pas de me surprendre...

Autres lettres de Herbert HENSLEY HENSON, Éd. E.F. Braley.

1

J'avais complètement oublié que Lady Starmouth m'avait dit que Loretta n'était guère plus âgée que moi. Je m'étais attendu à voir une femme d'une cinquantaine d'années, du même âge que Lady Starmouth et Mrs. Jardine, aussi fus-je considérablement surpris en me trouvant face à une femme qui avait à peine dépassé la quarantaine et qui paraissait plus jeune. Elle avait dû se marier alors qu'elle n'était qu'une adolescente. Je m'étais aussi attendu à voir quelqu'un de banal, en partie à cause de la remarque de Lady Starmouth soulignant le fait que Loretta ne réussissait pas à se conformer aux canons de la mode et en partie parce que Jardine l'avait décrite comme une femme manquant d'amour-propre. Or, celle que j'avais devant moi était élégante, soignée, impressionnante. Ses cheveux bruns artistiquement fixés en chignon sur le haut de la tête, sa peau bronzée et sa silhouette à la taille fine me plurent d'emblée. Derrière des lunettes très chics, ses yeux étaient d'un bleu profond.

Elle me regarda de la tête aux pieds avec cette curiosité dénuée de timidité que j'avais déjà rencontrée chez les Américaines, oublieuses des contraintes britanniques, et j'eus la sensation qu'elle aussi appréciait et devinait mes réactions. Je lui adressai un sourire qu'elle me rendit et je sus que nous avions parcouru beaucoup de chemin avant même qu'un seul mot ne soit échangé.

– Révérend Ashworth? dit-elle d'une voix légèrement voilée tout en me tendant la main. Quelle coïncidence! Evelyn m'a beaucoup parlé de vous.

Ce qui ne me surprit guère. Lady Starmouth avait dû lui dire sans tarder que quelqu'un s'intéressait de très près à son ancienne amitié avec Jardine, mais pour autant que je puisse m'en rendre compte, Loretta ne semblait pas du tout choquée par mon intrusion discutable dans sa vie privée.

– Comment allez-vous, professeur? commençai-je de manière très conventionnelle, mais elle balaya tout de suite toute espèce de convenance.

– Appelez-moi Loretta, je vous en prie, comme tout le monde ici. Puis-je vous appeler Charles ou bien allez-vous penser que je suis une femme dangereuse qui essaye de vous vamper?

Après l'atmosphère très collet monté de Starbridge, c'était plutôt grisant.

– Appelez-moi Charles, dis-je, et si vous voulez me vamper, je suis certain de pouvoir vous accorder une attention toute pastorale.

Elle éclata de rire.

– Bien dit pour un Britannique. Eh bien, Charles, est-ce trop tôt pour boire un verre? Oui, j'en ai peur. Mais accepterez-vous une tasse de café?

D'un commun accord, nous décidâmes qu'il n'y avait aucun mal à boire du café, à onze heures du matin. Elle sonna un domestique, donna les ordres nécessaires et, en réponse à ma question polie sur son voyage, elle se mit à me raconter sa traversée de l'Atlantique. Lorsqu'elle en vint à parler de ce prêtre catholique à qui elle avait appris à danser le Black-Bottom, je fus tellement ahuri que j'en oubliai presque de lui demander des nouvelles de Lady Starmouth.

– Elle est allée faire une petite visite au pasteur du coin, dit Loretta en allumant une cigarette, mais je ne me sentais pas le courage d'aller inspecter une des pièces poussiéreuses de sa collection de prêtres; voilà pourquoi je suis ici, me distrayant avec l'espion de l'archevêque de Canterbury.

– Et je suis certain que vous pensez que ma visite est d'une impertinence sans nom...

– Pas du tout! Cela me passionne... Oh, pardonnez-moi, j'aurais pu vous offrir une cigarette. Vous fumez?

– Jamais en habit de clergyman.

– Je devrais peut-être envisager d'en porter un – je fume comme un pompier! Ah, voilà le café.

Dès que le domestique se fut retiré, elle ajouta, amusée :

– Est-ce que Lang pense sérieusement que mon béguin d'il y a vingt ans pour un pasteur de province peut ébranler l'Église anglicane?

– Je vous jure que si Lang entend parler de vous ce ne sera pas par moi. Il est vrai qu'il m'a envoyé à Starbridge pour m'assurer que Jardine était imperméable au scandale, mais j'en suis arrivé à la conclusion que, si Jardine a commis une petite erreur de parcours, on ne peut pas parler de faute grave.

– Alors, pourquoi êtes-vous venu? Je veux dire – comprenez-moi bien – je suis ravie de faire votre connaissance, mais je ne vois vraiment pas pourquoi...

– C'est là que je passe aux aveux, lui dis-je en souriant. Je suis ici poussé par la curiosité. J'en suis venu à beaucoup admirer l'évêque et j'aimerais en apprendre davantage sur l'époque de Mayfair, celle où il avait mon âge. Seriez-vous, par hasard, libre pour le déjeuner? Je connais une ravissante hôtellerie à Box Hill dont la cuisine est fort réputée.

Elle était intriguée.

– Allez-vous faire apparaître un novice pour sauvegarder les apparences?

Je me mis à rire.

– Non, je n'en ai pas dans mon chapeau.

– En ce cas, j'accepte avec plaisir. Merci beaucoup.

Elle se mit à rire elle aussi.

– Alex emmenait un novice avec lui à chacune de ses visites, dit-elle tout en faisant tomber la cendre de sa cigarette d'un geste machinal. Mr. Jardine, comme je l'appelais à cette époque – comment toute cette respectabilité ne nous a pas tués, je l'ignore, mais ce n'est qu'à la fin que je l'ai appelé Alex... quand j'ai joué cartes sur table sans me rendre compte que j'avais surestimé mon jeu.

– Peut-être préférez-vous ne pas parler de lui?

Je ne me sentais pas très à l'aise.

– Charles, cela fait vingt ans que j'ai connu Jardine et dix-neuf que je l'ai vu pour la dernière fois. Beaucoup d'eau a coulé sous le pont, depuis.

– Oui, je sais, mais...

– Écoutez, je suis la preuve incarnée et rassurante que, contrairement à ce que tous les romans d'amour du XIXe siècle prétendent, la passion frustrée ne se révèle pas forcément fatale. En fait, si vous avez envie de parler de lui, c'est avec plaisir que je l'évoquerai. Quel homme! Je peux comprendre maintenant pourquoi je suis tombée amoureuse de lui et ce n'était pas uniquement parce que je me retrouvais seule au sortir d'un mariage raté. C'était parce qu'il ne considérait pas comme une inexcusable faute de goût le fait pour une femme d'être née intelligente. Oh, il était si drôle! Nous n'arrêtions pas de rire même en présence de son sempiternel novice... Mais nous pourrons parler davantage d'Alex au déjeuner. Parlez-moi plutôt de vous. Evelyn m'a dit que vous aviez écrit un livre qui avait épaté tous les théologiens.

Le temps s'écoula agréablement tandis que la conversation glissait de mon livre à une comparaison entre les modes de vie universitaires des deux côtés de l'Atlantique. J'oubliai Jardine. J'oubliai même le déjeuner jusqu'au moment où j'entendis douze coups sonner.

– Je ferais mieux d'enfiler quelques vieux vêtements plus appropriés pour une partie de campagne, dit Loretta.

En se levant, elle ajouta :

– Peut-être, après tout, vais-je suivre l'exemple d'Evelyn et entamer une collection d'ecclésiastiques. Cela m'a l'air beaucoup plus drôle que la philatélie!

J'éclatai de rire – c'était bien là son but – tout en me demandant si l'usage qu'elle faisait de son charme si typiquement américain n'était pas destiné à venir à bout de mes suspicions qui, obstinément, refusaient de mourir.

2

Trois quarts d'heure plus tard, j'outrepassai ma règle de ne pas boire au déjeuner et avalai une gorgée d'un chably très sec. Nous étions installés dans la salle à manger de l'hôtellerie et, derrière la fenêtre de notre alcôve, le jardin s'étirait jusqu'à la rivière, sinueuse, entre les versants boisés de Box Hill. J'avais été tenté de commander du champagne, mais ce n'était pas convenable pour un clerc d'offrir du champagne à une femme qu'il connaissait depuis moins de deux heures. Le simple fait de l'avoir invitée à déjeuner était, une fois de plus, aller à la vitesse de la lumière, et je savais que je devais me montrer prudent. Je n'avais pas mal interprété l'attitude si peu britannique de Loretta. Je savais qu'elle n'aurait jamais pu conserver l'amitié de Lady Starmouth si sa réputation n'avait pas été inattaquable, mais son comportement traduisait tant une attitude libérée qu'il aurait été facile de commettre l'erreur de croire qu'elle était une aventurière. Tout à coup, les propos de Lyle sur les mystères de la personnalité me revinrent en mémoire, et je me dis que, bien qu'il émanât de Loretta une aura de disponibilité, la réalité qu'elle masquait était certainement plus complexe que je ne pouvais le percevoir encore.

– Le moment est-il venu pour moi de m'embarquer sur le navire en partance pour le passé? demanda-t-elle au moment où le nom de Jardine revint dans notre conversation. Quelle remarquable occasion d'être égocentrique!

– Eh bien, si vous êtes absolument certaine que cela ne vous ennuie pas...

– Un ou deux autres verres de ce vin délicieux et vous ne saurez plus comment endiguer le flot de mes souvenirs! Mais permettez-moi de vous poser une question : que savez-vous au juste?

Je trouvai cette question gênante. Étant donné que je voulais justement savoir jusqu'où son récit correspondait à la version officielle, moins en révélerais-je et mieux cela vaudrait.

– Jardine a fait allusion à votre mauvaise passe de 1917 et à la manière dont il a essayé de vous aider, dis-je prudemment.

– J'espère qu'il a souligné à quel point son comportement a été irréprochable. Je ne voudrais pas que vous pensiez qu'il se prenait pour Édouard VIII et moi pour Mrs. Simpson.

– Mais je vous ai déjà dit que je ne le soupçonnais d'aucune faute grave!

– C'est vrai. Mais j'ai toujours ce sentiment désagréable, dit-elle d'un ton léger en me regardant droit dans les yeux, que vous vous imaginez qu'on a fait la foire à Mayfair.

– Jardine était marié depuis peu et venait de recevoir un superbe avancement, dis-je en soutenant son regard. Il n'est pas très difficile de croire qu'il n'était pas dans son intérêt de batifoler.

Le serveur nous apporta notre entrée, mais dès qu'il fut reparti, elle dit :

– Alex ne se sentait pas uniquement dépendant de son mariage ou de sa promotion. Il devait faire particulièrement attention en ce qui me concernait car, à cette époque, une femme qui avait quitté son mari était socialement morte et enterrée. Il est vrai que la guerre donnait un sérieux coup de vieux aux conventions mais, en sa qualité d'ecclésiastique, Alex se devait de continuer à respecter les bons vieux principes d'avant-guerre. Aussi, je ne fus guère surprise lorsque, au début de notre relation, sa femme refusa de me recevoir... Finalement, il réussit à la convaincre de m'inviter pour le thé au nom de la charité chrétienne.

– Et quel a été votre verdict?

– Sur Carrie? Elle m'a fait pitié. Je la voyais, là, aux côtés de cet époux explosif et tout ce qu'elle trouvait à faire, c'était se balader en robe d'intérieur à parler du temps! Ma première réaction a été de me dire : mais comment fait-il pour la supporter? Moi, au bout de cinq minutes, j'avais envie de la jeter par la fenêtre! Enfin, j'aurais dû comprendre que personne ne sait, de l'extérieur, ce qui se passe dans un couple – entre parenthèses, personne n'avait la moindre idée de ce qui se passait dans le mien – et la vérité, c'était que Carrie était la femme parfaite pour Alex. Il n'aurait pas voulu être marié à une universitaire. Il voulait une femme-objet, qui se met au lit resplendissante dans sa chemise de nuit fraîchement débarquée de Paris. Pourtant, sur le moment, je n'avais pas pensé que Carrie puisse exister sur le plan sexuel. J'étais très jeune, je n'avais que vingt et un ans à l'époque et, bien qu'ayant appris une ou deux petites choses de mon abominable époux – que vous, Britanniques, traiteriez de sale type – j'étais encore une oie blanche quand il s'agissait de juger des relations humaines. J'avais tout de suite conclu que son mariage était un échec et qu'Alex avait besoin d'une distraction extra-conjugale.

– Mais aucun ecclésiastique dévot ne pourrait envisager l'adultère et encore moins le commettre!

– Évidemment, mais j'étais sotte et je me disais simplement que les pasteurs étaient des hommes comme les autres, juste un peu déguisés. Je n'avais pas compris qu'un ecclésiastique envisage la vie autrement que le laïc moyen qui ne recherche que le sexe et l'argent.

– Vous n'étiez pas croyante?

– Vous plaisantez? Après le mariage infernal que j'avais vécu! La guerre était aussi une autre raison pour mal interpréter la situation. Je m'étais habituée à l'idée que les hommes couchaient secrètement avec toutes les femmes dès qu'ils pouvaient obtenir une petite permission et échapper aux horreurs du front. Malgré tout, je n'étais pas une femme légère; la seule chose que mon mari avait réussi à m'apprendre était que les hommes ne pouvaient que vomir en ma présence. Et comme Alex ne montrait aucun symptôme d'écœurement j'ai, évidemment, commencé à reprendre espoir.

– Mais vous avez tu vos sentiments?

– Bien sûr. Evelyn aurait été choquée si elle avait su ce que je ressentais et Evelyn était ma bouée de sauvetage – sans elle, je serais devenue folle. En fait, me taire n'a pas été si difficile; on peut cacher pratiquement tout quand on vit dans l'espoir que ses rêves se réaliseront, et mon rêve était de vivre une aventure avec Alex – même s'il n'y avait aucune chance qu'il divorce pour se remarier avec moi. Mon Dieu, comme je pouvais être naïve! Ne pas avoir reçu d'éducation religieuse est vraiment le handicap le plus gênant qui soit. Je me croyais si intelligente et, brusquement, je découvrais que toute une dimension intellectuelle m'était totalement inconnue et que, du point de vue spirituel, j'étais une imbécile.

– Et aujourd'hui?

– Aujourd'hui, je suis assez âgée pour être moins arrogante et plus humble aussi... La foi vient avec le temps peut-être. Je ne crois pas à la résurrection – désolée, Charles! – donc je suppose que je ne suis pas chrétienne, n'est-ce pas, mais aujourd'hui je crois en Dieu et je pense vraiment que le Christ a été un grand homme. Aussi, je ne me sentirai pas l'âme d'une hypocrite en allant au culte dimanche prochain avec Evelyn.

– Jardine a-t-il essayé de vous parler du christianisme?

– Oh oui, bien sûr, et quand lui m'en parlait, je croyais à toute l'histoire – la résurrection, l'Immaculée Conception, tout. Mais Alex pourrait vous faire croire n'importe quoi et pas seulement parce qu'il peut vous hypnotiser avec ses yeux d'ambre. Il a un sens formidable de la logique et du raisonnement. En fait, j'ai toujours pensé qu'il aurait fait un excellent avocat – le genre à vous prouver que le noir est blanc et que si vous persistez à le voir noir, c'est que vous avez de sérieux problèmes de vue.

Je ris avant de dire :

– Mais si la religion vous était enseignée par le plus convaincant des professeurs, pourquoi n'avez-vous pas compris que vous perdiez votre temps à être amoureuse d'un ecclésiastique?

– Comment aurais-je pu le comprendre? L'amour rend aveugle et je le fus jusqu'à ce jour de 1918 où... Alex vous en a-t-il parlé?

– De la mort au front du frère de Lady Starmouth? Oui. Il m'a dit qu'il est venu lui rendre visite à Starmouth Court et qu'après le déjeuner, alors qu'elle était en train de faire une sieste, vous lui auriez proposé de faire une promenade et que c'est alors que vous lui auriez révélé vos sentiments.

– C'est exact. C'est comme cela que les choses se sont passées.

Elle but une gorgée de vin.

– Nous avons marché jusqu'au pont qui surplombe la rivière... Comme c'était agréable! Cette région est tellement belle! Il y a une voie ferrée le long de l'eau dans cette vallée mais elle est intelligemment construite sur un talus de façon à ne pas dénaturer le paysage. Je me souviens que j'étais justement en train d'admirer la vue quand un petit train est apparu, on aurait dit un jouet, et puis il a disparu dans les bois en faisant teuf-teuf. Nous avons tous les deux éclaté de rire et trouvé cela charmant – et c'est à ce moment-là qu'il a compris la nature de mes sentiments pour lui... Eh bien, Charles, vous semblez fort intrigué. Qu'est-ce qui vous chiffonne?

– J'essayais de comprendre comment vous pouviez voir la ligne de chemin de fer depuis ce pont sur la rivière.

– Eh bien, nous...

Elle s'interrompit.

– Vous connaissez l'endroit? reprit-elle.

– Oui. J'ai été élevé non loin de là, à Epsom.

Elle avala son vin à petites gorgées.

– Alors, cela vous sera plus facile de voir ce dont je parle. Quand nous avons quitté Starmouth Court, nous avons longé la route jusqu'au pont et, de là, nous avons emprunté un chemin qui longe la rivière. Mais, au bout de quelques minutes, nous avons abandonné ce chemin et pris un sentier qui menait sous un autre pont, celui de la voie ferrée, et qui finissait dans un champ en surplomb qui avait un bosquet en son milieu. Vous voyez ce champ?

– Je m'en souviens parfaitement, oui.

Mais je pensais surtout aux déclarations de Jardine et à l'omission qu'elles contenaient : « Nous avons marché jusqu'à la rivière et puis nous avons fait demi-tour. »

– Je me souviens d'avoir pique-niqué dans ce champ quand j'étais petit, ajoutai-je, et avoir fait des signes aux trains qui passaient.

– Alex et moi avons fait signe au train, nous aussi. Comme nous avons pu rire! Mais, l'instant d'après, le train avait disparu et c'est à ce moment-là que j'ai compris ce que signifiait le sacerdoce.

Elle s'interrompit avant d'ajouter soudainement :

– Alex m'a expliqué qu'il ne pouvait rompre les vœux qu'il avait prononcés lors de son ordination. Il a cité la Bible, quelque chose dans le genre : une fois qu'on a goûté au fruit, on ne peut plus revenir en arrière, et puis il a dit : « Je ne veux pas finir comme mon père. »

– Ah?

– Freudien, vous ne trouvez pas? Mais, en fait, c'est finalement Dieu qui l'a emporté sur Freud. Alex m'a dit : « Essayez de comprendre. Dieu n'est pas un conte de fées. Il est réel, Il est partout et je dois Le servir de mon mieux; et je ne serais plus digne de Le servir si je ne respectais pas Ses lois. » Puis, il l'a dit autrement : « Si j'outrepassais Ses lois, je m'abîmerais, je glisserais dans une double vie qui provoquerait un cancer de l'âme; ce serait la fin de ma vie actuelle, et le début d'une autre vie qui m'entraînerait dans un enfer de culpabilité, de déséquilibre et qui me couperait de Dieu. » Il a rendu tout cela si indiscutablement évident... Et, bien sûr, je n'ai pas pu le supporter. Un homme qui, non seulement avait des principes, mais en plus les appliquait! Je me sentais anéantie; non seulement rejetée, mais sans défense, annihilée... Pauvre Alex! Je me suis mise à sangloter sans pouvoir m'arrêter et la scène fut – oh, indescriptiblement navrante! Mais Alex, de son point de vue de chrétien, a été parfait. Cela ne m'étonne pas qu'il soit devenu évêque. Il le mérite.

Nous avions tous les deux terminé notre entrée et, une fois de plus, la conversation s'interrompit à l'apparition du serveur. Lorsqu'il eut emporté nos assiettes, je dis :

– Moi aussi, je trouve qu'il le mérite. Mais, de toute façon, je n'ai jamais sérieusement pensé que ce que vous m'apprendriez changerait mon point de vue.

Je ressentis, plus que je ne vis, son soulagement.

3

Je ne pouvais m'empêcher de penser à quel point elle avait dû l'aimer, non seulement pour le défendre coûte que coûte dix-neuf ans après, mais aussi pour le défendre au prix de son amour-propre. En fait, l'aspect le plus suspect de la situation présente était la franchise de Loretta. Même en tenant compte du fait qu'elle était américaine, je trouvais plutôt déplaisant qu'elle saisisse l'occasion de confier à un étranger un épisode douloureux de sa vie qui la présentait sous un jour pitoyable.

Mon imagination s'enflamma. Je fantasmai. Lady Starmouth lui disait : « Ma chérie, il est arrivé une chose épouvantable! Un jeune ecclésiastique a tout découvert sur toi et Alex; et, pour couronner le tout, ce n'est pas n'importe quel ecclésiastique : il travaille pour le compte de l'archevêque de Canterbury! »

Et, soudain, je compris très clairement pourquoi il avait fallu tant de temps à Loretta pour me rejoindre au salon. Dès qu'elle avait lu mon nom sur ma carte de visite, elle avait craint le pire et pris le temps de mettre au point le meilleur moyen de désamorcer le danger. Je l'imaginai tout à fait en train de se dire : « Séduis-le. Désarme-le. Persuade-le que tu n'as rien à cacher. »

Mettant un frein à mon imagination, je me redis que, jusqu'à présent, rien n'avait été prouvé. Il était évident que Jardine avait omis une partie des événements mais, vu les circonstances, cela me semblait naturel; il n'aurait jamais voulu que je sache que lui et Loretta avaient marché loin dans la nature, loin des charrettes qui passaient sur la route. Il était toujours possible qu'il ait commis une légère imprudence; pourtant mes soupçons étaient maintenant éveillés. Je me rappelai qu'en 1918 il avait été le jouet de tensions domestiques aiguës : la fausse couche et la dépression nerveuse de sa femme. Je me rappelai aussi que Loretta était une femme séduisante qui avait été profondément amoureuse de lui. Était-il vraiment possible que Jardine, malgré sa fidélité au concept d'amitié platonique, n'ait pas perçu la dimension sexuelle qui s'était certainement introduite dans leur relation?

Je ne le pensais pas. Maintenant, j'étais certain qu'il connaissait les sentiments de Loretta bien avant ce jour de septembre 1918 et j'étais également certain qu'il avait dû être fortement tenté d'y répondre. Pourtant, je ne voyais absolument pas comment prouver ma conviction. Loretta avait atteint les limites de ce qu'elle était prête à révéler sur le fameux incident, et elle était assez fine mouche pour déjouer toute tentative de contre-interrogatoire.

Je pensai à Jardine. Je le revis soudain se penchant dans sa bibliothèque pour saisir *Le Meurtre de Roger Ackroyd.* L'inspiration me vint. Je me remémorai les romans policiers que j'avais lus. Lorsqu'un détective voulait tester une théorie qu'il ne pouvait pas prouver, il revenait sur le lieu du crime et organisait une reconstitution.

4

– ... et puis alors, l'évêque de Londres s'est écrié : « Je vous dis, moi, que les rues de l'enfer sont pavées de bouteilles de champagne, d'automobiles et de femmes perdues! » Et sur ce, une voix innocente dans le public a crié : « O mort, où est donc ta faux? »

Loretta éclata de rire.

– C'est une histoire vraie?

– En tout cas, elle mérite de l'être. Écoutez, je viens d'avoir une idée – ce repas a été copieux et j'ai envie d'un peu d'exercice. Que diriez-vous d'une promenade vers la rivière?

– Je suis partante. Mais, à moins que vous ne vouliez que je m'embourbe dans les prés avec mes talons aiguilles, il va falloir que je passe par Starmouth Court changer de chaussures.

J'avais prévu cela.

– Nous passerons par la maison, puis nous irons jusqu'à la rivière en voiture et, de là, nous marcherons jusqu'au pont.

– Le pont où...

– Excusez-moi. Manquerais-je de tact? Si vous préférez ne pas y retourner...

– Oh, mais pour l'amour du ciel! s'exclama-t-elle, pourquoi faire tout un roman d'une histoire d'amour qui n'a jamais existé? Retournons faire signe à un autre petit train!

Maintenant, j'étais certain qu'elle se donnait toutes les peines du monde pour détourner mes soupçons.

Nous regagnâmes ma voiture.

5

Je n'avais pas très envie de tomber sur Lady Starmouth et, à mon grand soulagement, le serviteur qui vint nous ouvrir nous dit qu'elle faisait une sieste. Je songeai qu'elle trouverait certainement mon comportement un peu discutable pour un ecclésiastique et j'étais certain qu'elle serait très intriguée, voire agacée, par l'intérêt que je portais à son invitée.

Loretta me fit attendre dix bonnes minutes. J'étais en train de me demander pourquoi elle prenait tant de temps pour retirer ses talons aiguilles, lorsqu'elle réapparut, non seulement dans d'autres chaussures, mais aussi dans une petite robe d'été toute simple, coiffée d'un grand chapeau assorti. Elle faisait étrangère, exotique. Le col de sa robe, tout en restant dans les limites permises par la décence, était loin d'être ras du cou.

– C'est la robe la plus légère que je possède, me dit-elle tandis que nous ressortions.

Me lançant un regard sympathique, elle ajouta :

– Quel dommage que vous ne puissiez retirer votre uniforme. Il fait si chaud!

– Quelle suggestion délicieusement osée!

Elle se mit à rire.

– Ne vous en faites pas! Je n'ai pas oublié que vous êtes un homme d'Église!

– Je suis heureux qu'au moins l'un de nous s'en souvienne.

Maintenant, nous riions tous les deux, mais je savais qu'il allait falloir me réfréner.

– Excusez-moi, dis-je brusquement tout en tenant la portière de l'automobile ouverte, cela m'a échappé.

– Est-ce un péché?

– Non. Juste une faute – comme fumer en habit de clergyman.

– Un manquement à l'autodiscipline?

Sa sagacité me surprit.

– Oui. Exactement.

Je n'en dis pas davantage et, quelques secondes plus tard, nous quittions Starmouth Court. Une fois sur la route principale, Loretta me dit, de manière tout à fait inattendue :

– Dieu est au centre de votre vie, à vous aussi, n'est-ce pas? Pour vous, Il ne disparaît pas quand tout va bien, comme pour la plupart des gens. Il est là tout le temps – et, comme Alex, vous savez bien qu'Il est là.

– Le soleil n'est pas simplement un disque dans le ciel que vous pouvez voir dès que vous vous donnez la peine de lever la tête. Sa chaleur s'infiltre dans la terre, même par un jour nuageux, et ceci n'est pas simplement ce que je voudrais qu'il soit ou une illusion des sens. On sait que les plantes réagissent à la chaleur. C'est la réalité.

– Ce n'est pas moi qui dirai le contraire. Mais je crois pourtant que la capacité d'être croyant – de ne jamais oublier l'existence de Dieu – est un don. C'est comme être doué pour le piano. Beaucoup de gens s'imaginent être des virtuoses, mais s'ils n'ont pas assez de talent, ils échouent, même s'ils travaillent dur.

– Il est vrai que nous ne naissons pas tous avec des tendances mystiques suprêmes mais, toutefois, un certain niveau de conscience spirituelle est à la portée de tous. C'est une question de... Enfin, je ne vais pas commencer à vous faire un cours comme si vous étiez une de mes étudiantes.

Elle me rendit mon sourire.

– N'allez-vous donc pas tenter de me convertir au christianisme?

– La meilleure façon de convertir quelqu'un comme vous n'est sans doute pas d'adopter une approche intellectuelle; vous trouveriez les arguments dogmatiques stimulants sur le plan intellectuel mais ils ne toucheraient pas votre âme.

– Alors, comment feriez-vous pour me convertir?

– J'ai l'impression que vous seriez plus influencée par les actes que par les mots. Par exemple, pour reparler de 1918, qu'est-ce qui vous a le plus impressionnée alors? Était-ce la manière fascinante dont Jardine parlait de la résurrection – ou bien, était-ce le fait qu'il vous ait repoussée malgré une attirance très forte?

Nous approchions de la rivière. Au loin, j'apercevais le pont mais, lançant un regard oblique vers Loretta, je vis qu'elle était perdue dans ses pensées.

– J'ai été impressionnée par son attitude chrétienne quand il a décidé de mettre fin à notre amitié, finit-elle par dire. Je croyais que tout ce que les hommes – et tous les hommes – avaient en tête, c'était l'argent et les femmes. Avoir trouvé un homme – un vrai homme – qui pensait que la vie était autre chose que... Oui, cela m'a poussée à essayer de comprendre.

– Mais comprendre s'est révélé impossible?

– Pas vraiment. Pour moi, la foi, c'était comme un beau rêve. Mais n'est-ce pas la condition humaine? C'est ce qui nous différencie des singes. Nous, nous avons des rêves merveilleux et les esprits les plus élevés essaient de les réaliser.

– Faire du christianisme un rêve, c'est renier sa réalité. Ou peut-être faut-il comprendre derrière vos paroles que les esprits élevés expriment le désir de l'homme de se transcender. C'est assez réel – mais, qu'est-ce que je raconte! Vous pouvez compter sur un théologien pour rendre les plus nobles aspirations de l'homme aussi ennuyeuses que la pluie.

Nous nous mîmes à rire et, une fois passé le pont, je garai la voiture sur le bas-côté de la route. Mais une intuition me fit ajouter :

– C'est vrai que beaucoup d'hommes donnent l'impression de ne s'intéresser qu'à l'argent et au sexe, mais je crois aussi que beaucoup pensent au fond d'eux-mêmes que la vie n'est pas uniquement matérielle, mais que c'est la société qui les oblige à rechercher les satisfactions temporelles dans le but d'être reconnus. Alors, ils courent les femmes pour oublier à quel point ils sont malheureux de chercher la réussite ou parce qu'ils considèrent la femme comme un moyen d'augmenter leur valeur aux yeux du monde.

– Alors, selon vous, tous les ennuis des hommes viennent de leur quête de la réussite? Voilà une théorie des plus intéressantes, Charles! Je me demande si, enfin, je ne commence pas à en savoir un peu plus sur vous!

Je dis, d'un ton badin :

– Suis-je donc si énigmatique?

– Oh, comme tout le monde, répondit Loretta. C'est cela qui rend la vie si fascinante.

Que répondre à cela?

Nous descendîmes de voiture et commençâmes notre promenade.

6

Le terrain descendait en pente jusqu'à la rivière qui glissait paresseusement sous le pont et, au moment où nous atteignîmes le sentier près de la rive, je m'arrêtai, protégeant mes yeux d'une main. De chaque côté de la vallée, les collines luisaient dans la chaleur et, à ma gauche, l'eau miroitait sous le soleil.

Loretta s'arrêta elle aussi et, comme je lui trouvais un visage très calme, je lui dis soudain :

– Vous êtes sûre que vous voulez aller jusqu'au bout?

– A vous entendre, on dirait que nous allons nous marier. Oui! Exorcisons les horreurs du passé... A ce propos, l'Église anglicane pratique-t-elle toujours l'exorcisme?

– De nos jours, c'est généralement considéré comme une espèce de superstition déplaisante.

– Comme c'est étrange! Est-il sage que l'Église abandonne l'exorcisme à des laïcs?

– Quels laïcs?

– On les appelle des psychiatres, dit-elle. Vous en avez peut-être entendu parler? Ils sont les adorateurs d'un dieu charmant qui s'appelle Freud. Leur sacerdoce est très bien payé par le fidèle qui va chaque semaine prier sur canapé.

– Vous avez déjà essayé ça?

– Bien sûr. Mon analyste m'a expliqué que si je m'arrangeais toujours pour vouloir épouser des hommes qui m'étaient interdits, c'était parce que, en fait, je ne voulais pas vraiment me marier – et, après deux années de divan et d'exploration de mon passé, j'en suis arrivée bon gré mal gré à la même conclusion que lui.

– Quelles choses étonnantes se passent en Amérique!

– Oui, peut-être. Mais il n'en reste pas moins vrai que cet analyste m'a exorcisée du démon du désespoir quand, mentalement, j'étais malade.

– Bien sûr, l'Église épaule les gens spirituellement perdus, mais l'*exorcisme*! C'est tout à fait autre chose!

– Vous croyez? N'est-ce pas bonnet blanc et blanc bonnet? Si personne n'est là quand vous n'êtes pas bien, les démons ne finissent-ils pas par vous posséder à un point tel que vous en arrivez à grimper aux rideaux et à hurler pour demander de l'aide?

– Mais, est-il vraiment raisonnable, dans notre xxe siècle scientifique, de comparer une dépression nerveuse à un envoûtement?

– Et pourquoi pas? Personnellement, je trouve beaucoup plus facile de croire aux démons et au diable – surtout dans notre siècle aussi scientifique soit-il – qu'en Dieu et en Ses anges. Étant donné que le monde est fondamentalement mauvais, je dirais que la différence entre une dépression nerveuse et une possession démoniaque n'est qu'un problème d'interprétation.

– Pour moi, le monde n'est pas fondamentalement mauvais même si le mal y est chose courante. Je vois, ajoutai-je en souriant, que vous êtes sur la pente du gnosticisme.

– Mon principal défaut est de trop parler. Pourquoi diable vous ai-je parlé de mon analyste? Maintenant, vous allez penser que je suis folle.

– Ma chère Lo...

– Bon, il est temps que je me taise!

Le sentier se séparait en fourche devant nous et, quittant le bord de la rivière, nous grimpâmes le long de la colline jusqu'au pont de la voie ferrée. Je fis des tentatives pour relancer la conversation, mais Loretta ne répondait plus que par monosyllabes et, au moment où nous atteignîmes le pont, nous étions de nouveau silencieux. Au-delà du pont, le champ grimpait à pic; celui dans lequel je venais pique-niquer quand j'étais petit avec mes parents et mon frère Peter.

– C'est étrange comme, quelquefois, le passé semble proche, dis-je au moment où nous nous arrêtions pour reprendre haleine.

En raison de la difficulté de l'ascension, nous n'avions pas grimpé en ligne droite mais traversé le champ en diagonale. Devant nous, le petit bois, un sombre bosquet accroché au flanc du coteau, éveilla une fois encore des souvenirs; j'étais venu me cacher ici pour bouder après m'être chamaillé avec mon frère et avoir provoqué la colère de mon père.

– J'ai l'impression qu'il suffirait que je me retourne, dis-je, pour me revoir, enfant, il y a bien longtemps, lors de ce pique-nique familial.

Elle ne me répondit pas. Elle demeurait immobile, à l'écoute et, comme je tendais l'oreille, j'entendis le murmure lointain qui avait retenu son attention.

C'était un train.

– Nous nous trouvions beaucoup plus haut, la dernière fois – plus près des arbres – oh, il faut que j'y retourne, il le faut, je veux, je veux que ce soit exactement pareil...

Elle s'élança. Je courus à sa suite. Le ronflement du train devenait de plus en plus fort tandis qu'il roulait le long de la vallée.

Elle s'arrêta aux abords du bosquet. De là, nous pouvions apercevoir le train. Il venait de la gauche et, au-delà de la voie ferrée, au-delà de la rivière, au-delà des prés, je pouvais voir la route, les minuscules automobiles et la villa des Starmouth sur la colline. Le train, ressemblant curieusement à un train électrique géant passant devant une toile peinte, rugissait tout près maintenant.

– Faisons-lui signe! s'écria Loretta. Agitez la main, Charles, agitez la main!

Nous fîmes des signes au train. Le conducteur nous salua en riant et, tandis que le train défilait devant nous, des groupes d'enfants, derrière les vitres, répondirent à nos saluts. Puis, en un dixième de seconde, ce fut fini. Le convoi disparut au détour du champ, son grondement s'éteignit et tout redevint tranquille. Je me tournai vers Loretta, mais le commentaire léger que je m'apprêtais à faire mourut sur mes lèvres quand je vis son visage ravagé par les larmes. L'instant d'après, elle courait vers le bosquet et disparaissait sous les arbres.

Je lui laissai le temps de récupérer mais comme elle ne se décidait pas à revenir, je la rejoignis. Les arbres étaient entourés de broussailles. Il me fallut plus de temps que je n'avais pensé pour trouver un passage dans la barrière de ronces mais, dès que j'eus pénétré à l'ombre des arbres, j'aperçus immédiatement Loretta. Elle s'était retirée tout au fond du bosquet, assise au milieu d'un carré de fougères. Je distinguai les rayures rouges de sa robe comme elle ramenait ses jambes sous elle en une position fœtale et, en m'approchant, je pus voir ses épaules secouées par les sanglots. Elle avait retiré ses lunettes mais quand elle m'entendit approcher, elle tâtonna pour les retrouver.

Je m'agenouillai à ses côtés, pris ses mains dans les miennes. Elle ne remit pas ses lunettes.

– Pardonnez-moi, lui dis-je. Je n'aurais jamais dû vous faire revenir ici.

– J'ai cru que j'allais pouvoir le supporter, mais...

Elle se remit à pleurer.

Je l'enlaçai. Ce geste était dicté par un sentiment de culpabilité et je me détachai d'elle presque immédiatement, la prudence l'emportant sur la compassion. Mais le message était passé. Elle leva les yeux vers moi.
– Mon Dieu, comme c'est étrange! dit-elle d'une voix incertaine. C'est exactement comme si vous étiez lui et que tout recommençait.
Nous nous regardions dans les yeux. Puis, tandis que, lentement, je replaçais mon bras autour de ses épaules, j'eus la certitude absolue que ce n'était pas elle qui avait suggéré la promenade jusqu'à la rivière, dix-neuf ans plus tôt, et que ce n'était pas elle non plus qui avait fait le premier pas hors des limites des convenances.

7

– Je crois que je vais faire quelque chose de particulièrement stupide, lui dis-je, et je l'embrassai sur la bouche. Bien sûr, c'est de la folie, mais j'aurai tout le temps d'y penser plus tard.
Et je l'embrassai de nouveau.
La seule chose qu'elle dit lorsque je fis glisser les bretelles de sa robe fut :
– Je ne veux pas que vous enduriez les tourments qu'a connus Alex. Oh, mon Dieu, si seulement vous saviez ce que nous avons traversé!
– C'est différent cette fois. Je ne suis pas marié.
– Oui, mais...
Je l'interrompis d'un baiser. Du temps passa et quand, enfin, je me séparai d'elle pour retirer ma veste, elle ne parla plus de tourments mais tendit les bras vers mon col en murmurant :
– Le bouton est derrière si je me souviens bien.
Alors, je sus que je pouvais concevoir l'inconcevable.

IX

*Quelle tristesse que, vous aussi, ayez à subir le choc
et la honte de scandales ecclésiastiques... O de combien
d'échecs et de scandales ai-je été le témoin! Je suis certain que la plupart des hommes ne se rendent pas
compte à quel point notre route est ardue; et, que de
tous les hommes, c'est nous qui ne devons jamais
perdre de vue que « Celui qui se croit debout doit
prendre garde à ne pas trébucher ».*

Autres lettres de Herbert HENSLEY HENSON,
Ed. E. F. Braley.

1

La fougère était fraîche contre mon corps tiède. J'avais conscience de
cette fraîcheur tandis que je luttais et gagnais la première bataille pour
contrôler mon désir profond et puissant. Il n'y eut qu'un seul instant de
gêne : ce fut lorsque je sentis qu'elle était prête et que je me plaçai entre
ses cuisses. Elle dit tout à coup :
– Tu vas me prendre.
Je m'immobilisai.
– Est-ce trop tôt?
– Non, non.
Elle m'attira vers elle et m'embrassa avec une telle fougue que le pire
faillit arriver. Je dus me forcer à décoller mes lèvres des siennes pour
garder le contrôle de moi-même.
– Il n'y a pas de risque au moins? Ou bien faudra-t-il que je me
retire?
– Non, non, murmura-t-elle.
Et, de nouveau, elle m'attira vers elle jusqu'à ce qu'enfin, doucement,
je la pénètre.
Les premiers moments furent gâtés par ma crainte d'une éjaculation

159

précoce mais, une fois en elle, elle sembla prendre conscience de ce risque et son corps épousa le rythme du mien. Petit à petit, les désavantages dus à l'abstinence disparurent et le plaisir l'emporta. Une fois que j'eus gagné le contrôle de mon corps, je sus que je pouvais lui faire l'amour longtemps.

– Tu es bien?

– Oui.

– La fougère ne fait pas un très bon matelas.

– Cela pourrait être du béton, je m'en moque.

Elle me tendit ses lèvres et, beaucoup plus tard, je l'entendis murmurer :

– Cela faisait si longtemps.

– C'était quand?

– Il y a trois ans. J'en avais assez de voir que rien ne marchait... Et toi?

Mais je me contentai de lui faire prendre une nouvelle position et m'enfonçai plus profondément dans son corps brûlant et sensuel.

2

Après, nous fûmes trop fatigués pour faire autre chose que rester couchés en silence à regarder le ciel sans nuage au-dessus de l'arbre sous lequel nous étions. Je ne pensais à rien. Je savais que le remords viendrait plus tard mais, en attendant, j'étais comme anesthésié; chaque fibre de mon corps était rassasiée et toute douleur apaisée. De nouveau, j'avais soif de l'intimité d'une vie de couple, mais cela me fit immédiatement penser à Lyle et mon esprit se divisa. Je fermai les yeux comme pour gommer le présent en refusant de le regarder mais, toujours, mes deux personnalités s'affrontaient en un combat qui dépassait mon entendement.

– Une cigarette? me demanda Loretta, sortant un paquet de son sac à main.

– Oui, merci.

Cela me ramena à la réalité. Mon esprit se calma et la bataille cessa.

Après que nous eûmes paresseusement fumé pendant un moment, elle dit :

– Mais comment fais-tu pour tenir le coup en n'étant pas marié?

– Contrairement à la croyance populaire, la chasteté n'a jamais tué personne.

D'un doigt, je suivis le contour de sa poitrine.

– Oui, bien sûr, mais il ne faut quand même pas exagérer : la chasteté finit par devenir lassante. Pourquoi ne t'es-tu jamais remarié?

– Je pourrais te retourner la question.

– Très facile à expliquer.

Elle se mit à caresser, d'un doigt léger, le contour de mes pectoraux.

– Mon analyste et moi sommes arrivés à diverses conclusions. Premièrement, la plupart des hommes sont bloqués par mon intelligence. Deuxièmement, la plupart sont bloqués par ma réussite. Troisièmement, je refuse de jouer la cinquième roue du carrosse. Quatrièmement, je ne suis pas faite pour être une femme d'intérieur. Cinquièmement, mon mari aurait dégoûté n'importe quelle femme du mariage. Et sixièmement, je n'ai jamais vraiment oublié Alex. J'ai toujours attendu quelqu'un qui puisse le remplacer et, au moment où j'ai compris que cela n'arriverait jamais, j'avais dépassé l'âge des compromis.

– Tu as dû l'aimer beaucoup?

– Eh bien, on se serait mariés s'il n'avait pas épousé l'autre idiote! Mon mari n'aurait pas posé de problèmes car, fin 1919, l'alcoolisme l'a tué. Mais tu sais, Charles, je me demande souvent comment Alex et moi nous nous en serions tirés. A priori, je ne suis pas quelqu'un de croyant et j'ai un côté très indépendant qui aurait rendu notre vie difficile. En fait, je ne crois pas que j'aurais été la femme idéale pour un évêque.

– Mais si tu avais épousé Jardine à cette époque, ta personnalité d'adulte n'était pas complètement dessinée...

– Oui, j'aurais peut-être réussi à m'adapter, mais nous ne le saurons jamais, c'est ainsi. Et ce n'est pas avec des si... C'est comme le second mariage que tu n'as jamais fait. Pourquoi ne veux-tu pas te remarier?

– J'aimerais bien!

J'écrasai nos deux cigarettes et la caressai à nouveau.

– Alors, pourquoi ne pas l'avoir fait plus tôt? On se ressemble, je crois. Peut-être qu'au fond de toi, tu ne le veux pas.

– Mais si! Je le dois! Je... Oh, n'en parlons plus, je déteste penser à mes problèmes. Ils sont déroutants et insolubles.

– Tu as tort. Il y a des problèmes qui ne se résolvent pas d'eux-mêmes. Ils sont comme des démons. Il faut les exorciser.

– Eh bien, je ne connais aucun exorciste et je contrôle mes démons.

Mais à peine eus-je prononcé ces mots que je me sentis envahi par un sentiment de panique. Oh, mon Dieu, qu'est-ce que je fais? Qu'est-ce qu'il m'arrive?

– Charles? Chéri!

– Ça va, dis-je en m'enfonçant si profondément en elle qu'elle en eut le souffle coupé. Ça va. Ça va. Ça va.

Une fois de plus, j'avais anesthésié la douleur.

Ma panique se dissipa.

Je m'abandonnai au sexe.

3

Cette fois-ci, les choses débutèrent différemment. C'était plus mystérieux, moins harmonieux, mais je savais que c'était le reflet de mon déséquilibre intérieur et Loretta le savait aussi car elle essaya de m'apaiser de manières diverses et subtiles. Je répondis à ses caresses. Petit à petit, je me détendis et, finalement, ce fut mon tour de me retrouver couché sur le dos dans les fougères, son corps au-dessus du mien, contraste délicieux avec la dureté du terrain contre ma colonne vertébrale. Le seul moment problématique surgit lorsque je nous guidai dans une position différente pour tenter de la suivre dans son plaisir; nos deux corps furent séparés et ce fut en dehors d'elle que j'atteignis l'orgasme.

– Zut!

– Ce n'est pas grave.

Elle me serra très fort dans ses bras, le temps de récupérer, et ne desserra son étreinte que lorsque je voulus attraper les cigarettes. Au bout d'un moment, je dis, après avoir médité sur son plaisir actuel et son abstinence passée :

– Je suppose que la chasteté est une chose plus facile à vivre pour une femme.

– Je te remercie! C'est ce que je me dirai la prochaine fois que je dépérirai de frustration. Je suis sûre que ça m'aidera à tenir le coup.

– Excuse-moi. C'était vraiment grossier de ma part.

– C'est drôle, Alex avait fait le même genre de réflexion. Il parlait comme si aucune femme n'était capable d'imaginer l'enfer que le célibat peut représenter.

– Mais comment lui s'en sortait-il, avant de se marier à trente-sept ans?

– Je l'ignore et plus tard j'ai toujours regretté de ne pas le lui avoir demandé. Autrefois, Evelyn et moi nous amusions souvent à faire des suppositions sur sa vie passée mais sans jamais arriver à aucune certitude.

– Dis-moi, est-ce que Lady Starmouth est au courant pour toi et Jardine?

– A la fin, elle savait qu'Alex était aussi amoureux de moi que je l'étais de lui – tu comprends, elle nous avait devant les yeux, nous n'aurions rien pu lui cacher, nous étions effondrés. Néanmoins, il était hors de doute qu'elle nous soutiendrait et ferait tout son possible pour limiter les dégâts. Elle était sûre qu'Alex réussirait.

– Ne t'en voulait-elle pas de mettre sa carrière en péril?

– Elle était furieuse, oui. Mais elle m'a pardonné. On ne le dirait peut-être pas, mais Evelyn fait partie de ces rares personnes qui font un effort pour vivre selon leurs convictions religieuses.

– Comme elle a dû être épouvantée quand elle a vu que je soupçonnais ce qui s'est passé entre toi et Jardine!

– Elle m'a dit qu'elle avait failli en mourir. Elle s'est excusée auprès de moi car elle a dû justifier l'incident en me dépeignant comme une femme névrosée et fatigante et Alex comme l'incarnation même de la pureté. Mais que pouvait-elle faire d'autre? C'est aussi ce que j'ai fait au cours de notre déjeuner, mais bien sûr... la vérité est très différente.

– Votre amour a-t-il toujours été réciproque?

– Toujours. Ça a été le coup de foudre dès notre première rencontre, en 1917, mais mon Dieu, si tu savais comme il a lutté! Cet horrible novice qu'il traînait toujours après lui! Et ces interminables minutes que nous passions en tête à tête chez les Starmouth dès qu'on demandait Evelyn au téléphone. Mais il ne m'a jamais embrassée même dans de telles situations. Cela aurait été trop dangereux; n'importe qui aurait pu entrer... Le plus difficile à supporter, c'était de lui rendre visite et de rencontrer sa femme. Je ne le voulais pas, mais il pensait que le fait que sa femme me reçoive tuerait toute possibilité de commérage.

– Quels étaient ses sentiments à l'égard de sa femme, à cette époque-là?

– Le jour où nous sommes venus ici, il m'a dit que, durant son voyage de noces, il avait compris qu'il avait commis une grave erreur mais qu'il était certain que la situation s'arrangerait dès qu'ils auraient des enfants. En fait, ils n'en ont jamais eu bien que, en 1918, elle ait fait une fausse-couche et personne ne savait si elle pourrait être à nouveau enceinte. Alex disait que ce fut une année terrible : l'enfant mort-né, la dépression nerveuse de Carrie, une abstinence sexuelle de plusieurs mois... Il n'a fait aucune allusion directe au sexe mais je n'ai eu aucun mal à comprendre que c'était quelque chose de très important pour lui. En fait, il a conclu en disant : « Mon ménage pourrait être pire. Quand Carrie est en forme, elle est très consciencieuse. » Consciencieuse! Pouah! Quel euphémisme repoussant! C'était dans ces moments-là que je me rappelais qu'il avait dix-sept ans de plus que moi. Mais j'étais tout de même horriblement jalouse d'elle quand je pensais qu'elle l'avait à elle plusieurs fois par semaine, et je devins encore plus jalouse quand il me dit qu'il aimerait lui faire l'amour tous les soirs. Puis, il a ajouté qu'il aurait trouvé cela égoïste – il craignait probablement qu'elle ne s'en dégoûte. Le sexe était si important pour lui qu'il était prêt à concéder une petite restriction.

– Ce que je n'arrive pas à comprendre, c'est comment il a pu rester chaste de son ordination jusqu'à ses trente-sept ans. Il a bien dû faire quelques écarts.

– Peut-être que oui, mais peut-être que non. Regarde ce que dit Freud. La sexualité peut être si souvent affectée par le mental.

– Tu penses qu'il a pu exister des raisons psychologiques aussi bien que religieuses qui expliquent la chasteté de Jardine durant des années?

– En matière de sexe, dit Loretta, tout est possible. Par exemple, son père était un type de la vieille école qui élevait ses enfants à la dure et ce genre d'homme peut tout à fait culpabiliser ses enfants sur le plan sexuel, surtout si lui-même n'est pas clair là-dessus. Il est possible qu'il ait fallu du temps à Alex pour dépasser cela. Puis, quand il a été ordonné, il était si violemment anglo-catholique (en réaction contre papa fondamentaliste) au point qu'il se jura de rester célibataire, alors, évidemment, il lui a fallu des années pour dépasser ça. C'est alors qu'on lui a confié cette horrible paroisse où il s'est épuisé physiquement sinon nerveusement, et cela a dû joliment sublimer son énergie sexuelle. Mais le facteur le plus important est qu'il n'a jamais été privé longtemps de la présence d'une femme et, pour ma part, je crois que la solitude plus que la chasteté est souvent la raison qui rend le célibat insupportable. Sa belle-mère...

– Nous y revoilà. Je n'arrête pas d'entendre parler de cette femme. Je me suis même demandé s'ils n'avaient pas eu une liaison.

– Cela m'étonnerait.

– Pourquoi?

– Parce que je ne crois pas qu'Alex ait pu entretenir une relation illicite, dit Loretta, exprimant ma propre objection à cette théorie. Il l'a prouvé en me repoussant. Il nous aurait été facile d'avoir une liaison – après tout, j'étais séparée de mon mari et j'avais mon appartement. Mais il ne l'aurait pas fait même en étant fou de moi.

– C'est certainement très significatif.

– N'importe quel ecclésiastique peut commettre un écart qu'il pourra racheter par la suite, dit Loretta. Ce sont des êtres humains comme les autres, pas des anges. Mais comment un clerc pourrait-il poursuivre sa vocation s'il est continuellement dans le péché?

– Ou bien il cesse de pécher ou bien il devient apostat.

– Eh bien, je suis convaincue qu'Alex n'en était pas un quand je l'ai connu. Il était croyant jusqu'au bout des ongles.

Le ménage à trois de l'évêché redevenait innocent, mais la pensée de Lyle était toujours trop difficile à supporter.

Après avoir écrasé ma cigarette, je me tournai vers Loretta et, comme un malade qui supplierait son infirmière de lui faire une piqûre contre la douleur, je murmurai :

– Faisons l'amour.

4

A peine l'eus-je touchée que je fus en érection, mais elle me fit attendre en embrassant mon corps tandis que ses mains remontaient le long de mes cuisses. Puis, lorsque je fus excité au point de ne pouvoir attendre davantage, elle se donna à moi. Je sentis son sexe recevoir le mien tandis qu'elle poussait des gémissements de plaisir. Nous ne faisions qu'un. Elle me caressa les cheveux et, pendant quelques secondes, je m'immobilisai en elle, et restai dans cette position d'intimité totale. Finalement, je lui dis :

– Je veux me confier à toi.

J'avais compris que je pouvais souder les deux pans de ma personnalité en amenant le passé dans le présent et en faisant coïncider dans le même espace-temps le Charles de Starbridge et le Charles couché nu sur cette colline du Surrey.

– Je t'écoute, dit-elle en caressant toujours mes cheveux. Je t'assure que tu peux avoir confiance en moi.

Mon désir faiblit comme si sa force avait pris une nouvelle direction. Me retirant d'elle, j'enfouis un moment mon visage dans sa poitrine puis je me lançai dans le récit de ma visite à Starbridge. Je conclus mon histoire en disant :

– J'imagine que tu dois être scandalisée à la pensée que je t'ai fait l'amour alors que j'en aime une autre. Je suis moi-même consterné. Je ne comprends pas ce qui m'arrive, mais je commence à me demander s'il n'y a pas deux mystères ici – le mystère de ce qui se passe à l'évêché et le mystère de ce qui se passe en moi. Et la chose la plus bizarre de toutes, c'est que ces deux mystères semblent liés... Ou bien suis-je immoral et fou ?

Loretta ne répondit pas tout de suite et n'essaya pas de me rassurer comme l'aurait fait une femme ordinaire. Elle ne fit aucun commentaire désobligeant sur Lyle. Mais, après avoir réfléchi un moment, elle dit :

– Non, je ne pense pas que tu sois fou, et je ne pense pas non plus que tu sois fondamentalement immoral. Mais ce que je pense, c'est qu'il y a des chances pour que tu sois un peu perdu.

– Voici un jugement d'une grande générosité.

– Il ne s'agit pas de générosité, Charles, mais de précision. Es-tu certain d'être amoureux de cette fille ? Quand on ne sait plus où on en est, il est difficile de faire la différence entre réalité et illusion et, pour moi, ton attirance instantanée pour Lyle suggère, en effet, qu'il y a une part d'illusion dans tout cela.

– Je suis absolument sûr de la sincérité de mes sentiments.

– Oui, mais... Bon, ne parlons plus de Lyle. Revenons à Alex, car c'est vis-à-vis de lui que tu sembles le plus perplexe. L'intérêt que tu portes à son passé frise l'obsession – c'est un peu comme si tu le considérais comme une espèce de symbole lourd de significations cachées.

– Que veux-tu dire par là ?

– Si seulement je le savais. J'ai l'impression que je cherche dans le noir, à tâtons, mais, Charles, je suis certaine que tu devrais parler de tout ceci avec quelqu'un de beaucoup plus compétent que moi qui pourrait démêler ce qui t'arrive. As-tu quelqu'un qui te conseille ? Habituellement, les ecclésiastiques ont quelqu'un, non ? Comment les appelez-vous déjà : confesseurs, conseillers, directeurs de conscience... ?

– Je vois l'abbé Fordite de Grantchester. Les Fordites sont des bénédictins anglicans, pas des moines catholiques romains. Ils font partie de l'Église d'Angleterre.

– Parfait. Va voir cet abbé et raconte-lui tout.

– Peut-être devrais-je faire une courte retraite?

Je songeai à cela, mais la perspective d'exercices spirituels comprenant la confession était si repoussante que je ne pus que frissonner et, de nouveau, presser mon visage contre la poitrine de Loretta. Enfin, quand je compris que je ne pouvais oublier ma terreur de la confession qu'en ne pensant qu'au mystère de Starbridge, je me détachai d'elle et m'assis.

– A ton avis, lui demandai-je, que cache ce ménage à trois?

– A mon avis, rien. Je crois que tu avais tout compris dès le début. Lyle soude le mariage et sa présence satisfait les différents besoins des trois : son besoin de puissance à elle, le besoin de Carrie d'avoir une fille et celui d'Alex d'avoir une maison organisée.

– Je suis d'accord. C'est la seule réponse possible, mais on ne peut nier que l'atmosphère contredise cette explication. Je suis sûr qu'il y a quelque chose entre Lyle et Jardine, bien que tu viennes de confirmer mon opinion qu'il n'entretiendrait jamais une relation illicite. Je ne vois pas comment ils pourraient vivre une histoire d'amour.

– Bon, dit vivement Loretta tout en se redressant, essayons de démêler quelques-unes de tes incertitudes en examinant toutes les possibilités. Possibilité numéro un : Lyle est amoureuse de Carrie.

– Exclu!

– Tu en es sûr? Beaucoup d'êtres très féminins un peu faibles, comme Carrie, se retrouvent dans des situations saphiques; et n'oublie pas qu'il y a toujours la possibilité que tes sentiments pour Lyle soient illusoires.

– Oui, mais...

– L'argument le plus important à opposer à une relation homosexuelle, interrompit Loretta, se ralliant à mon opinion avant que je ne puisse argumenter plus avant, est que je ne peux pas m'imaginer qu'Alex accepte cela. Je crois que nous pouvons raisonnablement supposer que, quoi qu'il se passe là-bas, tous trois doivent y trouver leur compte. Bon, examinons maintenant la possibilité numéro deux : Lyle est folle d'Alex, mais elle lui est indifférente; il contrôle parfaitement la situation et rien ne s'est jamais passé entre eux.

– Je ne peux pas imaginer un ecclésiastique sain de corps et d'esprit tolérant une femme éprise de lui sous son toit, dis-je. Cette situation serait bien trop explosive. Il s'en serait débarrassé tout de suite.

– Mais supposons qu'il ne soit pas sain de corps et d'esprit? Ce qui nous amène à notre possibilité numéro trois : il est amoureux fou d'elle mais ses convictions religieuses le retiennent.

– Du point de vue de l'Église, cette possibilité serait pire que la précédente – il serait désastreux pour son équilibre spirituel d'avoir une telle tentation à portée de la main.

166

– Ce qui nous laisse la dernière possibilité : Alex est fou, il a jeté tous ses scrupules aux orties et il est profondément impliqué dans une histoire d'amour pleinement consommée.

– Ce qui est impossible pour deux raisons. La première, c'est que Mrs. Jardine n'accepterait jamais cela, et la seconde, c'est qu'il ne pourrait pas demeurer évêque en de telles circonstances à moins d'être un apostat – et nous sommes sûrs qu'il ne l'est pas.

– Je trouve aussi que ce dernier point est définitivement incontournable, dit Loretta, mais je crois que je peux concevoir une situation où Carrie se montrerait complaisante. Selon Evelyn, Alex et Carrie n'avaient jamais abandonné l'espoir d'avoir un enfant – espoir qui était pour eux un motif puissant pour continuer à avoir des rapports sexuels. Mais supposons que, une fois passé la ménopause de Carrie, elle se soit désintéressée du sexe sous le prétexte qu'il devenait inutile. C'est une chose fréquente et qui crée une crise dans un couple. C'est le moment où le mari prend une maîtresse et sa femme ferme les yeux.

Je la regardai fixement.

– J'ai l'impression que tu as mis dans le mille. Je pense que c'est ce qui a dû se passer. D'après les propos de Mrs. Cobden-Smith, j'ai déduit que Mrs. Jardine avait eu sa ménopause il y a cinq ans; et c'est exactement à cette époque qu'elle a fait sa seconde dépression nerveuse.

– Oui, mais c'était à cause de l'arrivée de sa belle-mère.

– Peut-être, mais supposons que la crise ait été également due à autre chose. Jardine m'a dit que ce fut la dernière occasion où il nota des difficultés personnelles dans son journal intime – et il a admis qu'il avait dû prendre alors une décision importante. Supposons qu'il ait dû décider si oui ou non il...

– Je conçois que ce soit plausible. Si quelque chose s'est passé, je parie que c'est à ce moment-là. Mais la question est : quelque chose s'est-il passé? Et, si oui, comment Alex s'arrange-t-il avec sa conscience?

– C'est ce que je vais m'efforcer de découvrir. Il le faut. *Il le faut.*

– Je sais. Et c'est ce qui m'inquiète. Charles, cette histoire t'obsède beaucoup trop.

– Comment ne pas être obsédé puisque je veux épouser Lyle.

– Oui, mais... Bon, essayons une nouvelle fois de mettre la situation dans une perspective rationnelle. La vérité, c'est que tu ne sais pas si tu es vraiment amoureux de Lyle. Je sais que tu crois l'être et c'est cela qui te rend si sensible à ce mystérieux trio. L'explication la plus vraisemblable est qu'il ne se passe rien mais, comme tu ne perçois pas la réalité telle qu'elle est, tu t'enfonces de plus en plus dans l'illusion en inventant une théorie qui expliquerait la froideur de Lyle sans abîmer ton ego. En d'autres termes, tu fais dire à ton subconscient : elle et Jardine ont une liaison et c'est la raison pour laquelle elle ne cède pas à mes avances. Mais je crois qu'il faut que tu admettes la possibilité qu'en interprétant trop les réactions innocentes des gens, tu as fini par imaginer toute cette atmosphère sinistre à l'évêché. En fait, selon moi, la question vraiment importante n'est pas de savoir ce que cache ce ménage à trois mais ce que cache ton subconscient. Par exemple, pourquoi es-tu si certain que Lyle soit la femme qu'il te faut?

– Elle se tire de tout.

– Ma parole, c'est à croire que tu es un idiot qui a besoin d'une infirmière!

– Ah oui?

Je la pris dans mes bras.

– Encore une fois, lui dis-je. Juste une.

Elle écarta ses cuisses et, de sa main, tendrement, me guida.

5

Savoir que c'était là ma dernière occasion de satisfaire mes désirs sexuels pour une période indéterminée me rendit pressant tandis que j'exprimais physiquement mon désespoir. Ma souffrance était teintée d'épuisement et, très vite, je sentis la fatigue l'emporter sur le désir. Loretta fit son possible pour me revigorer mais mon corps ne réagit pas à ses caresses et, quelques secondes plus tard, mes yeux se fermaient et je retombais dans la fougère.

Je m'assoupis. Puis, m'éveillant en sursaut, comme cela arrive si souvent après un sommeil court et profond, je me dressai sur mon séant et criai :

– Jane!

Loretta m'embrassa sur la joue. Troublé, je me rendis compte qu'elle s'était rhabillée.

– J'ai dormi, dis-je, hébété.

– Juste un petit quart d'heure. Je me suis dit que tu en avais besoin. Qui est Jane?

– C'était ma femme.

Absurdement, mes yeux s'emplirent de larmes et, terrifié à l'idée nouvelle que j'étais sur le point de craquer, je saisis la cigarette allumée que Loretta me tendait et lui tournai le dos. En me rhabillant, je pus lui dire :

– J'ai découvert que Jardine avait été capable d'au moins un écart. Maintenant, il me reste à prouver qu'il a été capable d'avoir une liaison durable et illicite. Si je pouvais découvrir qu'il a couché avec sa belle-mère avant son mariage...

– Je suis certaine que non. Écoute, Charles, il faut absolument que tu relativises cette histoire.

– J'imagine qu'il a sans doute répugné à prendre la femme de son père. Après tout, bien qu'il n'y ait pas de consanguinité entre eux, leur relation légale les aurait entraînés dans des zones interdites.

168

– Cela ne s'appliquait pas dans leur cas, dit Loretta en prenant ses lunettes dans son sac.

Je la regardai.

– Que veux-tu dire?

Elle me regarda droit dans les yeux.

– Mon Dieu, s'exclama-t-elle, ne me dis pas que tu n'as pas découvert cela!

– Découvert quoi?

– Il n'y avait ni consanguinité ni lien légal entre Alex et Ingrid Jardine. Le père d'Alex ne l'a jamais épousée. Ils ont vécu vingt-cinq ans en concubinage.

6

– C'est Alex lui-même qui me l'a dit ainsi qu'à Evelyn, poursuivit Loretta. Il essayait d'améliorer les relations entre Carrie et sa belle-mère mais il ne faisait guère de progrès et il s'est confié à nous un jour où il n'en pouvait plus. Apparemment, Carrie considérait qu'elle n'avait pas à recevoir quelqu'un qui avait vécu dans le péché vingt-cinq années durant.

– Mais le père était très croyant! Pourquoi donc ne l'a-t-il pas épousée?

– Il détestait toute espèce de religion officielle, alors il s'est imaginé qu'il n'avait pas besoin de la présence d'un prêtre pour être marié devant Dieu. Il avait dû épouser la mère d'Alex à l'église – elle venait d'une famille très respectable – mais Ingrid était seule et, apparemment, tout à fait prête à se plier à ses excentricités. J'imagine qu'entre eux l'attirance physique était très forte. Enfin bref, une nuit, Jardine père l'a fait monter dans sa chambre et, après avoir prié ensemble et échangé quelques vœux, il a glissé sa chevalière à son doigt, Ingrid dans son lit et ils ont consommé ce qu'il appelait son nouveau mariage.

– Attends, dis-je. Attends.

Mon cœur cognait dans ma poitrine.

– Un moment.

– Mon Dieu, que se passe-t-il, Charles? Tu es aussi blanc qu'un linge.

– Tu as bien dit une chevalière?

– Oui. Il s'était peut-être dit qu'une alliance était aussi inutile qu'un pasteur – ou peut-être la cérémonie a-t-elle été improvisée et a-t-il utilisé la seule bague disponible à ce moment-là... Charles, mais que se passe-t-il? Quel est le problème?

– Il se trouve que Lyle porte une grosse chevalière à son annulaire gauche, lui répondis-je.

– Non. Je sais ce que tu penses, mais c'est impossible, dit Loretta au bout d'un moment.

– C'est la seule explication qui fonctionne. Jardine a épousé Lyle secrètement devant Dieu et, maintenant, ils se considèrent comme mari et femme. Ils pensent qu'ils ne vivent pas dans le péché et cela leur permet de continuer à recevoir la communion régulièrement.

– Non.

Loretta secoua la tête.

– C'est complètement farfelu, continua-t-elle. Jardine père n'avait pas reçu d'éducation et il était un peu ignorant, mais Alex saurait que ce mariage n'aurait aucune validité. Et puis, malheureusement, il est déjà marié.

– J'imagine qu'avant de se persuader de faire de telles noces, il se sera persuadé de divorcer la même manière. As-tu entendu parler du projet de loi sur le divorce d'A. P. Herbert? Le Parlement est sur le point d'élargir les motifs de divorce mais je crois que les idées de Jardine vont beaucoup plus loin que la future loi. Il pense qu'il y a légitimité de divorce dès l'instant où la spiritualité de l'union est détruite. En fait, je dirais qu'il est tout à fait d'accord avec Martin Luther qui pensait que le refus des devoirs conjugaux devait être un motif de divorce. Or, si Mrs. Jardine refuse d'avoir des rapports sexuels...

– Charles, mais tu es dans la stratosphère, reviens sur terre, je t'en prie!

– Je suis certain d'avoir raison.

– Et moi, je suis certaine que tu as tort! Il est absolument impossible qu'Alex se soit mis dans une telle situation.

– N'as-tu pas dit toi-même qu'en matière de sexualité, tout était possible?

– Tu as complètement perdu la boule! cria Loretta, mais elle enchaîna d'une voix plus calme : Bon, d'accord, j'admets que cette théorie est possible, mais essaie de ne jamais perdre une chose de vue : rien n'a été prouvé.

– Ce le sera bientôt – tout ce qu'il me reste à faire maintenant, c'est retourner à Starbridge et parler à Lyle.

– Mais, même si tu as raison, elle ne l'admettra jamais!

– Oh si! Je vais aller la sauver.

– Charles, tu as perdu le sens des réalités! Si ce que tu supposes est vrai – ce que je ne crois absolument pas –, alors cette fille est folle amoureuse d'Alex. Seule une femme aimant à la folie pourrait consentir à l'humiliation d'un mariage secret.

– Je crois que leur union touche à sa fin.

– Oh, mon Dieu... Écoute-moi, Charles, avant que tu n'ailles te ridiculiser, je t'en prie, je t'en conjure, va voir cet abbé que tu connais.

– Oh, je sais, il faut que je le voie avant, je suis d'accord. Je ne peux pas servir Dieu comme je le dois sans m'être confessé d'abord. Je vais retourner à Cambridge dès ce soir et rendre visite aux Fordites demain matin.

– Juré?

Je jurai. Elle s'écroula soulagée et, la prenant dans mes bras, je la serrai un long moment. Puis, elle dit :

– Je sais que nous n'allons pas nous revoir; je sais que tu vas devoir éclaircir les choses avec Dieu en promettant que cet après-midi ne se répétera pas; mais, pourrais-tu m'écrire? Au moins une fois? Sinon, je me rongerais les sangs en me demandant comment tout cela s'est terminé.

– Je t'écrirai.

Nous quittâmes le bosquet. Le chemin du retour nous parut plus long jusqu'au pont qui surplombait la rivière. Nous marchions en silence et je réfléchissais à mon prochain assaut sur Starbridge et elle, sans aucun doute, se demandait comment faire pour me convaincre de la futilité d'une telle entreprise. Quand nous arrivâmes non loin de la voiture, elle me dit :

– C'est ici qu'Alex avait commencé à se faire du mal – ce fut atroce. Il n'arrêtait pas de dire qu'il avait envie de quitter sa femme mais qu'il savait qu'il ne survivrait pas à la culpabilité de vivre séparé de Dieu; et c'est à ce moment-là qu'il a dit : « Je ne veux pas finir comme mon père. » Charles, je suis convaincue qu'il n'aurait jamais suivi l'exemple de son père.

– Je suis sûr qu'il n'a pas l'intention de finir mentalement déséquilibré et spirituellement anéanti, mais jusqu'où peut-on avoir le contrôle de son hérédité? Bien sûr, avec l'aide de Dieu, tout est possible, mais quand on se détourne de Lui...

– J'ai du mal à imaginer Alex se détournant de Freud. Il avait une horreur psychologique autant que spirituelle de l'immoralité.

– Mais c'est exactement la raison pour laquelle il s'est senti obligé de convertir l'adultère en mariage!

– Je jette l'éponge. Acceptons nos différences de point de vue, dit Loretta tout en m'embrassant comme nous arrivions à la voiture.

Mais quand, finalement, nous eûmes ouvert les portières, il faisait si chaud à l'intérieur que nous ne fûmes pas tentés de prolonger nos étreintes. A regret nous repartîmes pour Starmouth Court.

8

A l'intérieur de la maison, nous nous prîmes par la main et elle dit, impulsivement :

– Ne crois surtout pas que je ne comprends pas à quel point ta vocation est difficile. Ne crois surtout pas que tu es un mauvais ecclésiastique parce que, une fois, tu n'as pas respecté tes idéaux.

– Je t'ai déçue.

– Non! insista-t-elle. Tu rêves. C'est cela qui importe. Seulement, dans notre monde imparfait, les rêves ne se réalisent pas toujours.

– Ce que la vie doit être facile pour quelqu'un comme toi, déïste libérale au cœur tendre! Mais le christianisme est plus dur et plus viril que tu ne crois. J'ai passé outre le salut de ton âme et je me suis servi de toi à des fins égoïstes. Et cela, c'est agir sans amour et sans compassion. C'est cela le péché. C'est cela l'échec.

Elle fit tout son possible pour me réconforter.

– De nous deux, c'est toi qui es blessé. Je me suis servie de toi tout autant que tu t'es servi de moi.

– Ce n'est pas la même chose. Ton acte était un appel au secours dans une quête pour en finir avec la solitude – une solitude que je n'ai pas réussi à alléger.

Je vis son expression changer en comprenant que j'avais vu beaucoup plus loin qu'elle n'avait voulu laissé paraître, mais je ne pus m'empêcher d'ajouter :

– La psychanalyse t'a aidée. Le chrétien t'a rejetée. Quelle mascarade, quel impardonnable avilissement de ce que les choses auraient dû être!

Pendant un moment, je crus qu'elle allait être incapable de répondre, mais elle finit par dire d'une voix hésitante :

– Mais ton rêve est si beau!

Puis, sortant avec peine de la voiture, elle courut jusqu'à la maison sans se retourner.

Je repris l'allée obscure et sinueuse qui descendait vers la vallée.

9

Il était tard dans la nuit quand j'arrivai chez moi, à Cambridge, et j'étais très fatigué. Après avoir pris un bain, je bus un peu de whisky et me glissai dans mon lit.

Je n'avais pas lu l'office du soir. Je n'avais pas fait l'effort de prier. Pendant un long moment, je restai couché, immobile, comme si je pouvais maintenir mon équilibre dans un vide spirituel en singeant le sommeil; mais quand je sentis que ce vide s'approfondissait, je me levai et me servis une autre dose de whisky. Perdu, je me concentrai sur le mystère de Starbridge, ce qui me détourna de mes problèmes et, plus tard – il était environ une heure du matin – il m'apparut que je devais éclaircir ce mystère avant que je puisse aller me confesser au père Reid.

Pourtant, j'avais juré à Loretta que j'irais le voir avant de retourner à Starbridge et je devais respecter ma promesse.

J'avalai une autre rasade de whisky.

Finalement, je décidai que j'irais voir le père Reid, mais uniquement pour organiser une retraite à la fin de la semaine. Alors, je pourrais retourner à Starbridge et, une fois éclairci le mystère, je pourrais me consacrer à éclaircir mon âme à temps pour assister aux cultes dominicaux à la cathédrale.

Tout est bien qui finit bien.

Je bus un autre verre de whisky comme s'il me fallait de l'aide pour croire un tel bonheur à portée de main et, petit à petit, tandis que je pensais à Starbridge, le radieux et ravissant Starbridge, la ville resplendissante qui contenait la clé de mes secrets, je sus à quel point j'étais forcé de mettre de côté cette belle apparence pour affronter les vérités sombres et définitives qu'elle masquait. Alors, intérieurement, je vis Jardine, non pas l'Adam qui se cachait derrière Alex, mais l'évêque au charisme puissant, le brillant ecclésiastique, exactement le type d'ecclésiastique que je voudrais être et, bien sûr, j'étais Jardine, je le savais maintenant et c'était la raison pour laquelle il me fallait le revoir le plus vite possible.

– Je dois parler à Jardine, dis-je à haute voix en m'adressant à la bouteille de whisky dont je versai les dernières gouttes dans mon verre. Il me comprend, lui. Personne d'autre ne me comprend.

Et à peine eus-je prononcé ces mots que je sus que je ne pourrais jamais me confier au père Reid. Voir le père Reid serait une perte de temps mais j'avais fait une promesse à Loretta et, comme tout homme d'Église qui se respecte, je tenais toujours mes promesses. J'irais faire une courte visite de politesse au père Reid avant de repartir pour Starbridge car j'étais un bon ecclésiastique, si doué, et mon père était si fier de moi et, oui, j'irais voir le père Reid, un point c'est tout.

Au nom du Père et du Fils et du Saint-Esprit. Amen.

10

Le lendemain matin, je pris un comprimé d'aspirine, me préparai un café fort et me forçai à lire la Bible. J'étais bien décidé à ne pas me laisser aller. La crise de panique avait été aggravée par mon écart insensé avec le whisky mais, maintenant que j'avais retrouvé ma lucidité, tout irait bien.

J'allai en voiture à Grantchester, ce village près de Cambridge où les Fordites résidaient. J'avais décidé de justifier ma visite au père Reid en lui parlant du manuscrit de saint Anselme. J'avais toujours l'intention de faire une retraite mais, maintenant que j'étais à jeûn, j'étais plus convaincu que jamais que je ne pouvais faire de confession qu'à Jardine.

Il m'était si difficile d'affronter la dure réalité de ma situation que ce ne fut que lorsque j'eus parcouru la moitié du chemin jusqu'à Grantchester que je me rendis compte d'un obstacle majeur à mon plan. Il paraissait inévitable que Jardine trouverait nos deux existences trop liées pour devenir mon confesseur. De plus, s'il se considérait marié à Lyle, il était tout à fait impossible qu'il puisse me conseiller spirituellement.

Je me sentis si perdu que je stoppai la voiture. J'étais incapable de parler de Loretta à quiconque sauf à Jardine parce qu'il me semblait que seul quelqu'un qui avait commis une faute semblable à la mienne serait capable d'avoir la compréhension nécessaire pour m'accorder l'absolution. A la pensée de Loretta, mon corps se tendit, et ce petit soubresaut que mon esprit n'avait pu contrôler ne fit qu'accentuer la nature écrasante de mes problèmes. Dépourvu de conseils efficaces, confronté à une crise de ma vie de célibat, me sachant provisoirement coupé de Dieu, je me retrouvai le dos au mur sur le plan spirituel.

La panique m'envahit une fois de plus mais je la dominai en bombardant mon esprit d'images de Starbridge. Lyle, Jardine, Carrie – Jardine, Carrie, Lyle – Carrie, Lyle, Jardine...

Ayant parcouru le dernier kilomètre qui me séparait de Grantchester, j'arrivai enfin à la résidence des moines et en franchis le porche.

11

L'ordre Fordite de saint Benoît et saint Bernard avait été fondé au siècle dernier quand un vieux gredin nommé Ford, qui avait fait fortune grâce au commerce des esclaves, subit l'influence de John Henry Newman et opéra une conversion étonnante à l'anglo-catholicisme. Peu de temps avant que Newman ne rejoignît Rome, Ford mourut, laissant toute sa fortune à l'Église d'Angleterre dans le but de fonder un ordre monastique. Sa veuve, furieuse, réussit finalement à récupérer une partie de la fortune de son mari, mais les moines Fordites formaient déjà une communauté prospère et la gestion prudente de leurs ressources leur assurait de devenir encore plus riches. Ce confort leur apportait un contraste étonnant par rapport à d'autres tentatives du même type qui se terminaient souvent par des difficultés financières.

Leur monastère se composait de quatre bâtiments ayant tous obtenu le statut d'abbaye grâce à la bonté de divers archevêques de Canterbury, mais à une exception près – l'école de garçons dont le titre avait été conservé pour impressionner les parents – le mot « abbaye » n'était pas utilisé par l'ordre. Les Fordites aimaient à souligner leur séparation d'avec les ordres catholiques romains et considéraient que ce terme faisait apparaître des images regrettables du climat religieux en Angleterre d'avant la Réforme. Pourtant, bien avant que les Fordites ne vivent à la manière des bénédictins, leurs particularités britanniques les différenciaient des communautés traditionnelles de ces derniers. Le titre « Dom » n'était jamais utilisé; on encourageait ceux qui n'appartenaient pas à l'ordre de s'adresser aux moines qui étaient ordonnés comme s'ils étaient toujours des prêtres anglo-catholiques et, à part la résidence principale de Londres où vivait le père supérieur dans un luxe déconcertant, il y avait dans la communauté une absence de pompe et de prétention.

Autrefois, la résidence principale de Londres avait été l'habitation du vieux Ford; Starwater Abbey – l'école – avait été sa résidence secondaire et la propriété de Ruydale dans le Yorkshire avait fait partie de ses investissements pour agrandir son domaine, mais la maison de Grantchester avait été achetée longtemps après sa mort dans le but d'organiser des séminaires pour les étudiants en théologie et j'y avais moi-même séjourné en de nombreuses occasions aussi bien avant qu'après mon ordination. La demeure se dressait à l'entrée du village rendu célèbre par le poème de Rupert Brooke, et s'élevait au milieu d'un terrain isolé où les moines pratiquaient jardinage et apiculture. Le miel des Fordites de Grantchester, à cause du poème de Brooke, était très prisé des touristes.

Lorsque, ce matin-là, je tirai sur la sonnette, la porte s'ouvrit si vite que je sursautai. L'impression immédiate que l'efficacité s'était améliorée s'accentua à la vue du jeune portier à la mise exceptionnellement soignée. L'habit des Fordites, avec sa vague ressemblance avec l'habit des trappistes, soulignait la spécificité de l'ordre; la tunique du dessus était noire et sans manches, mais celle du dessous, blanche à manches longues, avait inévitablement tendance à se salir. Or, les manches de ce moine étaient d'un blanc immaculé – à croire qu'il vantait les bienfaits d'une nouvelle poudre à laver – et son petit crucifix en cuivre brillait à sa ceinture de cuir.

– Bonjour, me dit-il joyeusement – une illustration parfaite du célibataire épanoui. Que puis-je faire pour vous?

Malgré tous mes ennuis, il me fut impossible de ne pas lui sourire.

– Je suis le révérend Ashworth du collège de Laud, répondis-je. J'espérais que le père Reid pourrait m'accorder un entretien.

Le moine devint brusquement grave.

– Je crains de devoir vous annoncer une triste nouvelle, révérend. le père supérieur nous a quittés la semaine dernière.

J'étais abasourdi; non seulement parce que mes projets étaient bouleversés mais aussi parce que j'avais été assez proche du père Reid pour ressentir une peine intense.

– Je suis sincèrement navré, réussis-je à dire. Il va me manquer. Il était mon directeur de conscience.

J'essayai de rassembler mes pensées. Il me parut évident qu'en qualité de chanoine de la cathédrale, il était de mon devoir de rencontrer le nouveau père supérieur, de lui exprimer mes condoléances et de lui présenter mes meilleurs vœux pour l'avenir.

– Peut-être pourrais-je voir le père Andrews, dis-je timidement, nommant l'officiant qui, je le supposai, avait succédé au père Reid.

– Navré, monsieur, mais le père Andrews a été muté à Londres.

Le visage du jeune moine était maintenant sans expression et, soudain, j'eus l'intuition que cette communauté isolée venait de vivre un grand bouleversement. En me souvenant de ma première impression d'amélioration de l'efficacité, je me rendis compte que tout était tout nouveau tout beau dans la maisonnée.

– Eh bien, dis-je, si le père Reid est mort et que le père Andrews est à Londres, qui est le responsable maintenant?

– Le père supérieur général a nommé quelqu'un d'extérieur à notre communauté, monsieur. Le père Jonathan Darrow, de notre résidence du Yorkshire.

Il ouvrit grande la porte.

– Mais, entrez, je vous en prie, révérend Ashworth. Notre nouvel abbé désire rencontrer tous ceux qui viennent ici guidés par le père Reid, et je suis certain qu'il vous recevra sans délai.

Le problème était réglé.

Je franchis le seuil, sans savoir que je franchissais mon Rubicon.

J'étais sur le point de faire la connaissance de celui qui allait devenir mon exorciste.

X

Rien, dans mes fonctions d'évêque, ne m'embar-
rasse et ne m'afflige davantage que le traitement
réservé aux ecclésiastiques qui ont commis une lourde
faute.
Correspondance de Herbert HENSLEY HENSON,
Ed. E. F. Braley.

1

Je pris place dans la salle d'attente, un salon grand et sobre garni d'une table et de quelques chaises. Au-dessus de la cheminée, un crucifix était suspendu au mur mais il n'y avait aucune image pieuse. Un panneau vitré dans la porte empêchait qu'un moine puisse avoir une entrevue avec une femme sans être surveillé.

L'heure du dernier office du matin était passée et je savais que les moines s'étaient attelés à leurs tâches respectives avant de se rassembler pour celui de midi. Le calme régnait dans la maison. Les Fordites n'étaient pas tenus à la règle du silence mais la conversation n'était pas encouragée sauf au cours de l'heure de détente hebdomadaire, chaque dimanche.

Quelques minutes passèrent. Je me répétai intérieurement des formules de condoléances, et j'étais encore en train de me demander laquelle d'entre elles serait la plus appropriée lorsque j'entendis le bruit d'une démarche rapide venant du hall et, bientôt, le nouveau père supérieur faisait son entrée dans la pièce.

C'était un homme très grand, encore plus grand que moi, à la silhouette longiligne mais puissante. Ses cheveux étaient coupés court, et je compris tout de suite que ses yeux gris voyaient ce qu'il fallait voir. On était frappé par l'aspect fort et osseux de son visage dont l'austérité était à la fois impressionnante et intimidante. La croix luxueuse et la lourde bague, symboles de son sacerdoce, accentuaient, ô ironie, cette impression d'austérité au lieu de l'amoindrir. Au sein de l'Église anglicane, il est d'usage de considérer un père supérieur comme l'égal d'un évêque et, bien qu'un évêque ait un devoir pastoral envers tous les moines de son diocèse – devoir acquis quand il était nommé « visiteur » de leur monastère – un abbé Fordite n'était redevable qu'envers son père général de Londres et l'archevêque dont il dépendait.

– Révérend Ashworth? dit l'étranger en s'arrêtant sur le seuil.

Et il ajouta à la manière d'un président de conseil d'administration qui s'adresserait à un jeune cadre dynamique :

– Bonjour. Je m'appelle Jon Darrow. Je suis le nouveau père supérieur de ce monastère.

Il s'arrangeait pour être à la fois familier et distant. Le fait qu'il ait utilisé le diminutif de son prénom me surprit et me fit supposer qu'il avait gardé son véritable patronyme en entrant dans les ordres. Il était d'usage que les moines se choisissent un autre nom pour symboliser leur nouvelle vie au service de Dieu, mais les Fordites considéraient cette tradition comme facultative.

Il ferma la porte et nous échangeâmes une poignée de main. Son geste était décidé, bref et assuré. Le mien était prudent, incertain, peut-être même timide.

– Je suis sincèrement navré que vous n'ayez pas été averti du décès du père Reid, me dit-il, mais malheureusement, il ne gardait pas une liste de ceux dont il était le directeur de conscience, aussi m'a-t-il été impossible de vous faire prévenir.

Dans sa bouche, l'absence d'une telle liste sonnait comme la preuve d'un manque d'organisation impardonnable, et je commençais à me demander s'il n'était pas un ancien militaire. L'autorité qui émanait de sa personne avait un côté « Et je veux que ça brille! » et, tandis que je me lançais dans le discours que j'avais préparé, je revis le crucifix étincelant du jeune portier.

– La nouvelle m'a beaucoup surpris – et très attristé –, cela a dû être un choc pour vous tous.

– Oui, en effet, dit le père Darrow, coupant court à ma tentative peu convaincante d'exprimer mes condoléances. Le père Reid avait l'affection de toute la communauté. Il nous manquera beaucoup.

Cela réglait la question du père Reid. Essayant toujours de me donner une contenance, je dis, d'une voix incertaine :

– J'ai cru comprendre que vous veniez de l'extérieur – n'est-ce pas inhabituel? Je croyais que, normalement, la communauté élisait son père supérieur parmi ses membres.

– C'est très inhabituel, en effet, et c'est un défi des plus stimulants pour moi et pour mes frères de Grantchester, dit-il d'un ton acerbe.

Cela réglait la question de sa surprenante nomination.

– Asseyez-vous, je vous en prie, révérend Ashworth. Je suppose que vous vouliez voir le père Reid pour un problème spirituel?

J'étais toujours en proie à l'incertitude. J'hésitai.

– Laissez-moi vous parler un peu de moi, dit Darrow, prenant place à la table, en face de moi. J'imagine qu'il est difficile de se confier à quelqu'un de nouveau et d'inconnu ; après tout, un directeur de conscience n'est pas quelqu'un qu'on trouve dans une pochette surprise. J'ai cinquante-sept ans et je suis entré dans cet ordre à l'âge de quarante-trois ans. Avant cela, j'étais aumônier dans une prison et avant, chapelain dans la marine, dans laquelle, incidemment, j'ai servi pendant la guerre. J'ai obtenu mon diplôme de théologie à Laud. J'ai été marié pendant neuf ans et j'ai un fils et une fille maintenant indépendants.

Il s'interrompit.

– Cela, j'en ai bien peur, n'est qu'une grossière esquisse de ma personnalité, mais j'ose espérer que vous la trouverez significative.

En effet. Un ancien chapelain de la marine qui connaissait tout du sexe et qui avait été jusqu'à faire deux enfants pouvait sans doute offrir une alternative acceptable à Jardine et, poussé par la sensation que, spirituellement, j'étais acculé, je dis prudemment :

– Merci, mon père. Oui, cela m'aide beaucoup. Pardonnez-moi d'avoir été si hésitant.

J'essayai d'oublier ma défiance.

– Je suis venu ici ce matin dans l'espoir de pouvoir organiser une retraite, continuai-je, parodiant passablement mon assurance coutumière. Je pensais que je pourrais peut-être revenir vendredi pour parler avec vous – si cela vous convient, naturellement –, et me confesser. Puis, j'aimerais pouvoir consacrer quelque temps à la prière et à la méditation, sous votre direction, avant de repartir tôt le dimanche matin pour assister aux services à la cathédrale.

Le regard gris pâle du père Darrow ne me quittait pas. Mon courage me lâcha.

– Eh bien, je ne voudrais surtout pas vous retenir plus longtemps, lui dis-je rapidement tout en me levant. Si vous ne voyez aucune objection à mon projet, je...

– Asseyez-vous, révérend Ashworth.

Je retombai sur mon siège.

– Quand vous êtes-vous confessé pour la dernière fois?

C'était, vu les circonstances, une question tout à fait conventionnelle mais cela ne rendait pas la réponse plus facile pour autant. Je me dis qu'avec de la chance, il accepterait ma réponse sans la mettre en cause.

– En avril dernier.

– Au père Reid?

Zut!

– Non, dis-je d'un ton léger, voulant faire comme si cette dérobade n'avait rien d'inhabituel.

– Auprès de qui vous êtes-vous confessé?

Re-zut!

La conversation prenait une tournure très gênante. Je me raclai la gorge et me grattai le nez histoire de me donner le temps de réfléchir.

179

– C'était en France, finis-je par répondre. Pendant mes vacances. Je me suis confessé à Paris.

– Auprès d'un prêtre catholique romain?

– Oui.

Un silence.

– Vous avez discuté de cette question avec le père Reid, je suppose, dit Darrow. A votre retour?

– Eh bien, pour dire vrai, non.

– Quand vous êtes-vous confessé au père Reid pour la dernière fois?

– En mars dernier, avant Pâques.

– Et vous vous confessez souvent?

Dans mon trouble, j'avais tellement eu peur que mon rythme habituel de confession soit jugé insuffisant que je ne me rendais pas compte que Darrow était résolu à souligner l'anormalité de deux confessions si rapprochées.

– Eh bien, je ne suis pas vraiment anglo-catholique, mon père, plus maintenant, et comme la confession n'est pas obligatoire au sein de l'Église anglicane...

– Une fois par an? Deux fois? Trois fois?

– Une fois par an. Pendant le Carême.

– Je vois.

Alors s'installa un long silence durant lequel je me rendis compte, mais un peu tard, que j'avais révélé une situation que j'aurais préféré dissimuler. Darrow attendait, mais comme je demeurais silencieux, il dit fort courtoisement :

– Nous sommes aujourd'hui mardi. Puis-je me permettre de vous demander la raison pour laquelle vous souhaitez différer votre confession jusqu'au week-end prochain?

Zut et re-zut!

Je n'avais aucune envie de parler de la nécessité que j'avais de retourner à Starbridge.

– Un devoir très important m'appelle, dis-je d'un ton ferme.

– Un devoir temporel?

J'étais coincé. Si je répondais par l'affirmative, il m'accuserait de faire passer les intérêts terrestres avant le salut de mon âme. Si je répondais par la négative, il allait vouloir savoir pourquoi j'hésitais à discuter d'une question qui faisait partie de ma vie spirituelle. Je le regardai et, comme il me regardait aussi d'un air grave et intransigeant, je pris conscience, avec un profond malaise, que j'avais affaire à un homme redoutable.

– Quand avez-vous communié pour la dernière fois? demanda-t-il alors que je me dépatouillais toujours avec sa question précédente.

La réponse me fut plus facile.

– Dimanche dernier, répondis-je avec soulagement.

Et, guidé par la contrainte de gommer la tache qu'il avait dû percevoir sur ma belle apparence, j'ajoutai :

– J'ai séjourné à Starbridge – à l'évêché – et l'évêque m'a demandé de l'assister pour la communion.

Cela me sembla impressionnant et rassurant à la fois, et c'est au moment où je commençais à me détendre qu'il dit :

– Et si l'évêque dont vous dépendez devait vous téléphoner aujourd'hui et vous demander la même chose, que lui répondriez-vous ?

Dans le silence qui suivit, je me sentis rougir et je gigotai sur mon siège, baissant les yeux sur mes mains jointes. Aucune réponse n'était possible. Je me sentais humilié, en colère et pris d'un furieux désir de m'enfuir. Pourtant, je restai – pas seulement parce que je savais me trouver dos au mur. Je restai parce qu'il me clouait sur place et que j'étais incapable de me dégager.

– Quel est votre prénom ?

– Charles.

– Eh bien, puisque vous vous êtes placé sous ma responsabilité, je vais vous appeler par votre prénom et vous tutoyer. Car, tu t'es placé sous ma responsabilité, c'est bien cela ? dit Darrow d'un ton qui n'admettait pas de réplique.

J'acquiesçai. Au point où j'en étais, j'étais incapable de la moindre dénégation.

– Parfait. Maintenant, Charles, laisse-moi résumer la situation à ta place, car tu sembles trop perdu pour le faire clairement. Tu viens ici et me dis que tu souhaites te confesser. Comme tu ne te confesses habituellement qu'une fois par an durant le Carême, il semble logique de penser que tu es aux prises avec une difficulté inhabituelle puisque tu as communié dimanche dernier. En outre, depuis ta confession durant le précédent Carême, tu as, apparemment, été aux prises avec une autre difficulté en avril dernier puisque tu as jugé bon de te confesser à un prêtre catholique ; une démarche des plus inhabituelles pour un anglican, démarche dont il t'a été impossible de parler au père Reid, ton confesseur. Ces difficultés exceptionnelles me font penser que tu as besoin d'aide, et je suis certain que tu en as conscience, mais tu viens ici ce matin et tu suggères de mettre de côté ta vie spirituelle pour quelques jours, le temps pour toi de régler une affaire qui est, tu insistes, de la plus haute importance. Permets-moi de te dire que rien n'est plus important pour toi que de te confesser et de retrouver l'état de grâce au plus vite, et je te supplie instamment de revoir tes projets afin de revenir ici aujourd'hui même ou, au plus tard, demain matin.

Il cessa de parler. Je regardais toujours mes mains jointes et, comme je les regardais, mes doigts se serrèrent jusqu'à ce que les articulations deviennent blanches. Je finis par dire :

– J'ai pleinement conscience que mon attitude doit vous paraître étrange, mais il est un mystère que je dois résoudre ; tant qu'il ne le sera pas, je ne pourrai pas comprendre l'envers de ce mystère, celui qui est en moi, et tant que je n'aurai pas résolu l'envers du mystère, comment pourrais-je espérer atteindre la vraie compréhension de ce qui se passe ?

181

Je bafouillai et finis par m'interrompre, désespéré, mais Darrow me dit :

– Tu es en train de me dire que tu ne peux pas te confesser car tes fautes sont nimbées de mystère; tu me dis que, tant que tu n'auras pas résolu ce mystère, tu es incapable d'arriver à la compréhension qui doit précéder tout repentir vraiment efficace.

– Absolument.

J'étais à la fois impressionné et soulagé par sa perspicacité.

– Une fois que j'aurai résolu le mystère sur place, dis-je avec davantage de confiance en moi, alors mon mystère intérieur, celui qui me conduit vers l'erreur, sera levé; alors pourrai-je me confesser plus efficacement.

– Mais comment peux-tu être sûr que ce premier mystère, celui sur place, soit résoluble?

– Eh bien, il doit l'être.

Je le regardai.

– Il faut qu'il le soit.

– Ah oui? D'après mon expérience, les imbroglios de la vie ne peuvent être résolus que par des solutions précises. Supposons que tu ne réussisses pas à résoudre ce mystère. Que se passera-t-il?

– Il est impossible que j'échoue! Je dois simplement retourner à Starbridge et parler à une certaine personne.

– Mais comment peux-tu être certain qu'alors toute la lumière sera faite sur ton mystère intérieur? Supposons, au contraire, que la clef du premier mystère n'ouvre pas la porte vers la lumière mais celle vers les ténèbres?

Je continuai à le regarder.

– Comment cela serait-il possible?

– Tu es en train de me dire que tu as besoin d'une torche qui illuminerait les recoins de ton âme. Mais il nous faut être très prudent avec les coins sombres de notre âme. Trop de lumière trop vite peut se révéler dangereux. Les recoins sombres peuvent tenir bon et résister à la lumière.

Il y eut un long silence. Puis Darrow se leva.

– Allons jusqu'au bâtiment des invités, me dit-il, et je te donnerai une chambre. Tu ferais mieux de rester ici pour le moment. Partir serait dangereux.

– Dangereux!

– Tu es comme un commandant de navire pris de fièvre et qui mène son bateau droit sur les récifs. Jette l'ancre, repose-toi et remets-toi pour préparer une meilleure traversée.

– Impossible. J'aimerais bien, mais c'est impossible.

Désespéré, je me penchai en avant; ultime tentative pour m'expliquer.

– Il faut que je retourne à Starbridge – je ne peux pas penser à autre chose – c'est comme si Starbridge était un aimant gigantesque auquel je ne pouvais résister. Et, bien que je ne veuille pas mettre ma vie spirituelle de côté, il le faut; je ne peux pas m'en empêcher; je ne peux rien faire avant d'avoir résolu le mystère de Starbridge – mais, une fois que je l'aurai résolu, je retournerai à Cambridge...

– Viens ici directement, peu importe l'heure du jour ou de la nuit.

Je ne trouvai rien à répondre, mais comme je plongeais à nouveau mon regard dans ses yeux gris et graves, je fus pris d'une étrange panique à l'idée qu'il pouvait être clairvoyant.

Je dis d'un ton sec :

– Tout se passera bien.

Je fis mon possible pour que mes paroles n'aient pas l'air d'être une question.

Je n'oublierai jamais ce qu'il me dit ensuite. Il paraphrasa la Bible comme s'il s'agissait d'une citation célèbre.

– Haute et large est la porte qui s'ouvre sur l'illusion, dit-il, mais pour ceux qui cherchent la vérité, étroite est la porte, resserré est le passage et courageux celui qui pourra voyager jusque-là. Jusqu'où va ton courage, Charles? Et de quelle réserve de force spirituelle disposes-tu?

Je ne trouvai rien à répondre. Je savais à quel point j'étais spirituellement faible et, incapable de soutenir son regard, je regagnai le hall plus confus que jamais.

Tandis que j'ouvrais la porte, il dit :

– Je prierai pour toi.

Je faillis rester. Je subissais la puissance de son esprit qui me tirait en arrière mais j'en étais arrivé à un point où j'étais poussé par une force bien au-delà de mon contrôle et, courant presque jusqu'à ma voiture, je pris la route qui me conduisait droit au désastre.

2

En arrivant chez moi, où j'étais repassé préparer un sac de voyage, je trouvai une lettre de Jardine arrivée par le courrier de l'après-midi. Je reconnus tout de suite son écriture et je déchirai l'enveloppe.

Cher révérend Ashworth, disait la lettre, *j'ai parlé aujourd'hui par téléphone au père supérieur de Starwater, qui m'a dit que l'homme que vous devez voir au monastère de Grantchester est sans conteste le père Jonathan Darrow. J'ai le regret de vous annoncer que le père Reid n'est plus et la communauté de Grantchester vient d'avoir ce nouveau père supérieur dont la réputation de directeur de conscience n'est plus à faire. Il vient du monastère Fordite du Yorkshire où il était maître des novices mais, apparemment, son travail allait beaucoup plus loin que la formation des moines. J'ai également eu, ce jour, une conversation téléphonique avec l'un des évêques de l'archevêché du Nord qui m'a dit qu'il avait, à plu-*

sieurs reprises, envoyé des ecclésiastiques perturbés à Darrow et toujours pour obtenir les meilleurs résultats. Je vous conseille vivement de vous rendre à Grantchester sans tarder et, dans l'espoir que cette missive vous sera d'une aide quelconque dans vos difficultés, je demeure votre très dévoué, ADAM ALEXANDER STARO.

Je me souvins que Jardine avait dit qu'il avait horreur du téléphone. J'étais impressionné par le souci évident qu'il se faisait pour ma personne; intrigué aussi.

Je me demandais jusqu'où il s'identifiait à moi.

3

Ainsi, je revins à Starbridge, le radieux, le scintillant Starbridge et, comme j'approchais de la ville par les collines, je revis la flèche de la cathédrale apparaître et disparaître au caprice du tracé de la route : vision éphémère de la vérité effacée par le miroir du fantasme et de l'illusion.

Une fois de plus, j'arrivai trop tard pour l'office du soir mais, après avoir pris une chambre donnant sur la rivière, au *Staro Arms,* je m'obligeai à lire l'Évangile. Ensuite, j'extirpai la bouteille de whisky de mon sac, m'en servis une bonne rasade et allumai une cigarette. Je portais des pantalons gris, une veste sport et j'avais déboutonné le col de ma chemise. Tandis que je me regardais dans le miroir, je pensai que ce n'était plus à un représentant de commerce que je ressemblais, mais plutôt à un comédien qui aurait des trous de mémoire.

J'avalai un deuxième verre de whisky, puis je descendis téléphoner.

A l'évêché, ce fut le chapelain qui décrocha le combiné et, après l'indispensable échange de lieux communs, je demandai à parler à Lyle. Un long moment s'écoula et je commençais à me demander si elle n'était pas en train d'inventer un prétexte pour éviter de venir me parler, lorsque sa voix, tranchante, retentit dans l'écouteur :

– Charles?

– Ma chérie...

J'étais tellement soulagé qu'elle n'ait pas tenté d'éviter la conversation que je me permis le luxe d'un mot tendre.

– ... je suis de retour à Starbridge et il faut que je vous voie. Pouvons-nous dîner ensemble ce soir?

– Vous êtes à *Starbridge*?

Elle paraissait éberluée.

– Je peux venir vous prendre dans une demi-heure.

– Ne quittez pas.

Elle posa le combiné et je l'entendis qui disait à Gerald Harvey :

– Où est l'évêque?

184

– Lyle!

J'avais crié mais elle s'était déjà éloignée. De rage, je faillis raccrocher mais l'obstination m'en empêcha et, quelques secondes plus tard, j'entendis Jardine s'exclamer :

– Mon cher révérend Ashworth, pourquoi ne pas nous avoir prévenus de votre retour ? Vous auriez séjourné à l'évêché.

Je me sentais confus. Je m'étais attendu à de l'hostilité, pas à de la convivialité.

– Je ne voulais surtout pas m'imposer – après les aspects étranges de ma dernière visite...

– Bêtises ! Venez dîner.

– Ce soir ?

– Pourquoi pas ? Nous vous attendons pour sept heures et demie. Je suis persuadé que le récit de votre long déjeuner en tête à tête avec Loretta me passionnera !

Et il raccrocha sans attendre de réponse.

4

Après un troisième whisky, je me changeai et revêtis mon habit de clergyman, puis je remontai à pied la rue de l'Éternité jusqu'à l'évêché. Après mon long trajet au volant, c'était un soulagement d'abandonner la voiture mais, au moment où j'arrivai aux grilles de l'évêché, il se mit à pleuvoir et je dus courir les derniers mètres qui me séparaient de la maison.

Le domestique semblait content de me revoir. La résurrection inattendue de l'histoire d'amour vouée à l'échec allait sans aucun doute donner lieu, dans les cuisines, à de nombreuses autres suppositions amusantes autour d'une tasse de thé.

– Y a-t-il beaucoup d'invités ce soir, Shipton ?

– Aucun, mon révérend. Monseigneur et sa femme devaient se rendre à Londres en compagnie de Miss Christie mais, malheureusement, leur hôte a eu un malaise et la visite a dû être annulée.

– Donc, il n'y aura ce soir personne d'autre ici que...

– ... eux trois et vous-même, mon révérend. Mr. Harvey dîne à l'extérieur.

Et, ouvrant la porte du salon, il prit sa voix la plus mélancolique pour annoncer :

– Le révérend Ashworth, monseigneur.

Jardine était seul, près de la fenêtre, mains dans les poches, sa silhouette mince face à la pluie qui dégoulinait le long des vitres. Au moment où j'entrai dans la pièce, il fit volte-face, mais je ne lus aucune trace de désapprobation ou de dégoût sur son visage.

– Ah, vous voilà ! dit-il en venant vers moi, la main tendue. Bon retour à Starbridge. Avez-vous reçu ma lettre ?

– Oui, merci, monseigneur. Vous avez été bien bon de vous donner tout ce mal.

Nous échangeâmes une poignée de main.

– En fait, continuai-je, il se trouve que j'ai rencontré le père Darrow ce matin et que j'ai pris mes dispositions pour une retraite ce week-end sous sa direction.

– J'en suis très heureux. Toutefois, je suis surpris que vous retardiez cette retraite uniquement pour revenir ici.

Je ne répondis pas et m'emparai d'un exemplaire de *Country Life* qui traînait sur une chaise et je me plongeai dans un examen détaillé de sa couverture.

– J'ai d'ailleurs été encore plus surpris quand Lady Starmouth, qui m'a téléphoné hier, m'a appris que vous aviez enlevé Loretta pour un déjeuner excessivement long, dit Jardine, mais je crois qu'il vaut mieux que nous évitions de parler de votre obsession pour mon passé jusqu'à ce que nous soyons seuls autour d'un digestif.

– Quel dommage, soupirai-je tout en feuilletant distraitement le magazine, moi qui espérais tant une autre conversation théologique une fois ces dames parties! Je pensais que nous aurions pu, par exemple, débattre des idées de Luther pour qui le refus des devoirs conjugaux devrait être un motif de divorce.

Et je jetai le magazine de côté.

La porte s'ouvrit alors sur Mrs. Jardine qui se précipita dans la pièce.

– Révérend Ashworth! s'exclama-t-elle, tandis que Jardine et moi ne nous quittions pas du regard. Quel plaisir de vous revoir – bien que vous sembliez avoir amené une pluie démoralisante de Cambridge!

– Oui, j'ai bien peur que l'orage que vous craigniez tant n'ait finalement éclaté, Mrs. Jardine.

Je lui serrai la main et, derrière elle, j'aperçus Lyle qui me regardait fixement, tendue, depuis la porte.

5

Des trois, seule Mrs. Jardine se comportait comme si mon retour éclair à Starbridge était naturel et, tout au long du dîner, elle alimenta la conversation en parlant de sujets d'une banalité à la limite du supportable. Lyle était d'une amabilité distante; nous n'avions échangé que quelques phrases guindées et, une fois à table, je n'eus pas l'occasion de regarder de près la bague qu'elle portait, comme d'habitude, à son annulaire. Entre-temps, avec une sublime ignorance de la tension qui régnait dans la pièce, Mrs. Jardine m'avait raconté l'histoire interminable du jour où elle avait oublié d'aller à un gala de bienfaisance parce que le troisième enfant du chanoine avait contracté les oreillons. Puis, elle me demanda de quelles bonnes œuvres ma mère s'occupait – question embarrassante car cette dernière menait une existence oisive, buvait trop de cocktails et exaspérait mon père. Mais il me suffit de dire que ma mère aimait bien les magazines de mode pour que Mrs. Jardine me parlât du défilé qu'elle avait organisé pour collecter des fonds en faveur des enfants des dockers au chômage de Starbridge.

– C'est Lyle qui l'a organisé, dit l'évêque, mort d'ennui à l'autre bout de la table.

Soudain, en me rappelant que Loretta m'avait dit que j'avais tendance à mal interpréter les réactions innocentes des gens, je me demandai si la tension que je ressentais n'était pas uniquement le fruit de mon imagination; je me demandai si cette vision intime, et nouvelle pour moi, du ménage à trois ne révélait non pas les implications que j'avais imaginées mais tout simplement l'ennui routinier d'une organisation familiale.

– Non, c'est Carrie qui a tout organisé! rectifia Lyle avec insistance. Je me suis contentée de louer la salle, de donner les instructions aux traiteurs et d'envoyer les invitations.

J'étais en train de me demander ce qu'il avait bien pu rester à faire à Mrs. Jardine, lorsqu'elle-même s'exclama avec enthousiasme :

– Lyle, vous avez été merveilleuse!

Et, toute guillerette, elle se tourna vers moi :

– Votre mère a-t-elle, elle aussi, une dame de compagnie pour l'aider, révérend Ashworth?

– Non, elle n'a que mon père.

– Peut-être pourrions-nous discuter de votre père autour d'un verre de porto, intervint l'évêque, incapable de résister plus longtemps à la tentation de bousculer un peu le dîner. Je suis certain que ce serait passionnant.

– Plus passionnant que le point de vue de Luther sur le divorce, monseigneur?

Lyle leva les yeux de son assiette. Je la regardai bien en face. Immédiatement, elle évita mon regard et se mit à écraser ses pommes de terre.

– En parlant de père, vous ai-je jamais parlé du mien, révérend Ashworth? demanda Mrs. Jardine, rompant vivement le silence.

Aucune autre pause dans la conversation ne fut possible jusqu'à la fin du repas où elle se sentit obligée de s'éclaircir la voix en avalant une gorgée d'eau. J'en profitai pour dire à Lyle :

– A quel moment pourrai-je vous voir demain?

Le regard de Lyle s'assombrit. Instinctivement, je jetai un coup d'œil en direction de l'évêque mais, à ma grande surprise, ce fut sa femme qui répondit :

– Je suis extrêmement navrée, révérend Ashworth, mais j'ai bien peur d'avoir besoin de Lyle toute la journée de demain, et puis jeudi nous partons pour Bath et Wells – enfin, nous allons à Wells mais c'est avec l'évêque de Bath et de Wells, car Alex est invité à prêcher pour une commémoration spéciale – qu'est-ce qu'ils commémorent exactement, Alex?

– J'ai déjà oublié, dit Jardine, et il se mit à rire à cette absurdité.

Lyle et Mrs. Jardine se mirent à rire elles aussi et, brusquement, j'eus terriblement envie de briser la façade inoffensive de cette petite réunion. A brûle-pourpoint, je dis à Lyle :

– En ce cas, j'aimerais vous voir seul à seul ce soir même avant mon départ. J'aimerais vous parler de votre chevalière.

J'eus l'impression que Lyle pâlissait légèrement, mais je n'en fus pas certain.

– Oh, n'est-ce pas qu'elle est superbe! s'exclama Mrs. Jardine, la naïveté personnifiée, mais alors qu'elle réussissait une fois de plus à détendre l'atmosphère, je me demandai si ce n'était pas volontairement qu'elle redressait chaque dérapage de la conversation. Les gens font souvent des remarques à son sujet! Je me souviens qu'à une époque, j'avais moi aussi une bague...

– Me direz-vous tout à l'heure comment vous avez eu cette bague? demandai-je à Lyle.

– Bien sûr qu'elle vous le dira! s'exclama l'évêque avec impatience. Mais pourquoi remettre cette confidence à plus tard? Le sujet est loin de mériter un entretien en tête à tête! Dites-le-lui maintenant, Lyle.

Lyle répondit, très calme :

– C'est la belle-mère de monseigneur l'évêque qui me l'a donnée. C'était un bijou d'une grande valeur sentimentale pour elle mais elle ne pouvait plus le porter car ses doigts étaient déformés par l'arthrose. J'ai été très émue car c'était une personne que j'admirais beaucoup, et je la porte en souvenir d'elle.

– Comme c'est touchant! dis-je en m'emparant de la carafe pour me servir un quatrième verre de bordeaux. Ne serait-ce pas la bague que le père de l'évêque lui avait passée au doigt au cours de la cérémonie particulièrement insolite de leur mariage?

Jardine dit immédiatement :

– Ce sera tout, Shipton.

Le maître d'hôtel et le valet de pied se retirèrent.

Dès que la porte se fut refermée, je lançai à Lyle :

– J'étais en train de me demander si cette bague ne signifiait pas que vous aussi vous aviez participé à une cérémonie du même genre?

– Si c'est une plaisanterie, dit Lyle d'une voix basse, je ne la trouve pas drôle.

– Ce n'est pas une plaisanterie et je ne suis pas venu ici pour amuser la galerie!

Vidant mon verre d'un trait, je m'emparai à nouveau de la carafe.

– Révérend Ashworth, dit Mrs. Jardine avec une fermeté qui me surprit, je suis particulièrement peinée de voir que vous ne vous comportez pas en gentleman. J'ai bien l'impression que vous ne savez plus ce que vous dites.

– Mrs. Jardine, lui répondis-je également d'un ton ferme tout en me versant un cinquième verre de vin, je suis revenu à Starbridge pour voir

Lyle, mais il est clair que vous et votre mari conspirez pour éviter que je n'aie une conversation en tête à tête avec elle. En ces circonstances, comment pouvez-vous être surprise que mon mécontentement tourne à la colère et que mes bonnes manières s'émoussent?

– Je ne veux avoir aucune conversation avec vous, dit Lyle.

– Et pourquoi donc? Parce que vous avez peur de me donner un autre baiser adultère – comme celui de samedi dernier, celui qui vous a empêchée d'aller communier le lendemain matin car vous aviez l'impression d'avoir trompé votre mari?

Lyle demeura sans voix mais l'évêque dit, se penchant vers sa femme :

– Ne t'inquiète pas, Carrie. J'ai bien peur que le révérend Ashworth ne soit mentalement très perturbé.

– Vous avez foutrement raison de penser que je suis perturbé, dis-je, lançant ce « foutrement » dans la conversation, histoire de détruire une bonne fois sa normalité. Ce qui se passe ici perturberait n'importe qui!

– Vous êtes complètement saoul, dit Lyle avec mépris.

Et, avant que je n'aie eu le temps de répondre, Jardine dit sèchement :

– Bien sûr qu'il est ivre. Il empestait le whisky quand il est arrivé et il a bu du bordeaux comme si c'était de la limonade; Carrie...

– Oui, bien sûr, chéri.

Elle se leva avec une dignité exemplaire.

– Lyle? Partons-nous?

Nous nous levâmes tous, moi posant légèrement mes mains sur le rebord de la table pour garder mon équilibre et Jardine ouvrant la porte pour ces dames. Au moment où Lyle allait sortir de la pièce, je lui criai :

– Il est dans le péché! Le divorce est un fantasme et le mariage un mensonge!

Lyle sortit majestueusement, suivie de Mrs. Jardine. Aucune d'elles ne se retourna.

La porte se referma.

– Asseyez-vous, révérend Ashworth, dit Jardine d'un ton brusque. Il est grand temps que vous et moi ayons une conversation sérieuse.

6

Je n'eus pas la moindre hésitation.

– Vous avez « épousé » Lyle il y a cinq ans, exactement comme votre père avait « épousé » votre belle-mère. Eh bien, ce genre de comportement était peut-être excusable chez votre père qui n'était qu'un veuf excentrique et sans éducation et croyait certainement qu'il se mariait devant Dieu, mais vous! Vous avez reçu une excellente éducation, vous êtes fin, raffiné – tout ce que votre père n'a jamais été – et vous étiez déjà marié! Comment osez-vous prendre place sur votre trône épiscopal et croire que ce que vous avez fait puisse recevoir la bénédiction de Dieu? Vous avez détourné une jeune femme d'une vie conjugale normale, vous avez failli aux vœux que vous avez prononcés le jour de votre ordination – non, n'essayez pas de me raconter à moi qu'elle est votre femme! Elle est votre maîtresse – et n'essayez pas non plus de me dire que vous avez divorcé! Vous n'avez pas divorcé, ni devant la loi ni devant Dieu! Vous n'avez fait que briser la vie de Lyle dans le but d'assouvir des besoins égoïstes!

Je cessai de parler. Je tremblais. Saisissant mon verre de vin, je le vidai et tendis la main vers la carafe.

– Asseyez-vous, Charles, me répéta Jardine de sa voix la plus calme et, l'entendant utiliser mon prénom, je sus que, comme le père Darrow, il l'utilisait parce qu'il était un homme d'Église tentant de venir en aide à l'un de ses frères plus jeunes en détresse.

Je me laissai tomber sur ma chaise. Le bordeaux était doux à mon palais. Bouleversé, je renversai accidentellement mon verre en le reposant sur la table et, tandis que le vin s'étalait en une traînée rouge sur la nappe, j'eus l'impression bizarre que, tout en ayant attaqué le premier, c'était moi qui saignais.

Jardine dit, profondément soucieux :

– Le père Darrow n'a-t-il pas tenté de vous retenir ce matin?

– Si. Mais je savais qu'il me fallait revenir ici pour éclaircir le mystère. Et je l'ai éclairci, n'est-ce pas? J'ai découvert la vérité!

– Charles, j'ai bien peur que votre vérité ne soit que le fruit de votre imagination et que vous n'ayez absolument rien éclairci du tout.

– Vous mentez! lui criai-je.

– Tâchez de garder votre sang-froid. Je ne peux rien faire pour vous si vous persistez à être agressif – et, croyez-moi, je tiens à vous aider, à vous sortir de cette confusion. Je suppose que c'est Loretta qui vous a parlé du mariage de mon père?

– Comment osez-vous appeler cela un mariage? Votre belle-mère n'a fait que cohabiter avec lui puis elle l'a quitté pour venir cohabiter avec vous!

– Excusez-moi, mais je ne puis permettre une telle déformation des faits. Ma belle-mère a, en un sens, été véritablement l'épouse de mon père; il est exact que tous deux se croyaient mari et femme devant Dieu. Il est exact que, lorsque je me suis finalement rendu compte qu'il n'y avait pas eu d'union légale entre eux, j'ai choisi d'avoir une attitude de pharisien – j'étais au plus fort de ma crise d'anglo-catholicisme aigu – et il est exact que je l'ai encouragée à le quitter; je pensais que je lui épargnais ainsi une vie de péché en la faisant venir s'occuper de mon intérieur. Mais, des années après, quand elle décida qu'elle devait retourner auprès de lui, je compris qu'elle avait été aussi bonne et aussi serviable pour mon père que n'importe quelle femme épousée à l'église. Pourtant, comme la majorité des gens trouve impossible de se montrer charitable envers un couple non conventionnel, je me suis fortement opposé à ce que la vérité soit divulguée. Je suis très peiné de voir que Loretta s'est montrée si indiscrète – et, naturellement, je commence à me demander ce qui a bien pu se passer entre vous hier...

– Exactement la même chose qu'entre vous...

J'avais des difficultés à remplir mon verre maintenant.

– Nous sommes allés jusqu'au champ escarpé pour voir passer le petit train...

– Oh, alors vous avez découvert cela aussi? Oui, c'est vrai, j'ai été un peu plus loin avec elle que je ne vous l'avais dit.

– Dans tous les sens du terme!

Jardine me scruta du regard. Puis, il alla chercher la carafe de porto sur le buffet.

– Je ne vous en propose pas, me dit-il. Vous avez assez bu comme cela. Mais il n'y a aucune raison pour que je n'en prenne pas un verre afin de me fortifier contre vos élucubrations. Maintenant, pour en revenir à ce regrettable incident champêtre...

– Un regrettable incident? Mon Dieu, quelle façon cavalière de qualifier l'adultère!

– L'adultère?

– N'allez pas essayer de le nier! m'écriai-je. Je l'ai prise moi aussi, dans le même coin de ce bosquet où vous-même vous l'avez possédée.

Jardine me fixa du regard. Puis, il se dirigea vers la porte, jeta un coup d'œil dans le hall pour s'assurer que personne n'écoutait et revint.

– Charles, me dit-il d'une voix doucereuse en se rasseyant, je veux que vous vous remémoriez les mots employés par Loretta très précisément car, bien que les gens puissent changer en vingt ans, je ne peux pas croire qu'elle ait changé au point de vous mentir là-dessus. A-t-elle dit explicitement que j'avais commis l'adultère?

J'essayais de me souvenir. Mon esprit était embrouillé mais c'est avec une précision écœurante que j'entendis la voix de Loretta dire : « Tu vas me prendre » et, soudain, je sus qu'elle n'avait été ni effrayée ni incertaine, mais tout simplement surprise.

– Car, continuait Jardine du ton de quelqu'un qui dit une lapalissade, je ne l'ai jamais pénétrée et donc l'adultère n'existe que dans votre imagination, Charles.

7

– Je reconnais que nous avons échangé quelques baisers, dit Jardine. Je reconnais que mon attitude a été impardonnable. Mais il n'y a pas eu consommation. Comment cela aurait-il été possible? Comment aurais-je pu mener mon sacerdoce s'il y avait eu adultère?

La seule chose que je trouvai à dire fut :

– Je ne vous crois pas.

Mais je mentais.

– Je me demande comment vous faire comprendre que c'est la vérité. Peut-être puis-je rendre mon abstinence plus crédible en reconnaissant qu'elle était due non pas à la vertu mais à la peur, peur provoquée par mon horreur de la perdition, par l'horreur de finir comme mon père. Ne pouvez-vous pas comprendre? J'étais incapable de consommer un adultère, Charles, psychologiquement incapable.

J'enfouis mon visage dans mes mains.

Finalement, Jardine ajouta d'une voix toujours doucereuse :

– Et maintenant, parlons de Lyle. Je reconnais que, lorsqu'elle est entrée à notre service à Radbury, il y a dix ans, j'ai été attiré par elle – de cette façon si commune chez les hommes d'âge moyen dont le mariage est entré dans une phase délicate. Naturellement, j'ai suggéré à Carrie de nous séparer d'elle, mais mon épouse allait si mal à ce moment-là que, lorsqu'elle s'y est opposée, j'ai cédé – et pas seulement parce que je craignais qu'elle ne fasse une rechute, j'ai cédé parce que l'objection de Carrie avait renforcé mon opinion que Lyle était la solution tombée du ciel pour nos problèmes. La situation était désespérée. Je passais tellement de temps à essayer de m'occuper de ma femme que j'avais du mal à accomplir ma tâche de doyen, mais dès que Lyle est arrivée, j'ai eu enfin le loisir de servir Dieu comme je l'entendais.

Il s'interrompit. J'avais découvert mon visage mais je ne pouvais détacher mon regard du filet rouge sur la nappe.

– Je suis certain que vous comprenez pourquoi ma décision suivante fut inévitable, continua Jardine. Je compris que si Lyle devait rester chez moi, je ne pouvais pas me permettre la moindre inconvenance à son égard. Une faute de comportement n'aurait pas seulement été stupide; elle aurait relevé de l'ingratitude vis-à-vis de Dieu qui nous avait envoyé Lyle afin d'alléger notre tristesse et nos difficultés. Vous pensez peut-être que cette attitude de convenance extrême envers Lyle m'a été difficile à adopter, et vous auriez raison; elle le fut. Mais, assez curieusement, une fois que j'eus adopté cette attitude, il me fut aisé de m'y conformer car mon mariage devint cent fois plus supportable. L'état de santé de Carrie, grâce aux soins de Lyle, fit d'énormes progrès et nous avons pu reprendre notre vie sexuelle après une longue interruption. Cela tua mes derniers doutes. Je sus alors que la présence de Lyle était une bonne chose.

Il s'interrompit à nouveau et, comme mon regard quittait la nappe pour se poser sur la carafe, je le vis qui buvait son porto.

– Pourtant, enchaîna-t-il, ne croyez surtout pas que je ne me sois pas fait longtemps du souci pour le bien-être de Lyle. Du point de vue de la morale, notre trio serait difficilement acceptable, n'est-il pas vrai, si Lyle était malheureuse et insatisfaite. Mais, Charles, la question est que si Lyle était malheureuse et insatisfaite, ici, eh bien, elle partirait. Il m'est impossible d'expliquer son aversion pour le mariage sans trahir sa confiance, aussi tout ce que je puis vous dire est qu'un blocage psychologique – qui trouve son origine dans son passé – existe en effet, mais néanmoins Carrie et moi-même faisons de gros efforts pour l'aider à dépasser cette difficulté. Par exemple, nous l'avons toujours encouragée à sortir avec des garçons de son âge, et je suis certain que vous vous souvenez que c'est moi qui l'ai poussée à sortir avec vous au *Staro Arms*. Bien sûr, parfois, Lyle est tentée de se laisser aller à un ou deux émois romantiques, mais la vérité est qu'elle aime sa vie telle qu'elle est, et si elle souhaite demeurer célibataire, c'est son droit le plus strict. Je comprends parfaitement que ce doit être terriblement frustrant pour vous, mais...

– Je l'épouserai! Elle sera ma femme!

Je me débattais pour dépasser la certitude terrifiante que tout ce qu'il disait était exact.

– Vous me racontez toutes ces sornettes parce que vous êtes jaloux, possessif et c'est vous qui êtes amoureux d'elle!

– Charles, écoutez-moi...

– Si votre femme mourait, vous épouseriez Lyle dès demain!

– Ne croyez-vous pas que nous ferions mieux d'essayer de maintenir cette conversation dans les limites du raisonnable? Je reconnais que, la première fois que j'ai vu Lyle, je me suis dit que j'aimerais l'épouser si, par malheur, je perdais ma femme. Mais je me suis très vite rendu compte qu'on ne pouvait pas passer sa vie à attendre le décès de sa femme! C'est là où commence la folie. La vérité était – et est encore – que je suis un homme marié, un homme d'Église et que je suis coincé. Mais, au moins, est-ce un état qui me permet de servir Dieu du mieux que je le peux, soutenu par une épouse aimante et serviable dont je suis épris. Ainsi que je me le redis chaque jour, je suis très heureux de jouir d'un statut vivable. Est-il besoin de souligner qu'il serait tout à fait invivable si je n'avais pas surmonté mon attirance première, si je ne pouvais pas maintenant regarder Lyle avec affection et respect? Je ne le crois pas. Les faits parlent d'eux-mêmes. Soyez raisonnable, Charles! Je sais que vous êtes loin d'avoir toute votre tête, mais n'est-il pas évident qu'il ne se passe ici rien d'inconvenant?

Si, cela pouvait être évident. Pourtant, il m'était impossible de l'admettre. Je repris, têtu :

– Je crois...

Mais il me coupa la parole.

– Oui, dit-il, c'est ici que nous en arrivons à vous et à ce que vous croyez et c'est ici que nous nous heurtons à deux problèmes insolubles. Le premier est que, pour le moment, vous êtes trop ivre pour appréhender l'ampleur de vos difficultés – encore moins les affronter – et le second est que, bien que vous ayez un besoin urgent de conseils, je suis la dernière personne qui vous les donnerait. Je suis impliqué dans votre crise, n'est-il pas vrai?

J'étais si outré qu'il m'ait traité d'ivrogne tout simplement parce que j'avais bu un verre de bordeaux de trop que je lui criai :

– Je ne veux pas de vos foutus conseils!

J'essayai de m'emparer de la carafe de porto, mais il l'enleva brusquement.

– Non, dit-il sévèrement. Assez bu pour aujourd'hui.

J'attendis qu'il ait reposé la carafe sur la table puis, m'étirant en avant, je la raflai à sa barbe et remplis mon verre.

– Vous êtes insensé, me dit Jardine, mais vous avez besoin d'aide, je me trompe? Vous êtes comme un gamin qui se serait mal conduit histoire de se faire remarquer. Vous dites que vous ne voulez pas de mes conseils mais, en fait, c'est exactement le contraire. Vous êtes allé trop loin dans un fantasme personnel et...

– C'est vous qui êtes allé trop loin dans un fantasme personnel! Si vous croyez me tromper!

J'étais hors de moi et je ne savais plus ce que je disais.

– Croyez-vous que je ne voie pas ce qui se passe? Vous vous battez bec et ongles pour empêcher votre belle apparence de se ternir!

– C'est faux, répondit Jardine, c'est vous qui menez cette bataille-là et c'est votre belle apparence qui se ternit devant mes yeux.

Il se leva.

– J'appelle mon chauffeur et lui demande de vous conduire au monastère de Starwater.

– Je ne quitterai pas cette foutue pièce, lançai-je, avant que vous reconnaissiez avoir couché avec Lyle!

– Charles, vous avez besoin d'aide. Je ne peux pas vous la donner et vous devez absolument me laisser vous conduire à quelqu'un qui...

– Ne croyez pas vous en tirer à si bon compte, m'écriai-je. Je ne vais pas me laisser balayer, je ne vais pas me laisser foutre dehors, je ne vais pas me laisser traiter comme si...

– Parfait! Parfait, parfait, parfait...

Jardine jeta un rapide coup d'œil à la porte pour s'assurer qu'elle était toujours fermée.

– Vous voulez que ce soit moi qui vous vienne en aide. Très bien. Je ferai ce que vous voudrez, mais je le ferai contre mon gré et seulement parce que vous ne me donnez pas le choix. Maintenant...

Il tira sa chaise de façon à s'asseoir à côté de moi.

– ...laissez-moi vous mener plus près de ce qui sera, je le crains pour vous, une réalité très désagréable à entendre.

8

– Pour une raison ou pour une autre, poursuivit Jardine, vous m'avez choisi comme personnage principal de votre vie actuelle. Nous n'appellerons pas cela un fantasme car il est évident que vous trouvez ce mot désobligeant, nous nous contenterons donc de dire que vous traversiez certaines difficultés dans votre vie privée et que, lorsque vous m'avez rencontré, il semble que je fus mystérieusement porteur d'une solution. Apparemment, cette idée vous a plu - je veux parler de celle que ce vieux fou de Lang vous avait mise en tête, à savoir que j'étais un ecclésiastique éminent qui menait une double vie. Non, c'est un euphémisme. Cette idée ne vous a pas seulement plu, elle vous a subjugué.

« Ainsi, vous êtes arrivé à Starbridge et, très vite, vous avez dépassé, et de loin, les instructions de Lang. Après tout, il a dû rapidement devenir évident pour vous que je n'étais pas le genre d'homme à se compromettre en donnant dans la correspondance amoureuse ou en tenant un journal intime compromettant. De toute façon, les intérêts de Lang ne vous intéressent pas, ou plutôt ne vous intéressent plus. Ce qui, maintenant, vous intéresse, c'est l'éventualité qu'au-delà des belles apparences de ma réussite ecclésiastique puisse exister une vie dont les erreurs fassent même paraître ridicules les préoccupations séniles de Lang. Vous avez bondi sur cette théorie avec un tel enthousiasme qu'il vous est devenu indispensable de la prouver; mais, ce qui est intéressant, c'est que plus vous vous entêtiez à vouloir prouver ma culpabilité, plus vous juriez avec ferveur d'être de mon côté. Et là vous faussez compagnie à la réalité; vous inventez le fantasme le plus élaboré et le plus fou qui soit...

Je m'étais levé tant bien que mal. Je dis d'une voix tremblante :

- Je refuse d'en entendre davantage.

- Il le faudra bien pourtant. Il le faudra, Charles, il le faudra.

Son regard doux était soudain si brillant que je ne pouvais détacher mes yeux des siens.

- Asseyez-vous, Charles, dit Jardine et, sans attendre, je retombai sur ma chaise. Charles, écoutez-moi - écoutez-moi car je pense que vous ne pouvez plus continuer à entretenir ce fantasme, vous devez essayer de voir la réalité telle qu'elle est; et la réalité, c'est que vous êtes malade, mentalement malade...

- Non - non.

- Si, Charles, si. Comment un homme sain d'esprit aurait-il pu déformer ma situation d'une manière si extraordinaire et si bizarre? La vérité est que l'homme que je suis n'a rien à voir avec celui que vous croyez. Vous m'avez inventé. Je n'existe que dans votre imagination. Vous croyez si bien me connaître que vous voyez beaucoup de points communs entre nous, mais chacun d'entre eux est une illusion, une illusion nécessaire pour étayer votre besoin de nous croire identiques. Et pour quelles raisons voulez-vous croire que nous sommes identiques? Parce que vous pensez justifier votre propre comportement regrettable en vous racontant que vous ne faites que suivre mon exemple; vous pensez pouvoir fuir vos problèmes en les projetant sur moi. Aussi, vous me dressez devant vous comme si j'étais un écran et que votre imagination soit une lanterne magique mais, en fait, c'est votre image et non la mienne que vous projetez. Le vrai mystère, Charles, ce n'est pas ce qui se passe à Starbridge - ce n'est qu'une comédie que vous avez inventée pour échapper à vous-même; le vrai mystère, c'est ce qui se passe dans votre âme. Pourquoi un jeune ecclésiastique doué ayant tout pour réussir et un passé sans tache se met-il soudain, sans raison apparente, à se détruire mentalement?

Je me levai d'un bond, renversant ma chaise et, comme il se levait lui aussi, je lui dis :

– Vous n'avez pas le droit de me parler ainsi, vous n'en avez pas le droit.

J'étais si groggy que je dus m'agripper au rebord de la table.

– Excusez-moi. J'ai pris un risque en vous parlant ouvertement mais je ne voyais pas d'autre moyen pour vous convaincre que vous aviez tout simplement besoin d'aide. Je ne peux rien faire de plus pour vous, mais je suis persuadé que les moines de Starwater...

– Vous me rejetez! lui criai-je. Une fois de plus. Vous m'avez toujours rejeté!

– Mon Dieu, dit Jardine, le visage grave, c'est ce qui s'est passé entre vous et votre père, n'est-ce pas? Mon pauvre garçon, je n'avais pas compris – oh, quel gâchis! je suis navré...

Je le poussai de côté et me précipitai hors de la pièce.

9

Je n'ai pas de souvenir précis de mon retour au *Staro Arms*. La seule chose que je me rappelle c'est le regard désapprobateur de la réceptionniste me donnant de la monnaie pour que je puisse téléphoner. Ensuite, je m'enfermai dans la cabine et demandai à l'opératrice de me passer Starmouth Court.

Au moment où Loretta vint à l'appareil, j'étais presque incapable de parler mais je réussis pourtant à dire :

– Pourquoi ne m'as-tu pas dit la vérité?

– De quoi parles-tu?

– Il ne t'a pas pénétrée, n'est-ce pas? Il ne l'a pas fait?

– Une seconde, dit-elle. Je vois de quoi tu parles et je veux bien en discuter avec toi mais pas au téléphone. Où es-tu?

– A Starbridge.

– Bon. Il me paraît difficile de nous voir ce soir, mais demain...

– J'arrive.

– Charles!

– Il faut que je te voie. S'il a menti sur ce point, je saurai qu'il a menti sur toute la ligne.

Et je raccrochai sans lui laisser le temps de répondre.

10

Une fois dans ma chambre, je remis mon pantalon gris, ma veste sport et ma chemise à col ouvert. J'ingurgitai aussi deux verres d'eau, histoire de me prouver que je pouvais être sobre. Puis, je fis mon sac, payai ma note et quittai l'hôtel.

Le trajet prit moins de temps que prévu car la circulation était fluide à cette heure de la nuit. Après la limite du Surrey, sur un coteau baptisé le Dos du cochon, je me sentis un peu fatigué mais je repris le dessus en m'arrêtant un moment et en buvant un peu de whisky. Regardant fixement les lumières qui s'étiraient dans la nuit jusqu'à Londres, dans la vallée à mes pieds, je pensai à Starbridge, à son éclat qui masquait des horreurs indicibles, mais ce souvenir était trop pénible et, ayant avalé une autre gorgée de whisky, je repris ma route dans la nuit.

Il était minuit passé lorsque j'arrivai à Starmouth Court, mais de la lumière brillait à la fenêtre du petit salon où Loretta et moi nous étions rencontrés la première fois. J'aperçus sa silhouette qui se découpait en ombres chinoises contre le carreau et, quelques instants plus tard, je tombais dans ses bras.

– Tout le monde est couché, me dit-elle. Viens boire un verre. Tu as l'air effondré.

Une fois dans le salon, elle me tendit un verre de cognac que je vidai à moitié, puis je dis :

– Mais que s'est-il donc passé dans ce foutu bosquet il y a dix-neuf ans?

– Nous avons fait l'amour.

– Complètement?

– Non.

– Alors, pourquoi diable ne pas me l'avoir dit clairement?

– Bonté divine, Charles, fais-moi au moins la grâce d'un minimum de bonnes manières! Tu mourais littéralement d'envie de faire l'amour avec moi. Tu aurais donc voulu que je te dise : « Attends une seconde! » et que je me mette à te raconter mes ébats avec Alex par le menu?

– Mais si je me suis permis d'aller si loin, c'est parce que je pensais que lui aussi avait été aussi loin.

– Dieu que cette remarque est bizarre!

– Mais si j'avais su qu'il n'y avait pas eu pénétration...

– Qu'importe ce qu'on a pu faire! Alex m'a dit que, selon la loi d'Angleterre, il n'y avait pas adultère s'il n'y avait pas pénétration – tu te souviens que je t'ai dit qu'il aurait fait un excellent avocat? – mais, quand on est occupée à avoir un orgasme, les subtilités légales ne semblent pas très importantes. En ce qui me concerne, j'ai fait l'amour avec lui, il a fait l'amour avec moi et...

– Alors, il m'a dit la vérité.

Je ne pouvais penser à rien d'autre.

– Et s'il m'a dit la vérité sur vous deux, c'est qu'il m'a dit la vérité sur Lyle.

– Que t'a-t-il dit?

Je me remis à boire du cognac.

– Il m'a dit que ma théorie était un fantasme.

– Cela ne m'étonne pas.

– La ferme! lui criai-je.

Elle sursauta.

– Charles... chéri... calme-toi.

J'essayai de me racheter en l'embrassant mais elle ne répondit pas à mes baisers et, l'instant d'après, elle cachait la bouteille de cognac dans un coin de la pièce.

– C'est peut-être maintenant mon tour de rêver, dit-elle sèchement. Il me paraît évident que tu es incapable de rêver à quoi que ce soit pour le moment; il va donc falloir que je rêve à ta place pour t'aider à t'en sortir.

Elle jeta un coup d'œil à sa montre.

– Combien faut-il de temps pour aller à Cambridge à cette heure de la nuit?

– Moins de trois heures. Peut-être deux heures et demie. Je n'aurai pas assez d'essence mais il y a un garage ouvert toute la nuit sur la nationale nord.

J'avalai le reste de mon cognac.

– Parfait. Puisque tu veux te débarrasser de moi, autant que je parte.

– Ne sois pas stupide, je t'accompagne.

– Hein?

– Il faut bien que quelqu'un s'occupe de toi, non? Et comme personne ne semble vouloir se porter volontaire pour le « job »!

– Mais je ne te vois pas m'emmener jusqu'à Cambridge.

– Et moi, je ne me vois pas te laisser partir seul alors qu'il est évident que tu es ivre. Je vais te ramener chez toi.

– Mais tu es américaine! Tu serais capable de conduire du mauvais côté de la route!

– C'est malin! J'ai sans doute bien des défauts mais je ne suis pas idiote. Laisse-moi le temps d'écrire un petit mot à Evelyn et puis de téléphoner pour réserver une chambre d'hôtel. Lequel me conseilles-tu?

– Le *Blue Boar*. Mais, Loretta...

– Je vais téléphoner dans l'entrée. Excuse-moi une petite minute, Charles.

Je me laissai tomber sur le divan mais, dès que je me retrouvai seul, la douleur m'assaillit et, quelques secondes plus tard, je remettais la main sur la bouteille de cognac.

11

Quelque part, au nord de Hatfield, elle me dit :
- Où réside cet abbé? Celui dont tu m'as parlé?
- Au paradis. Il est mort et n'a laissé que cette adresse. Je l'ai appris ce matin.
- Un nouvel abbé a-t-il déjà été nommé?
- Tu parles! C'est un ancien chapelain de la marine nationale appelé Darrow pour qui la sexualité n'a aucun secret. Marié pendant neuf ans. Puis, devenu moine. Stupéfiant.

J'avalai une autre gorgée de whisky. J'avais cessé de boire par verres; je n'avalais plus que de petites gorgées de temps à autre.
- Il a l'air d'être le genre de type qui peut venir à bout de n'importe quoi. Comment se rendre au monastère?
- Tu continues en direction de Cambridge. Tu tournes juste avant. Petit village. Grantchester. Comme le poème de Rupert Brooke. Ma femme adorait ses poèmes... Je t'ai déjà parlé de ma femme?
- Tu m'as dit son prénom, une fois. Jane.
- Jane, oui, c'est ça. J'étais très amoureux d'elle, tu sais. Elle était si belle, si douce, si bonne et moi, j'étais si indigne d'elle, si... Mais le père Darrow saura quoi faire. Je t'ai dit qu'il avait même eu deux enfants? Extraordinaire. Comment un tel homme a-t-il pu se faire moine, on se le demande, hein? Comment n'importe quel homme peut-il se faire moine, on se le demande. Eh bien, je vais te le dire. C'est un don spécial – un « charisme » comme nous disons au sein de l'Église. En fait, le père Darrow est quelqu'un de « charismatique ». Il mesure à peu près un mètre quatre-vingt-dix et il a l'air de s'adonner à la télépathie à ses moments perdus.
- Eh bien, commencez à exercer vos talents de télépathe, père Darrow, dit Loretta, et déroulez le tapis rouge pour l'arrivée de Charles.

J'avalai une autre gorgée de whisky pour m'aider à affronter l'idée de revoir Darrow, au bout du tapis rouge, tandis que la voiture filait dans la nuit en direction de Grantchester.

12

La lumière du porche était allumée à la résidence des Fordites, mais le reste de la demeure était plongé dans l'obscurité. Stoppant la voiture, Loretta coupa le contact et se tourna vers moi.
- Je laisserai les clefs de la voiture au groom du *Blue Boar*, me dit-elle. Compris?

– Clefs de voiture... *Blue Boar*... Concierge – vous, les Américains, vous utilisez de ces mots!

J'ouvris la portière, m'extirpai du siège passager et m'adossai contre la voiture pour regarder les étoiles.

– Comme c'est beau, dis-je. Cela me rappelle l'existence de Dieu. Complètement transcendant. C'est Karl Barth qui le dit.

Loretta monta les marches en courant et agita la cloche. Posant mon sac sur le seuil, elle revint vers moi en courant.

– Viens, mon chéri. Par ici...

– Je t'aime, Loretta. Épouse-moi.

– Non, c'est Lyle que tu vas épouser. Tu te souviens?

Elle me soutenait tandis que je grimpais l'escalier d'une démarche incertaine.

– Mais tu pourrais t'en sortir avec moi. Tu t'en sors déjà. Je t'aime. Nous avons si bien fait l'amour tous les deux. Si je pouvais te posséder toutes les nuits...

– ... Tu te lasserais vite de moi. Regarde, quelqu'un ouvre la porte. Courage, chéri, plus que deux marches. Voilà, c'est fini.

Un petit moine aux cheveux blancs était apparu sur le seuil. Je ne l'avais jamais vu auparavant, mais il dit :

– Vous êtes le révérend Ashworth, n'est-ce pas? Le père supérieur vous attend.

Alors, je sus que le père Darrow exerçait déjà son charisme.

13

Loretta me donna un rapide baiser et me lança :

– Bonne chance.

– Je ne t'oublierai jamais, jamais.

Mais elle était déjà à la voiture. Le moteur tournait, elle me fit des signes d'adieu et, l'instant d'après, je ne voyais plus que deux petites lumières rouges qui disparaissaient au-delà du portail.

– Par ici, mon révérend, me dit le petit moine, tout en me guidant fermement vers l'entrée d'une main tandis que, de l'autre, il portait mon sac de voyage. Il referma la porte d'une douce poussée du pied. Par ici.

Il me fit passer une porte qui menait dans l'aile du bâtiment réservée aux invités, manœuvrant avec adresse jusqu'aux chambres à coucher à l'étage au-dessus. Nous nous arrêtâmes devant une porte qui portait le numéro 4 peint sur le bois et le petit moine, sans pour autant relâcher son étreinte, posa mon sac par terre et tourna la poignée de la porte.

– Quatre, mon chiffre porte-bonheur! m'exclamai-je. J'ai tellement de chance, je suis vraiment privilégié, j'ai tout réussi, c'est vraiment stupéfiant à quel point j'ai toujours eu de la chance. Saviez-vous que j'ai été un des chapelains de l'archevêque de Canterbury du temps où il était encore archevêque d'York? Mes parents étaient si fiers de moi. Ma famille a été merveilleuse – j'ai des parents merveilleux, un frère merveilleux; tout a toujours été si merveilleux pour moi. J'ai bénéficié de tous les avantages imaginables et, pourtant, je ne les méritais pas, mais alors pas du tout, parce que je suis si indigne, si indigne.

Je m'affalai sur le lit. La pièce était petite et nette. Le lit était placé dans un coin, la table et la chaise étaient près de la fenêtre, la penderie contre le mur du fond et la cuvette dans un autre coin, près d'un poêle éteint. Il n'y avait pas de rideaux, seulement une jalousie noire, et aucune gravure. Sur la table de chevet étaient posées une lampe et une bible.

– Reposez-vous un peu maintenant, me dit le moine, me parlant comme si j'étais un enfant épuisé, excité par une trop violente émotion, et je vais prévenir le père Darrow que vous êtes là.

– Il le sait déjà, dis-je tout en retirant mes chaussures et en m'écroulant sur l'oreiller.

Le petit moine eut un sourire et disparut.

La pièce se mit à tourner.

Je fermai les yeux et, enfin, sombrai dans l'inconscience.

14

Peu de temps après, quelqu'un entra dans ma chambre mais je ne vis pas qui c'était. Ce quelqu'un défit mon sac et le plaça sur le haut de la penderie, ce quelqu'un posa mon livre de psaumes à côté de la Bible, ainsi que deux cachets d'aspirine et un verre d'eau sur la table de chevet. Ce quelqu'un, j'en suis certain, prit le temps de dire une prière pour lui et pour moi.

Puis, la lumière s'éteignit, la porte se referma et l'on m'abandonna à mon sommeil sans rêve, seul dans le noir.

15

Je fus réveillé par une douleur atroce. J'avais mal à la tête, mal à l'estomac, mal au ventre, et, en plus de tout cela, mon esprit me faisait mal, chaque atome de mon esprit, et mon âme hurlait sans arrêt, mais silencieusement, à la miséricorde.

Mais la miséricorde ne venait pas et je devais lutter contre l'humiliation physique. Je réussis à ouvrir les yeux. Ils me faisaient mal. Je me redressai avec effort mais je dus me pencher en avant pour ne pas perdre connaissance. Je rampai jusqu'à la cuvette. Je vomis. Et, toujours, mon âme hurlait en silence espérant être soulagée.

Je revins, à plat ventre, jusqu'au lit, avisai les comprimés; je me demande encore comment je réussis à les avaler. Mais mon mal était trop profond pour être soulagé par de l'aspirine et, quelques instants plus tard, je vomissais de nouveau. J'avais réussi à atteindre la cuvette juste à temps. Je me redressai, frissonnant, tremblant, glacé de douleur et, quand je regardai dans le miroir au-dessus de la cuvette, j'y vis mon reflet comme dans un miroir déformant et reconnus cet étranger que j'avais si peur de connaître.

Je reculai, faillis m'évanouir, me cognai contre la table et, finalement, retombai sur le lit.

– Oh, mon Dieu...

La douleur me faisait perdre tous mes moyens. J'avais envie de mourir. Je savais qu'invoquer la mort était un péché mais ma douleur était au-delà du supportable et le cri infini de mon âme, comme s'il recouvrait l'immensité de mes échecs accablants, trouva finalement son expression dans les mots d'agonie qui coulaient de ma bouche comme du sang.

– Mon Dieu!... Mon Dieu... Pardonne-moi, ne m'abandonne pas, viens à mon aide, *viens a mon aide,* VIENS A MON AIDE...

Et la porte s'ouvrit sur le père Darrow.

DEUXIÈME PARTIE

L'envers du mystère

« Je ne fais qu'exprimer deux généralités, toutefois assez parlantes : à savoir que nous avons tous différents " moi " – ennemis de notre bon et véritable ego – à combattre, et que c'est seulement en les combattant que nous devenons adultes, féconds et heureux. »

Conseils spirituels et correspondance du baron Friedrich von Hügel, Éd. Douglas V. Steere.

XI

Vous vous rendrez compte que le souci de votre santé fait partie des devoirs religieux.

Autres lettres de Herbert HENSLEY HENSON, Éd. E. F. Braley.

1

– Je suis coupé de Dieu! haletai-je.

La terreur m'avait envahi. Je tremblais de la tête aux pieds. Mon visage était ravagé par les larmes.

– Il s'est éloigné de moi. Il m'a rejeté. Il n'est plus avec moi.

– Si, Il est avec toi mais tu es incapable de Le voir. Tu as été aveuglé.

– Aveuglé...

– Ce n'est que provisoire mais il va falloir faire exactement ce que je te dirai. Essaie de te remettre debout – et retourne te coucher – oui, c'est ça...

– Je suis ensorcelé.

Je tremblais à nouveau, à bout de souffle.

– Coupé de Dieu... tous les démons... ont pris le dessus... ils me disent que je suis indigne de...

– Tiens.

Il enfonça fermement son crucifix dans ma main.

– La croix va leur barrer le chemin. Aucun démon ne peut résister à la volonté de Dieu.

– *Mais Il s'est éloigné de moi!*

– Non, Il ne s'est pas éloigné de toi. Il est présent dès l'instant où Ses fidèles sont rassemblés en Son nom. Il est là.

Mon regard se perdit au-delà du crucifix et c'est alors que je rencontrai l'Esprit Saint. Il était là, dans le regard de Darrow, indéniable, immédiatement reconnaissable. Les démons battirent en retraite. Et je dis, non pas à Darrow mais à l'Esprit :

– Ne m'abandonne pas.

– Il n'est pas question d'abandon. Quand tu seras plus serein, tu comprendras cela. Aussi ton premier devoir envers toi-même – et envers Dieu – est-il d'être serein. Garde la croix dans ta main droite et donne-moi ta main gauche. Voilà... Et essaie de respirer plus calmement, respire profondément... Bien. Maintenant, je vais prier pour toi. Je vais faire une prière silencieuse et je veux que toi, tu l'écoutes avec ton âme et que tu essaies d'entendre mes mots.

Le silence envahit la pièce. J'écoutai docilement mais je n'entendis rien. Pourtant, au bout d'un moment, je pris conscience, dans mon obscurité intérieure, d'une chaleur étrange. La croix glissa de ma main moite et ma main gauche, prise entre les paumes de Darrow, devint brûlante. Pensant que cette sensation était due à une crampe, je tentai de changer de position, mais, immédiatement, Darrow resserra son étreinte et la brûlure continua. J'étais si fasciné que je ne tentai pas d'autre mouvement et je restai docilement assis sur le lit, les yeux clos. Il avait tiré la chaise et s'était assis à quelques pas de moi, me dominant.

Petit à petit, la douleur s'estompa. Je rouvris les yeux pour découvrir qu'il me regardait et, au moment où mon regard croisa le sien, il me demanda :

– As-tu entendu ma prière?

– Non. Mais je me suis souvenu des paroles de Notre Seigneur : « Car je serai toujours avec toi, et jusqu'à la fin du monde. »

– Et maintenant, tu es apaisé.

Il me sourit, aucunement surpris de ma réponse, et, comme je prenais tardivement conscience que ces paroles de soulagement reflétaient certainement la nature de sa prière, je vis qu'il était non seulement content de mes progrès mais aussi satisfait de cette habileté mystérieuse qui était sienne.

– Vous êtes un guérisseur, lui dis-je. Vous ne m'avez pas uniquement aidé grâce à la prière mais aussi en me communiquant de la force par vos mains. Vous avez le magnétisme d'un guérisseur.

– Tu me flattes, dit-il. On peut tout aussi bien dire que tu t'es guéri en respirant profondément, en te concentrant sur cette tâche précise et en régulant la poussée d'adrénaline qui t'avait submergé.

Je réfléchis. Il me laissa le loisir de la réflexion. Il ne voulait pas me brusquer. Nous restions assis tranquillement, face à face, moi sale et dépenaillé dans mon pantalon gris et ma chemise froissée et lui impeccable dans sa tenue noire aux manches blanches. Ayant repris la croix dans ma main, je pris conscience que la vie était, pour le moment, redevenue supportable. Les cris de mon âme avaient cessé. J'expérimentais la rémission de ma douleur.

– Je suppose que je suis en pleine dépression nerveuse, finis-je par dire.

– Bah, j'ai toujours pensé que c'était une expression très peu secourable – pourquoi ne pas la laisser à messieurs les médecins? dit Darrow négligemment, avec cette pointe d'assurance bien excusable chez un guérisseur qui savait pouvoir réussir là où la médecine officielle échouait.

Soudain, il me sembla si accessible que je ne pus m'empêcher d'ajouter :

– Je ne veux pas aller dans un asile d'aliénés.

– Qui a parlé de cela?

– Ne pensez-vous pas que je sois...

– Apparemment, tu traverses une épreuve spirituelle profonde mais vouloir la définir en termes médicaux discutables n'est qu'une perte d'énergie; cela ne résout en rien le problème.

– Mais comment le résoudre?

– Si je puis me permettre d'utiliser les termes que tu as toi-même employés hier, je dirais qu'il nous faut sonder le mystère, puis l'envers du mystère, pour découvrir la source de ta douleur et la tarir. Mais, tout d'abord, il faut nous occuper de problèmes pratiques. Tu vas devoir rester ici un moment. Y a-t-il des rendez-vous que tu doives annuler? Des questions à régler?

Je me souvins que ma voiture devait se trouver au *Blue Boar* et je lui donnai le numéro de téléphone d'un ami qui pourrait la récupérer et la ramener au collège de Laud. Pendant qu'il notait les renseignements sur un calepin, j'ajoutai que Lang devait certainement attendre que je lui donne signe de vie mais, avant que je puisse continuer, je m'aperçus avec horreur que mes yeux s'emplissaient de larmes.

– Je ne pourrai pas lui parler, dis-je dans un murmure. Je ne pourrai rien lui dire sur...

Impossible de terminer ma phrase.

– Je me charge de lui, dit Darrow, comme si l'archevêque n'était qu'un écolier turbulent. S'attend-il à ce que tu le contactes ce matin?

– Non. Il n'y a pas urgence, mais...

– Nous lui enverrons donc un mot plus tard. Maintenant, Charles, ton prochain devoir envers toi-même – et envers Dieu – est de regagner ton équilibre physique car, d'après ce que je sais, personne n'a encore réussi à surmonter une épreuve spirituelle en étant épuisé et ivre. Tu as beaucoup bu hier?

Je tentai de faire le compte des verres et des gorgées que j'avais ingurgités, mais je finis par m'embrouiller.

– Est-ce qu'hier était exceptionnel ou bien bois-tu beaucoup depuis quelque temps déjà?

– Exceptionnel. Mais...

J'hésitai avant d'ajouter :

– ...Je bois plus qu'avant.

– Comment te comportes-tu quand tu es ivre? Deviens-tu le boute-en-train de la soirée ou bien te contentes-tu de t'assoupir dans un coin? Oui, peut-être deviens-tu quelqu'un que tu ne veux surtout pas connaître quand tu es à jeun?

– Oui, c'est exactement cela : je deviens coléreux et agressif.

– Un inconnu coléreux... Oui, eh bien, nous nous occuperons de lui plus tard. En attendant, repose-toi. Je t'exempte de lire l'office du matin car tu es trop malade pour le faire correctement, mais je vais t'apporter un livre que tu pourras parcourir si tu as du mal à trouver le sommeil. Penses-tu pouvoir supporter de l'aspirine? Non? Alors, je vais t'apporter de l'Alka-Seltzer.

– Je préférerais un bon café noir...

– Non. Je veux que tu sois détendu et, de plus, tout liquide te ferait vomir.

Prenant mon verre, il le remplit au robinet.

– Maintenant, je vais te laisser seul pendant quelques minutes, dit-il, reposant le verre sur la table de chevet, et pendant que je ne serai pas là mets-toi en pyjama et couche-toi.

Je serrai le crucifix et luttai contre la panique. Mais elle finit par l'emporter.

– Ne partez pas!

Je me sentis envahi par la honte.

– Excusez-moi. Je me sens si stupide, si faible...

– Mickael, que tu as vu hier soir, viendra tout de suite si tu l'appelles. Mais ma pensée sera toujours avec toi, dit Darrow avec cet air énigmatique que prennent ceux qui considèrent les forces paranormales comme un aspect banal du quotidien, et je ne relâcherai pas mon attention. Tu n'auras pas besoin d'appeler Mickael.

Je le crus. L'esprit triomphait de la matière. Darrow exerçait son charisme.

2

A son retour, il me donna une autre croix que je pouvais porter à la place de la mienne et, une fois que j'eus avalé l'Alka-Seltzer, il me tendit le livre qu'il m'avait rapporté de la bibliothèque. C'était *Les Mystiques de l'Église* d'Evelyn Underhill.

– C'est d'une lecture très facile pour quelqu'un de ton niveau, dit-il, et comme il a paru après la fin de tes études, je doute que tu te sois donné la peine de le lire. Pourtant, un regard sur la mystique peut souvent se révéler le ballon d'oxygène qui revigore un fanatique de l'alpinisme théologique; aussi, si tu n'arrives pas à t'endormir, jette un œil à un ou deux chapitres et quand je reviendrai de l'office de midi, tu pourras me dire si tu as trouvé ce livre gentiment divertissant ou non...

3

A son retour, je dormais. Je n'avais même pas ouvert le livre : le sommeil avait eu raison de moi avant que mon mal de crâne ait pris fin. Je fus réveillé à une heure et demie par le petit moine aux cheveux blancs qui m'apportait un bol de soupe, deux morceaux de pain, une assiette de légumes avec une sauce au fromage et des prunes. Sur le plateau, il y avait aussi un verre de lait.

– Le père supérieur a dit que vous deviez tout manger, me dit le petit moine. Il a dit que vous deviez vous souvenir d'être prêt à servir Dieu. Il a dit aussi que, quand vous auriez fini de manger, vous deviez prendre une douche et vous habiller et qu'il reviendrait vous voir à trois heures. L'eau ne sera pas très chaude, mon révérend, pas en début d'après-midi, je suis navré, mais le père supérieur a dit qu'une douche froide n'avait jamais tué personne.

J'avais de plus en plus l'impression d'être un athlète entre les mains d'un entraîneur impitoyable. Assurant à Mickael que je pourrais tout à fait survivre à la douche, je me dressai sur mon séant, savourant l'absence de nausée, et je repris le combat pour retrouver un état normal.

4

Quand, à trois heures de l'après-midi, Darrow revint me trouver, j'avais revêtu mon habit de clergyman et j'étais installé à la table, lisant le livre de Miss Underhill. J'avais découvert que je pouvais agir normalement aussi longtemps que je faisais ce qui m'était demandé; nul doute que c'était pour cela que Darrow m'avait donné des ordres si précis.

– C'est mieux, dit-il en me voyant.

Il apportait une chaise qu'il plaça en face de la mienne.

– Aurais-tu oublié de te raser? me demanda-t-il tout en s'asseyant, ou bien y aurait-il eu un problème – autre que le manque d'eau chaude – qui a pu te faire penser qu'il valait mieux ne pas te raser?

– Vous ne me l'aviez pas demandé.

– C'est vrai mais, néanmoins, tu aurais dû envisager cette possibilité, au moins par habitude... La difficulté vient-elle du rasoir? Non, je savais qu'il n'y aurait aucun risque de ce côté. Alors, c'était à cause du miroir, n'est-ce pas? Tu avais peur, c'est cela? Peur d'y voir cet inconnu coléreux, celui qui reprend le dessus dès que tu as bu.

J'acquiesçai et je dus mettre une main devant mes yeux pour cacher ma détresse.

– Quand tu le comprendras mieux, dit Darrow, cet inconnu te paraîtra moins dangereux. Mais avant que nous nous concentrions sur tes fameux problèmes, finissons-en avec l'archevêque de Canterbury. Étant donné que la mention de son nom t'a bouleversé tout à l'heure, ai-je raison de penser qu'il y a un lien entre lui et le mystère qui t'a fait aller à Starbridge?

– Oui. Il m'avait confié cette... cette mission...

– Tout ce qu'il me faut pour le moment, c'est un petit message du genre : « Mission accomplie. Détails suivront. » Alors, je pourrai téléphoner à l'archevêque, lui faire part du message et lui dire que, comme tu as travaillé très dur ces temps-ci, j'ai insisté pour que tu fasses une longue retraite – en fait, je peux même dire en toute sincérité que j'avais voulu que tu la commences au plus vite mais que tu l'avais retardée parce que tu étais impatient d'achever ta mission.

Je fis un gros effort sur moi-même.

– Vous pourriez lui dire : Tout va pour le mieux. Journal sans risque. Aucune lettre.

Darrow écrivit le message, referma son calepin d'un coup sec et dit d'un ton brusque :

– Parfait. Assez parlé de l'archevêque. Maintenant, voici ce dont nous devons décider : te sens-tu capable de parler de tes problèmes, aujourd'hui?

– Oui, je vais bien maintenant.

– Assez bien pour entreprendre la tâche de te confier à moi, officieusement, afin que je puisse t'aider à préparer ta confession devant Dieu? dit Darrow, clarifiant la situation au cas où je me ferais l'illusion qu'une conversation avec lui ne serait qu'un petit bavardage mondain. Assez bien pour parler de cette mission à Starbridge?

– Oui.

– Parfait, continue alors, et raconte-moi tout.

Il y eut un long silence. Finalement, comme les larmes me montaient aux yeux une fois de plus, je dis, désespéré :

– Je dois être fou car je ne peux pas m'arrêter de pleurer et les hommes ne pleurent jamais à moins qu'ils n'aient perdu la tête.

– C'est un mythe très tenace dans notre culture, et qui peut avoir des résultats extrêmement malsains. Que vaut-il mieux : exprimer le chagrin et la douleur en endurant une silencieuse et secrète hémorragie de l'âme?

Je dis, tandis que les larmes commençaient à couler :

– Je me sens anéanti par le souvenir de toutes mes incapacités.

– Bon, peut-être que, jusqu'à présent, tu n'as pas servi Dieu aussi bien que tu l'aurais pu. Peut-être même as-tu terriblement envie de rectifier cela.

– Oui, c'est vrai, oui... oh, j'ai vraiment essayé, j'ai prié, j'ai imploré de l'aide, mais...

– Eh bien, tes prières sont exaucées, non?

Je le regardai.
- Exaucées?
J'examinai la pièce autour de moi. J'étais à peine capable de parler.
- Je me suis effondré à un point tel qu'il m'est impossible de continuer mon sacerdoce et vous trouvez que mes prières ont été *exaucées*?
- Bien sûr. Crois-tu que Dieu n'a pas eu conscience de tes difficultés et de la souffrance que tu as endurée? Crois-tu qu'Il soit incapable de tendre enfin la main pour te confronter à tes problèmes afin que tu puisses les surmonter et continuer à Le servir encore mieux que tu ne l'as fait auparavant?
Je comprenais, mais j'étais incapable de le lui dire. J'enfouis mon visage dans mes mains tandis qu'il continuait :
- Dieu ne t'a pas envoyé cette épreuve pour te détruire, Charles. Il est enfin venu à ton secours. Il est ici, dans cette maison, dans cette pièce où tu as touché le fond du désespoir, ici où enfin, pour toi, commence une vie nouvelle.

5

Sur ces mots il suspendit l'entretien. Puis, il revint me voir à cinq heures ce même après-midi, alors que j'étais assis sur le banc de bois, face au jardin. L'air était tiède et parfumé, le soleil capricieux et la brise soulevait les dernières pages de l'ouvrage de Miss Underhill que je tenais dans mes mains.
- J'ai téléphoné à l'archevêque, dit Darrow en prenant place à mes côtés. Il te remercie pour ton message qu'il a jugé amplement suffisant pour le moment, et il s'est déclaré enchanté d'apprendre que tu entamais une retraite. Il m'a dit qu'il se faisait toujours du souci pour les jeunes ecclésiastiques dont la réussite temporelle était exceptionnelle et il a paru convaincu qu'une retraite ne pouvait t'être que bénéfique. Finalement, il t'envoie ses amitiés et son soutien, et il a dit qu'il te réserverait une place spéciale dans ses prières quotidiennes.
Une telle preuve d'affection déclencha chez moi un sentiment de culpabilité. Avec beaucoup de difficultés, je dis :
- Monseigneur Lang a toujours été très bon pour moi dans le passé.
- Et maintenant?
- Il n'a pas changé. Mais moi, oui. Je ne me sens plus solidaire de lui.
Il était inutile d'essayer de cacher ma détresse. Je ne faisais que rester assis, immobile, exsudant la tristesse, mais comme Darrow ne faisait aucune tentative pour me forcer à répondre, je devins de plus en plus conscient du besoin de percer l'abcès en communiquant avec lui.
- A Star...
Mais je ne pus continuer.
J'étais en train de contempler avec désespoir l'échec total de ma tentative de communication, lorsque Darrow dit, d'un ton léger :

– Je n'ai jamais rencontré l'évêque de Starbridge, mais je l'ai entendu prêcher une fois, quand il était encore pasteur de Sainte-Mary à Mayfair.

Grâce à son intuition miraculeuse, Darrow transformait mon échec en triomphe et, soudain, je sentis un lien entre lui et moi, ténu mais indéniable, qui flottait entre nous dans la brise odorante qui venait du jardin.

– Prêcher comme il le fait relève d'un don, continua-t-il, et comme tous les pouvoirs, celui-ci peut devenir dangereux si l'on en abuse. Je me souviens que mon directeur de conscience me disait souvent quand j'étais jeune : « Prends garde à ces pouvoirs fascinants, Jon. Ils viennent de Dieu mais peuvent être si facilement détournés par Satan! » Monseigneur Jardine est un excellent prédicateur et il ne fait aucun doute que j'ai pensé que son pouvoir était pur et qu'il le dominait quand je l'ai entendu, mais je m'étais dit alors qu'il pourrait devenir un homme dangereux.

Je frémis, mais le lien qui nous unissait n'était plus ténu maintenant; c'était une corde épaisse qui me hissait, lentement mais sûrement, hors des abysses du silence.

– Un tempérament explosif, dit Darrow d'un air songeur, un rien hypnotiseur, un physique séduisant, un esprit brillant, le génie inné de l'homélie – quel cocktail! En fait, ces dernières semaines, je me suis souvent demandé comment j'aurais réagi à la place de l'archevêque de Canterbury si j'avais affaire à un évêque dont le dernier caprice était de faire du ramdam à la Chambre des Lords.

Mes doigts se serrèrent autour de la croix que je portais au cou et ce fut comme si j'attrapais enfin la main de Darrow après ma longue ascension jusqu'au bout de la corde.

Je dis, dans un souffle :

– C'est comme s'il m'avait anéanti.

Et lentement, petit à petit, j'entrepris le récit de ma mission à Starbridge.

6

Le récit s'étala sur plusieurs entrevues et fut ponctué de périodes de repos. Plus tard, je devais comprendre que Darrow pouvait juger avec une précision troublante combien de temps de conversation je pouvais supporter et combien de temps il me fallait ensuite pour récupérer. Bref, au fil des jours, je devins plus fort et, quand j'eus achevé le récit détaillé de ma première visite à Starbridge, j'étais impatient de continuer l'histoire sans atermoyer. Assez ironiquement, j'en étais arrivé au formidable écueil de mon après-midi avec Loretta. Mon récit devint plus décousu; je sombrai dans le silence. Il était tard dans la nuit, et la seule source de lumière provenait de la lampe de chevet, laissant le visage de Darrow dans l'ombre. Nous étions toujours assis à table, face à face.

– Contente-toi de dire : « Il s'est passé un moment », finit-il par dire.

Mais, comme je demeurais incapable de continuer, il ajouta sans acrimonie :

– « Étroite est la porte et resserré le chemin » – mais, peut-être, un peu trop resserré pour toi en ce moment. Restons-en là pour aujourd'hui.

Je serrai les dents. Je me rendais compte que j'étais lâche car la nature de ma faute devait être évidente et, dans un nouvel effort, j'ajoutai :

– Vous utilisez cette citation dans un but de vérité, exactement comme vous l'avez fait la première fois que nous nous sommes rencontrés. « Large et spacieux est le chemin qui mène à la perdition mais étroite est la porte et resserré le chemin qui mène à la Vie... »

– «... et il en est peu qui s'y engagent ».

Rampant hors de l'abri de ma couardise, je lui racontai ce qui s'était passé dans le bosquet.

7

– ... et c'était comme si je recevais dose de morphine sur dose de morphine. Chaque fois que l'effet se dissipait, il fallait que je procède à une nouvelle piqûre car j'avais trop peur d'affronter la réalité.

– Et comment définirais-tu cette réalité?

Darrow qui, durant ma confession, n'avait laissé transparaître aucune émotion, autorisait maintenant une pointe d'intérêt à filtrer dans sa voix comme si j'avais dit quelque chose qui justifiait de s'y arrêter; j'étais si soulagé de l'absence de critique que je lui répondis sans hésiter :

– En tant que veuf, ma vie de célibataire était complètement détruite et je ne voyais pas comment j'allais pouvoir continuer.

– A quel âge t'es-tu marié?

– A vingt-sept ans. N'étant pas doué pour le célibat, j'ai eu envie de me marier après mon ordination, mais comme, à ce moment-là, un mariage aurait représenté une camisole économique et aurait limité mes chances de...

Je m'interrompis, honteux.

– Ce que je dois vous paraître calculateur et ambitieux!

– La prudence n'est pas un péché. Et l'ambition mise au service de Dieu n'est pas nécessairement un péché non plus.

Il m'adressa un sourire.

– Mais puisque tu n'as pas couru à l'autel quand tu as eu vingt ans, comment as-tu résolu le problème de la chasteté à cette époque?

– Davantage grâce aux circonstances que grâce à la vertu. Peu après mon ordination, je suis devenu un des chapelains de monseigneur Lang et, bientôt, j'ai vécu auprès de l'archevêque qui me surveillait de ses yeux de lynx...

– Mais je suppose que, n'ayant aucun goût pour le célibat, ce rôle de secrétaire a dû devenir de plus en plus pesant?

– Oui. Et j'ai fini par quitter l'archevêque, je suis retourné à Laud où j'avais été chargé de cours et je me suis mis à enseigner. C'est là que mes cours sur l'Église primitive ont commencé à me faire connaître.

– Et alors tu t'es cherché une épouse.

– Oui. Mais je ne trouvais aucune femme qui me convenait. C'est alors que le coup de chance le plus inouï m'est tombé dessus : monseigneur Lang m'a recommandé pour le poste de proviseur de St. Aidan à Eastbourne et aussitôt dit aussitôt fait : je me retrouvai proviseur d'un collège de l'Église anglicane à vingt-sept ans pourvu d'un salaire magnifique – et d'une femme. C'était la fille du proviseur que je remplaçais et je l'avais connue quand j'étais venu à St. Aidan voir son père.

Je m'interrompis, mais Darrow ne fit aucun commentaire et, finalement, poussé par le besoin de rompre le silence, j'enchaînai :

– Notre mariage a duré trois ans. Elle s'est tuée dans un accident d'automobile. Elle était enceinte. Notre premier enfant. Le choc a été si terrible que je... enfin, il m'a fallu beaucoup de temps pour m'en remettre. J'ai quitté St. Aidan et je suis revenu à Laud pour me plonger dans mes travaux de recherche. J'ai écrit un livre...

– Je l'ai lu. L'arianisme éventré avec une virtuosité effrayante.

– Il fallait que j'éventre quelque chose. Cela m'empêchait de penser à ce qui était arrivé. Donc, j'ai travaillé, j'ai travaillé jusqu'à ce que ma vie entière tournât autour de ce livre au point que j'ai commencé à me demander ce que j'allais bien pouvoir faire une fois qu'il serait achevé. En fait, il n'y avait pas de quoi m'inquiéter; je n'ai pas eu le temps de m'ennuyer. Le livre a connu un grand succès dans les milieux universitaires, j'ai obtenu mon doctorat et soudain, je me suis retrouvé célèbre...

– Adulé autant par les femmes que par les érudits, j'imagine.

– Oui. Le célibat était de plus en plus difficile à supporter, mais pourtant...

Ma voix s'éteignit. Une fois encore, Darrow attendit et, finalement, j'articulai :

– ... Je n'ai pas cherché à me remarier. Pourtant, j'ai envie de me remarier, vraiment. En fait, j'en meurs d'envie, mais... je ne le fais pas.

– A t'entendre, on a l'impression que tu es pris entre Charybde et Scylla. Je comprends tout à fait qu'on puisse considérer le célibat comme un Charybde, mais pourquoi considérer le mariage comme un Scylla?

– Mais ce n'est pas mon cas! J'ai été heureux avec ma femme – mon union a été pleinement réussie!

– Alors, si le problème n'est pas le mariage en soi, où penses-tu qu'il soit?

Il y eut un long silence.

– Enfin! Aucune importance, finit par dire Darrow. Aucune importance pour le moment. Maintenant, je propose que nous mettions un terme à cette discussion et...

– Le problème est en moi, m'entendis-je dire. C'est moi le problème. Je suis indigne et sans mérite. J'ai l'impression qu'aucune femme ne pourrait me supporter.

– Est-ce que les femmes que tu rencontres semblent partager cette opinion?

– Oh non! Mais aussi, elles ne rencontrent jamais celui qui est tapi en moi. Elles ne rencontrent que l'homme public.

J'hésitai, puis j'ajoutai :

– Je l'appelle ma belle apparence car il a belle apparence dans le miroir. Mais, derrière lui...

– Derrière lui, dit Darrow sans sourciller, se tient l'inconnu coléreux qui apparaît dans le miroir dès que ta belle apparence se patine.

– Oui. C'est un destructeur. Aucune femme ne pourrait le supporter. Sauf Lyle. Je crois – oui, je crois vraiment qu'elle pourrait s'en sortir...

– Restons-en là, dit Darrow.

– Elle vient à bout de tout, vous comprenez, de tout.

– Nous parlerons d'elle plus tard, pas maintenant. Tu es épuisé. Et, de toute façon, avant que nous ne commencions à parler des *dramatis personae*, il te faut terminer ton histoire. Pour le moment, nous sommes toujours avec Loretta et toi à Leatherhead.

A la pensée de Loretta, je me frottai les yeux futilement et je murmurai éperdu :

– Larmes stupides. Quel lâche!

– Bêtises! Tu as commencé à te faufiler par la porte étroite. Tu es aussi courageux que tu le peux.

Une fois de plus, il me donnait la force de continuer.

8

– ... et alors, Jardine m'a dit : « Je vais essayer de vous amener plus près de ce qui se révélera, pour vous, j'en ai peur, une vérité très désagréable à entendre » et il a commencé à faire ce discours. Je ne trouve pas les mots – c'était comme un cauchemar – il a réduit ma belle apparence à néant et a rejeté mon autre moi... Je suis désolé, cela n'explique rien.

– Oh si, au contraire, dit Darrow.

– Mais je ne trouve pas les mots qui exprimeraient l'horreur, l'horreur... infinie.

– Ne m'en dis pas plus pour le moment. Contente-toi de dire : « Après que Jardine eut fait son discours... »

C'était l'après-midi. Le moment de la journée qui suit le repas des moines. Ils n'ont pas d'offices à chanter et ils ont le loisir de se consacrer à d'autres tâches. Darrow et moi étions, une fois de plus, assis à la table de ma chambre. Nous avions espéré avoir notre entrevue dans le jardin, mais le temps qui avait tourné à l'orage avait rendu notre projet impossible, et j'étais désolé de rester à l'intérieur. A la suggestion de Darrow, j'avais fait un peu de jardinage l'après-midi; les moines ont toujours conscience de la quantité d'énergie nécessaire pour mener une vie spirituelle saine et de la quantité d'énergie qui doit être dépensée en exercice physique.

D'autres invités résidaient dans l'aile du bâtiment que j'occupais, mais Darrow s'était dit qu'il serait trop pénible pour moi de vivre en société, aussi, à mon grand soulagement, il me fut permis d'éviter la pièce commune du rez-de-chaussée et de ne voir les autres qu'aux heures des repas où la règle du silence me garantissait de manger en toute tranquillité. En contrepartie à ma réclusion, j'avais le privilège d'avoir accès à la bibliothèque, qui se trouvait dans la partie fermée de la maison, mais je ne lisais que ce que Darrow me conseillait de lire; à ce moment-là, ma nouvelle approche de la mystique avait remonté dans le temps, d'Evelyn Underhill, Inge, et du baron Friedrich von Hügel jusqu'aux platoniciens de Cambridge et, au fur et à mesure de mes lectures, j'étais à la fois surpris et honteux de la superficialité de mes connaissances. Ayant depuis longtemps choisi de travailler dans le domaine des faits historiques, j'avais tendance à considérer la mystique comme un simple phénomène récurrent, une version religieuse de la rougeole en quelque sorte, qui surgissait dès que l'Église tombait dans l'exagération ou l'inertie. Peut-être aussi avais-je senti que les aspects morbides et aberrants de la mystique ne la rendaient propice à l'étude que par les femmes, les adolescents et les excentriques au cœur sensible et cet a priori m'avait fait méconnaître la valeur d'une mystique vraie, dépouillée de nihilisme oriental et de superstition romaine.

Quoi qu'il en soit, j'étais alors trop affaibli pour percer à jour cet aveuglement qui avait sans doute pour origine un orgueil autant spirituel qu'intellectuel. Faire consciencieusement de la lecture, du jardinage, assister régulièrement aux services étaient le maximum de ce que je pouvais faire. J'étais dispensé d'assister à l'office de nuit car Darrow pensait qu'il était plus important pour ma santé d'avoir des nuits de sommeil complètes, mais j'assistais à prime à six heures du matin, au service combiné de terce et de sexte à midi, au service combiné de none et du soir à six heures ainsi qu'aux prières de huit heures. L'office était célébré après prime et j'y assistais chaque matin. Je voulais surtout communier, mais j'avais accepté l'idée que je devais m'en abstenir jusqu'à ce que j'aie pleinement compris mes fautes et éprouvé un repentir sincère. Darrow et moi-même en avions discuté une fois que je lui eus parlé de Loretta.

– Je comprends que tu veuilles précipiter ta confession et faire table rase sans délai, m'avait-il dit. C'est tout à fait naturel. Mais, je te préviens, je te poserai des questions très précises avant de te donner l'absolution et, franchement, je ne pense pas que tu sois prêt à y répondre pour le moment. Par exemple, j'aimerais connaître exactement les raisons pour lesquelles tu as eu des rapports sexuels avec Loretta. Y as-tu seulement été poussé par ce qu'on appelle dans les mélodrames « un penchant débridé à la luxure » ou bien y avait-il, en fait, beaucoup plus d'implications que la simple satisfaction d'un désir passager? Et que cet incident soit ou non le résultat du désir, je voudrais savoir quelles garanties tu peux me donner qu'il ne se reproduira pas – et ceci, bien sûr, nous amènera à la question épineuse de ton célibat. Jusqu'à quel point comprends-tu vraiment ton attitude par rapport au mariage? Il me semble que nous avons une longue enquête à mener de ce côté-là avant que tu ne puisses dominer la situation avec la clarté nécessaire pour une bonne confession.

Il s'interrompit comme s'il pensait que j'allais peut-être le contredire, mais je demeurai silencieux, et il ajouta :

– Ce que je veux dire, c'est que tu ne peux pas confesser ton aventure avec Loretta comme un fait isolé, car une telle confession serait inévitablement incomplète. Et peux-tu, en ton âme et conscience, recevoir la communion après avoir confessé ne serait-ce qu'un seul péché incomplet?

Je ne pouvais répondre que par la négative et je compris alors à quel point j'avais eu tort d'espérer que son absence de critique sur la question Loretta signifiait qu'il avait l'intention d'être indulgent. J'étais habitué à des conseillers spirituels assez âgés et assez doux qui me berçaient de bonté compatissante; me trouver face à un directeur de conscience certes compatissant mais inflexible était plutôt déconcertant. Pourtant, c'était aussi un soulagement. Je savais qu'une ferme discipline était nécessaire dans ma lutte pour recouvrer la santé et, parce que je pouvais reconnaître cette vérité, je ne ressentais aucun désir de me rebeller contre lui; au contraire, j'avais de plus en plus envie de gagner son estime et j'avais redoublé mes efforts pour achever le récit sur Starbridge le plus sincèrement possible.

– ... et donc, Loretta m'a dit qu'elle me conduirait à Cambridge, dis-je pour finir. Je ne me rappelle pas tellement le trajet mais, par contre, je me souviens de mon arrivée ici et comment j'ai regardé les étoiles et comment j'ai parlé de la transcendance de Dieu. J'ai même dû faire allusion à Karl Barth.

– Ce n'est plus de l'amour pour la théologie, c'est de la rage! s'exclama Darrow, amusé.

Mais, tout en souriant, soulagé au-delà de toute mesure que mon récit soit enfin terminé, je ne pus m'empêcher d'ajouter :

– Vous devez penser que j'ai agi comme un fou.

– Voici un mot irréfléchi et bien inutile. Je crois qu'il serait plus juste de dire que tu es un homme normal et que, comme beaucoup d'hommes normaux, tu as certains problèmes personnels que tu ne peux que charrier avec toi, où que tu ailles. Et puis, tu es aussi un homme fort, assez fort pour fermer les écoutilles et tu vas de l'avant, mènes une vie normale, jusqu'au jour où tu arrives à Starbridge. Alors, tout change – et tout change parce que le mystère de Starbridge réussit à faire exploser les écoutilles et... enfin, si j'étais toujours dans la marine, je dirais que tu as pris un sacré coup de pied dans les couilles!

J'étais si soulagé par le fait qu'il souligne ainsi ma normalité que je fus en mesure de dire tout de suite :

– Le pire, c'est que j'ai l'impression qu'on me frappe toujours. Je n'ai pas assemblé toutes les pièces du puzzle. Je ne suis pas certain de ce qui se passe. Je crois Jardine – je sais que, raisonnablement, il faut que je le croie – je sais que si je commence à mettre sa parole en doute, c'est que je suis...

Je m'interrompis.

– Pourtant, je ne le crois pas, continuai-je. Je n'arrive pas à le croire, je ne veux pas le croire.

– Exactement. Tu tournes et retournes autour du pot avec une frénésie épuisante et qui ne mène nulle part.

Darrow se pencha en avant, appuyant ses avant-bras sur la table.

– Charles, la première vérité importante que tu dois saisir est que ni toi ni moi, avec les preuves dont nous disposons jusqu'à présent, ne pouvons résoudre ce mystère.

– Mais il faut que je sache, il faut que je trouve...

– Et te voilà reparti, impatient de courir à Starbridge dans un élan qui ne peut qu'être improductif! Il faut que tu sortes de ce cercle vicieux, Charles. Considère le problème sous un autre angle : pourquoi est-il donc si important pour toi de résoudre ce mystère?

– A cause de Lyle, évidemment. Je veux l'épouser. Donc, il faut que je sache ce qui se passe là-bas.

– Parfait. Examinons de plus près les sentiments que tu éprouves pour cette femme qui semble au cœur du mystère. Charles, le moment est venu de parler de Lyle.

XII

*Sincèrement, je ne puis affirmer que le choix du céli-
bat s'accorderait à nos difficultés actuelles.*
Autres lettres de Herbert HENSLEY HENSON,
Ed. E. F. Braley.

1

– Il est facile de se montrer sceptique sur l'idée qu'un amour durable peut naître d'un coup de foudre, dit Darrow, mais on ne doit jamais perdre de vue que, parfois, l'improbable arrive et que ton sentiment à l'égard de Lyle pourrait tout à fait être une de ces improbabilités. Autrement dit, Charles, je suis bien décidé à garder un esprit ouvert sur cette question. Mais peux-tu prendre une résolution identique? Dans l'idéal, j'aimerais que tu réussisses à garder l'esprit ouvert, le temps de cette discussion.

Je le regardai avec méfiance.

– Vous me demandez de reconnaître que j'ai pu me tromper sur elle.

– Ne crains rien. Je n'ai pas l'intention de saper tes sentiments, mais simplement de les clarifier, car j'ai la conviction que des conséquences importantes pourraient découler de certaines clarifications.

– Très bien, dis-je. J'ai entrouvert mon esprit. Continuez.

– Suppose une seconde, dit Darrow, que tes sentiments ne soient en vérité qu'une illusion. Je pense que tu seras d'accord avec le fait que, si tu découvrais que tu t'es trompé, il ne serait plus question de mariage et, par conséquent, la question de savoir si elle est ou non la maîtresse de Jardine deviendrait secondaire.

Je répondis à contrecœur :

– C'est vrai. Mais je suis sûr que...

– Parfait. Supposons maintenant que tu ne te sois pas trompé et que Lyle soit ta Belle si longtemps attendue. Alors, il est évident qu'il te faut savoir la vérité, mais comment se fait-il que tu aies pu comprendre Lyle avec une telle acuité dès ta rencontre avec elle? Ou, pour m'exprimer plus clairement, nous savons que le coup de foudre est chose possible, mais jusqu'à quel point est-il envisageable dans ton cas?

– Je me sens si sûr de moi; je ne peux pas m'être trompé complètement.

– Alors, examinons maintenant une troisième possibilité. Supposons que les sentiments que tu éprouves pour Lyle ne soient ni complètement illusoires ni complètement réels, mais un compromis entre les deux. En d'autres termes, il se peut très bien qu'il y ait une part d'illusion mais, néanmoins, tu as perçu en Lyle certaines qualités qui t'ont fait penser, avec raison, qu'elle ferait une bonne épouse pour toi.

– Mais c'est exactement mon sentiment! m'exclamai-je. Je l'ai vue et j'ai su qu'elle pourrait apporter une solution à mes problèmes.

– Je peux te dire une chose, rétorqua Darrow, c'est qu'il n'existe probablement pas une femme qui pourrait résoudre tes problèmes avant que tu n'aies su le faire toi-même. En outre, je te signale qu'il n'y a aucun moyen de savoir si ton affirmation est fondée tant que tu n'as pas situé la frontière entre la réalité et l'illusion. Contrairement à ce que tu crois, la difficulté réelle, ici, n'est pas de savoir ce qui se passe entre Lyle et Jardine, mais ce qui se passe entre Lyle et toi. En réalité, tu n'as fait que tourner et retourner autour d'un faux problème.

– Mais je suis sûr qu'il est primordial de découvrir si...

– Il est primordial de découvrir si elle est sa maîtresse seulement si tu as découvert que tes sentiments pour elle sont solidement ancrés dans la réalité.

– Mais je ne peux pas me tromper complètement! Après tout, j'ai trente-sept ans, je suis adulte...

– Je reconnais que c'est un argument de poids en ta faveur, mais, Charles, peu importe que ta maturité et ton expérience soient indéniables; tu ne dois pas oublier que les troubles dont tu souffres ont très bien pu fausser ton jugement.

– Vous tentez d'éclairer ma lanterne, dis-je, mais je suis toujours dans le noir. Voulez-vous dire que...

– Je veux dire que ces problèmes ne font qu'un et que nous ne pouvons considérer tes sentiments pour Lyle pas plus que l'incident avec Loretta comme isolés de tes autres troubles. Je veux dire que la meilleure manière d'aborder cette crise n'est pas de perdre du temps en conjectures sur ce qui se passe à Starbridge, mais de régler tes problèmes personnels. C'est ensuite, et seulement ensuite, que tu seras capable de considérer le mystère de Starbridge avec assez de clarté pour séparer la vérité du fantasme et la réalité de l'illusion.

2

Nous nous revîmes plus tard dans la soirée. Pour la première fois, il m'emmena au salon; pas la pièce réservée aux visiteurs, avec sa table et ses chaises ordinaires, mais le salon du père supérieur, situé de l'autre côté du hall. Un moine nous apporta du thé et une assiette de biscuits.

— Serait-ce une récompense pour bonne conduite? ironisai-je après le départ du moine.

— Mon but était de te détendre avant que nous nous lancions dans l'examen de tes problèmes personnels.

La pièce était spacieuse et meublée avec un luxe surprenant dans le style de la fin du XVIIIᵉ siècle. Je me dis que ce décor devait être un héritage des premiers propriétaires de la demeure et qu'il avait dû être conservé pour impressionner les visiteurs de marque du père supérieur. Nous étions assis dans des fauteuils cossus recouverts de velours rouge et placés de chaque côté d'une cheminée en marbre surmontée d'une toile médiocre, un achat des Fordites probablement, figurant le Christ dans le jardin de Gethsémani. Une magnifique pendule au cadran soutenu par deux nymphettes en tenue légère tinta discrètement sur le manteau de la cheminée au-dessous duquel une frise représentait des scènes de chasse païennes contenant encore plus de femmes à demi nues. Qu'elles aient survécu à l'installation des Fordites me surprit.

— Jolie pièce, murmurai-je poliment en prenant la tasse de thé que Darrow me tendait.

— Ça dépend des goûts...

Nous nous mîmes à rire et, soudain, je me demandai s'il n'avait pas prescrit cette détente pour lui-même autant que pour moi. J'avais le sentiment que ma compagnie lui faisait plaisir car elle le soulageait de la tension d'être un étranger dans un nouvel environnement, et j'étais sur le point de l'implorer de m'en dire davantage sur son compte lorsqu'il me demanda :

— Comment vois-tu maintenant le mystère de Starbridge? Tourne-t-il toujours inlassablement dans ta tête ou bien as-tu enfin réussi à lui passer une camisole de force?

— J'ai trouvé la camisole; j'ai compris que, pour le moment, il était inutile de dépenser davantage d'énergie en suppositions. Mais je ne peux pas passer la camisole au mystère. Ce que j'aimerais savoir, mon père, c'est ce que vous voulez faire de mon histoire.

— Mon opinion n'est pas importante, dit Darrow sans hésiter. Ma tâche est d'éclairer le problème afin que tu puisses te forger une opinion rationnelle par toi-même.

— Je comprends cela, mais...

— Je peux aussi arguer que, quelle que soit mon opinion, elle serait inutile. Je n'étais pas à Starbridge. Je ne dispose que de ton récit; et ton récit est nécessairement influencé par beaucoup de facteurs dont certains déforment peut-être la réalité, même si tu as essayé d'être le plus honnête possible.

– Oui, je comprends cela aussi, néanmoins...

– Ce que je peux faire, c'est braquer un projecteur dans les recoins les plus sombres. Mais cela t'aidera-t-il à venir à bout du mystère? Cela ne fera-t-il, au contraire, que t'encourager à tourner autour du pot?

J'essayai de formuler mon besoin d'évaluer ma santé mentale.

– Je sens que j'ai besoin de votre opinion, dis-je. Ou bien je passerai mon temps à me demander ce que vous pensez secrètement...

Je ne pus en dire davantage mais, apparemment, j'en avais dit assez. Darrow prit tout de suite sa décision.

– Très bien, dit-il. J'allume le projecteur. En fait, il y a dans ton récit beaucoup d'éléments qui, je crois, ont une signification importante...

3

– Braquons d'abord le projecteur sur Lyle, continua Darrow. A moins qu'elle ne soit lesbienne ou profondément amoureuse d'un autre que toi, il est difficile de voir pourquoi elle fait des efforts si herculéens pour te tenir à distance. Après tout, soyons francs, tu es extrêmement acceptable. Je n'oublie pas qu'elle a peut-être de sérieux motifs psychologiques pour s'opposer au mariage mais il me semble que, si elle était complètement frigide – dans le sens psycho-analytique du terme –, tu l'aurais deviné au cours de tes moments d'intimité avec elle.

– Quand je songe à ce baiser exalté après notre dîner au *Staro Arms*...

– Oui, si tu penses qu'elle est sexuellement normale, ta réaction naturelle serait de chercher à identifier celui à qui sa normalité bénéficie, mais, Charles, même si cet homme est Jardine, cela ne prouve toujours pas qu'elle couche avec lui. Elle peut très bien être victime d'une passion platonique et si nous nous trompons et qu'elle ait vraiment un problème de libido – une peur du rapport sexuel, peut-être, qui peut tout à fait coexister avec un plaisir apparemment normal aux attentions amoureuses – alors, elle pense peut-être qu'une passion platonique lui convient mieux qu'une passion consommée.

Cette théorie plausible et déplaisante n'était pas nouvelle pour moi mais cela ne la rendait pas plus facile à accepter pour autant.

– C'est, en essence, l'explication de Jardine au célibat de Lyle, dis-je à contrecœur.

– Oui, mais cela ne prouve rien, dit Darrow. Il est possible que ce soit la vérité; mais s'il était obligé d'inventer une histoire pour expliquer l'aversion de Lyle pour le mariage, nul doute qu'il t'aurait servi la version la plus vraisemblable.

Et, avant que je ne puisse réagir, il ajouta :

– Orientons maintenant le projecteur sur Jardine car le prochain fait significatif sur ma liste est l'attitude de Jardine à ton égard. Je ne pense pas que tu te sois complètement rendu compte à quel point elle était étrange. Nous voici en présence d'un homme qui a la réputation d'être assez souvent violent dans sa croisade contre l'hypocrisie. Or, lorsque tes buts machiavéliques sont finalement démasqués, Jardine se met-il en colère contre toi? Non, absolument pas. Après avoir donné libre cours à un courroux très surfait qui n'était pas dirigé contre toi mais contre Lang, il fait apparemment des efforts surhumains pour rester poli. De plus, il semble vouloir faire de toi le favori de l'évêché. Tout cela est, en fait, digne d'admiration, mais est-ce caractéristique de Jardine? Non, d'après ce que j'ai entendu dire de lui. Pourquoi ne t'a-t-il pas mis dehors? Son histoire de départ précipité qui aurait eu de mauvais effets ne tient pas debout. Jardine s'est toujours disputé avec les gens. Il vient d'avoir une altercation avec son archevêque à la Chambre des Lords. Quelle feuille de chou accorderait la moindre attention à l'ombre d'une dispute avec un simple chanoine? Son comportement m'intrigue particulièrement.

C'était, évidemment, une manière de voir les choses qui m'avait échappé dans l'étendue du mystère de Starbridge.

– Et quelle serait l'explication?

– Écoutons ton opinion, pas la mienne.

– Jardine a pu décider de m'apprivoiser dans le but de dissiper mes soupçons et parce qu'il ne tenait pas à aggraver ses rapports avec Lang en me mettant à la porte.

– Possible. Peut-être aussi pensait-il qu'en te mettant dehors, Lang soupçonnerait le pire. Continue.

– Je ne vois pas d'autre explication.

– Il reste une possibilité, dit Darrow en me servant une autre tasse de thé. Il a pu céder au désir de traiter un jeune homme plein d'avenir comme son propre fils. C'est un syndrome courant chez les hommes d'âge mûr sans enfant et cela pourrait expliquer aussi sa clémence inhabituelle à ton égard.

Tout à coup, il me fut impossible d'avaler mon thé. Je reposai la tasse sur la soucoupe.

– Tout ce que nous pouvons avancer avec certitude ici, dit Darrow en me regardant fixement, est que Jardine a agi contre son tempérament. Un fait qui pourrait bien être significatif. L'autre fait significatif étant...

– Oui, dis-je, sur qui se dirige le projecteur maintenant?

– Braquons-le sur la chevalière. Jusqu'à présent, tout le monde, même Lyle, semble avoir considéré ta théorie d'un mariage clandestin comme relevant de la fantaisie la plus pure; il n'en reste pas moins que c'est bien cela qui expliquerait comment Jardine a cru pouvoir entamer une liaison avec Lyle tout en croyant éviter l'apostasie. Qu'il soit dans l'erreur est à côté de la question...

Je me sentais si soulagé que j'étais incapable de dire un mot.

– Moi, ce que j'aimerais demander à Lyle, dit Darrow quand il comprit que je ne pouvais pas parler, c'est ceci : pourquoi Mrs. Jardine mère lui a-t-elle donné justement cette bague-là? La plupart des femmes de cette génération conservaient beaucoup de bagues, pas forcément des bagues de valeur du reste. Si les mains de Mrs. Jardine étaient si déformées par l'arthrose, elle ne pouvait donc porter aucune de ses bagues. Pourquoi ne pas en avoir choisi une plus féminine pour Lyle? Pourquoi lui avoir donné cette chevalière, plutôt masculine, à moins qu'elle n'ait quelque signification particulière?

– C'est vrai.

La curiosité me redonnait la force de parler.

– Ne t'emballe pas, Charles. Le choix de la bague ne prouve rien. Les vieilles dames peuvent céder à d'étranges caprices. Mais, néanmoins, cela reste significatif.

Il se versa une autre tasse de thé.

– Je trouve également significatif, poursuivit-il, qu'à souper, lorsque tu as commencé à affirmer qu'il existait un mariage informel, personne n'ait fait de remarque du genre : « Mais de quoi parle-t-il? » ou bien : « Excusez-moi, mon révérend, pourriez-vous répéter, car je dois vous avoir mal compris.» Tes affirmations étranges sont reçues avec un remarquable manque d'étonnement – mais cela est peut-être dû au fait que tout le monde était stupéfié par ton manque de sobriété.

– Donc rien n'est prouvé une fois de plus!

– Non, mais le fait suivant – l'explication finale de Jardine sur son ménage à trois – donne à réfléchir, c'est indéniable, sur ce qui se passe.

– Ah oui? dis-je, déconcerté. Mais il était si convaincant! Il a détruit la certitude que j'avais de connaître la vérité.

– Cela en dit long sur la force de persuasion de monseigneur Jardine. Effectivement, son comportement est peut-être sans reproche, mais il y a, dans son histoire, une faille qui semble t'avoir échappé. Tout d'abord, il déclare avoir été attiré par Lyle mais avoir voulu faire plaisir à sa femme en la gardant à leur service. Il semble peu probable qu'un ecclésiastique emprunterait une voie aussi dangereuse à moins d'être profondément amoureux et irresponsable, mais admettons qu'il ne savait plus à quel saint se vouer pour guérir son épouse; supposons qu'il ait dit la vérité en sous-entendant que ses sentiments pour Lyle étaient simplement une gêne sur le plan sexuel et qu'il avait une raison beaucoup plus importante de continuer à l'employer. Il a ensuite déclaré qu'il avait dompté ses sentiments pour que le ménage à trois puisse fonctionner avec succès. Ceci aussi semble peu probable, mais n'oublions pas que les hommes entre deux âges se remettent en effet de petites toquades embarrassantes surtout si, comme Jardine, ils ont de puissantes raisons de s'en remettre. En d'autres termes, accordons-lui une fois de plus le bénéfice du doute et supposons que cela soit également vrai. Mais alors, il livre un renseignement surprenant : il admet que, lorsqu'il a vu Lyle pour la première fois, il aurait eu envie de l'épouser. Maintenant, Charles, selon moi, cette affirmation est incompatible avec son assertion précédente – c'est-à-dire Lyle ne représentant qu'une gêne d'ordre sexuel. Quand un homme a envie d'épouser une femme, c'est qu'une grande passion est en jeu, qu'elle ne peut être écartée comme un simple symptôme du démon de midi.

– Donc, il mentait quand il disait qu'il avait dominé ses sentiments!

– Ne tire pas de conclusions trop hâtives. Il est certain que cette contradiction rend son récit moins plausible mais les contradictions n'en restent pas moins possibles et nous ne disposons d'aucune preuve qui nous permette d'affirmer qu'il n'a pas réussi à contrôler ses sentiments, à Radbury. En fait, cela sonne juste quand il affirme que Mrs. Jardine a fait tant de progrès grâce aux soins de Lyle qu'elle a pu reprendre sa vie conjugale. Et cela étaye l'idée que, loin de sombrer davantage, le mariage a retrouvé une nouvelle jeunesse.

– Mais que s'est-il passé quand ils sont arrivés à Starbridge et que la santé de Mrs. Jardine s'est à nouveau détériorée? Les sentiments de Jardine envers Lyle n'ont-ils pas pu resurgir?

– Impossible de le savoir. Et permets-moi de te rappeler, Charles, que nous n'avons pas de preuves que Jardine et sa femme ne partagent toujours pas une vie intime.

– Mais, selon Lyle...

– Lyle t'a donné une version possible sur ce qui a pu arriver aux Jardine il y a cinq ans; mais cela reste une supposition.

Darrow s'interrompit pour me laisser le temps de digérer cela avant d'ajouter :

– Charles, l'importance de la révélation de Jardine selon laquelle il a eu, autrefois, envie d'épouser Lyle ne constitue pas une preuve en soi qu'il y a adultère. Non. Son importance réside dans le fait qu'elle révèle une situation qui aurait pu difficilement être pire pour l'équilibre spirituel de Jardine. Même s'il n'y a pas eu adultère dans le sens physique du terme, la possibilité d'entretenir des pensées adultères est suffisante pour faire frémir tout confesseur.

Ce fait me parut soudain si évident que je m'exclamai :

– Pourquoi donc n'ai-je pas pensé à cela sur le moment?

– Tu étais ivre et complètement perturbé, mais le premier directeur de conscience venu aurait conseillé à Jardine de se débarrasser de cette fille même si le prix à payer avait dû être une autre dépression nerveuse pour sa femme. Ce qui nous amène à la conclusion que Jardine n'a pas cherché de conseils et n'a agi que selon son désir – une attitude très dangereuse pour un ecclésiastique dans une telle situation.

– Donc, le décor était planté pour le type de faute grave du genre mariage clandestin.

– Peut-être, bien qu'il n'y ait toujours pas de preuve que cette faute ait été commise. Néanmoins, la situation est significative – aussi significative que cette scène finale entre toi et Jardine qui pourrait, à juste titre, être décrite comme une suite de « conseils cauchemardesques ».

Je le regardai. Puis, j'eus un tremblement convulsif et détournai les yeux.

– Inutile d'en parler pour le moment, dit Darrow. Je veux simplement dire que la maladresse de Jardine suggère qu'il a sans doute été remué par la précision de tes révélations, mais ceci encore, comme toutes nos autres suppositions, reste à prouver. L'explication banale est qu'il était troublé de voir un jeune homme, qu'il considérait comme son fils, être dans une telle détresse, et que son implication affective à ton égard l'a rendu incapable de te donner des conseils efficaces.

Ne le regardant toujours pas, je dis prudemment :

– J'aimerais bien que vous m'expliquiez comment vous pouvez être si sûr qu'il a été maladroit durant cette scène. Après tout, je ne vous en ai pas donné tous les détails. Comment pouvez-vous savoir si le désastre est venu de sa maladresse ou de ma...

J'eus un autre tremblement.

Darrow dit sans hésitation :

– Il est évident que tu étais en mauvais état et il est également évident qu'il fallait faire quelque chose; mais la solution n'était pas de faire un long discours qui n'a eu pour effet que de te bouleverser au point qu'à la fin tu as hurlé et tu t'es embarqué dans un voyage que tu n'étais absolument pas en état d'entreprendre. Ce qu'il aurait dû faire, c'était te calmer en te laissant parler; il n'aurait surtout pas dû faire de discours, c'est lui qui aurait dû t'écouter. De plus, l'autre erreur qu'il a commise a été de te dire ce qu'il t'a dit, car toute parole devait se révéler insupportable pour toi. Dans l'unique commentaire que tu as fait tout à l'heure, tu as dit : «Il a réduit ma belle apparence à néant et rejeté mon moi véritable.» Nous n'allons pas tenter maintenant d'analyser cette phrase mais, pour moi, il est clair que Jardine a commis une grave erreur psychologique; il a démoli des défenses qu'il aurait dû préserver jusqu'à ce que tu sois suffisamment fort pour les démolir toi-même.

– Des défenses?

– Ne t'inquiète pas de cela pour le moment. Il va falloir que nous parlions de la signification de ta belle apparence, tout comme il va falloir parler de ta relation à Jardine, mais nous ne le ferons que lorsque tu seras prêt et quand nous nous lancerons dans cette discussion, je peux t'assurer que les conclusions que tu en tireras viendront de toi. Ce ne seront pas des conclusions que je t'aurai imposées par un long discours.

Après un moment de silence, je dis lentement :

– Il avait l'air de croire... Il m'a amené à penser...

– Restons-en là, dit Darrow tout en se levant.

– ... Mais vous, au contraire, vous me traitez comme si...

– Viens, je te raccompagne jusqu'à ta chambre.

– Mais demain, dis-je, je parlerai de lui. Je sais que je peux parler de lui maintenant. Vous avez confiance en moi. Vous prenez mes suppositions au sérieux. Vous ne croyez pas que je sois...

– Nous reparlerons de tout cela demain; pour le moment, tu es trop fatigué, dit Darrow.

Et, sombrant docilement dans un silence épuisé, je me laissai reconduire.

4

– Je veux parler de Jardine, dis-je le lendemain pour montrer à Darrow que la nuit n'avait pas entamé mon courage.

– Nous pouvons parler de lui si tu le souhaites, mais je pensais plutôt que nous pourrions commencer l'examen de tes ennuis personnels en portant un autre regard sur le problème de ton célibat. Il me semble que ce soit là ton problème majeur. Après tout, j'imagine que tu peux vivre sans Jardine, mais peux-tu vivre sans une épouse? La réponse me semble être « non ».

Je me détendis, voyant que l'épreuve qui consistait à parler de Jardine était repoussée. De nouveau, nous étions installés à la table de ma chambre; au-dehors, dans le jardin, il pleuvait toujours.

– La situation est vraiment déroutante, poursuivit Darrow. Tu ne sembles pas douter une seconde n'être pas fait pour le célibat. Mais, si l'on prend le célibat stricto sensu – c'est-à-dire s'abstenir du mariage –, on ne peut nier que c'est exactement ce que tu réussis à faire.

– Mais ce n'est pas en réponse à la volonté de Dieu.

– Il est possible que tu aies raison, mais c'est un point très important et il faut que nous en soyons sûrs. Je pense que tu seras d'accord avec moi si je dis qu'en ce qui concerne le mariage, il existe deux types d'ecclésiastiques. Certains pensent que le mariage les détournerait de leur devoir envers Dieu et d'autres pensent que, seuls, ils ne peuvent servir Dieu correctement car ils sont continuellement distraits par leur solitude et par l'inquiétude de savoir – comme on dit dans la marine – quel sera leur prochain coup.

– Tout à fait moi.

– Peut-être, mais ne te prononce pas trop vite. Je crois que tu seras également d'accord avec moi si je dis que la frustration sexuelle peut affliger même ceux qui sont faits pour le célibat, car, chez nos deux types d'ecclésiastiques, le facteur important de leur choix entre une vie conjugale ou une vie solitaire n'est pas toujours à la hauteur de leurs besoins sexuels.

– Voir saint Augustin, murmurai-je.

– Oui, c'est cela, exactement, voir saint Augustin : un célibataire qui a reconnu avoir une forte vie sexuelle. Là où je veux en venir, Charles, est que l'urgence de tes inclinations sexuelles actuelles n'indique pas forcément que tu ne sois pas fondamentalement fait pour le célibat; j'aimerais maintenant savoir pourquoi, à cette époque précise de ta vie, tu éprouves le besoin de faire l'amour. Est-ce seulement pour satisfaire une exigence naturelle ou bien y a-t-il à cela des raisons plus complexes?

– Vous vous souvenez que j'ai comparé mes rapports sexuels avec Loretta à des doses de morphine. Croyez-vous possible que le sexe soit pour moi un moyen d'échapper à mes problèmes?

– Si tu utilises vraiment le sexe dans ce but, dit Darrow, le mariage ne résoudra pas tes problèmes, mais les aggravera. C'est pourquoi il nous faut rester très prudents quand nous examinons ta mystérieuse ambivalence par rapport au remariage. La vie conjugale te convient-elle vraiment? Serais-tu capable de mieux servir Dieu, en célibataire? Autant de questions qui doivent être examinées prudemment si nous voulons obtenir une évaluation précise de tes difficultés.

– Je comprends ce que vous voulez dire, mon père, mais il n'en reste pas moins que j'ai été un homme marié et je suis absolument certain que le mariage peut m'aider à travailler davantage et à maintenir un équilibre spirituel beaucoup plus stable. Actuellement, je me sens désespérément instable et distrait.

– Très bien, c'est ainsi. Je veux bien croire que tu ne t'abstiens pas de te remarier parce que tu serais fait pour le célibat, ce que tes problèmes personnels t'empêcheraient de reconnaître. Maintenant, ayant établi qu'il te faut une épouse dans le but de mieux servir Dieu, sondons un peu plus le mystère de ton incapacité à atteindre l'autel.

Il s'interrompit et, me regardant bien en face de ses yeux gris clair, il dit :

– Dis-moi, Charles, quel est celui qui tient tant à se marier?

Sa question me parut si bizarre que je ne pus que le regarder en silence.

– Après tout, continua Darrow, nous ne devons pas oublier qu'il y a deux personnes en toi, n'est-ce pas?

Je tentai de démêler les implications de son affirmation et, à nouveau, il n'essaya pas de me brusquer. Finalement, je fus capable de dire :

– C'est ma belle apparence qui veut se remarier.

– Elle meurt d'envie d'épouser une femme parfaite, de vivre heureuse et d'avoir beaucoup d'enfants en bon ecclésiastique modèle.

– C'est moi qui ai envie d'épouser une femme parfaite, de vivre heureux et d'avoir beaucoup d'enfants en bon ecclésiastique modèle.

– Tu es la belle apparence de toi-même?

– Oui.

– Parfait. Mais que devient ton autre moi? Revenons à ce qu'il pense, lui, d'un remariage.

– J'ai parlé de son attitude l'autre jour, n'est-ce pas? Il doute qu'il lui soit possible de se marier, de vivre heureux et d'avoir beaucoup d'enfants car il est indigne et sans mérite; aucune femme ne pourrait s'en sortir avec lui. Sauf Lyle.

– Pourtant, mystérieusement, Lyle ne semble pas disponible. Penses-tu qu'il s'agisse seulement d'une coïncidence si, des deux femmes qui hantent ta vie en ce moment, l'une est une femme indépendante que la vie conjugale n'intéresse pas et l'autre une femme décidée à ne pas s'investir affectivement avec toi?

A nouveau, je pris le temps de réfléchir et finis par répondre :
– Non, ce n'est pas une coïncidence. Cela fait partie d'un schéma récurrent. Cela fait quelques années maintenant que je ne suis plus attiré que par des femmes qui ne sont pas libres.
Je ne pus m'empêcher d'ajouter :
– Cela relève-t-il de la folie?
– Pas le moins du monde, dit Darrow sereinement. Il est tout à fait sensé de la part de ton autre moi de prendre des précautions rigoureuses contre un remariage s'il a le sentiment qu'une telle chose serait catastrophique.
Il s'interrompit avant d'ajouter :
– Il m'a l'air de craindre tout particulièrement cette catastrophe.
Après un long moment de silence, je réussis à acquiescer.
– Cela doit représenter un lourd fardeau pour ton autre moi. Le porte-t-il depuis longtemps?
– Sept ans.
– Il doit être épuisé. N'a-t-il jamais été tenté de se soulager de ce fardeau en en parlant à quelqu'un?
– Je ne peux pas.
– Qui « je »? demanda Darrow.
– Ma belle apparence.
– Ah oui, dit Darrow, et bien sûr, c'est le seul Charles Ashworth que le monde ait la permission de connaître, mais tu es hors du monde maintenant, n'est-ce pas, et je suis différent des autres car, moi, je sais que tu es deux. Et cet autre toi-même m'intéresse de plus en plus, celui que personne ne voit. J'aimerais bien l'aider à se substituer à ta belle apparence et à se décharger d'un fardeau qui le tourmente depuis si longtemps.
– Il ne peut pas venir.
– Pourquoi?
– Vous ne l'aimeriez ni ne l'approuveriez.
– Charles, quand un voyageur titube sous le poids de bagages qui lui brisent les côtes, il n'a pas besoin que quelqu'un vienne lui taper sur l'épaule et lui dire à quel point il est formidable. Il a besoin de quelqu'un qui lui offre de partager son fardeau.
Je réfléchis à cette métaphore avec attention.
– Dis-toi que je suis ce porteur, dit Darrow, et pense à quel point la vie pourrait t'être plus légère si tu déposais quelques-uns de tes bagages sur mon chariot.
Je réfléchis à cet étirement de la métaphore avec une attention encore plus grande.
– Mais par où commencer?
– Il nous faut revenir sept ans en arrière. Peux-tu me dire ce qui s'est passé il y a sept ans ou bien est-ce trop difficile? Si tel est le cas, nous pouvons laisser cela de côté et parler d'autre chose.
Après un long moment de silence, je réussis à dire :

– Ma femme est morte. Il y a sept ans. Elle est morte.

– Oui, murmura Darrow.

Il attendit. Mais ce ne fut que ma belle apparence qui poursuivit d'un ton détaché :

– J'ai bien peur que je ne puisse rien dire d'autre que vous ne sachiez déjà.

– Rien?

– Non. Je vous ai déjà dit, n'est-ce pas, à quel point ce fut terrible quand elle est morte et, évidemment, j'en suis encore affecté. C'est comme si je ne voulais pas prendre le risque de m'attacher à une autre femme qui pourrait mourir et me causer tant de chagrin.

– Oui, je comprends cela parfaitement, dit Darrow, mais ce chagrin n'est-il pas allégé par le souvenir des années que vous avez passées ensemble?

– Si, bien sûr, m'empressai-je de répondre. Nous nous aimions beaucoup et avions connu trois années de bonheur intense.

– Sans nuages?

– Pas un seul.

– Tu m'as dit que ta femme était enceinte quand elle est morte. Cela faisait-il longtemps?

– Non. Elle venait de s'en rendre compte.

– Je vois. Et vous étiez mariés depuis trois ans. Cela a dû provoquer une forte tension entre vous deux.

– Quelle tension?

– Celle de vous demander, mois après mois, pourquoi l'enfant ne venait pas.

Je me levai et quittai la pièce.

XIII

Un couple sans enfant se dissout aisément.
Correspondance de Herbert HENSLEY HENSON,
Éd. E. F. Braley.

1

Je me rendis dans la salle de bains et restai assis sur le rebord de la baignoire un moment. Lorsque j'eus tout à fait repris mes esprits, je retournai dans ma chambre et y trouvai Darrow assis à la même place, mais je ne lui laissai pas le temps de parler.

A peine entré, je lui lançai :

– Mon mariage n'a aucun rapport avec la question qui nous occupe et je ne voudrais pas vous faire perdre votre temps à parler de choses sans importance. Je sais qu'il est ridicule que je ne me sois jamais remarié, mais tout ce qu'il me reste à faire, c'est me ressaisir et me comporter raisonnablement.

Tout en parlant, je déambulais dans la pièce, m'arrêtant près de la table de chevet, feuilletant la Bible. Les différents livres défilaient devant mes yeux : la Genèse, l'Exode, le Lévitique, les Nombres, le Deutéronome, le livre de Josué...

– J'ai bien l'impression que tu préfères remettre cette conversation à plus tard, dit Darrow tout en se levant. Je te laisse te détendre.

– Vous vous méprenez complètement! dis-je ennuyé. Vous pensez que je ne peux pas continuer, mais c'est faux – je le peux! Et je n'ai pas besoin de me détendre – je ne suis pas énervé!

– Alors, pourquoi tournes-tu comme un ours en cage?

Je ravalai mon exaspération, réprimai le juron que j'étais sur le point de proférer et me laissai tomber sur ma chaise. Darrow s'assit de nouveau lui aussi mais, alors que j'attendais sa question suivante, il ne fit que se lancer dans l'examen minutieux de sa bague sacerdotale jusqu'à ce que, n'en pouvant plus, je sois amené à lui demander :

231

– Pourquoi restez-vous silencieux?

– Moi? Mais je n'ai rien à dire!

– Très bien. Nous allons donc rester assis en silence.

Je me penchai en avant et tirai sur sa manche afin qu'il cesse d'examiner sa bague.

Puis, je lui dis :

– Je voudrais continuer, mais je ne peux pas si vous ne me posez pas de questions.

Darrow retrouva instantanément sa disponibilité habituelle.

– Laissons ta femme de côté pour le moment, dit-il, et parle-moi de ces femmes inéligibles qui t'ont attiré depuis sa mort. En quoi ne convenaient-elles pas à un ecclésiastique?

– Elles étaient divorcées ou séparées de leur mari ou agnostiques – ou encore, si elles n'étaient pas agnostiques, c'étaient de vagues déistes comme Loretta.

Darrow demanda, d'un ton désinvolte :

– Tu as couché avec certaines d'entre elles?

J'étais horrifié.

– Grands dieux, non, bien sûr que non! Tout le monde l'aurait su – cela aurait ruiné ma carrière, mon avenir –, il m'était absolument impossible d'avoir une liaison avec l'une d'entre elles.

– Impossible pour lequel de tes deux « moi »? demanda Darrow.

Je demeurai silencieux.

– Nous savons de manière certaine, reprit Darrow, que quelqu'un nommé Charles Ashworth a eu récemment une aventure avec l'une de ces femmes inéligibles, une vague déiste nommée Loretta Staviski.

– Ce n'était pas moi.

– Donc, c'est ton double qui a fait l'amour avec Loretta. Mais comment fait-il, habituellement, puisqu'il trouve la chasteté insupportable?

Au bout d'un moment, je répondis :

– Il va à l'étranger. En vacances. Toujours à l'étranger. Loretta a été une exception car, lorsque je suis ici, je réussis toujours à le tenir enfermé.

– Et ces vacances à l'étranger se terminent toujours par une confession à un prêtre étranger?

– Oui, bien sûr! Confession, repentir, absolution... enfin, je n'aurais pas pu continuer, n'est-ce pas, et il faut que je continue car rien ne doit m'empêcher de vivre ma vocation. Si je ne servais pas Dieu au sein de Son Église, ma vie serait dénuée de sens; alors, il serait vraiment dommage, vous ne croyez pas, que mon désir de Le servir fût contrarié parce que quelqu'un d'indigne et de peu de mérite – qui n'est pas moi – commet régulièrement une certaine faute.

– Dis-moi, me demanda Darrow, n'as-tu jamais parlé au père Reid de ces problèmes posés par ton double?

– Oh, mais c'était impossible! Le cher vieux père Reid m'aimait tant et avait une si haute opinion de moi que je ne pouvais pas supporter l'idée de le décevoir.

J'hésitai, puis ajoutai d'une voix ferme :

– Cela eût été cruel.

Darrow insista :

– Et monseigneur Lang qui, lui aussi, a de l'affection pour toi et qui a une haute opinion de toi? T'es-tu déjà confié à lui ou bien trouves-tu aussi que cela serait cruel?

Je le dévisageai mais ne lus sur ses traits aucune trace d'ironie qui aurait pu signifier soit l'incrédulité soit la condamnation.

Je répondis avec prudence :

– J'étais chaste quand je travaillais pour lui.

– Je comprends cela, mais en ce qui concerne la période qui précède ton ordination alors que tu étais déjà, et de loin, le protégé de Lang? La mauvaise herbe n'a-t-elle pas commencé à pousser durant tes années universitaires?

– Mais il était absolument impossible d'en parler à Lang! Cela aurait signifié la fin de son soutien – il ne m'aurait plus estimé du tout!

– Charles, serait-ce lire un peu trop entre les lignes que de déduire de tes propos que l'affection et le soutien sont deux choses très importantes pour toi?

La réponse s'imposait.

– Bien sûr que ce sont deux choses très importantes! m'exclamai-je. Ne le sont-elles pas pour tout le monde? N'est-ce pas là le sens d'une vie? La réussite, c'est d'être aimé et soutenu par les gens. L'échec, c'est d'être rejeté. Tout le monde est d'accord là-dessus.

– Nous en resterons là, dit Darrow.

– La réussite, c'est le bonheur, continuai-je, et c'est la raison pour laquelle je suis, en fait, très heureux malgré ces problèmes qui m'ennuient pour le moment. J'ai toujours tout réussi – ma carrière, mon mariage...

– Nous en reparlerons cet après-midi, coupa Darrow. Le temps a l'air de vouloir se mettre au beau. Nous pourrons nous installer dans le jardin.

2

– Je tiens à vous présenter des excuses pour m'être ainsi donné en spectacle ce matin, dis-je comme les odeurs des herbes aromatiques flottaient vers nous dans l'air clément.

– Tu avais les nerfs à fleur de peau, c'est sûr, mais il ne faut voir là aucun signe de démence.

– Et que penser de ce passage insensé d'une personnalité à l'autre?

– Tu parlais de problèmes très délicats et je t'encourageais.

Darrow était tout à fait calme.

– Souviens-toi, c'est moi, et non pas toi, qui ai introduit le concept de double personnalité dans nos discussions, dans l'espoir que cela nous mènerait plus près de la vérité.

Je me sentis soulagé.

– Il n'en reste pas moins, dis-je, que j'ai été stupide de prétendre que mon mariage avait été perfection sous le soleil. Je suis sûr que cela vous a laissé sceptique. Après tout, vous aussi avez été marié et vous savez certainement que, même dans le plus heureux des ménages, il peut y avoir une ou deux zones d'ombre.

Il y eut un silence durant lequel de ma main gauche j'agrippai l'accoudoir de mon siège tandis que, de ma droite, je cherchais mon crucifix à tâtons.

Puis, Darrow demanda négligemment :

– A quel moment la première zone d'ombre s'est-elle fait sentir dans ton couple?

– Tout de suite, car il y avait un problème d'argent. Je regrette de dire que j'étais prodigue car je voulais maintenir le contact avec les gens influents et, quand j'ai rencontré Jane, j'avais des dettes. Il n'y avait pas de difficultés réelles car j'allais toucher un excellent salaire comme proviseur, mais se marier revient cher et je ne voulais pas que mon beau-père puisse penser que je n'avais pas les moyens d'offrir une vie facile à sa fille.

– Son père avait-il une bonne opinion de toi?

– Très bonne, oui. Alors, bien sûr, je ne voulais pas le troubler en lui avouant que j'avais des difficultés financières. Bref, après le mariage, j'ai dit à Jane qu'il allait falloir faire attention pendant un moment – pas une réduction radicale de notre niveau de vie mais, au moins, éviter toute dépense superflue.

– Cela semble raisonnable.

– Oui, mais... je suis sûr que vous imaginez le dilemme que cela nous a posé, mon père.

– Cela me rappelle, dit Darrow, le jour où ma femme m'a annoncé le prix du landau qu'elle venait d'acheter.

– J'étais certain que vous comprendriez. Vous imaginez aussi, j'en suis sûr, la position embarrassante dans laquelle je me trouvais en tant qu'ecclésiastique. Quand je me suis marié, en 1927, l'attitude officielle de l'Église anglicane face à la contraception était encore négative.

– Très embarrassant.

– Jane était pieuse et elle a été choquée lorsque je lui ai parlé de contraception. Elle aurait été prête à l'accepter, mais plus tard; quand nous aurions eu quatre ou cinq enfants et qu'une autre grossesse eût été préjudiciable à sa santé. Mais elle ne pensait pas que la contraception fût une bonne chose pour de jeunes mariés. En fait, moi non plus, mais... C'était très délicat, mon père. Vraiment.

– Cela a-t-il provoqué quelques disputes?

– Jane n'était pas le genre de femme à faire des scènes. Elle a pleuré et puis, elle a essayé d'être courageuse, mais j'étais terrifié à l'idée qu'elle puisse en parler à son père. Le vieux était un ecclésiastique de l'époque victorienne et, pour lui, toute forme de contraception était une invention du diable.

– Quelles conséquences ce problème a-t-il eues sur votre vie intime?

– Eh bien, Jane tenait à être une bonne épouse; aussi, en surface, tout semblait aller, même quand j'ai commencé à utiliser des préservatifs, mais... Je savais que la situation la rendait malheureuse et je m'en sentais coupable; le fait de me sentir coupable me révoltait car je ne me sentais pas fait pour la culpabilité. Notre vie sexuelle devint un peu difficile. Tout devint difficile...

– Tu utilisais des préservatifs chaque fois?

– Oui, sauf les rares fois où j'en manquais. Je ne pouvais pas me permettre de les acheter dans mon quartier. J'avais peur d'être reconnu et je n'avais pas forcément toujours le temps d'aller plus loin, alors, parfois, je devais pratiquer le *coitus interruptus* – mais si vous saviez comme je n'aimais pas cela! J'avais toujours peur d'un accident...

– Profondément peur? Pourquoi? Toujours des difficultés financières?

– Non. Ma situation financière s'était nettement améliorée. Aux alentours de notre premier anniversaire de mariage, j'avais même un beau solde créditeur à ma banque.

– Dans ce cas, je suppose que la question du bébé est revenue à l'ordre du jour?

– Oui. Jane a voulu abandonner la contraception et j'ai été d'accord. Mais alors, une chose épouvantable est arrivée, mon père, le cauchemar de tout homme. J'ai commencé à souffrir d'éjaculation précoce. Je jouissais avant même de la pénétrer.

– Comme cela devait être pénible! Que disait ton médecin?

– Oh, mais je ne pouvais pas aller voir mon médecin pour cela! C'était un ami de la famille, un ami de mon beau-père et je voulais que personne, dans mon entourage, ne soupçonne que j'avais des problèmes. Et puis, tout allait bien tant que j'utilisais des préservatifs.

– Tu veux dire que tu es revenu à la contraception?

– Il le fallait bien, non? Sans cela, notre vie intime aurait tourné au désastre. J'ai dit à Jane : « Il faut que je continue à utiliser des capotes jusqu'à ce que je puisse dépasser ce problème » et elle m'a répondu : « Fais pour le mieux. » Puis, je l'ai entendue pleurer dans sa chambre.

– A quel moment en as-tu parlé à ton directeur de conscience?

– Jamais. Ce n'était pas un problème d'ordre spirituel.

– Voudrais-tu me faire croire que ce sérieux souci conjugal n'avait aucune répercussion sur tes méditations et tes devoirs envers Dieu?

– Mais il m'était impossible d'en parler au père Reid! Il était si saint – si étranger à la vie conjugale... Vous m'imaginez lui parler de préservatifs et d'éjaculation précoce? Ce n'est absolument pas le genre de chose dont on parle à son directeur de conscience, ne croyez-vous pas, et, de plus... je ne voulais pas qu'un autre ecclésiastique sache que je pratiquais la contraception.

– En parlant de tes devoirs d'ecclésiastique, puis-je me permettre de te demander comment tu t'en sortais comme proviseur de St. Aidan pendant que tu avais ces problèmes?

– Oh, mon père, en quelque sorte, ce fut le pire de tous les problèmes : j'avais horreur de cela! Tous ces adolescents m'ennuyaient au plus haut degré – j'avais oublié à quel point la vie scolaire pouvait être lassante.

– Quand as-tu compris que tu avais commis une erreur?

– Pratiquement tout de suite, mais j'avais l'impression que je ne pouvais rien dire car tout le monde – surtout Lang – s'attendait à ce que je m'acquitte magnifiquement de ma tâche et je ne pouvais supporter l'idée de les décevoir. Je savais que je devais supporter cette situation pendant au moins trois ans; si j'arrêtais plus tôt, les gens penseraient que je ne m'en étais pas sorti.

– Que pensait Jane de ta déception professionnelle? Cela a dû beaucoup la contrarier?

– C'est-à-dire que je ne lui en ai jamais parlé. Non, bien sûr que je ne lui ai jamais rien dit. Comme tout le monde, elle s'attendait à ma réussite et puis, elle se faisait déjà tant de soucis que je me disais que je n'avais pas le droit de lui en créer d'autres.

– Où en était votre vie conjugale à cette époque?

– Particulièrement difficile. De temps en temps, je me passais de préservatif, mais cela ne marchait jamais. Enfin, nous essayions tous les deux de faire comme si tout allait pour le mieux...

– Mais, je suppose que ce genre de situation ne pouvait pas continuer sans que naisse une crise quelconque?

– Jane était effectivement devenue un peu dépressive. Ce n'était pas une dépression nerveuse, entendons-nous bien – personne n'a dit cela –, mais elle pleurait tout le temps et disait qu'elle voulait retourner chez son père... J'ai failli tomber raide quand elle m'a annoncé cela, mais alors, elle s'est mise à hurler que je me souciais davantage de ce que penserait son père que de ce qu'elle pensait, elle. Je lui ai répondu que non, que je me souciais terriblement de ce qu'elle pensait, que je l'aimais, et elle a craqué et m'a demandé comment je pouvais être heureux de continuer à vivre sans enfant. Je lui ai dit que je n'étais pas heureux, que je voulais, autant qu'elle, avoir un enfant... Et alors, mon père, finalement, la terrible vérité a point en moi : je me suis rendu compte que c'était un mensonge. Je ne voulais pas avoir d'enfant. Je ne savais pas pour quelles raisons. Et je ne sais toujours pas pourquoi. J'ai simplement pensé : je ne suis pas fait pour être père, je ne pourrais pas m'en tirer. Mais je savais aussi que je ne pouvais pas me confier à Jane. Ni à Jane ni à personne d'autre. Un mariage chrétien a la procréation pour but et je n'étais pas un chrétien ordinaire, j'étais un ecclésiastique. Mais cet étranger, celui qui vit en moi au-delà de ma belle apparence, ne voulait pas d'enfant, lui, et il avait pris le dessus dans mon mariage; je... j'ai fait ce que j'ai pu pour le maintenir à l'écart, j'ai tout essayé, mon père, tout...

Je tentai de me ressaisir :

– « Étroite est la porte et resserré le chemin. »

Du revers de ma manche, je m'essuyai les yeux et trouvai la force de continuer :

– Bizarrement, c'est dès l'intant où j'eus admis que je ne voulais pas d'enfant que je n'ai plus eu de problème d'éjaculation précoce. Comme si cela m'avait épargné la paternité tant que je ne pouvais regarder la vérité en face; mais une fois cette vérité affrontée, il s'est trouvé que je contrôlais presque parfaitement mon corps... Je jouais la comédie à Jane. Je faisais semblant d'atteindre l'orgasme et je me débrouillais pour me retenir jusqu'à ce que je puisse aller à la salle de bains...

– Mais Jane a bien dû se rendre compte de l'absence de liquide séminal.

– Je l'ignore. Je ne sais pas ce qu'elle pensait, mon père. Nous n'en avons jamais parlé.

– En fait, à cette époque, vous étiez étrangers l'un à l'autre.

– Oh non, mon père, tout le monde remarquait à quel point Jane et moi étions heureux; le jeune couple modèle...

– Comment s'est finie cette tragédie?

J'eus envie de dire : « Ce n'était pas une tragédie », mais les mots ne sortirent pas de ma bouche.

J'étais trop accablé par le soulagement de voir enfin la douleur identifiée. C'était comme si j'avais enfin troqué une grossière paire de sabots contre une paire de chaussures sur mesure.

– Une tragédie, répétai-je, une tragédie.

Il me fallait prononcer le mot à voix haute pour m'assurer qu'il était réel.

Je dis à Darrow :

– C'est le mot « réussite » qui sonnerait faux, n'est-ce pas? Mais il faut que je parle en termes de réussite car tragédie et échec sont...

Je cherchai le mot juste mais ne pus trouver que :

– ... irrecevables.

Darrow demeurait silencieux.

– Tragédie et échec ne m'arrivent jamais, dis-je. Ils n'ont pas le droit de m'arriver, à moi.

– Qui « moi »? demanda Darrow.

– Ma belle apparence.

– Alors, à qui cette tragédie est-elle arrivée?

– A mon autre moi.

– Il est d'accord, maintenant, pour reconnaître que ce fut une tragédie, n'est-ce pas?

– Je crois qu'il l'a toujours su. La souffrance lui semblait si injuste.

– Elle le révoltait, c'est cela?

Je réussis à acquiescer.

– Parfait! dit Darrow de manière tout à fait inattendue. Il est normal qu'il se soit révolté s'il a été enfermé et n'a pas eu le droit de reconnaître sa souffrance! Y a-t-il quelque chose de plus inhumain pour un homme qui souffre que d'être emprisonné?

Je dis, éperdu :

– Mais il me fallait l'emprisonner!

– Oui, mais je pense, dit Darrow s'adressant alors à ma belle apparence, que tu as besoin de repos. Être un geôlier si impitoyable doit être une occupation épuisante. Je crois que ton prisonnier pourrait être libéré sur parole, ici, dans cette pièce – juste une minute ou deux – afin qu'il puisse achever le récit de la tragédie dont il pense qu'elle est sienne et uniquement sienne. Ou bien est-il trop furieux pour en parler?

– Non, il veut bien en parler, dis-je, car il sait que vous comprendrez.

Alors, je m'extirpai de ma belle apparence. J'avais l'impression d'être nu, d'une vulnérabilité terrifiante mais, pourtant, pas seul. J'apparus car Darrow était là pour venir à ma rencontre et je savais qu'il ne reculerait pas d'horreur.

– La tragédie s'acheva au moment où Jane fut enceinte, dis-je.

Et ce fut moi qui parlai, mon autre moi; pas seulement mon autre moi mais mon moi véritable, le vrai Charles Ashworth.

– Je ne sais pas comment c'est arrivé mais je suppose que, une fois sans doute, le *coitus interruptus* n'a pas été si *interruptus* que cela. Donc, une nuit que je rentrais d'un conseil de classe absolument détestable – si vous saviez comme j'avais horreur de cette école! – je trouvai Jane qui m'attendait, les yeux brillants, pour m'annoncer la bonne nouvelle. Et c'est alors que l'autre moi – mon moi véritable – prit le dessus sur ma belle apparence. Je dis à Jane : « Bon Dieu, c'est bien la dernière chose que j'avais besoin d'entendre après une de ces affreuses journées dans cette affreuse école », et je me suis servi un double whisky. Jane m'a répondu : « Tu n'es plus l'homme que j'ai épousé. » Elle avait le visage ravagé par les larmes et, tout de suite, je me suis senti envahi par la culpabilité. Je me suis précipité vers elle, l'ai suppliée de me pardonner mais elle a crié : « Jamais! » Elle m'a giflé et elle est partie. J'étais si abasourdi que, tout d'abord, je n'ai pas essayé de la retenir et lorsque je me suis décidé à courir après elle, il était trop tard. Elle était allée au garage et avait sorti la voiture. Je n'ai pas pu l'empêcher de démarrer et, moins de cinq minutes plus tard, elle s'écrasait contre un arbre. Elle est morte sur le coup. Il n'y avait aucune autre automobile et le commissaire de police a conclu son enquête en soulignant à quel point cet accident était stupide mais, bien sûr, je me suis toujours demandé si... je me suis toujours demandé...

– Si elle ne s'était pas suicidée, acheva Darrow.

Je me penchai en avant, enfouis mon visage dans mes mains et me mis à pleurer comme je n'avais plus jamais pleuré depuis le moment où j'avais appris la mort de Jane, sept ans plus tôt.

3

– Si elle était croyante, le suicide est peu probable, dit Darrow.
Il avait poussé sa chaise de façon à se rapprocher de moi.

– Mais je ne pourrai jamais en être certain et puis, j'ai le sentiment d'être entièrement responsable de sa mort.

– Je comprends parfaitement cela, Charles, mais ce n'est pas à toi d'en juger. Nous ne connaissons jamais toutes les circonstances d'une tragédie et, à supposer le contraire, nous n'aurions peut-être pas la sagesse nécessaire pour les interpréter correctement.

– Mais on ne peut nier le fait que...

– Le seul fait qui ne fasse aucun doute ici est que ta femme est morte. Dieu a jugé bon, pour des raisons que nous ignorons, de la rappeler auprès de Lui au terme d'une courte vie terrestre et tu dois l'accepter. Ta culpabilité te fait dire que cela n'aurait pas dû être, que Dieu a commis une faute, mais c'est de l'arrogance. Dis-toi plutôt : « Jane est maintenant au-delà de toute souffrance et telle est la volonté de Dieu; j'ai commis des erreurs durant mon mariage, c'est vrai, mais la meilleure chose que je puisse faire n'est pas de me complaire dans un sentiment de culpabilité mais de découvrir les raisons pour lesquelles j'ai commis ces erreurs afin d'être certain qu'elles ne se reproduiront plus. » Alors, la mort de Jane n'aura pas été vaine.

– Je l'aimais tant, murmurai-je. Je vous assure.

– Je te crois. C'est pour cette raison que tu ne te contentes pas de dire : « Mon mariage a été un fiasco mais, grâce au ciel, j'en suis sorti! » Et c'est aussi pour cette raison que tu as le devoir, en souvenir d'elle, de reconstruire ta vie afin de faire le bon mariage avec la femme qu'il te faut. Ta première tâche, je crois, est de comprendre exactement pourquoi ton mariage a connu des problèmes aussi douloureux.

– Mais je ne le comprends que trop bien! C'est parce que mon moi véritable était si indigne et avait si peu de mérite...

– Arrête, dit Darrow si brusquement que je sursautai. Ces propos contredisent tout ce que tu viens de dire.

Je le regardai droit dans les yeux.

– Je ne comprends pas.

– Dans ton récit, tu as dit très clairement que ton moi véritable n'a jamais eu la chance de s'exprimer sauf au cours de cette scène finale. Qui, dans ton mariage, avait le dessus?

J'étais incapable de répondre.

– Tes problèmes conjugaux n'ont pas commencé avec cette scène finale, n'est-il pas vrai? Tes problèmes ont commencé bien avant ton mariage quand tu t'es mis à avoir des ennuis d'argent – ce qui t'a entraîné dans cette mauvaise passe en te poussant à vivre au-dessus de tes moyens? Qui t'a empêché de chercher de l'aide, exigeant de toi que personne ne sache que ton ménage connaissait des difficultés? Qui t'a poussé à accepter ce poste de proviseur et a insisté pour que tu y restes? Qui s'est ingéré entre ta femme et toi et t'a empêché d'être honnête vis-à-vis d'elle? Qui a été à l'origine de ce drame pour laisser ensuite ton moi véritable porter le fardeau de toute la culpabilité et de toute la honte?

Il m'était toujours impossible de répondre. Mon émotion était indicible.

– Ce n'est pas toi le vilain de cette histoire, Charles, dit Darrow. Tu en es la victime. C'est ta belle apparence qui devrait être sous les verrous.

4

Il y eut un long moment de silence durant lequel je luttai intérieurement pour m'adapter à une nouvelle identité mais, pour finir, Darrow ajouta :

– Je commence à être tout à fait, mais tout à fait navré pour ton moi véritable. Que de choses épouvantables lui sont arrivées et personne ne les connaît car il ne lui est pas permis d'en parler. Il est coupé du monde, mis en quarantaine par un impitoyable geôlier. Il ne s'échappe que lorsque le geôlier a trop bu et alors, il est si agressif qu'il est infréquentable. Et pourtant, ce n'est pas étonnant qu'il soit si en colère! Il a été emprisonné sur une erreur judiciaire et c'est son gardien qui devrait être sous les verrous. Dis-moi, ne ressens-tu vraiment aucune sympathie pour lui dans cette situation difficile?

– Si, mais... à quoi lui servirait ma sympathie?

– Elle lui ferait le plus grand bien, car si tu le considères avec sympathie et non avec horreur, alors c'est une image différente que tu verras dans le miroir. De l'amour et de la compassion naissent la compréhension et le pardon, et une fois qu'un individu s'est suffisamment compris pour se pardonner ses fautes, l'indignité est guérie, l'absence de mérite rachetée – et n'est-ce pas ce que nous voulons, Charles? Nous voulons que tu retrouves foi en ton propre mérite afin que tu trouves le courage de te dépouiller de ta belle apparence et de triompher de ce tyran qui te tourmente depuis si longtemps.

Une fois de plus, je ne pus retenir mes larmes. Je m'entendis murmurer :

– Pourquoi ai-je le sentiment d'être sans mérite? Pourquoi tout cela est-il arrivé?

Darrow répondit :

– Ceci est l'envers du mystère – et c'est là que nous devons aller.

5

Nous nous revîmes ce soir-là. Derrière Darrow, la lampe de chevet brillait comme d'habitude et donnait à ses cheveux gris un éclat argenté distingué. Son air d'autorité en était atténué; j'étais frappé par sa sérénité.

– Peux-tu reprendre la parole? me demanda-t-il. Je suis impatient de savoir ce que tu penses de cette belle apparence maintenant que tu as eu le temps de repenser à notre conversation de tout à l'heure.

– Elle doit être mise sous les verrous. Je le comprends, mais je ne vois pas comment.

– Il est possible, dit Darrow, si nous pouvons résoudre l'envers du mystère, qu'elle s'évanouisse tout simplement.

J'étais intrigué mais sceptique.

– Je ne peux imaginer vivre sans elle.

– Cela fait longtemps qu'elle est là, non? demanda Darrow d'un ton léger.

– Depuis toujours.

– Depuis toujours, la réussite pour elle, c'est gagner l'affection et l'estime de tous?

– Oui.

– Et toi, Charles? Comment ton moi véritable définirait-il la réussite?

– Eh bien, évidemment, j'ai conscience que la vie ne consiste pas seulement à gagner l'estime d'autrui. La réussite, c'est réaliser sa vocation de son mieux. Autrement dit, on se consacre à servir Dieu et...

– Qui « on »?

– Son moi véritable, répondis-je machinalement.

Je pris une inspiration difficile, me débattant toujours avec la révélation qui s'était imposée à moi.

– On met son moi véritable au service de Dieu, continuai-je, et on s'efforce d'accomplir Sa volonté.

– Ou encore, pour employer des termes moins théologiques, dit Darrow, me laissant le temps de terminer mon combat intérieur, la réussite implique de réaliser le meilleur de ses possibilités pour le bien de son moi véritable de façon que sa vie soit l'expression de ses dons innés. Maintenant, Charles, comment définirais-tu, comment ton moi véritable définirait-il l'échec?

– Emprisonner son moi véritable pour pouvoir vivre dans le mensonge, m'entendis-je déclarer. Vivre en désaccord avec son moi véritable afin de poursuivre de mauvais buts pour de mauvaises raisons. Se soucier davantage de l'opinion des autres que de servir Dieu et d'accomplir Sa volonté.

J'ajoutai, honteux :

– Je peux voir que j'ai véritablement vécu dans l'erreur.

– Oui, mais il est intéressant de constater que tes erreurs ne se sont pas produites à cause d'une incapacité intrinsèque de ton moi véritable. Il sait – et tu sais aussi – exactement ce que tu devrais faire de ta vie mais cette belle apparence que tu veux donner a un tel ascendant sur toi que tu dois consacrer une part énorme de ton temps et de ton énergie à la satisfaire.

– Je suis comme quelqu'un qui serait victime d'un chantage, dis-je après réflexion.

– Absolument. Ta belle apparence t'a persuadé que les bonnes personnes ne t'apprécieront et ne te soutiendront que si tu lui donnes pignon sur rue. Pour certaines raisons qui font que tu as tant besoin d'affection et de reconnaissance, tu cèdes à cette demande pour satisfaire tes manques.

Je pesai le pour et le contre de cette interprétation.

– Quand je sais que j'ai gagné l'estime des gens, dis-je timidement, je me sens moins indigne.

Darrow avait l'air satisfait comme si un de ses élèves qui avait un problème d'élocution venait de réussir une longue tirade.

– Excellent, dit-il. Et maintenant, peut-être es-tu en mesure de comprendre pourquoi, si nous résolvons l'envers du mystère, ta belle apparence s'évanouira d'elle-même.

– Je suppose qu'il faut briser cette accoutumance. Si je ne me sens plus indigne et sans mérite, alors je ne serai plus dépendant de l'opinion des autres et je n'aurai plus besoin de ma belle apparence pour gagner leur estime.

A nouveau, Darrow eut l'air satisfait, comme si l'élève timide était devenu le premier de la classe. Mais, avant qu'il n'ait eu le temps de faire le moindre commentaire, je dis, désespéré :

– Je peux comprendre tout cela intellectuellement, mais...

– ... Mais émotionnellement, tu n'arrives toujours pas à imaginer comment tu pourrais vivre sans ta belle apparence en séduisant systématiquement les personnes importantes. Mais je crois que si nous la traquons jusqu'à ses origines et trouvons comment elle est apparue, nous commencerons à comprendre pourquoi tu as l'impression d'être trop indigne pour vivre sans elle.

– Mais ma belle apparence n'a pas d'origine, dis-je dérouté. Je vous l'ai dit : elle a toujours été là.

– Comme c'est extraordinaire, dit Darrow narquois. C'est la première fois que j'entends parler de bébés arrivant au monde nantis d'une belle apparence.

Je souris gauchement, puis ajoutai :

– Et supposons que nous n'arrivions pas à découvrir son origine?

– Je ne vois pas ce qui nous en empêcherait. Il suffit de savoir où creuser. Alors, une fois que nous aurons dégagé ses racines, nous les arracherons afin que toute la mauvaise herbe dépérisse au soleil et qu'enfin la plante malingre et étiolée de la plate-bande puisse fleurir à son tour.

J'envisageai cette perspective en silence et ce silence dura longtemps.

– Enfin, dit Darrow en me regardant, creuser est un travail difficile et tu n'es peut-être pas encore assez fort pour cela.

Je l'interrompis :

– Est-ce là que la porte devient encore plus étroite et le passage encore plus resserré?

– Oui, mais rien ne nous oblige à nous en approcher maintenant, Charles. Nous pouvons pour l'instant nous contenter de nous asseoir et de les contempler un moment.

– Non, dis-je. Je veux avancer.

XIV

Il est particulièrement difficile d'inclure un paragraphe autobiographique dans un texte comme celui que je vous adresse maintenant, mais je pense que cela doit être tenté car il ne fait aucun doute que ma foi a été fortement influencée par le cours capricieux de ma jeunesse.

Herbert HENSLEY HENSON,
Regard sur une vie sans importance.

1

C'était le matin et la luminosité d'un ciel gris éclairait ma chambre où nous étions assis, une fois encore, près de la table. J'avais réitéré mon désir d'entamer l'examen qui mènerait à la racine de ma belle apparence, mais Darrow ne m'avait pas répondu. Je le suspectais d'évaluer dans quelle mesure je ne parlais pas par bravade.

– Eh bien, n'allons pas tout de suite droit au but, dit-il finalement. Contentons-nous pour le moment de racler la première couche en parlant de Jardine.

Je cherchai mon crucifix des mains.

– Nous n'allons pas entrer dans les détails, ajouta Darrow vivement. J'aimerais seulement que tu éclaircisses un point : Jardine t'a-t-il estimé tout de suite? Apparemment, il a fini par beaucoup t'aimer ou alors, il ne t'aurait jamais parlé de son père.

Je pouvais repenser à la première partie de ma visite à Starbridge sans difficulté.

– Je ne pense pas qu'il m'ait particulièrement apprécié au début, dis-je. Il pensait que je n'étais qu'un brillant émule de Lang.

– Et tu avais envie qu'il t'aime?

– Oui, bien sûr.

– Pourquoi « bien sûr »? Tu aurais pu y être totalement indifférent.

– Oui, mais au cours de notre altercation, à table, il donnait l'impression de désapprouver tout ce que je disais et...

– ... Et tu n'aimais pas qu'il puisse avoir une mauvaise opinion de toi?

J'hésitai, puis ajoutai d'un ton brusque :

– Je détestais cela.

– Et pourtant, il ne serait pas faux d'affirmer, n'est-ce pas, que vers la fin de ton séjour tu t'es arrangé pour gagner son estime en dépit de la friction due à la mission que t'avait confiée Lang, et à ton attirance pour Lyle.

J'acquiesçai.

– Parfait, conclut Darrow. Nous avons établi qu'il y avait là un homme éminent, beaucoup plus âgé que toi qui a une haute opinion de toi et t'estime. Oublions maintenant Jardine et revenons à ton passé éloigné – parlons de ta relation avec monseigneur Lang. Il semble y avoir le même cas de figure... mais, je peux me tromper...

– Non, répondis-je, sur mes gardes. Lang et Jardine ont deux personnalités différentes mais j'ai voulu aussi gagner l'estime de Lang.

– Peux-tu décrire ta relation avec Lang en termes plus précis?

– J'étais son protégé.

– Oui, mais à ton avis, y aurait-il un adjectif que nous pourrions utiliser pour décrire l'attitude de cet homme éminent, beaucoup plus âgé que toi, qui te portait en haute estime?

– Bienveillant.

– N'y aurait-il pas un autre adjectif que tu aurais pu choisir?

– Non, répondis-je sans la moindre hésitation.

– Très bien. Allons un peu plus loin dans ton passé et parlons du père de Jane, un autre homme éminent, beaucoup plus âgé que toi et qui te considérait avec bienveillance. Quand tu me parlais de Jane, tu as explicitement dit combien l'estime de son père était importante pour toi et, apparemment, tu as réussi à bien t'entendre avec lui. Jane avait-elle des frères?

– Non. Son père le regrettait beaucoup, je crois.

– En ce cas, Charles, cela a dû faire grand plaisir à cet homme d'avoir un gendre de qualité.

De mon index, je traçai une marque sur la table et ne dis rien.

– Oui, c'est vraiment une grande coïncidence, tu ne trouves pas? reprit Darrow. Trois hommes âgés et éminents qui tous te portent en haute estime! Penses-tu qu'ils auraient quelque chose en commun?

– L'Église.

– Est-ce leur seul dénominateur commun?

– Oui, dis-je sans hésiter.

– Et quand tu étais étudiant à Cambridge – j'imagine que, là aussi, il y a eu quelqu'un qui t'a traité avec une bienveillance particulière?

– Eh bien, pour tout vous dire, oui, répondis-je. Je suis devenu le protégé du directeur de Laud.

– Avait-il une famille?

– Ses deux fils avaient été tués pendant la guerre.

– Et avant que tu n'ailles à Cambridge, je suis certain que le proviseur de ton lycée s'était attaché à toi, n'est-ce pas?

– Oui, j'étais chef de classe.

– Et à l'école primaire?

– J'étais chef de classe aussi.

– Et que se passait-il avant que tu n'ailles à l'école primaire? s'enquit Darrow. Qui était l'homme important dans ta vie?

Mon regard se perdit par-delà la fenêtre jusqu'au fond du jardin, jusqu'au fond de mon passé et le silence se referma sur nous tandis que les souvenirs jaillissaient en mon âme.

– Charles, dit Darrow, voilà plusieurs jours que je regarde tous les protagonistes du drame de ta vie défiler sur la scène, mais quelqu'un de très important n'est pas encore apparu. Peut-être le moment est-il venu pour lui de faire enfin son entrée ou bien veux-tu le réserver pour une autre scène?

Je me mis à rire.

– Je vais le laisser faire son entrée, bien entendu! dis-je. Mais, vous savez, mon père n'a aucun rapport avec mes problèmes.

– Si tu préfères ne pas en parler...

– Oh, ce n'est absolument pas cela! Que voulez-vous savoir?

– Eh bien, peut-être pourrais-tu évoquer la qualité de ton rapport à lui?

– Exceptionnel, dis-je. C'est un type merveilleux que je respecte et admire.

– Tu t'es donc toujours bien entendu avec lui?

– Toujours. Enfin... je reconnais qu'il y a eu une passe difficile quand je suis entré dans les ordres – non, appelons les choses par leur nom et disons qu'il y a eu une forte dispute – mais c'est réglé depuis des années et maintenant, il est très fier de ma réussite. J'aime énormément mes parents et je m'entends très bien avec mon frère – en fait, je dirai que nous formons une famille unie et heureuse comme il y en a peu.

Darrow se contenta de dire :

– Quand es-tu allé les voir pour la dernière fois?

2

– Je crois que je vais en rester là pour ce matin, lui répondis-je. Je vais bien. Il n'y a pas de problème mais je crois que j'aimerais disposer d'un peu de temps pour réfléchir à cette coïncidence extraordinaire qui fait que je ne cesse de rencontrer des ecclésiastiques âgés et bons pour moi.

Je souris franchement à Darrow pour bien lui montrer à quel point cette idée m'amusait, à quel point j'étais détaché, à quel point je me contrôlais, moi, ma belle apparence qui, dès qu'elle se sentait menacée, était prête à se battre de toutes ses forces pour survivre.

C'est à elle que Darrow dit poliment :

– Comme tu voudras. Que dirais-tu d'aller retrouver le soleil au jardin cet après-midi?

3

– J'imagine que vous voulez que j'admette, dis-je plus tard à Darrow qui était assis à mes côtés sur le banc du jardin, qu'il y a des cadavres cachés dans ma famille?

– Charles, je ne suis que le porteur au chariot vide. Je ne suis ici ni pour critiquer la qualité de tes bagages ni pour désigner celui dont tu dois te décharger. Mon rôle consiste simplement à t'offrir la possibilité de te débarrasser du bagage que, toi, tu ne veux plus porter. Mais la décision est tienne.

Après avoir réfléchi à cela, je me sentis suffisamment rasséréné pour dire :

– Je ne suis pas complètement idiot. Vous voulez me faire dire que ces intérêts bienveillants relèvent d'un rapport père-fils. Vous voulez me faire dire que la chose importante qu'ils ont tous en commun est que ces protecteurs n'ont pas de fils. Vous voulez me faire reconnaître que ce n'est pas une simple coïncidence si je rencontre toujours ce genre d'aînés dans ma vie. Vous voulez que j'admette que j'ai un problème relationnel avec mon père. Mais c'est faux. Vraiment. Nous nous aimons beaucoup.

– C'est parfait, dit Darrow d'une voix sereine. Rien ne nous oblige à parler de ton père. Parlons plutôt de ces pères de remplacement que tu as accumulés toutes ces années.

– « Pères de remplacement »! Quelle foutue expression à la noix! m'exclamai-je.

En employant le mot « foutue », je sentis se dissoudre ma belle apparence. Éviter les mots grossiers faisait partie des devoirs d'un ecclésiastique. Je me rendis compte, tout à coup, que mon moi véritable tentait de s'échapper et il me fallait le retenir coûte que coûte. Je demandai à Darrow, pour gagner du temps :

– Seriez-vous un fanatique de Freud?

– Disons que je suis un sympathisant.

– Pour moi, Freud, c'est de la foutaise. Je me refuse à penser que tous les hommes sont amoureux de leur mère et recherchent continuellement la figure du père.

– C'est ce que dit Freud? Enfin, passons. Oublions Freud et oublions ce terme de « pères de remplacement » qui, je le reconnais, est absurdement lugubre. Comment, toi-même, décrirais-tu ces hommes bienveillants que tu as connus?

– Eh bien, il est évident qu'ils se sont substitués à mon père, je comprends cela, mais cela n'explique pas tout car mon père, lui aussi, a toujours eu une attitude bienveillante à mon égard.

– Penses-tu qu'il soit possible, dit Darrow, que tu aimes te cantonner au rôle de fils? Si la relation que tu as avec ton père est si bonne, tu ne dois pas pouvoir résister à l'envie de la répéter à la moindre opportunité.

Cette suggestion me parut curieuse. Je le regardai avec suspicion et lui dis sévèrement :

– Je ne collectionne pas les pères pour le plaisir!

– Oui, j'étais en train de me dire qu'être un fils idéal devait être une occupation assez prenante et assez fatigante.

Je me mis à rire.

– Bientôt, vous allez me dire que j'étais si épuisé d'être un fils que je n'ai pas eu assez d'énergie devant la perspective d'être un père!

Darrow se mit à rire, lui aussi.

– Oui, cela semble idiot, n'est-ce pas?

– Ridicule!

Je traçai un dessin sur le banc.

– Peut-être serait-il plus judicieux de dire que ton père n'a pas su rendre la paternité attrayante à tes yeux?

– Cette suggestion est aussi ridicule que la précédente. Il a toujours été merveilleux.

– Le père idéal?

– Eh bien... Il avait ses défauts, comme tout le monde, mais en gros...

– ... Il était merveilleux. Je vois. Maintenant, Charles, il y a une question que j'aimerais te poser mais peut-être souhaiteras-tu ne pas y répondre. Si tel est le cas...

– Je souhaiterais surtout que vous cessiez de me traiter comme si j'étais un névrosé irrécupérable! dis-je irrité. Je répondrai à toutes les questions que vous avez envie de me poser – qu'ai-je fait d'autre depuis que nous avons commencé à parler?

– Oui, mais ce n'était que la partie la plus facile du chemin.

Je saisis l'exemplaire de la Bible que j'étais en train de lire avant qu'il ne me rejoigne et commençai à le feuilleter. A nouveau, les livres coulèrent entre mes doigts : la Genèse, l'Exode, le Lévitique, les Nombres, le Deutéronome, le livre de Josué...

– Et quelle est donc cette fameuse question? demandai-je l'air de rien.

– L'un ou l'autre de ces hommes bienveillants était-il comme ton père ou bien n'y avait-il aucune comparaison possible?

– Mon père ne leur ressemble en rien.

J'en étais arrivé au Nouveau Testament et, soudain, un verset me sauta aux yeux : « Étroite est la porte », lus-je à voix haute, « et resserré le chemin qui mène à la vie et il en est peu qui s'y engagent ».

Je refermai doucement, très doucement la Bible, comme si je craignais qu'elle ne tombe en poussière entre mes doigts et, précautionneusement, très précautionneusement, je reposai l'ouvrage sur le banc. Puis, je dis à Darrow :

– Je ne vous dis pas la vérité. Je suis navré. Oui, ils avaient tous un point commun.

– L'Église?

– Non. Mon père est athée. Il m'a envoyé dans des écoles religieuses uniquement parce qu'il était obsédé par ce qu'il appelait une vie « décente, honnête et droite », et il voulait des écoles qui insistent beaucoup sur la moralité. Le point commun entre mon père et mes « pères de remplacement » est qu'ils sont tous des hommes d'une haute moralité.

– Ton père commence à m'intriguer au plus haut point, me dit Darrow. Penses-tu être capable d'évoquer les grandes lignes de sa personnalité?

Cela me parut une requête raisonnable et je me dis que je pourrais m'en acquitter sans difficulté.

– Pourquoi pas? dis-je en le regardant droit dans les yeux pour bien lui montrer que je n'étais pas intimidé; mais, sans le savoir, je me lançais dans un voyage déchirant jusqu'au cœur de ma belle apparence.

4

– Mon père est un homme très sincère, très franc, dis-je. Il est comme Jardine : il déteste l'hypocrisie mais il n'a ni la culture ni la sophistication de Jardine. Mon père méprise les faux-semblants; pour lui cela relève de la prétention et du mauvais goût. Il se méfie de l'aura genre nouveau riche d'alpiniste de l'échelle sociale qui rend Jardine si voyant dans son évêché. Mon père ne rêve pas d'ascension sociale car il aime voir la vie de là où il est; pour lui, faire partie de la moyenne bourgeoisie britannique, c'est appartenir à la meilleure caste du monde.

En même temps, il reste très ambitieux dans les limites de cette caste. Il a monté sa propre affaire et a fini trente ans plus tard avec seize associés et une réputation de premier ordre. Il vient de prendre sa retraite. Bien sûr, mon frère Peter et moi avons fréquenté les meilleures écoles et, bien sûr, nous habitions dans le meilleur quartier d'Epsom. Mes parents y vivent toujours. Ma mère a de plus hautes aspirations sociales que mon père mais, bien qu'il soit toujours en train de critiquer toute personne qui porte un titre, il ne voudrait pas que l'aristocratie soit abolie car il pense que l'Angleterre doit rester immuable. Il méprise la classe ouvrière dans sa totalité mais il est bon envers chaque ouvrier pris individuellement; il est bon avec ses serviteurs, bon avec ses salariés car il estime que c'est son devoir.

L'idée de devoir est primordiale pour mon père. Pour lui, c'est la raison d'être du gentleman britannique. On a le devoir de travailler dur, de vivre une vie décente, d'être honnête en affaires, de donner l'exemple à la communauté et de subvenir aux besoins de sa famille. Il méprise l'inefficacité, la paresse, la négligence, la déloyauté, la malhonnêteté, l'immoralité et la cruauté envers les animaux. Il possède un labrador noir appelé Nelson et conduit une Rover noire. Il aurait pu s'offrir une Daimler, mais il dit que cela ferait prétentieux. Ma mère ne l'entend pas de cette oreille et compense en faisant des expéditions régulières chez *Harrod's*. «Quelle idiotie prétentieuse et déplaisante!» lui a-t-il dit quand elle est revenue avec un nouveau manteau de fourrure, mais en fait, secrètement, il aime qu'elle soit élégante et raffinée car cela symbolise sa réussite – dont, bien sûr, il ne se vanterait jamais : cela ne se fait pas.

Lorsque Lang m'a engagé comme chapelain, ma mère s'en est félicitée auprès de ses amis. Elle ne pouvait pas terminer une seule phrase sans prononcer le mot « archevêque », mais mon père s'est contenté de dire : « Mon fils a décroché un poste intéressant. Secrétaire particulier, en quelque sorte. Bon début de carrière. » Il était tout de même très content. Il m'a dit : « C'est toujours mieux que de perdre ton temps dans une paroisse quelconque au diable vauvert » et il a ajouté : « Pour l'amour du ciel, ne deviens pas alcoolique, ne fais pas l'imbécile avec les filles et ne va pas te faire virer. » Et, quand je suis devenu proviseur de St. Aidan, il m'a dit : « Un peu jeunot, tu ne trouves pas ? » mais il était fou de joie. Il a dit aussi : « Un barreau important de plus vers le haut de l'échelle. Mais que cela ne te monte pas à la tête – pas de grands airs ni de manières, pas de verres superflus ni de flirts imbéciles. N'oublie jamais que l'orgueil est le prélude à la chute. »

Plus tard, à la publication de mon livre, ma mère n'a pas tardé à fanfaronner comme d'habitude et a même dit à ma tante le montant de mon à-valoir; et mon père qui l'a entendue par hasard s'est mis en colère. Il trouve que parler d'argent est d'une vulgarité insigne mais, en privé, il aime connaître les détails financiers d'une affaire. Il m'a dit : « J'imagine que ce bouquin ne se vendra pas beaucoup » mais quand je lui ai annoncé que c'était un succès dans les milieux universitaires, il a épluché tous les comptes. Pourtant, il ne permettait pas à ma mère de laisser traîner un exemplaire de mon livre sur la table du salon. « Cela ne se fait pas, disait-il. Trop tape-à-l'œil. Hors de question. » Et il rangeait le livre dans la bibliothèque. Ma mère était si furieuse qu'ils ont eu une dispute – la première à cause de moi depuis des années. Mais, finalement, elle a dû céder.

Ils se querellaient souvent à cause de moi quand j'étais petit. Mon père trouvait que ma mère me couvait trop et elle, elle trouvait qu'il ne me gâtait pas assez. Ils ne se disputaient jamais en ma présence quand j'étais enfant – cela eût été de mauvais goût – mais une ou deux fois, je les ai écoutés à travers la porte. Quand ils se sont disputés à cause de mon livre, ce fut en ma présence – apparemment, les querelles sont acceptables en présence d'enfants devenus adultes. Finalement, ma mère a traité mon père de « sauvage » et elle a éclaté en sanglots. Mon père lui a dit : « Tu es complètement stupide! » et il est allé s'enfermer dans son bureau pour lire le *Daily Telegraph*. Mon père ne lit jamais le *Times*. Il trouve que cela fait prétentieux. Il apprécie le *Daily Telegraph* pour les nouvelles sportives et économiques. Il ne lit pas beaucoup, sauf une biographie de temps en temps. « Je ne pourrai jamais lire ça! » m'a-t-il dit quand je lui ai donné un exemplaire de mon livre. « Ce n'est pas mon truc. » Mais, plus tard, cette nuit-là, je suis allé dans son bureau et l'y ai trouvé en train de lire mon livre. « Je n'arrive pas à comprendre comment on peut prendre le christianisme au sérieux, m'a-t-il dit. Curieux comme ces gens de l'Église primitive ont survécu. Ce serait moi, je les aurais tous donnés à bouffer aux lions. » Il a lu mon livre intégralement, puis m'a dit : « Très intéressant, mais vraiment dommage qu'ils n'aient pas pu l'imprimer sur un meilleur papier. » De sa part, c'était un grand compliment.

Quand j'ai obtenu mon doctorat, il m'a dit : « En tout cas, ne compte pas sur moi pour t'appeler "docteur". Pour moi, tous les docteurs ne sont que des crétins qui prennent trop cher pour tuer leurs malades, et Dieu merci, tu n'as jamais été tenté par la médecine. » Ma mère était aux anges quand elle a su que j'avais mon diplôme et m'a supplié de ne pas m'en faire pour l'attitude de mon père. Elle m'a dit que son aversion envers les spécialistes s'était développée bien avant ma naissance et qu'il n'y avait aucun espoir de le changer. Ce fut plus facile lorsque je devins chanoine. « Quel titre à la noix! » s'est exclamé mon père. « Combien de temps va-t-il me falloir attendre avant de pouvoir t'appeler Monseigneur? » Là, j'ai su à quel point il était content. Puis, il a dit : « Tu t'en sors plutôt bien, hein? Étrange! Enfin, s'il faut absolument que tu sois un de ces satanés ecclésiastiques, au moins ai-je la satisfaction de voir que tu fais partie de ceux qui réussissent. *Bravo, Charles!* » ajouta-t-il en souriant.

Je n'oublierai jamais ce moment. J'étais si bouleversé que j'étais incapable de dire un mot. Mais, l'instant d'après, il ajoutait : « Cela dit, n'en fais pas une histoire. Reste dans le droit chemin, ne bois pas trop et ne va pas faire l'imbécile avec les femmes. Ce n'est pas parce que tu es doté d'un titre ecclésiastique à la noix et que tu peux apposer les initiales D.T. après ton nom que tes fautes et tes faiblesses disparaîtront pour autant. »

Ma mère, qui surprit ces dernières paroles, se mit en colère. Elle cria : « Comment oses-tu parler de fautes et de faiblesses alors qu'il est là, devant toi, aussi bon que du pain dans son habit de clergyman? » Alors, mon père est sorti de ses gonds. Il a hurlé : « Espèce d'idiote! Tu le traites comme un saint! Tu ne te rends donc pas compte que toutes ces pitreries religieuses ne sont que de la comédie? C'est uniquement pour la gloire qu'il s'est mis là-dedans! »

Je ne pouvais pas le laisser s'en tirer comme ça, mais j'étais dans un tel état de nerfs que la seule chose que j'ai pu crier fut : « Salaud! *Salaud!* » Alors, ma mère s'est mise à hurler elle aussi et j'ai essayé de frapper mon père mais elle s'est interposée entre nous en sanglotant : « Non – je vous en prie! Je ne pourrai pas en supporter davantage » et mon père a aboyé : « Mais tais-toi donc, espèce d'idiote! » et il l'a giflée. J'ai de nouveau essayé de le frapper mais ma mère m'a serré dans ses bras et j'ai dû la soutenir tant elle était secouée par ses sanglots; mais j'ai dit à mon père : « C'est la dernière chose que vous aurez l'occasion de me dire et la dernière chose que vous aurez l'occasion de lui faire subir. Je voudrais l'emmener loin d'ici maintenant. » Il m'a répondu : « Partez et bon vent! Il me restera au moins Peter. » Je ne sais pas pourquoi, ce fut la goutte d'eau qui fit déborder le vase. Je hurlai : « J'en ai plus qu'assez de ce foutu Peter! Depuis toujours, c'est votre préféré – qu'il aille se faire voir! » Ma mère s'est remise à pleurer et mon père s'est contenté de dire : « Quel langage disgracieux en présence d'une femme. Quel ecclésiastique tu fais! Eh bien, moi, tu ne m'y prendras pas. » Et il m'a claqué la porte de son bureau au nez.

J'ai tambouriné à la porte mais il l'avait fermée à clef et j'ai eu beau le supplier de me laisser entrer, il n'a pas cédé. Il ne me répondait même pas et je me suis senti totalement rejeté, coupé de lui alors que je n'avais rien fait sauf me défendre contre ses insultes. Je ne pouvais pas le supporter mais je ne pouvais pas non plus continuer éternellement à cogner à la porte. Ma mère était tellement bouleversée; elle pleurait toutes les larmes de son corps. Aussi ai-je essayé de la consoler en lui disant que j'étais réellement décidé à l'emmener avec moi, mais cette idée lui répugnait. Elle m'a dit : « Il m'est impossible de partir. Que diraient les gens? Nous devons sauvegarder les apparences. Personne ne doit savoir. » Puis, elle s'est remise à pleurer et, finalement, elle m'a dit : « Nous sommes très heureux. Il est un peu difficile de temps à autre, c'est tout, mais tu ne dois surtout pas penser qu'il ne nous aime pas et qu'il n'est pas fier de ta réussite. » Je lui ai répondu : « En tout cas, il a une manière très personnelle de le montrer, et s'il s'imagine que je vais revenir ici pour me faire insulter, eh bien, il se trompe lourdement. »

Cela se passait l'année dernière, au mois de septembre. Je ne suis pas retourné les voir depuis. J'ai demandé à ma mère de venir à Cambridge, mais elle a refusé car elle s'est dit que les gens pourraient trouver bizarre qu'elle vienne sans lui. Toujours son obsession de sauvegarder les apparences. C'est d'ailleurs la raison pour laquelle ils n'ont pas divorcé. Ma mère a trop peur du scandale pour avoir osé une liaison; quant à mon père... eh bien, ce n'est pas le genre d'homme à aller se distraire avec les femmes. Il jugerait cela vulgaire et facile. L'adultère est fait pour les goujats, pas pour les hommes à principes, comme lui. Je l'imagine tout à fait dire : « Je jure d'être fidèle à cette femme dussé-je en mourir – dût-elle en mourir aussi! »

En fait, il m'a écrit après cette dispute. Je me souviens de sa lettre par cœur. Elle disait : « Je sais que cette bougre d'idiote n'a entendu qu'une partie de mes propos. Elle n'a pas compris que je t'ai félicité avant de te mettre en garde contre toi-même. Mais les éloges doivent être donnés au compte-gouttes et je ne suis pas là pour te flatter et t'idolâtrer. Tel n'est pas le rôle d'un père. Mon devoir a été de t'élever et de faire de toi un homme droit et respectable; une fois cela accompli, mon devoir est de m'assurer que tu ne changeras pas. C'est pourquoi je te rappelle régulièrement tes fautes et tes faiblesses. Je n'ai pas fait d'enfants pour être aimé et divinisé. Je l'ai fait par devoir et pour être respecté. Tu ne me respecterais pas si je t'autorisais à mal tourner et je ne me respecterais pas non plus.» Puis, il a signé : «Ton père qui t'aime» et il a ajouté : «*P.S.* : reviens vite nous voir, ne serait-ce que pour faire plaisir à ta mère.»

Pas un seul mot d'excuse. Je lui ai répondu que je ne comptais pas revenir tant qu'il ne se serait pas excusé pour s'être moqué de ma vocation et m'avoir traité de comédien. Il m'a répondu que c'était lui qui attendait mes excuses pour m'être exprimé grossièrement devant ma mère et avoir tenté de le frapper.

Je ne lui ai pas répondu. Voilà comment les choses se sont passées. Finalement, le Carême est arrivé et quand j'ai vu le père Reid – paix à son âme – il m'a dit : «Charles, je pense que tu fais fausse route. Je ne crois pas que traiter son père de "salaud" soit compatible avec le commandement de Dieu : "Tu honoreras ton père et ta mère" et, de surcroît, si l'on se moque de ta vocation, tu dois toujours tendre l'autre joue.»

En fait, à ce moment-là, je me sentais complètement honteux et j'avais à peine besoin d'un coup de pouce pour me convaincre de lui réécrire. Je lui ai donc adressé une lettre d'excuses, lui ai proposé de venir avec ma mère à Cambridge et lui ai offert de payer leur hôtel. Il m'a répondu qu'il viendrait dans la mesure où je n'espérais pas qu'il assiste à une de ces « momeries » à la cathédrale. Cela a clos l'affaire. Il était tellement insolent. Je ne lui ai pas répondu. J'ai essayé de ne plus penser à lui et ça n'a pas été trop difficile car j'étais très occupé avec mes étudiants et, même après leur départ en vacances, j'ai eu une nouvelle occupation puisque c'est à ce moment-là que Lang est arrivé avec sa mission. Et quand, finalement, je suis allé à Starbridge... eh bien, dès que j'ai vu Jardine, mon père a cessé d'être important pour moi.

Jardine a tué la douleur. Ils tuaient tous la douleur, tous ces hommes d'un certain âge, sans descendants, qui ont pensé que je méritais leur attention. Ils ont tué ma douleur de savoir que mon père ne m'aimait pas. Je ne représente qu'un devoir à ses yeux. Je me disais que, si je réussissais, il m'aimerait enfin – j'ai travaillé, travaillé jour et nuit à ma réussite car je sais que celle-ci est le seul langage qu'il comprenne; mais, même quand j'essaie de lui parler avec son propre langage, il ne m'entend pas. En fait, c'est comme s'il refusait de m'entendre – oh, comme c'est injuste! Cela me révolte tellement, mon père. Je ressens une telle colère, une telle douleur, une telle rancune, et cette colère tourne et retourne dans ma tête jusqu'à ce que je n'en puisse plus. Et quand la douleur devient insupportable, je le hais, oui, *je le hais!* O mon Dieu, pardonnez-moi, je sais que c'est mal mais j'ai si souvent été malheureux... si souvent, adolescent, je l'ai détesté, si souvent, j'ai été bassement jaloux de mon frère parce qu'il était son préféré et la jalousie me culpabilisait... oh, combien je me suis méprisé car, bien sûr, j'aime mon père, je l'aime... je l'aime tout en le haïssant... Mais cette relation est un tel fardeau... il me rompt le dos et, maintenant, je ne peux plus le supporter, il faut que je le dépose, je veux le déposer à terre mais je ne sais pas comment et c'est pourquoi il vous faut m'aider, mon père, aidez-moi, AIDEZ-MOI!

XV

*Je crois que dans chaque existence ou presque il
arrive un moment où l'examen de conscience est à la
fois naturel et salutaire, surtout parce qu'il est vécu
comme le commencement approprié et presque inévitable d'un nouveau chapitre de la vie spirituelle.*

Herbert HENSLEY HENSON,
Regard sur une vie sans importance.

1

Je tirai si fort sur ma croix que le fermoir céda et elle glissa entre mes doigts. Je suffoquai, mais Darrow la ramassa et la reposa dans ma main tremblante. Je pouvais à peine voir. Ma gorge était si serrée que j'avais du mal à respirer. J'avais l'impression d'être nu dans un vent glacé.

– Je ne peux plus respirer!

– Mais si, dit Darrow.

Il me repoussa fermement contre le dossier du banc pour redresser ma colonne vertébrale. Je me mis à crier instinctivement et l'air circula à nouveau dans mes poumons.

– Encore, dit Darrow.

Il me tapota le dos pour m'aider à reprendre souffle; j'avais l'impression qu'on venait de me sauver de la noyade.

– Pourquoi ai-je si froid?

Je tremblais de la tête aux pieds.

– C'est le choc. Tu as ouvert le sac et vu le linge sale. Maintenant, Charles...

Il reprit place à mes côtés.

– ... Tiens la croix et donne-moi ta main libre. Je vais dire une prière muette, comme je l'ai fait le matin après ton arrivée ici et, cette fois, je veux non seulement que tu continues à respirer profondément mais aussi que tu penses à la chaleur de ces étés palestiniens quand Notre Seigneur exerçait son célèbre charisme – prêcher, enseigner, guérir... et tout cela dans la chaleur, la moiteur, sous le soleil.

Le silence tomba et, petit à petit, je pus sentir la lumière du soleil sur mon visage tandis que je demeurais assis, immobile, sur le banc. Derrière mes paupières closes, je voyais le paysage de la Palestine, brûlé par le soleil, mais les senteurs du jardin me ramenèrent en Angleterre et, pendant un bref instant, je vis Jane qui me souriait. Je me souvins que je travaillais à donner un sens à sa mort par ma propre renaissance et, tandis que je comprenais que j'avais uniquement besoin de courage, maintenant, je sentis la chaleur refluer en moi. Elle coulait de mes mains dans mes bras, de mes bras dans mon cœur, de mon cœur dans mon cerveau et de mon cerveau jusqu'à mon âme.

J'ouvris les yeux en même temps que Darrow ouvrait les siens.

– Tu as entendu, n'est-ce pas? me demanda-t-il.

– Oui. Du courage. Une vie nouvelle. Jane était là.

Darrow me sourit sans un mot et, tout à coup, je lui dis :

– Vous l'avez vue. J'en suis sûr. Je le sais. Pourquoi ne le reconnaissez-vous pas?

– Ne me tente pas, Charles. Rappelle-toi que je t'ai parlé de ce directeur de conscience qui me disait : « Méfie-toi de ces pouvoirs fascinants. » Il est si facile de donner l'impression qu'un pouvoir qui te vient de Dieu n'est qu'un tour de passe-passe. Oublie les tours de passe-passe et regarde autour de toi. Sais-tu où tu te trouves?

Et, tandis que je regardais le jardin les yeux vides, il ajouta :

– Non, regarde en toi. Tu as franchi la porte étroite et tu es au milieu du passage resserré, enfin.

J'étais là, assis, calme extérieurement, mais toujours brisé intérieurement par les conséquences du choc; et il se passa une bonne minute avant que je ne sois capable de dire :

– S'estompe-t-elle déjà?

– Non, pas encore. Nous pouvons voir les racines mais elles sont profondes et nous devons encore creuser avant de les dégager.

– Mais je vais aller mieux... vous allez résoudre...

– Non, Charles, c'est toi qui vas tout résoudre. Mais seulement après t'être reposé et remis.

Il retira sa croix et me la tendit.

– Porte celle-ci et donne-moi celle que tu as brisée. Je vais la faire réparer et te la rendrai ce soir.

Je le remerciai et c'est alors qu'il me dit, l'air de rien, comme s'il ne pouvait résister plus longtemps à la tentation d'accélérer le processus de cicatrisation par un éclair de non-conformisme :

– Très joli médaillon que portait Jane.

Et, se levant avec l'aisance d'un prestidigitateur qui vient de sortir un lapin de son chapeau, il s'éloigna pour inspecter une plate-bande.

2

La conséquence – qu'il avait certainement prévue – fut de me faire oublier mon choc et de me faire revenir en un clin d'œil à la normalité. Je bondis sur mes pieds et, évidemment, mon mouvement rapide lui rappela que je pouvais céder à la panique. Il dit, tout de suite :

– Je vais chercher quelqu'un pour te tenir compagnie.

Et je me rendis compte que, malgré son flamboyant tour de passe-passe, il restait un prêtre prudent, heureux de son talent de guérisseur mais assez humble pour savoir que ce talent devait être complété par des soins conventionnels.

– Il vaut mieux que tu ne restes pas seul pour le moment.

– Je vais bien.

J'étais toujours sous le charme de ses pouvoirs fascinants et j'avais à peine écouté ce qu'il avait dit.

– Mon père, elle est heureuse, n'est-ce pas? lui demandai-je.

Mais aussitôt, je me sentis écrasé par un sentiment de gêne.

– Excusez-moi. Je sais ce qui s'est passé. Je ne l'ai pas vue telle qu'elle est – je me suis souvenue d'elle telle qu'elle était et vous avez regardé au-dedans de moi et vu mon souvenir.

J'ajoutai, honteux :

– Pardonnez-moi de sombrer dans l'erreur de la superstition mais j'ai soudain ressenti un besoin très fort de communiquer avec elle.

– C'est un très bon signe.

Il ne montrait aucune colère.

– Je suppose que tu t'es forcé à ne plus penser à elle depuis des années; alors, si maintenant tu cherches à communiquer avec son souvenir, cela indique que le poids de ton sentiment de culpabilité commence à diminuer.

– C'est parce que, enfin, j'agis pour remettre les choses en place, chassant l'homme qui l'a rendue malheureuse...

– Oui, ta belle apparence en a pris un sacré coup aujourd'hui mais, maintenant, il faut t'accorder du temps pour récupérer. Si tu es assez fort – et seulement si tu es assez fort – nous reprendrons l'assaut dans la soirée.

3

Ce soir-là, le chapelet brisé réparé, nous échangeâmes nos croix et, tandis qu'il plaçait la sienne sur sa poitrine, je me dis combien son luxe s'accordait mal avec sa personnalité si austère et si disciplinée.

– Eh bien? me dit-il tandis que nous prenions place à table. Comment te sens-tu après ton hémorragie de ce matin?

– L'hémorragie!

– Trouverais-tu ce terme exagéré? Émotionnellement, tu as beaucoup saigné et parfois, poursuivit Darrow tout en se lançant dans un nouvel examen méticuleux de sa bague, une telle épreuve peut entraîner une réaction. On peut ressentir un sentiment de culpabilité ou bien s'en vouloir : la culpabilité d'avoir trahi ses secrets les plus intimes et s'en vouloir de s'être laissé convaincre d'exprimer l'inexprimable.

Nous envisageâmes cette éventualité en silence, puis je dis :

– Oui, je me sens coupable, mais pas de vous avoir révélé mes secrets les plus intimes. Oui, je m'en veux, mais pas de m'être laissé convaincre de faire des confidences. Je m'en veux car je voulais vous donner une image équitable de mon père et que j'ai fini par tenir cet horrible discours. Et je me sens coupable car je n'ai pas réussi à vous faire comprendre à quel point c'est un homme merveilleux, à quel point je l'admire et le respecte.

– Tu n'as pas échoué, dit Darrow. Tu as clairement exprimé ces sentiments.

– Comment ça? A la fin, j'ai dit que je le haïssais...

– Si tu ne ressentais que de la haine, tu ne serais pas ici. Tu t'es éloigné de lui il y a des années et tu as poussé un soupir de soulagement quand tu as pu enfin échapper à ses griffes. Mais tu ne peux pas lui échapper, n'est-ce pas? Ces dernières années, tu as essayé mais tu n'as réussi qu'à te rendre malheureux.

– C'est comme si...

Je fis un effort pour trouver les mots justes qui m'échappaient et, finalement, risquai :

– C'est comme s'il avait une emprise colossale sur moi.

– Bien sûr. Nous sommes souvent à la merci de ceux qu'on aime et jamais autant que lorsque ceux que nous aimons ne nous aiment pas comme nous le souhaiterions.

– Mais lui ne m'aime pas du tout.

– Qui n'aime-t-il pas? demanda Darrow.

– Mon moi véritable. Il ne m'aime pas et n'a pas une bonne opinion de moi tel que je suis, c'est la raison pour laquelle...

Darrow attendait la suite.

– ... C'est la raison pour laquelle il me faut devenir quelqu'un d'autre. Mais il n'aime pas non plus ma belle apparence!

– Du moins la respecte-t-il, n'est-ce pas? Et tant que tu voudras à toute force répondre à sa définition de l'homme qui a réussi dans la vie, tu auras toujours l'espoir de l'entendre dire, une fois de temps en temps : « Bravo Charles! »

– Oui, mais il croit que c'est de la comédie.

– C'est là que ton père ressemble à Jardine. Il a le chic pour repérer un comportement qui ne sonne pas tout à fait juste. Alors, il arrive inévitablement des moments où il voit au-delà de ta belle apparence et, une fois encore, il te désapprouve, comme il l'a fait au cours de votre dernière et terrible querelle.

Je mis une main devant mes yeux et je traçai une ligne sur la table en disant :

– Il a réduit ma belle apparence en miettes et a rejeté mon autre moi.

Soudain, ma vue se brouilla. Je dus mettre mes deux mains devant mes yeux.

– C'était cruel, n'est-ce pas?

J'acquiesçai.

– Mais ce n'était pas sa faute, dit encore Darrow.

– Non, c'était la mienne. Si je n'avais pas été si indigne et si peu méritant, il n'aurait pas eu à me rejeter si fort. Vous comprenez, il est si droit, si honnête, si bon. Si seulement je pouvais vous faire comprendre quel héros il est...

– Charles, dit Darrow, je ne doute pas que ton père soit un homme remarquable sur bien des points, mais s'il est à l'origine de l'existence de ta belle apparence, s'il a constamment rejeté ton moi véritable au point de te forcer à devenir un autre, s'il est l'une des raisons qui t'ont mené ici, une nuit, complètement ivre et spirituellement anéanti, son statut de héros est plutôt sujet à caution.

Je n'avais jamais envisagé que l'héroïsme de mon père puisse être remis en cause. J'affrontai cette idée révolutionnaire puis je dis d'une voix ferme :

– Il ne peut pas être le seul responsable.

– Cela paraît juste. Je dois reconnaître que je désapprouve complètement cette tendance freudienne à juger les malheureux parents responsables de tous les maux de leur progéniture... Parfait. Partons du principe que tu as ta part de responsabilité dans ta venue ici, épave au beau milieu de la nuit. Mais quelle est-elle exactement?

– Entière. Je ne peux accuser mon père de rien. Si je n'avais pas été si indigne et si peu méritant...

– Qui dit cela?

– Moi. Comment expliquer autrement l'attitude de mon père à mon égard?

– Là est la question, Charles.

Je le regardai fixement.

– Mais il est évident que je suis quelqu'un d'indigne et si peu méritant, dis-je. Et mon père a raison de me mépriser pour cela. Quand je repense à mes dernières erreurs – cette beuverie, Loretta...

– Oublions tes erreurs récentes pour le moment. Concentrons-nous sur ton comportement habituel. Tu travailles beaucoup, n'est-ce pas – tu essaies de faire ce qui est bien –, tu aspires à mener ce que ton père appellerait une existence décente, honnête et droite?

– Oui, mais...

– Alors, est-il logique de te traiter en bon à rien qui ne demanderait pas mieux que de mener une vie de bâton de chaise? Cela te paraît-il juste? Tu n'es pas un mauvais bougre, je me trompe?

J'essayais de parler, mais sans succès.

– Enfin, je ne devrais pas tenter de t'influencer, dit Darrow. Si tu préfères croire que tu es un bon à rien, c'est ton droit le plus strict, mais je veux que tu te demandes sérieusement jusqu'où cette impression colle avec la vie que tu mènes. Je veux aussi que tu ne perdes pas de vue que ton père n'est pas le pape parlant *ex cathedra;* il n'est pas infaillible. Qu'il soit ou non un héros, il peut se tromper, comme tout un chacun.

Je réussis à dire :

– J'aimerais croire que je ne suis pas un bon à rien. Parfois, c'est vrai, je le crois.

– Et, dans ces moments-là, que ressens-tu par rapport au jugement de ton père?

– De la révolte. Mais c'est mal, n'est-ce pas? Je dois tendre l'autre joue et lui accorder mon pardon.

– Oui, c'est vrai, au bout du compte. Mais comment penses-tu pouvoir lui pardonner pour le moment, alors que son attitude à ton égard est si inexplicable?

– Elle n'est pas inexplicable. Mon père adopte cette attitude parce que je suis indigne, insistai-je, mais, tandis que je prononçais ces mots, ils me semblèrent sonner singulièrement creux.

– C'est effectivement ainsi que tu l'as toujours expliquée, dit Darrow. Mais supposons, juste pour le plaisir de la rhétorique, que cette explication soit fausse?

La chaîne psychologique qui me liait au moi que je haïssais fut soudain ténue comme un fil.

– Il est certain que mon père pense que je suis ainsi. C'est indéniable, mais...

– Mais? demanda Darrow, venant à ma rencontre tandis que je luttais pour sortir des ténèbres vers la lumière.

– Il est possible... il n'est pas exclu... en fait, il est probable...

Je pris une profonde inspiration et dis :

– ... qu'il se soit trompé.

La chaîne se rompit et je fus submergé par la vérité comme par une avalanche mais, après l'avalanche, le silence régna et, dans ce silence, montèrent comme un souffle les innombrables questions que je n'avais jamais osé formuler. Finalement, je m'autorisai à les exprimer :

– Pourquoi a-t-il une si mauvaise opinion de moi? dis-je dérouté. Qu'ai-je fait pour mériter cela?

Et, tout en parlant, j'eus l'impression d'aborder un virage psychologique important et de me trouver face à un paysage inconnu et mystérieux.

– Ceci, dit Darrow, est l'envers de l'envers du mystère. Félicitations, Charles. Maintenant, nous commençons vraiment à faire des progrès.

4

– D'après ton récit, ton père semble être une figure forte aux principes très arrêtés, dit Darrow, quand nous nous retrouvâmes un peu plus tard, mais il me semble aussi être d'une fierté dangereuse. La fierté est toujours dangereuse. La fierté doublée d'un caractère inflexible peut même être meurtrière. Une partie de l'orgueil de ton père, je pense, est visible dans la façon dont il t'a élevé. Une fois qu'il avait décrété quelque chose, il s'y tenait contre vents et marées et il a l'air de s'être dit – en pastichant la phraséologie que tu as toi-même employée : « Je ferai de Charles un homme bon, honnête et droit, dussé-je en mourir – et dût-il en mourir lui aussi. » Ce type de détermination inflexible qui, ceci dit, peut être admirable si elle est liée à un principe moral, est potentiellement destructive par son manque d'adaptabilité aux diverses circonstances de la vie. Peut-être ton père avait-il raison d'être strict avec toi quand tu étais petit – les enfants brillants ont souvent besoin d'une main ferme – mais il semble qu'il ait été incapable de modifier son attitude quand tu as été grand.

Maintenant, nous en arrivons au cœur du problème. Te voici, intelligent, séduisant, brillant au-delà des rêves paternels les plus fous. La plupart des pères seraient à tes pieds en complète adoration, alors pourquoi ton père est-il si engoncé dans un pessimisme incorrigible? Bien sûr, on doit tenir compte de son caractère – sa haine de la fanfaronnade, sa réserve britannique, son horreur des gâteries. On pourrait supposer qu'il est incapable d'être démonstratif vis-à-vis d'un fils, mais puisque tu me dis que ton père montre une partialité, somme toute humaine, en faveur de ton frère, on est en droit de se demander pourquoi il n'en fait pas autant à ton égard.

Voyons maintenant où cela nous mène. Nous nous sommes demandé si ton père avait adopté cette attitude quand tu étais très jeune; cela est confirmé par ton impression d'avoir toujours eu une belle apparence. Nous avons déduit cela à cause de l'inflexibilité de ton père qui se refusait, plus tard, à changer d'attitude, même après ta réussite; mais nous ne savons toujours pas pourquoi il s'est senti obligé de l'adopter au début. Nous savons qu'il a été un père consciencieux, brûlant de faire de toi un homme bon, mais nous ignorons pourquoi, apparemment, il ne peut croire qu'il ait réussi. Nous pouvons supposer qu'il agissait avec les meilleures intentions du monde mais nous ne savons pas pourquoi il finit toujours par te traiter si injustement. Peut-être tout le mystère peut se résumer par cette question : de quelles bonnes intentions ton père a-t-il pavé cette route de l'enfer?

Darrow se tut. De nouveau, nous nous étions installés dans le jardin mais, à ce moment-là, je ne me souciais guère de l'environnement.

J'étais trop occupé à canaliser mon énergie mentale vers le mystère comme s'il s'agissait d'un travail de recherche qui nécessiterait une concentration absolue.

– Tout semble tellement plus clair, dis-je, mais aussi tellement plus mystérieux. Pour la première fois, j'ai l'impression de percevoir les contours du mystère.

– Alors franchissons-les pour examiner ce mystère de plus près. Parle-moi de ton frère. Est-il plus âgé que toi?

– Non, il a deux ans de moins que moi et je crois qu'on peut le décrire comme une réplique en mieux de mon père. Il est marié, a trois enfants et habite près de chez mes parents, à Epsom.

– Est-il intelligent? Il est difficile de ne pas imaginer que tu l'as éclipsé sur tous les fronts.

– Il est loin d'être bête; il est devenu l'associé de mon père dans l'entreprise familiale, mais ses intérêts sont limités et nous n'avons guère de points communs.

– Comment s'en est-il tiré au début par rapport à toi?

– Je l'ai vraiment éclipsé. Je me suis souvent dit que mon père s'était senti obligé de le favoriser dans un souci de compensation tout comme ma mère se sentait obligée de me préférer pour compenser la rigueur de mon père à mon égard.

J'hésitai avant d'ajouter :

– De toute façon, expliquer les relations familiales en termes de préférence ne réussit pas à véhiculer leur complexité. Par exemple, bien que je sois le préféré de ma mère, aucun de nous deux n'est à l'aise avec l'autre. Elle est plus elle-même avec Peter.

– Tu n'es pas proche d'elle?

– Je n'aime pas dire cela mais je la trouve agaçante. C'est-à-dire qu'elle est très démonstrative – mais pas de façon naturelle. En fait, elle me donne toujours envie de regimber et de protester : « Pour l'amour du ciel, traite-moi normalement au lieu de me jouer cette comédie! » Pourtant, ce n'est pas une comédie. Ses sentiments sont sincères mais elle est incapable de les exprimer de manière naturelle.

– Mais tu as dit qu'elle était détendue avec Peter?

– Il semblerait qu'il ne la touche pas de la même manière. En fait, l'atmosphère que Peter provoque est tout à fait différente, mais je suppose que cela arrive fréquemment dans les familles où les deux enfants sont dissemblables.

– C'est vrai qu'il s'agit d'un phénomène courant mais, dans ton cas, ne t'a-t-il jamais frappé comme étant particulièrement étrange?

– Eh bien, je me souviens d'un exemple en particulier : je leur rendais visite peu de temps après mon ordination – c'était avant le mariage de Peter et il vivait encore à la maison. Je les regardais tous les trois dans le jardin; j'étais à l'intérieur. Mon père riait aux éclats, Peter était affalé, l'air heureux, sur une chaise longue; même ma mère semblait détendue. Je suis sorti les rejoindre et ce fut comme si un rideau était tombé sur le devant d'une scène. Peter ne changea pas. Il resta affalé sur la chaise longue, mais mon père dit : « Tiens, voilà notre bête à bon Dieu », de son habituel ton sarcastique, et ma mère ajouta, avec son abominable fausse jovialité : « Et si nous allions prendre l'apéritif? » et je me suis senti...

– Oui? dit Darrow. Qu'as-tu ressenti?

– J'ai eu l'impression d'être indésirable.

C'était trop difficile de continuer.

– La brebis galeuse? Je me demandais, dit Darrow venant à ma rescousse, dans quelle mesure tu es différent des autres membres de ta famille et dans quelle mesure cela t'a gêné dans ton adolescence.

Savoir qu'il comprenait me permit de dire :

– Quand j'ai eu quinze ans, je me suis même demandé..., mon père, ne riez pas, je sais que cela va vous paraître mélodramatique et ridicule, mais je me suis même demandé si je n'avais pas été adopté.

– Cela me semble plutôt une explication plausible. Qui a dit que c'était mélodramatique et ridicule?

– Mon père.

– Ah, je vois... Ton père t'a transmis le sentiment d'être mélodramatique et ridicule tout comme il t'a transmis celui d'être indigne et sans mérite.

Il y eut un silence durant lequel je mesurai les implications énormes de cette affirmation, mais je finis par dire, résigné :

– Non, cette fois, mon père n'a pas commis la moindre erreur. J'ai été vraiment stupide. Je vais vous dire ce qui s'est passé. Vous voyez...

5

– En fait, cela faisait déjà quelque temps que je me demandais si je n'avais pas été adopté, continuai-je, et, finalement, je me suis décidé à jeter un œil sur mon acte de naissance pour voir s'il contenait quelque indice. Mon père conserve tous les documents familiaux dans son bureau, aussi n'était-il pas difficile d'y effectuer une virée nocturne quand tout le monde était endormi. Je ne découvris aucune trace d'irrégularité sur mon acte de naissance, bien sûr mais, dans le même classeur, je tombai sur le certificat de mariage de mes parents et alors, je fis une découverte qui me stupéfia : mes parents s'étaient mariés une année plus tard que je ne le pensais. Je connaissais le mois et le jour de leur mariage car ils fêtaient toujours cet anniversaire, mais je pensais qu'ils s'étaient mariés en 1898. Je ne m'étais jamais rendu compte qu'ils s'étaient mariés l'année d'après. Et moi, je suis né en 1900, seulement sept mois après la cérémonie.

– Prématuré?

– Ce fut ma première idée, mais personne n'avait jamais fait la moindre allusion à un pauvre bébé qui luttait pour sa vie dans ses langes. Alors, je me suis demandé si je n'avais pas été conçu en dehors des liens du mariage avec, pour conséquence, l'obligation pour mon père d'épouser ma mère. Mais je n'arrivais pas à l'imaginer détournant une jeune fille respectable. Et c'est alors que je me suis souvenu que la sœur de mon père avait une fois fait perfidement allusion aux fiançailles précipitées de ma mère et, tout de suite, je me suis dit qu'il était possible que j'eusse un autre père.

– As-tu interrogé ta tante pour avoir plus de détails?

– Non, je ne l'aimais pas beaucoup. J'aurais pu aller trouver ma mère mais je me débattais dans les affres de la puberté et j'ai reculé devant la perspective de lui poser des questions indiscrètes. Aussi, pour finir, après une longue introspection, suis-je allé trouver mon père. Je m'étais convaincu qu'il serait soulagé de me dire enfin la vérité.

– Comment a-t-il réagi?

– Il était fou de rage. Mortellement blessé. « Je n'ai jamais entendu une idiotie aussi mélodramatique et ridicule de ma vie! m'a-t-il dit. Comment oses-tu mettre ma paternité en doute alors que je me suis saigné aux quatre veines pendant toutes ces années pour te donner une bonne éducation! » Comme vous pouvez l'imaginer, mon père, j'étais penaud.

– Je m'en doute. Mais a-t-il daigné expliquer...

– Oui, il m'a donné une explication très convaincante de ma naissance précoce. Il m'a dit qu'en 1899 tout allait mal pour lui; c'était avant qu'il ne fonde sa propre entreprise. Son travail ne marchait pas, et bien qu'il voulût épouser ma mère, il avait perdu l'espoir qu'elle accepte. Alors, il s'est engagé dans l'armée sur un coup de tête – la guerre des Boers couvait cet été-là – et, quand ma mère s'est rendu compte qu'il pouvait être envoyé à l'étranger pour se battre, elle a compris qu'elle tenait beaucoup à lui et elle a accepté de l'épouser. En fait, peu de temps après, il a été réformé à cause de sa vue mais pendant un bon moment, lui et ma mère ont vraiment été persuadés qu'ils allaient être séparés et donc, ils ont couru à l'autel aussi vite que possible – et tout ce drame leur a fait oublier les convenances : ils se sont donnés l'un à l'autre avant d'être unis devant Dieu. « Très répréhensible, m'a dit mon père, mais j'étais si heureux qu'elle ait accepté de m'épouser et si inquiet de devoir partir avant la cérémonie que j'ai perdu le contrôle de moi-même et failli à ma réputation. »

– Quelles conclusions as-tu tirées de cette conversation?

– Je l'ai cru. Il était si catégorique, si convaincant.

– Était-il blessé?

– Blessé?

– Eh bien, si mon fils avait de la sorte remis en cause ma paternité, dit Darrow, je n'aurais certainement pas été catégorique. Je n'aurais pas non plus été furieux ni mortellement insulté. J'aurais été profondément troublé et je me serais inquiété de savoir pourquoi il trouvait notre relation non satisfaisante au point d'être amené à rechercher de douloureuses explications. Dis-moi, as-tu jamais parlé de cela avec ta mère?

– Il me l'a absolument interdit. Il m'a dit : « Ta mère est une femme très émotive, elle culpabilise de t'avoir conçu avant le mariage. Elle a souffert les affres de la honte à ta naissance si précoce. Ne lui parle jamais de cela, sous aucun prétexte. »

– Donc, ses propos ne t'ont pas été confirmés?

– Non. Mais je suis certain qu'il ne m'a pas menti.

– Comment peux-tu en être si sûr?

J'en arrivai à exprimer la conclusion à laquelle j'étais arrivé des années auparavant après beaucoup de difficultés.

– J'en suis sûr, dis-je, car je pense que, s'il n'était pas mon père, la vérité aurait éclaté le jour où je lui ai dit que je rentrais dans les ordres. Je ne vais pas me lancer dans la description de nos disputes, mais il y a une chose qu'il n'a jamais faite, c'est de me désavouer.

Darrow demeurait silencieux.

– Je comprends que l'illégitimité puisse être une explication plausible au mystère, mais elle ne peut être la vraie.

Darrow finit par dire :

– Très bien, où en sommes-nous? Nous avons déjà établi que l'attitude de ton père envers toi ne vient pas de ce que tu sois profondément indigne et de peu de mérite. Nous avons maintenant établi qu'elle ne vient pas non plus du fait qu'il ne serait pas ton véritable père. Alors, quelle serait l'explication?

– Eh bien, je suppose que nous pouvons seulement dire que parfois, même dans les meilleures familles, l'un des deux parents nourrit une antipathie envers l'un de ses enfants et que cela crée des tensions au sein de la cellule familiale.

– De tels cas existent, indubitablement. Mais à moins que le parent en question ne soit un malade mental ou un indigent, il y a toujours une raison à l'antipathie. Par exemple, il peut arriver que l'enfant lui rappelle quelqu'un de déplaisant – le grand-oncle Cuthbert qui le frappait quand il était petit ou la grand-tante Mathilde qui le privait de dessert. Peut-être rappelles-tu à ton père un parent désagréable?

– Je ne vois pas comment ce serait possible. Je ne ressemble à personne de notre famille. C'est justement ça le problème, non? Je leur suis tellement étranger.

– Comme c'est curieux, Charles, car ton père, quand il te regarde, semble voir quelqu'un d'autre.

J'étais stupéfié.

– Ah oui?

– C'est évident d'après ton récit. Réfléchis-y un peu.

Je repensai scrupuleusement à mon histoire. Puis, je dis prudemment :

– C'est comme si ce n'était pas moi qu'il voyait – mon moi véritable – mais une belle apparence. Mais pas ma belle apparence. C'est une apparence beaucoup plus menaçante que la mienne.

– Absolument. Le but de ton père – ainsi qu'il te l'a toujours dit – est de faire de toi un homme bon, honnête et droit, et son insistance même sur ce point indique qu'il est terrifié à l'idée d'échouer. Il te regarde et n'arrive pas à croire que tu aies si bien tourné; en fait, il n'ose pas y croire, il se comporte comme s'il avait une peur bleue que quelque chose de mauvais puisse arriver. Il se met dans tous ses états sur la question de la boisson. Il t'exhorte à ne pas te créer d'ennuis avec les femmes. Il te voit, devant lui, homme bon, honnête et droit en habit de clergyman – en fait, tu as été tenté par une profession qui t'assure d'être le meilleur, le plus honnête et le plus droit possible – mais ton père ne voit pas ton habit de clergyman, Charles, et il ne te voit pas non plus. Il regarde au-delà de toi, dans sa mémoire, et c'est un bon à rien qu'il voit, quelqu'un qui boit, qui s'attire des ennuis avec les femmes, qui se détruit, que ton père a peut-être méprisé et craint autrefois... Qui penses-tu que cela puisse être, Charles? Si cette description ne correspond à aucun membre de ta famille, alors, à qui?

– A mon véritable père, répondis-je.

Un monde nouveau pour moi se libéra de sa gangue.

XVI

*Sa sagesse, sa patience, son discernement, son expé-
rience et son indiscutable sincérité m'impression-
nèrent. C'était un pasteur véritable. Ses conseils étaient
précieux et je ne les ai jamais oubliés. Je ne pouvais
pas douter que, si tous les ecclésiastiques avaient été
aussi compétents que lui, peu nombreux eussent été
ceux qui n'en auraient pas bénéficié en « soulageant
leur âme par un examen de conscience ».*

Herbert HENSLEY HENSON,
Regard sur une vie sans importance.

1

– Il est possible que nous nous trompions complètement, dit Darrow.
Notre déduction semble logique d'après les indices dont nous disposons,
mais n'importe quel indice peut être mal interprété.

J'avais l'esprit si préoccupé par la pensée de cet inconnu qui avait
jailli des recoins les plus obscurs de mon récit que je me contentai de
répondre :

– Je sais que nous avons raison.

Immédiatement, Darrow me rappela à la réalité.

– Non, tu n'en sais rien. Ce que tu sais, en revanche, c'est que tu peux
aller trouver tes parents et exiger d'eux la vérité; et je suis prêt à parier
que l'un d'eux se sentira obligé de te la dire. Au point où tu en es de ta
vie, ils ne peuvent plus prétendre mentir pour te ménager.

– Pensez-vous que ce soit la raison pour laquelle mon père m'a menti
quand j'avais quinze ans? Mais pourquoi aurait-il voulu me ménager?
Cela lui aurait davantage ressemblé de sauter sur l'occasion pour me
dire la vérité une fois que je lui eus révélé mes soupçons.

Darrow demeura silencieux.

– Et pourquoi aurait-il épousé ma mère dans des circonstances si terribles? continuai-je, incrédule. Quel comportement inouï! Et puis, ensuite, élever l'enfant d'un autre comme si c'était le sien – et ne jamais trahir le secret malgré ma provocation sans détour... Non, je n'imagine personne faisant une telle chose!

– C'est exactement le type de réflexion que les gens font souvent à un homme qui a décidé de devenir moine, dit Darrow. Ils oublient complètement, dès qu'il y a vocation, que tout autre choix devient inconcevable. Peut-être ton père s'est-il senti le devoir de réaliser cette chose inhabituelle et difficile – peut-être a-t-il cru, pour des raisons qui lui ont paru incontournables, qu'il n'avait pas d'autre choix que celui d'épouser ta mère et d'assurer ton éducation.

– Mais mon père est athée! Il ne pourrait entendre un appel de Dieu, alors comment pourrait-il le suivre?

– Quelle affirmation hérétique! Es-tu en train de me dire qu'un athée limiterait la gloire de Dieu à exiger des hommes qu'ils exécutent Sa volonté?

– Non, bien sûr que non, mais...

– Quelle est la nature de l'athéisme de ton père, de toute façon? Il me semble, moi, que c'est un homme trop fier pour admettre que le monde ne se limite pas à ce que ses sens peuvent percevoir mais aussi trop intègre pour se satisfaire de son arrogance; ses attaques contre le christianisme et l'Église suggèrent qu'il tente de se convaincre, comme d'autres, que la religion n'apporte rien.

– Je suis d'accord là-dessus mais, malgré son ambivalence intérieure, j'ai du mal à l'imaginer suivant un ordre divin. Après tout, une vocation ne peut naître et perdurer que chez un individu dont le psychisme est un sol fertile et il m'est tout à fait impossible de concevoir quelles pourraient avoir été ses raisons.

– La réponse est évidente. Si tu peux réussir à mettre de côté tes idées préconçues, tu verras que les faits parlent d'eux-mêmes.

Je le regardai.

– Pour moi, il a pu prendre cette décision parce qu'il était amoureux de ma mère – bien que cela eût été une preuve d'amour extraordinaire! Mais alors, pourquoi ne m'aurait-il pas dit la vérité quand j'avais quinze ans? Je ne comprends vraiment pas pourquoi il voudrait que je continue à croire qu'il est mon père s'il ne m'aime pas.

– Précisément, dit Darrow en se levant. Bon, restons-en là pour le moment et, ce soir, nous...

Je l'arrêtai d'un geste. Il se rassit.

– Mon père ne m'aime pas, dis-je. C'est bien là le problème. Il ne m'aime pas.

– Quelle preuve as-tu de cela?

– Mais je vous l'ai dit... je vous ai expliqué...

– Tu m'as dit certaines choses qui m'ont amené à penser que ton père est quelqu'un d'obstiné et de maladroit, mais je ne vois rien dans ce que tu m'as dit qui pourrait me faire penser que tu lui es indifférent. Les pères indifférents ne se laissent pas aller à une inquiétude mortelle chaque fois qu'ils s'imaginent que leur fils mène une vie dissolue.

Il se releva.

– Penses-y, jeta-t-il par-dessus son épaule, et nous en reparlerons ce soir.

2

– Bien sûr, lui assurai-je comme je le retrouvais plus tard dans ma chambre, quelle que soit la clef du mystère, mon père, c'est lui. La paternité ne se limite pas à mettre en route un processus de procréation.

– Cela me semble être une approche prometteuse d'un dilemme difficile. Mais supposons que notre raisonnement soit juste et que, de par le monde, il existe un homme qui peut prétendre t'avoir engendré. Comment te sens-tu vis-à-vis de lui ?

– Hostile. Il a failli causer la perte de ma mère et a dû beaucoup la faire souffrir.

– Oui. Continue.

– Il m'a abandonné alors que je n'étais qu'un embryon et n'a jamais fait la moindre tentative – pour autant que je sache – pour me témoigner de l'intérêt.

– C'est encore vrai.

– Pourtant...

J'hésitai, avant de poursuivre avec circonspection :

– S'il est vivant, j'aimerais le rencontrer, juste une fois, très vite. Après, je pourrais l'oublier et continuer ma vie. Mais si je ne le rencontre pas, j'imagine que je me demanderai toujours comment il est. Il se pourrait même qu'il finisse par m'obséder.

Darrow dit d'une voix neutre :

– Habituellement, les enfants adoptés ressentent un besoin psychologique très fort de connaître leurs géniteurs. Très bien... Quelle sera ta prochaine étape, selon toi ?

– Partir d'ici dès que possible, aller chez mes parents et découvrir si notre raisonnement est juste. Mais quand pensez-vous que je serai prêt pour la confession et la communion ?

– Ton approche raisonnable m'impressionne déjà suffisamment. Le moment est peut-être enfin venu où tu seras en mesure de me donner un compte rendu réaliste de tes relations avec Lyle, Loretta et Jardine ? Si tu le peux et que j'en suis satisfait, alors je te promets de t'entendre en confession sans délai...

3

– Commençons par Lyle, dit Darrow quand je lui eus assuré que je comprenais maintenant suffisamment mes erreurs pour professer un repentir sincère. Dis-moi ce qui, à ton avis, était vraiment en jeu par-delà l'histoire à l'eau de rose.

Je répondis sans hésiter :

– Quand je suis arrivé à Starbridge, j'étais désespéré par mon incapacité à mener une vie de célibataire réussie et j'avais bien l'intention de trouver une femme que, non seulement, je pourrais épouser, mais qui, aussi, pourrait s'arranger de la personne sans intérêt que je pensais être. Si je pensais cela, ce n'était pas vraiment parce que mon père avait une mauvaise opinion de moi mais surtout parce que j'avais rendu Jane malheureuse; enfin, je ne pouvais pas penser à Jane car c'était trop douloureux, aussi, je me suis raconté que tout s'arrangerait dès l'instant où j'aurais mis la main sur une femme miracle. Évidemment, je me complaisais dans ce fantasme – comme cela me semble évident aujourd'hui! – mais j'avais tellement envie de me remarier et de mettre un terme à mes aventures qu'il me fallait croire que j'allais pouvoir réaliser mon rêve.

– C'est un bon début, dit Darrow. Continue.

Encouragé, je continuai :

– Il y avait très peu de chances que Lyle fût la maîtresse de Jardine mais je soupçonne que, dans mon subconscient, je les ai imaginés ensemble au lit et j'ai pensé : une fille qui peut vivre une histoire d'amour clandestine avec un ecclésiastique de renom est tout à fait le genre de femme à pouvoir s'en tirer avec moi. J'ai probablement pensé cela avant même de l'avoir vue mais, quand je l'ai rencontrée, cette déduction gratuite sur son adéquation s'est trouvée confirmée car je l'ai jugée extrêmement attirante. Et, pour couronner le tout – pour parfaire les conditions psychologiques –, elle était mystérieusement indisponible et cela fait des années que je ne suis attiré que par ce genre de femmes.

– Tu comprends clairement maintenant, j'en suis sûr, la raison pour laquelle tu cours après des femmes qui ne sont pas libres malgré ton désir réel de te remarier?

– J'avais un désir aussi fort et aussi réel de ne pas me remarier car j'étais terrifié à l'idée que je pourrais pousser une autre femme au suicide. Je n'ai pas du tout réglé le problème de la mort de Jane et ce drame est en moi comme un obstacle.

– Bon. Très bien. Donc, tu es tombé amoureux de Lyle...

– J'en suis tombé amoureux fou; et que ce fût ou non une folle illusion, je ne le sais toujours pas. J'aimerais être sûr que mes sentiments prennent racine dans la réalité mais je dois admettre qu'il me faut revoir

Lyle quand je serai dans un état d'esprit plus calme avant de pouvoir décider si, oui ou non, elle est la femme qu'il me faut.

– Extraordinaire, Charles – quel progrès après l'extravagance de tes déclarations précédentes! Maintenant, penses-tu être en mesure de reconsidérer ton rapport à Loretta avec une lucidité égale?

Je savais que cela allait être plus difficile. Après un moment de réflexion, je dis:

– Comme elle a été bonne envers moi pour finir! Je me souviendrai toujours avec gratitude de la manière dont elle m'a secouru, en dehors du fait que...

Ma voix s'éteignit, mais Darrow n'intervint pas et, après un moment de silence, je fus capable d'avouer:

– L'après-midi que j'ai passé avec Loretta a été un désastre – mais je dois être sincère, n'est-ce pas, et reconnaître que faire l'amour avec elle a été sublime. Ceci dit, ce jugement ne vaut que du point de vue physique. Du point de vue sentimental, ce fut un désastre pour moi, car il bouleversa mes sentiments pour Lyle et me laissa dans un indescriptible chaos. Du point de vue mental, ce fut aussi un désastre car ce nouveau bouleversement m'entraîna au bord de la dépression nerveuse et me plongea de manière plus obsessionnelle que jamais dans le mystère de Starbridge. Ce fut enfin un désastre du point de vue spirituel car cela me coupa de Dieu et amplifia ma culpabilité à un point tel que je fus incapable de répondre à la première tentative que vous fîtes pour m'aider. Et du point de vue pastoral, ce fut pis encore car j'ai exploité une femme qui souffrait de la solitude et j'ai ignoré le besoin de soutien d'une âme. Que puis-je faire d'autre que regretter un incident qui fut désastreux des points de vue sentimental, mental, spirituel et pastoral? N'importe quelle satisfaction charnelle devient amère et futile lorsqu'elle est isolée dans des terres à l'abandon.

– Penses-tu pouvoir formuler les raisons pour lesquelles tu as eu envie d'avoir un rapport sexuel avec Loretta? Ou bien crois-tu que ce ne fut qu'un acte de satisfaction charnelle?

– Ce fut le motif le plus évident, mais je comprends maintenant que j'y fus également poussé par d'autres forces. Par exemple, j'étais dans un état d'extrême vulnérabilité spirituelle causé par mes problèmes personnels; j'avais davantage travaillé à préserver ma belle apparence qu'à servir Dieu. De plus, j'étais dans un état de confusion sentimentale et je me suis servi de Loretta pour éluder mes problèmes. Et puis... eh bien, c'est le cœur du problème, n'est-ce pas, mon père? Je pensais qu'elle avait eu de vrais rapports sexuels avec Jardine et j'en étais arrivé si loin dans mon identification à lui que je m'étais dit: puisqu'elle a été à lui, elle sera à moi; s'il a pu le faire, pourquoi pas moi?

Darrow se cala sur sa chaise.

– Parfait. Maintenant, peux-tu dénouer le dernier nœud et me dire comment tu perçois ton rapport à Jardine en regardant derrière toi depuis le chemin resserré au travers de la porte étroite?

– Oui, bien sûr.

Et, une fois de plus, je m'interrompis pour rassembler mes pensées mais, cette fois, rien ne vint.

– Cela ne fait rien, dit Darrow. En fait, je ne m'attendais pas vraiment à ce que tu t'expliques sur Jardine ce soir.

– Je sais ce que je voudrais dire, mais je ne peux pas...

– Tu as fait du bon travail, Charles, et maintenant, tu dois te reposer. Passe une bonne nuit et demain, je pense que nous réussirons enfin à remettre l'évêque à sa place.

4

– Tout ce que je puis dire, commençai-je après une nuit sans sommeil, c'est que ma relation avec Jardine a deux aspects. Tout d'abord, il semble que je l'aie considéré comme un père de remplacement idéal.

Darrow acquiesça.

– As-tu une idée des raisons pour lesquelles il devait avoir cet attrait exceptionnel?

– Il me faut des hommes plus âgés que moi qui m'apportent le soutien que me refuse mon père et Jardine est entré dans ma vie à un moment où j'étais complètement détaché des miens.

– Oui, d'accord, mais à ton avis, qu'est-ce qui rend Jardine plus fascinant que Lang, par exemple?

– Eh bien, je peux comprendre maintenant qu'en ce qui me concerne, Lang et Jardine ne sont pas aussi dissemblables qu'il y paraît, dis-je avec hésitation. Tous deux sont brillants et tous deux ont un incontestable charisme.

– Ah, tiens, nous avançons.

– Lang paraît être... eh bien, cela va vous sembler peut-être un peu méchant, mais j'ai l'impression que Lang est un vieux disque rayé, un vieux garçon pontifiant qui n'a plus rien à m'apporter. Mais il est certain que la première fois que je l'ai rencontré j'ai pensé qu'il avait énormément de charisme. Jardine, lui, n'est pas seulement charismatique; il n'a rien d'un vieux garçon pontifiant; c'est un homme marié, dynamique, qui a des problèmes avec les femmes. Il m'est non seulement sympathique mais j'en suis venu à m'identifier à lui – et cela nous amène au deuxième aspect de notre relation : j'en suis venu à le considérer comme un double.

– Avant de parler de cela, dis-moi pourquoi tu choisis des pères de remplacement qui sont de fascinants ecclésiastiques?

– Je suppose que je me révolte contre mon père qui hait le clergé et méprise ses fastes. Il pense que Lang est irrécupérablement théâtral et si jamais il faisait la connaissance de Jardine, je suis sûr qu'il dirait : « Pas vraiment un gentleman. Un peu trop tape-à-l'œil avec son porto millésimé. Le genre tombeur de ces dames. »

– Bon, jusque-là, nous sommes d'accord. Maintenant, jetons un coup d'œil sur cette question des doubles. Peux-tu m'expliquer comment tu en es venu à considérer Jardine comme ton double?

– C'est là que commencent les difficultés. Pour autant que je sache...

Je m'interrompis. Darrow attendit. Devant moi, posées sur la table, mes mains commencèrent à s'agiter.

– Pour autant que je sache, me forçai-je à dire, c'est là que j'ai commencé à devenir fou à lier.

– Ah oui? dit Darrow l'air de rien. As-tu été violent? Physiquement violent, pas seulement agressif verbalement?

– Non.

– As-tu eu un comportement bizarre, comme te déshabiller en public, par exemple?

– Juste ciel, non!

– As-tu entendu des voix? As-tu eu des visions? As-tu pensé que de petits bonshommes verts allaient venir t'assassiner?

– Non, bien sûr que non!

– Alors, tu étais peut-être fou, dit Darrow, mais certainement pas fou à lier. Et, personnellement, je doute que l'on puisse te taxer d'autre chose que de tension nerveuse. Je te suggère d'oublier cette thèse de la folie pour l'instant et d'examiner ce qui se passait réellement. A quel moment précis as-tu commencé à douter que tu étais sain d'esprit?

– Au cours de ma dernière entrevue avec Jardine, quand il m'a fait son discours...

– Ah oui, le fameux discours qu'il a fait alors qu'il aurait dû t'écouter! Cela dit, je suis convaincu que c'était un chef-d'œuvre. Après tout, s'il y a bien une chose que tout le monde sait sur l'évêque de Starbridge, c'est qu'il est passé maître dans l'art de la persuasion.

Ce fut comme si le charme avait été rompu.

– Oui, il pourrait vous persuader que le noir est blanc, dis-je.

Soudain, je trouvai le courage de faire face au souvenir sans faiblir et mes mains retombèrent, inertes, sur la table. Je me penchai en avant et me lançai dans le récit de la manière dont Jardine s'y était pris pour détruire mon équilibre.

5

– ... je vois bien que je ne trouve pas les mots justes, mon père. Ils sont si difficiles à saisir. Jardine m'a donné le sentiment que mon identification à lui était une illusion.

– Apparemment, il a été très convaincant. Mais comment t'a-t-il expliqué que tu t'étais fait des illusions?

– Il m'a dit que je m'étais servi de lui comme d'un miroir – mais il n'a pas utilisé cette métaphore –, il a parlé d'un écran et d'une lanterne magique. Il m'a dit que je m'abusais sur son compte en projetant sur l'écran des situations et des sentiments qui n'existaient que dans mon imagination.

– Il semblerait que notre évêque ait lu Feuerbach. Mais continue.

– Il m'a dit que, dans ma tête, je l'avais choisi comme modèle et que je justifiais les bizarreries de mon comportement en disant que je ne faisais que suivre son exemple.

Je frissonnai en songeant à Loretta.

– Il y avait quelque chose d'horriblement vrai dans tout cela...

– Les théories sur la projection semblent toujours difficiles à réfuter jusqu'à ce que l'on se rende compte que toute la vérité n'a pas été projetée. Nous savons maintenant que ton comportement – bizarre ou non – n'est pas seulement né du désir d'imiter Jardine; nous savons que tu étais conditionné par bon nombre d'autres facteurs comme la brouille avec ton père et la mort de ton épouse. Mais reprenons cette thèse de Jardine selon laquelle tu étais la lanterne magique et lui l'écran. A-t-il dit explicitement que les ressemblances entre vous n'existaient pas?

– Il a dit que je l'imaginais autrement qu'il n'était. Et c'est cela la folie, ne croyez-vous pas, c'est de ne plus faire la distinction entre la réalité et l'illusion. Il m'a donné l'impression que j'avais complètement imaginé le mystère de Starbridge; il m'a donné l'impression d'être...

– Oui? Essaie de formuler ce que tu penses.

– ... d'être rejeté. C'était comme si on me claquait une porte au nez. J'ai eu exactement le même sentiment que celui que j'avais eu lors de ma dernière dispute avec mon père, quand il avait fermé la porte de son bureau à clef. En même temps, c'était pire car, en plus du sentiment d'être rejeté, j'avais l'impression d'être fou à lier...

– Avais-tu conscience de son regard quand tout cela se passait?

Cette question me détourna brusquement du cauchemar de la folie.

– Son regard?

– Oui. Réfléchis bien. Le regardais-tu dans les yeux?

– Oui.

Je frissonnai au souvenir de la scène mais ajoutai :

– Il a les yeux noisette mais il peut leur donner un éclat proche de l'ambre. Ils étaient ambrés à ce moment-là.

– Et lui est-il arrivé dans la conversation de dire la même expression à plusieurs reprises, du genre « écoute-moi »? Ou bien a-t-il répété ton nom trois fois dans la même phrase pour capter ton attention?

Après avoir réfléchi, je répondis :

– Oui. A un moment donné, j'ai dit : « Je refuse d'en entendre davantage » et il m'a répondu : « Tu vas m'écouter, tu vas m'écouter, Charles, assieds-toi et écoute-moi, Charles... »

– Ah oui! dit Darrow nonchalamment comme si nous parlions de comportements habituels. Ça ne m'étonne pas. Il a eu recours à l'hypnose pour augmenter la puissance de son charisme – une technique qui peut avoir son utilité mais qui est pleine de dangers. Je crois comprendre ce qui s'est passé. Un charisme qui se manifeste par la rhétorique fonctionne un peu comme une T.S.F. et Jardine a non seulement allumé le poste de radio mais il a poussé le volume à fond. La conséquence ne pouvait qu'être particulièrement dévastatrice car tu étais ivre et dans un état de vulnérabilité profonde. Charles, maintenant que tu es à jeun et mentalement plus fort, tu ne devrais pas avoir de difficultés à baisser le volume jusqu'à éteindre la radio.

J'étais très intrigué.

– Mais je ne sais pas où se trouve le bouton!

– C'est lui qui dit que tu as imaginé vos ressemblances. La seule chose que tu aies à faire, c'est de démontrer que c'est faux.

– Mais comment?

– Dresse la liste des ressemblances manifestes et nous verrons si elles sont fondées ou non.

Je dis avec circonspection mais sans difficulté :

– Une épouse qui devient si dépressive qu'elle doit retourner chez ses parents – ce que Jane n'a pas osé faire, contrairement à Carrie Jardine. Une épouse consciencieuse sur le plan sexuel – ce qui, malgré tout, n'empêche pas l'union de connaître des difficultés. La stérilité du couple Jardine suivie de la naissance d'un enfant mort-né – période qui correspond à mes années de contraception suivies de la perte de l'enfant que portait ma femme. L'aversion de Jardine pour le célibat – une aversion qu'il a avouée à Loretta – et qui correspond à mon propre sentiment envers le célibat.

– Bel exposé. Voici donc une série de ressemblances réelles entre toi et Jardine. En vois-tu d'autres?

Je continuai, de plus en plus sûr de moi :

– Jardine vient d'un milieu social plus humble que le mien, mais sa lente ascension a eu pour résultat de le doter de deux personnalités – ce qui suggère que, tout comme moi, il a des difficultés à préserver son identité. Lui-même m'a avoué qu'Alex n'était qu'une belle apparence qui cachait Adam, l'homme qu'il préfère garder secret car il a commis trop d'erreurs. Tout comme moi, il ne parle habituellement pas de son passé – et, en particulier, il ne parle pas de...

– Oui? Continue, Charles.

– De son père, dis-je. De son père.

– Et voici donc la ressemblance la plus spectaculaire de toutes.

J'étais maintenant tout à fait sûr de moi.

– En surface, le problème qu'il a eu avec son père est très différent du mien, poursuivis-je, mais, intrinsèquement, c'est le même. Il s'est senti rejeté et détesté jusqu'à la mort de son père.

Je m'interrompis et me remémorai ma discussion nocturne avec Jardine, dans sa bibliothèque.

– Bizarre comme Jardine a deviné que j'avais des problèmes avec mon père, dis-je. Je n'ai fait qu'arborer mon habituelle attitude de réserve sur ce sujet mais, contrairement aux autres, Jardine a su, par expérience, ce que cachait celle-ci.

– Autrement dit, il s'est vu en toi – le processus d'identification s'est fait à l'inverse de ce qu'il prétend.

– Oui, maintenant je suis certain que c'est la raison pour laquelle il ne m'a pas mis à la porte quand il a découvert que je travaillais pour le compte de Lang – je l'intriguais tellement qu'il n'a pas pu résister à la tentation de continuer à m'héberger pour me connaître davantage et, plus tard, après qu'il m'eut fait ses confidences sur lui et son père, je me suis convaincu qu'il était le seul homme de mon entourage à avoir l'expérience nécessaire pour voir au-delà de ma belle apparence celui que je suis vraiment. Voilà pourquoi ce fut si terrible pour moi quand, pour finir, il m'a rejeté.

– En d'autres termes, dit Darrow, la reconnaissance psychologique fut mutuelle et véritable. Les ressemblances entre vous ne sont pas seulement nombreuses; elles sont frappantes. Et tant pis pour l'accusation de Jardine lorsqu'il prétend que tu fantasmes.

Je me sentis tellement soulagé qu'il se passa un bon moment avant que je ne puisse dire :

– Comment ai-je pu le croire?

– Tu as été hypnotisé jusqu'à être persuadé que tu étais fou et alors, tu as été trop terrifié pour te confronter au souvenir et voir que sa théorie était fausse.

La voix de Darrow trahit une certaine dureté; mais il la gomma vite et ajouta d'une voix neutre :

– Il est évident qu'il y a eu abus de pouvoir.

Ayant réussi à retrouver le souvenir de la scène, je fus en mesure de formuler la plus terrible de toutes les éventualités :

– Est-il possible qu'il ait voulu me pousser volontairement à bout pour se protéger, lui?

– Oui, dit Darrow, mais d'autre part, s'il se voit en toi, il semble peu vraisemblable qu'il se soit voulu volontairement destructeur. L'explication la plus plausible est que, dans la détresse causée par son implication à ton égard, il a perdu le contrôle de son pouvoir.

– Mais j'imagine que son pouvoir hypnotique ne peut qu'être funeste.

– Pas nécessairement. Il a très bien pu avoir recours à l'hypnose dans la meilleure des intentions – pour t'apaiser. Mais son erreur a été de croire que tu pourrais te ressaisir s'il te confrontait à certaines réalités. Pour un directeur de conscience, c'est une approche complètement erronée et ici, l'erreur est aggravée par sa présentation traumatisante de ce qu'il pensait être ces réalités, mais, Charles, permets-moi de souligner que, malgré la peinture abyssale qu'il fit de la situation, il n'y a toujours aucune preuve qu'il ait voulu cacher une liaison avec Lyle. L'unique démonstration de ce désastre est que même un évêque expérimenté ne doit jamais conseiller quelqu'un quand ses meilleurs instincts lui dictent la prudence.

Il y eut un silence durant lequel je m'imprégnai de cette vérité et, finalement, je dis :

– Au moins puis-je maintenant voir la situation sous son vrai jour. Je ne peux pas vous dire à quel point je me sens mieux.

– J'en suis très heureux, mais ne te réjouis pas trop vite car nous ne sommes pas encore au bout de nos peines. Nous avons établi que tu ne dois, en aucun cas, penser que tu es fou simplement parce que tu t'es identifié à Jardine. Mais que s'est-il passé quand tu as été jusqu'au bout de cette identification? Peux-tu repenser à cet incident avec Loretta?

– Je suppose que c'est à ce moment-là que je me suis considéré comme sentimentalement perturbé, même si je n'étais pas fou à lier. Je voulais absolument qu'il ait commis l'adultère. Quand il m'a dit qu'il ne l'avait pas pénétrée, je me suis senti floué. Et puis, je voulais absolument qu'il soit l'amant de Lyle – je le voulais même si cette pensée m'était insupportable.

– Et pourquoi souhaitais-tu qu'il ait commis ces péchés?

– Je pensais que, s'il pouvait être coupable et, malgré cela, avoir brillamment réussi, je le pouvais aussi. Je me disais... j'avais si peur...

– Oui? Tu y es presque, Charles. C'est le dernier obstacle.

– J'avais si peur de perdre la foi et je ne pouvais pas supporter cette idée. Je ne veux qu'une chose : servir Dieu au sein de Son Église. Mais tout semblait se désagréger – mon célibat, ma carrière, ma vie entière – et, en ces circonstances, Jardine m'est apparu comme... il est devenu le symbole de...

– De...?

– De l'espoir. A la fin, il était l'espoir incarné, mon seul espoir, mon dernier espoir... Je me disais : si seulement il pouvait être coupable, j'irais bien – s'il peut continuer, je le peux moi aussi... Et cela parce que... parce que...

– Quand il a renié ton identification à lui, ce n'était pas seulement l'image du père qui te rejetait, n'est-ce pas?

– Non. Il détruisait mon dernier espoir de servir Dieu au sein de Son Église, me condamnait à l'enfer; je ne pouvais pas le supporter, mon père, je ne pouvais pas le supporter, je ne pouvais pas.

6

– Ce fut terrible pour toi, me dit Darrow tout en tirant sa chaise de côté de façon que nous soyons assis côte à côte. Mais, maintenant, tu peux comprendre, n'est-ce pas, comment tu t'es servi de cette identification à Jardine – justifiée par ailleurs – pour dresser les défenses qui allaient tenir en échec les craintes que tu avais quant à ta vocation. Ce n'est pas ta foi que tu avais peur de perdre, j'imagine que c'est une peur des plus communes chez des clercs au psychisme si bouleversé, mais tu avais peur de perdre ta capacité à servir Dieu au sein de Son Église.

Je pus répondre :

– Je vois aujourd'hui que je serai capable de rester fidèle aux vœux que j'ai formulés lors de mon ordination, mais tous ces derniers mois ont été un tel cauchemar de craintes et de doutes...

– Je comprends. Et toi aussi, maintenant, tu es en mesure de voir comment ce cauchemar, né de ton imagination, a atteint des proportions considérables. Il n'a pas commencé seulement parce que ton père t'avait convaincu que tu étais indigne, un homme qui se contentait de poser à l'ecclésiastique, mais parce que tu avais l'impression que le scepticisme de ton père devenait justifié à un point effrayant. Ton penchant pour l'alcool t'inquiétait de plus en plus et tu avais des difficultés grandissantes avec les femmes – mais pourquoi cela est-il arrivé? Non pas, contrairement à ce que ton père pourrait penser, à cause de quelque fatalité génétique; c'est arrivé parce que tu étais sous tension psychologique de plus en plus forte. La belle apparence devenait de plus en plus dure à assumer – quoi d'étonnant que tu te sois mis à boire pour lui échapper? Et puis, tu avais ce problème crucial que tu n'arrivais pas à dominer : celui de ton incapacité à affronter un remariage. La tension causée par ce problème t'a conduit impitoyablement vers l'erreur – vers des erreurs qui n'ont fait que te donner l'impression d'être encore plus indigne – et tu t'es retrouvé dans un engrenage qui t'a conduit au désespoir. Vu les circonstances, l'étonnant n'est pas que tu aies été sentimentalement perturbé mais que tu ne l'aies pas été beaucoup plus tôt et, selon moi, tu es fait pour servir Dieu car une fausse vocation se serait désintégrée depuis longtemps.

Il me fallut un bon moment pour me calmer, puis je dis :

– C'était comme si j'avais su que je ne pouvais pas craquer jusqu'à ce que j'aie trouvé quelqu'un qui pourrait me garantir de recoller les morceaux.

– L'un des aspects navrants de ton aventure est, sans aucun doute, que tu n'aies pu te confier à personne avant de me rencontrer; mais nous commettrions une erreur si nous nous réjouissions trop vite : souviens-toi que, si tes problèmes ont été clarifiés, ils sont loin d'être résolus. Tu as une dure tâche à accomplir, mais nous reparlerons de cela plus tard. Pour le moment, il y a des problèmes plus urgents à considérer.

– Ma confession devant Dieu?

– Oui. Elle sera brève puisque nous avons déjà examiné tes fautes dans le détail mais tu dois pourtant t'y préparer avec soin. Je vais te communiquer quelques suggestions de prières et de méditation. Puis, une fois que tu te seras confessé, nous pourrons parler de ce que tu vas faire à ton retour dans le monde. Je pense qu'il est très important pour toi, à la fois émotionnellement et spirituellement, que nous dressions un plan de bataille très précis.

7

Le soir même, je me confessai devant Dieu, et, m'ayant donné l'absolution, le père Darrow m'infligea une pénitence légère dont je m'acquittai dans la chapelle avant d'aller me coucher. Je m'étais attendu à une pénitence sévère, voire longue, mais Darrow avait décrété que la douloureuse épreuve qu'avait été mon examen de conscience était en soi une pénitence qui devait s'achever dans la prière.

Le lendemain matin, pour la première fois depuis mon arrivée, je pus assister à l'office.

Tous les services des Fordites étaient donnés dans le dialecte local, et bien que dans sa forme le culte représentât bien les options de la Haute Église, le choix du langage soulignait nettement la scission avec Rome qui constituait le sceau des moines Fordites. La chapelle était fort décorée, mais la simplicité autour de la Vierge la différenciait de toutes les autres églises catholiques. Il m'était impossible de voir la chapelle dans son ensemble car seulement une partie du transept était ouverte aux visiteurs mais les vitraux que j'apercevais illustraient la vie du Christ et le seul ouvrage sculpté était un crucifix.

Je communiai. Soutenu par l'anticipation de cet instant, ce fut un choc lorsque, le premier moment d'apaisement passé, je connus la panique du désespoir. Je fus assailli par la crainte de retomber dans l'erreur dès que je quitterais mon abri; je me pris à craindre d'être incapable d'affronter l'idée d'un remariage et celle de la paternité; je tourmentai mon âme, dans la crainte que mes sentiments pour Lyle soient entièrement illusoires, que la théorie sur l'identité de mon père ne soit qu'un leurre et que je ne sois totalement incapable de servir Dieu.

Mon nouvel espoir se brisa. Le peu de confiance que j'avais en moi s'effrita. Après le culte, je regagnai ma chambre, baissai la jalousie et m'allongeai sur mon lit, la croix pressée contre ma poitrine dans une lutte pour repousser le démon du désespoir. Le démon et moi luttâmes un bon moment. Il ne me vainquit jamais totalement mais ses assauts étaient épuisants. J'étais paralysé. Il me fallut toutes mes forces pour lui barrer la route de mon âme.

Darrow vint me retrouver après sa réunion avec le chapitre. Il entra dans ma chambre, jeta un coup d'œil à mon corps prostré, releva la jalousie et me dit :

– Lève-toi, Charles. Donne un bon coup de pied au cul du démon et remettons-nous au travail.

Mon pessimisme, symbolisé par le démon, se dissipa immédiatement. J'allai jusqu'à la table.

– Moi qui pensais que tout irait bien maintenant, dis-je honteux. Je pensais que je serais fort comme un bœuf, courageux comme un lion et prêt à me pavaner de par le monde en chantant *En avant, soldats du Christ.*

Darrow se mit à rire.

– Tu peux être sûr qu'un habitant apeuré de Grantchester aurait appelé une ambulance! Non, Charles, je serais vraiment inquiet si, au stade actuel de notre épreuve, tu chantais un hymne militant.

Et il ajouta, tandis que nous nous installions à la table :

– En un sens, je suis heureux que tu aies eu cette rechute car maintenant, tu me croiras sans difficulté quand je t'aurai dit que tu dois rester ici quelques jours encore. Spirituellement, tu es toujours extrêmement faible; recevoir la communion ne va pas te redonner miraculeusement toutes tes forces, je vais donc te prescrire quelques exercices spirituels.

Je fis de mon mieux pour ne pas paraître inquiet. Même dans les moments les plus enthousiastes de mes études théologiques, je n'avais jamais été porté sur des travaux qui ne m'offraient pas l'opportunité de prouver mes dons intellectuels.

– Je suppose que tu n'auras pas besoin de rester ici plus d'une semaine, dit Darrow, mais pendant les vingt-huit prochains jours, je veux que tu te lèves à six heures du matin et consacres une heure à la lecture, à la prière et à la méditation comme je te l'indiquerai. Tu pourras prendre une tasse de thé ou de café pour te réveiller mais tu ne devras rien manger pendant cette heure – ni fumer, s'il te plaît.

Mon cœur cessa de battre. Tôt le matin, je n'étais jamais au mieux de ma forme et, avant de pouvoir aborder une heure d'exercices spirituels, j'avais l'impression que j'allais avoir besoin d'un solide repas, de plusieurs cigarettes et d'une bonne rasade de whisky. Les laïcs ont tendance à penser que les hommes de Dieu ont une faculté inépuisable pour la prière et la méditation mais, en fait, à moins d'être un moine entraîné, peu d'ecclésiastiques ont le temps ou l'énergie nécessaires à une heure d'exercices spirituels en solitaire. Chaque matin, je disais mes prières et lisais l'Évangile mais ces activités relevaient d'un sprint spirituel; ce que Darrow me demandait maintenant, c'était de courir un bon kilomètre – et je savais fort bien que je manquais d'entraînement.

Pourtant, j'étais décidé à reconstruire ma vie et à donner un sens à la mort de Jane.

– Je veux retrouver ma dignité. Je ferai tout ce que vous me direz de faire.

– Laisse-moi t'expliquer mon but : je veux t'aider à retrouver l'équilibre spirituel que tes problèmes personnels avaient altéré. Dans ta quête d'une réussite qui aurait impressionné ton père, tu as eu tendance à consacrer trop d'énergie à ton travail universitaire; je ne dis pas que tu n'aies pas été consciencieux dans l'exercice de ton sacerdoce et ta prière privée, mais as-tu fait mieux qu'être simplement consciencieux? Je pense qu'il est temps pour toi de consacrer plus de temps à cultiver ta vie intérieure afin de parfaire ta vocation.

– Je commence à comprendre pourquoi vous m'avez poussé à lire des ouvrages mystiques.

– Il y avait deux raisons à cela. La première, c'est que tu me parais un peu trop préoccupé par la transcendance de Dieu – un défaut commun aux admirateurs de Karl Barth, j'imagine – et je pensais que tu avais besoin de te remémorer la doctrine mystique de la syntérésie, c'est-à-dire l'idée qu'une étincelle divine existe dans tout être humain...

– ... Et que Dieu est immanent aussi bien que transcendant.

– Exactement. Le mysticisme est un moyen terme entre un protestantisme libéral qui insiste sur l'immanence de Dieu et la théologie de Barth qui insiste sur Sa transcendance.

– Et votre seconde raison pour m'aiguiller vers le mysticisme?

– Je voulais voir comment tu réagirais à une insistance sur le rapport de l'homme et de Dieu qui peut exister au-delà des rituels officiels du culte et, après nos conversations, j'ai commencé à soupçonner que tu n'utilisais pas pleinement tes capacités spirituelles – ce qui avait pour conséquence de renforcer ta certitude en ton manque de mérite. C'est une autre des raisons pour lesquelles tu dois, à partir de maintenant, consacrer chaque jour un moment à l'entraînement et à la réadaptation; tu as besoin de valoriser ton amour-propre; ce qu'une vie spirituelle équilibrée t'apportera.

Je ne pus m'empêcher de dire :

– Je me sens si démoralisé d'être dans cet état de faiblesse.

– Il est donc plus important que jamais que nous régénérions ta vie spirituelle. Maintenant, Charles, si l'on veut éviter que tu passes ta matinée à te morfondre dans ton lit, il est évident qu'il te faut exécuter un travail physique difficile. Viens avec moi dans le jardin et voyons si nous ne pouvons pas dénicher un petit arbre qui ne demanderait qu'à être abattu...

8

Aucun arbre n'implorait d'être abattu, mais nous trouvâmes un grand carré de terre qui ne demandait qu'à être bêché. Je bêchai donc. Au bout d'un moment, je me sentis mieux et, plus tard, sous ma douche, je revis Lady Starmouth me disant dans un sourire : « J'adore la chrétienté musclée. » Sa remarque me parut d'une ironie terrible maintenant que je me rendais compte quel faible chrétien j'étais devenu mais, tandis que je me regardais dans le miroir et y voyais non pas ma belle apparence mais mon moi véritable, je me dis qu'un jour, dans un avenir presque inimaginable, une allusion flatteuse à la chrétienté musclée ne me semblerait peut-être pas déplacée.

Cette pensée encourageante me donna la certitude que je commençais à espérer, que je commençais à reprendre confiance.

9

Darrow consacra notre séance de l'après-midi à me signaler les ouvrages que je devais consulter pour les exercices et à discuter des techniques de méditation les plus efficaces.

– Nous commencerons les méditations avec les Évangiles synoptiques, dit-il, car je veux que tu te concentres sur le Christ et puis nous passerons à l'Évangile selon saint Jean afin que tu te concentres sur le Saint-Esprit. Tu es trop théocentrique, peut-être parce que tes problèmes psychologiques t'ont fait te préoccuper de Dieu, image du père. J'ai remarqué un déséquilibre net dans ta perception globale de la Trinité.

A nouveau, je me sentis alarmé. J'avais beau avoir un doctorat en théologie, j'avais maintenant l'impression d'être un étudiant sur le point d'échouer à un examen et qui, tout à coup, était décidé à le réussir. Et si j'étais démasqué comme un raté sur le plan spirituel? La pensée d'être pitoyable était déjà assez effroyable en soi, mais la pensée de décevoir Darrow était insupportable. Éperdu, je cherchai une solution qui ménagerait ma vulnéralité et, lorsque Darrow vint me retrouver ce même soir, ce fut ma belle apparence qui lui dit :

– J'espère vivement que vous m'en apprendrez un peu plus sur vous, mon père! Il y a tant de choses que j'aimerais savoir.

Une fois que j'eus parlé, je me sentis rasséréné. C'était une technique infaillible pour gagner la bienveillance d'hommes plus âgés que moi : je les interrogeais sur leur passé, je les écoutais avec l'intérêt passionné du disciple modèle et j'en étais récompensé par une démonstration gratifiante de bienveillance paternelle qui restait aveugle à tous les défauts et toutes les fautes que j'étais si prompt à vouloir dissimuler.

– Parlez-moi du temps où vous étiez dans la marine!

Je pressai Darrow avec toute l'ardeur et tout le charme dont je pouvais disposer mais, bien que j'attendisse en toute confiance la réponse qui saurait anesthésier mon manque de confiance, Darrow demeura silencieux. Tout d'abord, je me dis que le temps qu'il prenait n'était que celui nécessaire à mettre de côté son masque de directeur de conscience et, lorsque je le vis sourire, je fus certain qu'il était sur le point de me faire des confidences mais alors, il dit d'un air grave :

– Non, Charles. Si je veux t'aider de mon mieux, il me faut rester le plus anonyme possible. Je ne peux être que ton directeur de conscience. Rien de moins et rien de plus.

Un nouveau silence s'installa entre nous tandis que je percevais douloureusement les machinations de ma belle apparence. Puis, Darrow me dit, avec une fermeté qui lui permit d'être gentil sans être condescendant :

– Ceci n'est pas un rejet, Charles. C'est tout à fait le contraire. C'est en te permettant de mettre notre relation sur un plan qui ne ferait que renforcer les problèmes psychologiques qui t'ont tourmenté pendant si longtemps que je te rejetterais. Pour le moment, ma tâche la plus vitale n'est pas de te prouver que tu as besoin d'un père de remplacement, c'est justement de te prouver que tu peux t'en passer.

J'acquiesçai. Au bout d'un moment mon moi véritable fut en mesure de s'exprimer.

— Ne croyez pas que je ne sois pas conscient de l'absurdité pour un homme de mon âge d'avoir besoin d'un père de remplacement.

— J'ai la conviction qu'une fois réglé le différend qui t'oppose à ton père, la plus grande part de tes problèmes sera résolue. Mais je suis également convaincu que ce n'est pas facile, j'en ai bien peur.

Dans un effort pour dominer mon embarras, je changeai de sujet de conversation :

— Le moment est-il venu de dresser le plan de bataille pour mon retour dans le monde?

— Oui, peut-être, dit Darrow qui avait, bien entendu, mesuré l'ampleur exacte de ma détresse et voulait m'aider à la surmonter. Très bien. Envisageons ta prochaine visite à tes parents à Epsom...

10

— La première chose à faire, poursuivit Darrow, c'est d'établir ton rapport à tes parents sur de nouvelles bases. Établir la vérité sur l'identité de ton père ne va pas seulement avoir pour effet de satisfaire ta curiosité bien pardonnable; cela va avoir pour effet de créer une atmosphère de vérité indispensable à ces nouvelles relations.

— Oui, mon père.

— Non Charles, il ne suffit pas de rester assis à me répondre « oui, mon père » comme un novice obéissant! Travaille dur, réfléchis, sois constructif...

— Comment aborder cette tâche?

— Voilà qui est mieux. Ton devoir est d'aller vers tes parents en bon chrétien — et cela me rappelle quelque chose que tu as dit dans ton compte rendu des événements de Starbridge. N'as-tu pas reconnu que ton manque d'expérience de la vie paroissiale te culpabilisait? Eh bien, voilà l'occasion rêvée de remplacer le pasteur local et de t'occuper de la santé spirituelle de tes parents.

— Mais, mon père...

Il me gratifia d'un regard d'acier.

— Penserais-tu que la santé spirituelle de tes parents ne le mérite pas? Penserais-tu que, pour la simple raison qu'ils ne vont pas à l'église, ils ne méritent pas ta précieuse aide spirituelle?

— Non, bien sûr que non, mais...

– Ton travail consisterait-il simplement à faire de beaux sermons et à écrire sur l'Église primitive?

– Non, mon père. On prêche l'Évangile en vivant pleinement sa vocation.

– Précisément. Va à Epsom et délivre le message du Christ. Tu n'auras même pas besoin de mentionner Dieu. Tu n'auras même pas besoin de porter ton habit. Contente-toi d'aller chez tes parents et que tes actes attestent ta foi.

– Oui, mon père, mais chaque fois que je leur ai rendu visite, j'ai vraiment essayé de...

– De quoi? D'être le fils modèle accomplissant son devoir envers deux figures de cire étiquetées « père » et « mère »? Oublie ta belle apparence, Charles – et oublie la leur par la même occasion! Regarde au-delà des figures de cire et contemple les deux étrangers qui se sont cachés de toi tandis que tu te cachais d'eux. Que se passe-t-il réellement dans la vie de tes parents? Comment ton père vit-il sa retraite? – toujours une épreuve pour tout homme dynamique. Comment vit-il, cet athée, la perspective de sa disparition prochaine? Et ta mère? Comment vit-elle son âge et la perspective du vieillissement? Comment vit-elle, elle, la retraite de ton père? – c'est toujours un changement de vie perturbant pour n'importe quelle épouse. Souffre-t-elle de la solitude? Lui manques-tu beaucoup et a-t-elle envie de se confier à toi? Charles, tu as un devoir de pasteur à portée de la main; vas-tu passer le reste de l'été au collège de Laud, t'isolant confortablement de tes ennuis du XXe siècle en recherchant une fois de plus l'exil dans le passé historique lointain, ou bien vas-tu enfin quitter ta tour d'ivoire et servir Dieu là où l'on aura peut-être besoin de toi plus que jamais?

J'eus l'impression que Dieu m'avait parlé, non pas dans un souffle, mais dans une fanfare de trompettes, et je baissai la tête, honteux de penser que j'étais resté sourd à son appel si longtemps.

XVII

Les traces du Christ s'inscrivent silencieusement sur ses disciples véritables aussi bien dans le cours ordinaire de leur existence que dans la souffrance et le martyre.

Herbert HENSLEY HENSON,
Regard sur une vie sans importance.

1

– Ta tâche ne va pas être facile, dit Darrow. Ton père va sans doute regimber, comme d'habitude, et ta mère va probablement te porter sur les nerfs. Mais tu devras continuer à leur rendre visite. Consacre-leur ton été. L'amour finira peut-être par engendrer la compréhension, et la compréhension engendrera peut-être le pardon et, une fois que tu leur auras pardonné, tu sera enfin en paix avec eux.

– Vous me rappelez Jardine, lui dis-je d'un ton un peu brusque. Quand il m'a parlé de son père, il m'a dit : « C'est la compréhension qui rend le pardon possible. »

Darrow s'autorisa à faire une entorse à sa neutralité professionnelle en disant :

– Mon opinion sur la finesse spirituelle de l'évêque monte d'un cran.

Mais, tout de suite après, il parut regretter sa franchise et, avant que je n'aie eu le temps d'émettre une opinion, il ajouta vivement :

– Et maintenant, je parie que tu es impatient d'étendre ton champ de bataille d'Epsom à Starbridge.

J'essayai de trouver les mots qui lui prouveraient que je comprenais ma position.

– Je me rends parfaitement compte, dis-je, que mes parents sont prioritaires; je dois régler le problème Epsom pour gagner l'équilibre qui me permettra de régler celui de Starbridge. Pourtant...

285

J'hésitai, mais ne pus faire autrement qu'avouer :

– ... Je déteste l'idée de faire attendre Lyle.

– Je trouve aussi que c'est là un point difficile, dit Darrow.

Encouragé par sa compréhension, je fis un nouvel effort pour exprimer mes sentiments.

– Il me semble qu'il me serait plus facile d'oublier Lyle pour le moment si je savais combien de temps je vais devoir attendre, dis-je. Supposons qu'avec mes parents, je m'en tire...

– Il te faudra certainement leur consacrer la part du lion : le reste de tes grandes vacances. Pourquoi ne fixes-tu pas une date fin septembre pour revoir Lyle?

Six semaines me parurent un temps fort long, mais je dis sans hésitation :

– Très bien. Mais pourrais-je lui écrire pour reprendre contact?

– Question judicieuse, mais je ne vois pas ce qui peut te faire supposer que je sois mieux placé que toi pour y répondre. Laisse-moi te poser d'autres questions pour t'aider à prendre ta décision. Par exemple, quel serait le but de cette lettre au-delà de la reprise de contact? Que ressentirais-tu si elle ne te répondait pas? Serais-tu plus frustré que jamais? Cette anxiété risquerait-elle de te détourner de tes parents qui doivent être maintenant ta première préoccupation? Y a-t-il des chances que tu sois tenté de te précipiter à Starbridge pour une nouvelle rencontre destructrice avec l'évêque?

Je fus bien obligé de reconnaître que toutes ces questions me troublaient.

– Peut-être ferais-je mieux de ne rien faire pour le moment, dis-je à contrecœur.

– Laissons cette question en suspens et reparlons-en régulièrement. Je suis certain que tu finiras par trouver une solution satisfaisante... Et, puisque nous parlons d'évolution, Charles, je pense que tu es maintenant suffisamment rétabli pour entendre un renseignement que je tenais caché sur l'évolution de la situation à Starbridge. Le lendemain de ton arrivée ici, Jardine m'a téléphoné.

La nervosité de ma réaction me choqua.

– Il vous a dit que j'étais fou?

– Il avait surtout envie de savoir si tu étais hors de danger. Il avait peur que tu n'aies eu un accident d'auto; si tel avait été le cas, il y aurait été pour quelque chose.

– A-t-il retéléphoné depuis?

– Trois jours plus tard, oui. Il voulait savoir si tu te remettais bien. Je lui ai dit : « Comme c'est aimable à vous de vous inquiéter, monseigneur. Charles va mieux et il profite d'une période d'accalmie au monastère. » J'étais curieux de voir s'il n'essaierait pas d'obtenir d'autres renseignements.

– A-t-il essayé?

– Pour ça, oui. Il a dit : « Oui, Charles était particulièrement déprimé quand il nous a quittés. J'étais très inquiet car il semblait se complaire dans quelque incroyable rêve.» Je lâchai alors une onomatopée du genre «Hum» et la modulai de façon qu'elle puisse vouloir dire n'importe quoi; sur ce, il s'est énervé, a changé de tactique et m'a demandé comment je me sentais dans le comté de Cambridge.

– Donc, il a vraiment essayé de vous convaincre que j'étais fou!

– Je ne pense pas, dit Darrow avec cette sérénité qui ne manquait jamais de me rassurer. Si tel avait été son but, je crois qu'il aurait tenté une approche directe en insistant sur le fait que tu avais complètement déliré mais il semblait plus désireux d'avoir de tes nouvelles que de proférer des accusations scandaleuses.

– Mais, bien sûr, il a peur que ce ne soit moi que vous croyiez!

– Oui, peut-être, mais cela se justifie, qu'il soit coupable ou innocent, tu ne crois pas? Même le plus saint des évêques perdrait le sommeil à la pensée qu'un chanoine raconte une histoire d'adultère à l'intérieur des cloîtres bénis des Fordites!

Petit à petit, je me détendis.

– Excusez-moi, dis-je. Je suis stupide.

– Non, pas du tout. Il est tout aussi naturel que tu t'inquiètes de savoir si Jardine a voulu me convaincre que tu étais fou qu'il est naturel pour lui de s'inquiéter de savoir si tu as voulu me convaincre qu'il commettait le péché d'adultère. Mais, Charles, en te répétant les paroles de Jardine, mon propos n'était pas de t'alarmer. Je voulais essayer de te faire comprendre qu'à Starbridge, du temps avait passé depuis le jour où tu as quitté en courant la table de l'évêque. J'ai l'impression que tu as tendance à considérer la relation entre Lyle et Jardine comme figée dans le temps; la situation à l'évêché évolue constamment, tout comme ici la situation a évolué, et c'est aussi une des raisons pour lesquelles je pense que tu ferais mieux d'attendre un peu avant d'aborder ta dernière étape à Starbridge. Tu as jeté un énorme pavé dans cette mare, Charles; reste un peu en retrait maintenant, jusqu'à ce que les vagues atteignent la rive et que tu puisses voir ce qui a été rejeté à tes pieds. Il est vraisemblable que, plus tard, tu trouveras que cette attente aura été bénéfique...

2

Ma première tentative pour m'acquitter de mes exercices spirituels fut un échec total. Je devais consacrer la première demi-heure à la lecture attentive de passages des *Confessions* de saint Augustin et de l'*Imitation de Jésus-Christ* de Thomas a Kempis, deux ouvrages que j'avais, bien entendu, déjà étudiés mais qui, depuis quelque temps, étaient restés dans ma bibliothèque. Cette tâche me parut assez simple et je l'accomplis en un quart d'heure mais, a posteriori, je me rendis compte que j'avais lu trop vite – habitude d'étudiant – et, pour couronner le tout, je découvris en relisant ces pages que certains passages m'étaient complètement inconnus. Je fus désorienté par cette preuve de mon manque de concentration; mais ce ne fut que lorsque j'abordai mon exercice de méditation que mes vrais ennuis commencèrent. Je devais méditer sur un court extrait de l'Évangile selon saint Marc; non un passage intéressant comme la Petite Apocalypse qui m'aurait donné l'occasion d'exercer mon esprit sur l'eschatologie juive, mais les quelques versets qui décrivaient la résurrection de la fille de Jaïre. L'histoire m'était d'une insupportable familiarité et, au bout de cinq minutes, je constatai que mes efforts de concentration s'étaient échoués sur les récifs de l'ennui.

Histoire de passer le temps qui m'était imparti, je traduisis les versets d'abord dans le grec du Nouveau Testament puis en latin moyenâgeux, mais ayant parfaitement conscience que je n'étais pas là pour exercer mon érudition, ce fut avec mortification que j'entamai le dernier quart d'heure prévu pour la prière. Ce fut plus facile pour moi qui avais l'habitude de prier, mais j'étais tellement obsédé par mon échec sur la méditation que, une fois de plus, ma concentration se fit capricieuse et mes prières manquèrent d'élan.

Je mesurai alors à quel point j'étais perdu dès l'instant où mon érudition n'était plus en jeu et, sans être hermétique à un élargissement de ma conscience religieuse, je me rendis compte qu'avec le temps mon expérience s'était amoindrie au lieu de s'étendre. J'aimais que mon approche de la religion ait une forme froide, précise et analytique. Alors, j'étais capable de me sentir très dévot. Mais, sans support intellectuel, j'étais perdu. Je me racontais que mon tempérament ne me prédisposait pas à la méditation; que j'étais fait pour l'étude et l'enseignement, pas pour rester assis à raisonner sur les conséquences spirituelles d'un court extrait de l'Évangile selon saint Marc.

Pourtant, je savais que je ne pourrais jamais rapporter ces pensées à mon mentor et, après beaucoup de tourments, je me dis que la seule solution qui me restait était d'avouer mon échec mais de souligner qu'un grand progrès était à la fois imminent et inévitable.

Je retrouvai Darrow après sa rencontre avec le chapitre.

– Celui qui a souffert de malnutrition a souvent des difficultés quand il recommence à s'alimenter normalement, me dit-il d'une voix douce après que je lui eus fait part de mes problèmes, mais ce qui est important, c'est que tu aies le désir et la volonté de rester à table, devant ton assiette, toute la durée du repas. Examinons ce qui s'est passé afin que je puisse te prescrire le régime qui te convienne.

Après une analyse détaillée de l'heure malheureuse, il augmenta le temps consacré à la simple lecture, ne modifia pas celui consacré à la prière mais diminua d'une dizaine de minutes celui consacré à la méditation. Les supports demeuraient inchangés.

– Si tu étais entraîné, dit-il, tu pourrais rester vingt-cinq minutes sur ce passage – ce qui est le temps maximum que l'on peut consacrer profitablement à ce type de lecture. Ne te décourage pas. Je n'attends pas trop de toi pour le moment.

Mais je ne pus supporter cette confirmation indirecte de mon échec. Immédiatement, ma belle apparence prit la parole avant que j'aie eu le temps de l'en empêcher.

– Ne vous inquiétez pas, mon père... Je suis certain de pouvoir bientôt surmonter ces petites difficultés.

Je compris, à peine eus-je proféré ces paroles, que je venais de commettre la même erreur que celle que j'avais commise la fois où j'avais essayé de placer ma relation avec Darrow sur un plan purement amical. J'essayai de trouver les mots qui me permettraient de gommer l'absurdité de ma remarque mais, au bout du compte, ce fut Darrow qui parla le premier.

– Charles, me dit-il, il n'est pas nécessaire de faire ses preuves pour gagner mon amitié et mon soutien. Tant que tu feras de ton mieux – et peu importe si ton mieux doit être médiocre –, mon amitié et mon soutien te sont acquis.

Il y eut un moment de silence tandis que ma belle apparence, blessée mais pas morte, se retirait une fois de plus dans mon subconscient. J'étais trop secoué pour répondre.

– Regardons la réalité en face, dit Darrow.

Une nouvelle fois, sa fermeté lui permettait d'être gentil sans être condescendant.

– Tu es, en fin de compte, un jeune pasteur très ordinaire. Tu as des capacités spirituelles modestes – mais certaines – que tu as négligées et tu dois maintenant les prendre en considération en les développant de ton mieux. Mais ce n'est pas un exploit que je te demande, Charles. Je ne m'attends pas à te voir devenir saint Ignace de Loyola dans le but de pouvoir te donner une petite tape sur la tête en te disant : « Bravo! » Ce que j'attends de toi – du vrai Charles Ashworth – c'est que tu t'attelles obstinément à cette tâche qui est loin d'être facile pour toi et que, au bout du compte, tu fasses un progrès – infime peut-être – néanmoins tangible dans ta vie spirituelle. Alors, oui, je te dirai : « Bravo, Charles! » mais je ne marquerai certainement pas du sceau de mon approbation la moindre esbroufe de ta part. Je mettrai ma foi en ton moi véritable. Continue de détruire cette belle apparence, Charles. C'est elle, l'ennemi intérieur. Détruis-la jusqu'à ce que, enfin, tu puisses en dégager les racines et reconstruire ta relation avec ton père.

Profondément honteux de ma dissimulation, je lui jurai que je ne voulais qu'une chose : vivre dans la vérité.

3

Je restai cinq jours de plus chez les Fordites avant de me sentir suffisamment sûr de moi pour retourner dans le monde. Ma seconde tentative d'exercices spirituels se révéla aussi humiliante que la première mais, maintenant que j'étais allégé du désir de devenir un saint Ignace de Loyola moderne, je trouvais que j'arrivais à me concentrer plus facilement. Je n'étais plus distrait par l'angoisse de ce que Darrow allait penser d'un échec possible.

Jour après jour, Darrow modifiait le contenu de mon régime spirituel et, petit à petit, l'analyse de mon travail cessa de me rendre nerveux. Au contraire, je l'accueillais avec plaisir. Les questions de Darrow clarifiaient mes pensées, épinglaient mes faiblesses et forçaient ma concentration quand les exercices devenaient plus difficiles. Il devint vite manifeste qu'il devinait toujours quand je faisais de mon mieux et quand je me laissais gagner par l'inertie; dès que j'eus la certitude qu'il ne sous-estimait jamais mes efforts ni ne surestimait mes capacités, il me fut possible de me plier à sa discipline et de tenter d'atteindre la vie spirituelle équilibrée dont mes problèmes m'avaient éloigné.

Nous ne reparlâmes qu'une seule fois de Starbridge avant mon départ. La veille, je dis à Darrow :

– J'ai repensé à l'éventualité d'écrire à Lyle et j'en suis arrivé à la conclusion que si je devais faire les choses comme il convient, ce n'est pas à Lyle que je devrais écrire, mais à Mrs. Jardine. Après tout, j'étais son invité à cet épouvantable dîner et le moins que je puisse faire est de lui demander de m'excuser pour ma conduite.

Darrow se contenta de répondre :

– Et qu'attends-tu d'une lettre – outre le fait de rassurer les Jardine sur ta bonne éducation?

– Les rassurer sur mon équilibre. Il me semble que si je déclenchais maintenant une polémique amoureuse chez Lyle, elle n'y verrait plus qu'une preuve supplémentaire de ma folie.

– Parfait, alors écris à Mrs. Jardine. Mais, dis-moi, Charles, cela t'ennuie-t-il toujours autant de faire attendre Lyle?

– Oui, mais je m'y suis résigné. Je reconnais que mes parents sont prioritaires.

– Je suis certain qu'ils feront une bonne diversion... Et comment te sens-tu à l'idée de te retrouver confronté au monde?

– Nerveux. Mais optimiste, car je sais que je vais agir positivement, œuvrer à ma propre renaissance. Je ne vous décevrai pas, mon père.

– Ce n'est pas moi qu'il ne faut pas décevoir.

– Je l'ai compris. Mais permettez-moi de voir en vous un symbole.

Darrow me répondit d'un ton léger :

- Il est dangereux de considérer quelqu'un comme un symbole. Je pense que tu serais en terrain plus sûr si tu ne voyais en moi qu'un prêtre s'acquittant de la tâche qui lui a été assignée par Dieu.

Il se leva et ajouta :

- Viens me retrouver au salon après le déjeuner pour recevoir ma bénédiction.

Avant que je n'aie pu répondre, il avait quitté la pièce.

4

Le lendemain, nous nous quittâmes en bonne et due forme dans le luxueux salon. Je m'agenouillai pour recevoir sa bénédiction et, au moment où je me redressai et m'apprêtai à lui serrer la main, il me dit :

- Ici commence une nouvelle étape de ton épreuve, Charles. Je prierai pour toi en attendant de te revoir.

Il était difficile de le remercier comme je l'aurais voulu mais je fis de mon mieux pour que les formules conventionnelles de gratitude sonnent juste. Je voulus aussi lui rendre la croix qu'il m'avait prêtée mais, d'un geste, il la refusa.

- Non, me dit-il tout en me raccompagnant à la grille, tu en auras encore besoin, je le crois.

Je renouvelai mes remerciements, passai la croix autour de mon cou et le quittai pour regagner le monde.

5

J'allai en ville en autobus et quand je retrouvai mes pénates à Laud, onze heures sonnaient au clocher de la cathédrale. Pendant un long moment, j'examinai ces lieux familiers et, à la fois, curieusement étrangers où ma belle apparence avait travaillé au mythe de sa Perfection. Puis, je refermai la porte, déposai mon bagage et me dirigeai vers mon bureau pour téléphoner à mes parents.

Avant de décrocher le combiné, je défis mon col et ouvris le paquet de cigarettes que je venais d'acheter. La première bouffée eut pour moi le goût du nectar des dieux et, me laissant aller contre le dossier de ma chaise, j'inhalai dans un frisson de volupté tout en jetant un coup d'œil aux lettres accumulées durant mon absence. Comme d'habitude, il y avait beaucoup trop de factures mais plusieurs de mes étudiants m'avaient envoyé une carte postale de diverses villes d'Europe et un professeur américain que je ne connaissais pas m'avait écrit une lettre fort sympathique au sujet de mon livre. Ignorant la pile de revues et journaux « professionnels » je passai mon coup de fil à Epsom, tout en parcourant le *Times* que je venais d'acheter. La Chine se battait toujours contre le Japon. Les Espagnols se battaient toujours entre eux. Le diable régnait toujours en Allemagne. J'étais en train de me dire que, malgré l'absence de femmes, l'existence au monastère avait beaucoup de choses à offrir, lorsque, à Epsom, la femme de chambre finit par décrocher.

– Bonjour, Ada, lui dis-je après qu'elle eut annoncé la résidence Ashworth. Vous avez l'air en pleine forme.

– Mr. Charles! Eh bien, ça alors, quelle bonne surprise! Votre mère vient de partir chez le coiffeur mais votre père est ici – je vais le chercher, il est dans la serre.

J'aspirai une grosse bouffée de ma cigarette. Des minutes passèrent, au moment où j'allais changer le combiné de main pour soulager la crampe qui me gagnait, j'entendis une série de bruits à l'autre bout de la ligne et la voix de mon père résonna à mon oreille :

– Charles?

– Bonjour, père. Je...

– Que se passe-t-il? Tu as des ennuis?

Mon cœur se mit à battre plus fort.

– Je ne vois pas ce qui vous fait dire cela, lui dis-je tout en m'arrangeant pour faire une brûlure de cigarette sur la une du *Times*.

– Et moi, je ne vois pas pourquoi tu téléphones alors que, apparemment, nous sommes indignes de ton attention en ce moment! Enfin, je suppose que ce n'est pas à moi que tu voulais parler. Ta mère a dit qu'elle serait de retour vers midi. C'est-à-dire pas avant une heure. Je lui ferai part de ton appel.

– Attendez!

Tout en parlant, j'avais obscurément conscience que j'étais en train d'écraser la cigarette que je n'avais fumé qu'à moitié.

– Père, j'avais envie de venir à Epsom demain pour déjeuner. Je pensais arriver vers midi avec une bouteille de champagne...

– Du *champagne*?

– Oui, j'aimerais bien qu'on enterre la hache de guerre...

J'émiettai la cigarette dans le cendrier.

– ...et je me disais que cet enterrement méritait d'être fêté.

– Boisson bien prétentieuse que le champagne – sauf pour les mariages. Inutile de dépenser ton argent. Contente-toi de venir demain à midi avec de bonnes dispositions d'esprit et tu peux être sûr que la hache de guerre sera enterrée dix pieds sous terre. Alors, nous boirons un verre de mon meilleur Sherry et le tour sera joué!

– Oui, père.

– Méfie-toi de la prodigalité, Charles. Inutile de te comporter comme si tu étais le plus grand noceur de la ville.

– Oui, père.

– Alors, à demain midi. Ta mère sera ravie. Mais surtout, conduis prudemment et ne démolis pas ta voiture en jouant au coureur auto-mobile, dit mon père sévèrement.

Et il raccrocha avant que je n'aie eu le temps de trouver une réponse.

6

Je songeai à Darrow et je respirai profondément tout en tenant ma croix. Puis, reculant devant toute pensée concernant mes parents, je m'attaquai aux problèmes de ce monde qui s'étaient accumulés durant mon absence. Plus tard, en allant à ma banque, je passai présenter mes respects à ma voiture garée dans la cour principale du collège. J'avais l'impression d'être revenu du royaume des morts. La sensation de commencer une vie nouvelle devenait plus forte.

Ce soir-là, j'écrivis à Lang une longue lettre amicale, lui présentant mes excuses pour le retard pris à faire mon rapport et je noircis les pages de détails rigoureusement choisis. Cela me donna l'occasion d'encenser Darrow et de composer quelques phrases bien senties sur le mysticisme. Je glissai, entre des paragraphes qui n'avaient aucun rapport :

En ce qui concerne ma mission, je n'ai trouvé aucune preuve de la moindre irrégularité, et Sa Seigneurie sera rassurée de savoir que l'absence totale de preuve doit préserver notre homme des courants hostiles de Fleet Street.

J'ajoutai également une note un peu moins grandiloquente :

Si vous souhaitez me rencontrer pour parler de cela, il va sans dire que je viendrai immédiatement à Lambeth mais j'ai bien peur qu'il n'y ait pas grand-chose à ajouter, si ce n'est que j'ai rencontré une hospitalité des plus grandes durant ma visite qui s'est révélée, à bien des égards, bien plus agréable que je ne m'y attendais.

J'avais enfin échappé à mon rôle d'espion de l'archevêque. Ayant cacheté l'enveloppe, je quittai mon appartement, glissai la lettre dans la boîte près de la cathédrale et, me réjouissant toujours d'être libéré du poids qui avait déclenché mes épreuves, je retournai, soulagé, dîner au collège.

7

En fin de soirée, je me servis un fond de whisky pour m'aider à trouver le sommeil mais j'en trouvai le goût si infâme que je le jetai. Il me fallut des heures pour m'endormir et, quand mon réveil sonna, à six heures, je pouvais à peine ouvrir les yeux. Pourtant, avant de replonger dans l'inconscience, je me souvins de Darrow et, quelques instants plus tard, je me tirai du lit à grand-peine et me préparai du café.

A nouveau, les exercices me parurent difficiles et déroutants, les textes éloignés de moi, mes méditations stériles et, tout en faisant des efforts de concentration, je ne pouvais m'empêcher de trouver étrange de devoir si maladroitement chercher ma voie vers ma nouvelle vie dans la pièce même où ma belle apparence avait si adroitement utilisé ses techniques pour aboutir à sa réussite superficielle. Soudain, dans mon désespoir d'être si lent et si gauche, j'aspirai plus farouchement que jamais à une vie nouvelle. Cette aspiration était indicible mais je savais que je priais pour acquérir une force qui viendrait de l'extérieur et non de l'intérieur, car mes sources étaient presque taries. C'était comme si je disais : « Laissez-moi vivre » et, l'instant d'après, Jane me revenait en mémoire. Je la revis courant sur la plage vers la mer durant notre voyage de noces, je l'entendis m'appeler joyeusement : « Viens, Charles, viens! » et, comme l'aube éclairait la fenêtre du collège de Laud, les phrases mortes palpitèrent contre la vie que j'avais devant les yeux. « Regarde, Charles, c'est la marée basse. » J'entendais sa voix et, tandis que le livre me glissait des mains, je ressentis son amour qui me portait sur les flots vers ma délivrance, vers les lumières diffuses et éternelles de l'au-delà.

8

Ce samedi matin, j'arrivai à Epsom à midi et me dirigeai vers les faubourgs, où mes parents habitaient, près de l'hippodrome. Bâtie à la fin du siècle dernier, leur maison comptait six chambres à coucher, trois salons; un hectare de jardin l'entourait. Mon père avait obstinément refusé de déménager après le départ de ses enfants. C'était sa maison, gagnée à la sueur de son front et il ne la quitterait que les pieds devant. Ou du moins, ce fut ce qu'il déclara à ma mère le jour où elle repéra un ravissant pavillon moderne qui aurait pu abriter leur vieillesse. Il y avait aussi une serre qui, pendant longtemps, fut le centre des rêves d'horticulteur de mon père et qui, maintenant qu'il était à la retraite, était devenue la passion de sa vie. Ce matin-là, tandis que j'engageais la voiture dans l'allée, tout en voyant le soleil se réverbérer sur le toit en verre, je me demandai s'il avait enfin réussi à faire pousser des oranges plus grosses que des prunes.

Je sortis de la voiture et enfilai ma veste. J'avais décidé de ne pas porter ma tenue de clergyman puisque mon père faisait si souvent des remarques sarcastiques à ce sujet, et j'avais choisi un costume gris pâle, une chemise unie et ma vieille cravate de l'école. J'espérais avoir l'air distingué sans paraître prétentieux, élégant sans être tape-à-l'œil, de bonne famille sans faire nouveau riche. En d'autres termes, j'avais fait de mon mieux pour prouver à mon père que, quelle que soit la vérité sur ma naissance, il ne m'avait pas élevé pour rien.

Ce fut Ada qui m'ouvrit et, tandis qu'elle se tenait devant moi, en talons plats, les yeux brillants, Nelson, le chien de mon père, bondit vers moi en aboyant.

– Oh, ce chien! dit Ada avec humeur tandis que Nelson, fou de joie, se dressait sur ses pattes arrière.

Je demandai à Ada comment allait sa santé, Ada me répondit que ses oignons la tuaient. C'était sa réponse habituelle; cela faisait au moins vingt ans qu'Ada était tuée par ses oignons et, après avoir prononcé les paroles – également rituelles – de commisération, je pus enfin lui demander :

– Comment vont mes parents?

– Ils sont si contents que vous soyez venu, Mr. Charles. Madame est sortie très tôt ce matin pour s'acheter une robe. N'oubliez pas de lui en faire compliment mais ne dites surtout pas que... Oups! La voilà! Dieu vous bénisse, Mr. Charles, je suis tellement contente de vous revoir...

Elle s'éloigna vers la cuisine tandis que ma mère descendait majestueusement l'escalier.

– Charles... mon chéri!

Ma mère approchait de la soixantaine. Elle était encore mince, brune aux yeux noirs et d'une élégance qui n'était pas sans attrait. Son passe-temps favori consistait au soin de son apparence; elle s'y consacrait avec un dévouement sans relâche. J'étais persuadé qu'elle se faisait teindre les cheveux et que l'idée même qu'elle puisse s'abaisser à une telle vulgarité n'avait jamais effleuré l'esprit de mon père qui s'en tenait à une attitude naïve face aux mystères du sexe faible. Les goûts vestimentaires de ma mère étaient coûteux mais discrets; elle portait une robe bleu marine éclairée d'un simple rang de perles.

– Je suis heureux de voir que vous détenez encore le secret de la jeunesse éternelle, lui dis-je en souriant. J'aime beaucoup votre robe.

– Mon chéri, que de compliments! Je te remercie.

Comme nous échangions un baiser, je remarquai son parfum délicat et, tout à coup, je compris qu'elle avait consacré sa matinée à peaufiner sa belle apparence juste pour moi.

– Et toi tu es superbe, Charles, sans ton habit de clergyman! A moins que cela ne te contrarie si je te dis cela? Je ne dois pas te contrarier... Mais, sortons, j'ai pensé que nous pourrions prendre un verre sur la terrasse et je vais préparer un cocktail au champagne en guise de cadeau personnel. Je sais que ce vieux fou t'a dit de ne pas apporter de champagne – c'est bien lui ça! – mais pourquoi ne devrions-nous pas boire de champagne, je me le demande! Je suis si heureuse que tu te sois décidé à venir nous voir – et lui aussi, même s'il ne veut pas l'admettre. Franchement, Charles, depuis qu'il est à la retraite, il se comporte comme un ours mal léché!

– J'imagine que le bureau doit lui manquer.

- Pourquoi? Il a sa satanée serre! Je ne cesse de lui demander de faire pousser des orchidées, mais non, rien à faire; c'est du pur sadisme! Il pourrait parfaitement faire pousser des orchidées s'il le voulait.
- Et comment va Peter?
- Il ne m'est d'aucun secours. Il me fatigue en ce moment. Il pourrait au moins venir une fois par semaine prendre un verre avec son père et parler du bureau, mais il travaille trop tard, ou alors il va assister à un match ou bien jouer au golf ou il va à un dîner chic avec Annabelle. Vraiment, je trouve dommage qu'Annabelle soit si possessive; j'ai toujours pensé qu'elle était égoïste. Oh, le téléphone! C'est peut-être Peter qui a des remords de nous avoir négligés si longtemps et qui se décide à appeler. Chéri, va donc extraire ton père de cette épouvantable serre et dis-lui de venir prendre l'apéritif.

Nelson m'escorta jusque sur la terrasse et trottina à mes côtés comme je contournais la maison. A l'entrée de la serre – qu'il savait, par expérience, trop chaude pour son bien-être – il s'installa à l'ombre pour attendre. Mon cœur s'était remis à battre très vite. J'avais l'impression que chaque étape de ma vie n'avait existé que pour me mener à ce moment précis où j'ouvrirais la porte de la serre et où je me trouverais – avec un regard neuf – en face de cet homme mystérieux et redoutable qui m'avait élevé.

J'atteignis la porte. Je l'ouvris. Je passai le seuil et pénétrai dans la chaleur suffocante. J'eus la vision d'une jungle colonisée par un Britannique solitaire et sans pitié, bien décidé à bâtir son propre empire sur lequel le soleil ne se coucherait jamais.

- Ah, te voilà! me dit mon père du fond de la serre. Heureux de constater que tu es arrivé entier. Ton imbécile de mère a dit qu'elle préparait des cocktails au champagne – je me demande comment tu as fait pour ne pas être pourri par ses flatteries et ses gâteries mais, enfin, elle ne pense pas à mal et ce n'est pas tous les jours qu'elle peut dépenser mon argent avec du champagne. Qu'as-tu fait de ton déguisement? Ça fait plaisir de voir que tu peux ressembler à un homme normal. Ça change. Je présume qu'il serait trop beau d'espérer que tu as laissé tomber cette foutue comédie qui se fait appeler Église anglicane?

Je saisis la croix cachée par ma chemise et allai au-devant de mon père.

XVIII

Pour ce qui est de la réussite sociale, je crois que tout dépend de ce que l'on entend par le terme de réussite. D'un certain point de vue, il ne fait aucun doute que ma carrière peut être, effectivement, qualifiée de réussite, mais ce n'est pas ce point de vue là qui m'a jamais garanti la considération.

Herbert HENSLEY HENSON,
Regard sur une vie sans importance.

1

Mon père avait soixante-dix ans mais pouvait facilement passer pour un homme d'une soixantaine d'années. Il était resté svelte et droit et se déplaçait sans les hésitations de la vieillesse. Ses cheveux, autrefois châtains, étaient poivre et sel; coupés court et impitoyablement séparés par une raie, ils retombaient nettement de chaque côté de son front haut. Derrière ses lunettes, son regard était bleu. Il avait un nez droit et long et un menton pointu et pugnace. Sa bouche s'affaissait quand il était vexé et s'amincissait quand il était en colère. Mais il avait un sourire charmant qui révélait qu'il avait toutes ses dents; mon père avait une sainte horreur des dentistes; il les haïssait presque autant que les médecins. Il était convaincu que ce n'étaient que des charlatans qui voulaient faire de l'argent par des moyens douteux.

En arrivant près de lui, je vis qu'il portait ses vieux vêtements de jardinage.

– Je pensais me changer pendant que ta mère t'aurait dorloté autour de la première tournée de ces sacrés cocktails, me dit-il comme nous échangions une poignée de main. C'est elle qui t'a envoyé pour me chercher?

Je l'avertis du coup de téléphone qui, peut-être, venait de Peter et

297

mon père, grimaçant de manière éloquente, ramassa de la terre sur l'établi et la jeta dans un pot de fleurs vide.

– Mère m'a dit que vous ne l'aviez guère vu, ces temps-ci, ajoutai-je en retirant ma veste à cause de la chaleur.

– Il est trop occupé. Maintenant que je suis à la retraite, je ne suis bon qu'à mettre au rebut, évidemment. Et cette femme lui met en tête des idées extravagantes comme de prendre des vacances sur la Riviera. « Quel est le problème avec l'Angleterre ? » lui ai-je demandé, mais il s'est contenté de rire comme si j'étais sénile. Il ne daigne pas me tenir au courant de ce qui se passe au bureau. Si seulement j'avais pu échapper à la retraite ! Mais j'ai toujours dit que personne ne devrait rester à la barre passé le cap des soixante-dix ans ; il m'a bien fallu tenir parole et mettre ma théorie en pratique. Et aujourd'hui, que me reste-t-il ? Un fils qui ne répond pas à mes lettres, un autre qui va faire le beau à l'étranger et une femme qui me harcèle pour que je fasse pousser des orchidées ! C'est assez pour vous écœurer. Je suis fatigué de la vie. Vivement la fin et pourvu qu'il n'y ait pas d'autre vie. Ce serait vraiment la goutte d'eau qui ferait déborder le vase !

– Excusez-moi de n'avoir pas répondu à votre dernière lettre, père, dis-je. J'ai eu tort. Mais permettez-moi de renouveler mon invitation à Cambridge. Je serais très heureux si vous et mère...

– Impossible de quitter mes plantes. Plusieurs d'entre elles sont à un stade critique. Il leur faut une attention quotidienne.

Mon père ramassa les dernières mottes de terre et les effrita férocement dans le pot de fleurs avant de me demander :

– A quoi rime toute cette gentillesse ? Que se passe-t-il ? Pourquoi es-tu venu ? Tu es à court d'argent ?

– Mon cher papa...

– Ne te crois pas obligé de me caresser dans le sens du poil parce que tu as besoin d'un prêt. Allez, Charles, viens-en au fait ! Dès que je t'ai entendu au téléphone hier, j'ai su que tu avais des soucis.

– Oui, c'est vrai, j'ai eu de gros soucis, dis-je, mais ils sont sans rapport avec l'argent et, maintenant, je vais beaucoup mieux.

Il remonta ses lunettes et me dévisagea.

– Tu as été malade ?

– J'ai eu une période de très dure tension nerveuse mais, maintenant, avec l'aide de mon nouveau directeur de conscience...

– De ton quoi ?

– De mon directeur de conscience. Un spécialiste de l'équilibre spirituel. Une espèce de médecin de l'âme.

– Très mauvais. Ça sent l'attrape-nigaud. Fais bien attention, Charles. Ces charlatans peuvent faire beaucoup de mal.

– On ne peut faire plus respectable que lui. Il est ecclésiastique et moine, et...

– Un moine ! Oh, que je n'aime pas ça, Charles ! Aucun homme sain d'esprit n'irait se faire moine. Mais qu'est-ce qui ne va pas ? Tu as perdu la foi ?

– Non. J'avais perdu ma voie mais je la retrouve et le père Darrow – c'est lui, le moine – pense que vous pouvez jouer un rôle d'une importance majeure dans ma guérison. C'est pour cela que je suis ici aujourd'hui.

Nous nous faisions face. Mon père avait toujours son plantoir à la main et moi ma veste. Ma chemise me collait dans le dos. Mon cœur battait plus fort que jamais.

– Bien sûr que je t'aiderai de mon mieux, Charles. C'est le rôle d'un père, non? Mais tout cela me paraît bigrement étrange et je ne suis pas certain de comprendre ce qui se passe. Cesse de parler de spiritualité ceci et spiritualité cela et exprime-toi en langage clair. As-tu une dépression nerveuse?

– Le père Darrow refuse d'appeler cela ainsi. Peut-être peut-on dire que ma manière de vivre ne pouvait plus continuer sans que je prenne le temps de résoudre un certain nombre de problèmes graves.

– Graves – oh, bêtises, Charles! Ce foutu moine t'a bourré le crâne! Tu n'as aucun problème – tu te tailles la plus belle réussite possible de ta profession!

– C'est bien là le problème.

– Mon Dieu, ne me dis pas que tu vas tout laisser tomber et partir comme missionnaire en Afrique!

– Non, avant que je puisse repenser ma vocation, je dois mettre de l'ordre dans mon âme, et c'est la raison pour laquelle...

– Et te voilà reparti dans ton langage ecclésiastique épouvantable et fantaisiste! Pourquoi donc ne peux-tu pas te contenter de dire que tu es dans le pétrin? je me le demande. Tu m'inquiètes beaucoup, Charles! Pendant des années, je me suis saigné aux quatre veines pour t'élever...

– Vous vous en êtes merveilleusement tiré, père. Avant que j'aille plus loin, je tiens à vous dire que je vous admire beaucoup et que je vous suis très reconnaissant pour tout ce que vous...

– Qu'est-ce que tout cela signifie? Ce baragouinage sentimental... parler comme un étranger... ressaisis-toi, Charles et, nom de Dieu, cesse de m'embarrasser!

Il y eut un silence. Je le regardai et sus que le moment était venu. Soudain, comme son regard croisait le mien, je vis qu'il le savait lui aussi. Il savait que rien ne m'empêcherait de dire ce que j'avais à dire. Nous étions là, dans la serre, dans cette jungle miniature obstinément colonisée avec sa ténacité si britannique et c'était comme si, ensemble, nous regardions le soleil se coucher sur l'empire qu'il entretenait depuis si longtemps.

– Il faut que je sache, dis-je. Je ne peux plus vivre dans l'incertitude. Aidez-moi. Vous avez dit que vous m'aideriez. C'est le rôle d'un père, avez-vous dit...

– La seule chose que je peux faire pour t'aider, c'est de te dire d'oublier ce sacré moine et de ne plus jouer comme un mauvais acteur dans un mauvais mélodrame.

– Êtes-vous mon vrai père?

Le soleil se couchait sur l'empire. La nuit était proche.

2

Mon père détourna la tête et regarda l'établi. Je ne distinguai que son profil. Lentement, très lentement, il retira ses lunettes. J'avais l'impression de regarder un comédien ôtant son masque à la fin d'une tragédie grecque. Alors, lentement, très lentement, en homme vieux qu'il était, il s'assit sur un tabouret et contempla, le regard vide, les lunettes qu'il tenait dans ses mains.

Finalement, il dit d'une voix lasse :

– Alors, tout cela n'aura servi à rien.

– Comment pouvez-vous dire une chose pareille?

J'étais anéanti. Machinalement, sans trop savoir ce que je faisais, je retournai un gros pot de fleurs pour m'asseoir moi aussi.

– Je ne voulais pas que tu le saches. Je pensais que si tu le devinais, cela signifierait que j'avais échoué et, si j'avais échoué, cela signifierait que tout n'était qu'une énorme farce – mon mariage, mes idéaux, tout. Et tu as deviné. Donc, j'ai échoué. Tout cela n'a servi à rien.

– Je ne pense pas que vous ayez échoué, dis-je. Je ne le penserai jamais. Et si je ne le pense pas, cela signifie que tout n'a pas été vain.

Il s'éloigna brusquement. Je comprenais pourquoi. Il était terrifié à l'idée d'être incapable de contenir sa détresse. Le silence se prolongea tandis qu'il me tournait le dos en faisant semblant d'examiner une de ses plantes grimpantes.

Il finit par me dire :

– J'imagine que tu veux tout savoir.

– Il le faut. Je suis désolé.

– En tout cas, ne m'en veux pas si tu es déçu, dit mon père, tentant désespérément de retrouver son agressivité caractéristique. Si tu crois qu'il avait l'étoffe d'un héros, tu te trompes lourdement!

Alors, avant même que je n'aie eu le temps de répondre, il ajoutait :

– Il s'appelait Alan Romaine.

3

– Alan Romaine, répéta mon père. Alan Romaine. On croit rêver. Il n'y avait que lui pour porter un nom pareil. Il a dû le trouver dans un roman français. Ça ne me surprendrait pas. Venant de lui, rien ne me surprendrait. Alan Romaine... Il était médecin; mais pas un banal charlatan qui visite courageusement les maisons du pays, un stéthoscope à la main, et toujours pressé par le temps. Ce charlatan-là était spécial. Il allait jouer les héros dans un grand hôpital londonien et, plus tard, il comptait ouvrir un cabinet dans Harley Street. Toutes les aristocrates viendraient le consulter pour leurs petites douleurs. Monsieur avait des relations. A l'entendre, il connaissait tout le monde. Il était sur le point d'entamer une spécialisation en gynécologie et, cet été-là, comme il avait un peu de temps à perdre, il était venu à Epsom pour un remplacement. Romaine aima Epsom. Pas loin de Londres... le Derby... les courses... les gens chics... le paraître... tout à fait pour lui. A peine arrivé, il s'est installé en deux fois moins de temps qu'il ne faut pour le dire, prêt à toutes les conquêtes.

Il n'avait que vingt-sept ans. Il avait réussi, c'était sûr. Très cultivé. Joueur de cricket et de tennis de premier ordre. Modeste avec ça. Il savait fort bien comment se comporter. Toutes les femmes, de sept à soixante-dix-sept ans, le vénéraient comme un dieu grec et, comme il était un grand sportif, il savait se faire apprécier des hommes; de tous les hommes, sauf de moi. Au premier coup d'œil, je me suis dit : ce type est un goujat. Un mufle. Et je me suis posé des questions sur son compte. Il ne parlait jamais de sa famille. On ne savait rien de lui. Un gentleman, bien sûr... mais il fallait s'en méfier.

Il buvait pas mal. Personne ne semblait le remarquer à part moi. Une fois, à la fin d'un repas, après que ces dames se furent retirées au salon, il en était à son troisième verre de porto après une bonne cure de bordeaux et je lui ai dit : « Vous buvez beaucoup pour un médecin, vous ne croyez pas? » « Pauvre vieil Ashworth! m'avait-il répondu, si vieux, si sérieux, si ennuyeux! » Mais j'ai rétorqué : « Vous feriez mieux de faire attention à vous, car les noceurs ne finissent pas à Harley Street, mais dans le caniveau. » Pendant un moment, j'ai cru qu'il allait me jeter le contenu de son verre à la figure mais il a éclaté de rire et a dit : « Vous êtes jaloux, c'est tout – et n'allez pas croire que les gens ne savent pas pourquoi! »

Comme tu le sais, cela faisait déjà quelque temps que j'avais envie d'épouser ta mère, poursuivit mon père, se détournant enfin de ses plantes et revenant vers l'établi, mais j'étais plus âgé qu'elle et pas très attirant. Je n'étais qu'un homme ordinaire; un binoclard qui travaillait dur. Bien sûr, j'avais des ambitions mais, contrairement à Romaine, je ne m'en vantais pas et j'avais de surcroît des ennuis professionnels; j'étais tenté de m'éloigner d'Epsom pendant quelque temps. Je ne pouvais pas supporter l'idée d'être le spectateur des noces d'Helen et d'un homme qui, j'en étais persuadé, n'était pas bon. Quand il m'a paru évident que le mariage était inévitable, j'ai décidé de m'engager.

Tu t'en souviens sans doute, je t'ai donné, quand tu avais quinze ans, une version tronquée de ce qui m'avait amené à prendre cette décision. Enfin, ce que je n'ai pas dit, c'est que l'armée n'avait pas voulu de moi. Il ne leur a pas fallu longtemps pour me réformer : un civil de trente-deux ans à la vue basse ne les intéressait pas. Au bout du compte, j'étais content de ne pas abandonner le droit mais j'étais navré de devoir rester à Epsom où Helen filait un mauvais coton – et ne va pas penser que je n'ai pas essayé de la faire changer d'avis. Mais elle me disait de la laisser tranquille. Finalement, je lui ai dit : « Souviens-toi toujours que, quoi qu'il arrive, je t'aime et je veux t'épouser. » J'avais peut-être la prémonition qu'il la laisserait tomber. Pourtant, je ne suis pas du genre intuitif.

Et puis... elle est venue me trouver. Je connaissais déjà la réponse de l'armée, mais je n'avais dit à personne que je ne partais pas. Elle est venue chez moi et elle a craqué. Elle s'est complètement effondrée. Ça a été terrible. J'ai voulu aller le trouver... Mais je savais qu'il me fallait commencer par le commencement. Lui pouvait attendre. Elle, non. Elle était venue chercher conseil. Je ne pense pas qu'elle se disait que j'allais tenir parole et l'épouser. Elle voulait juste savoir ce qu'elle pouvait bien faire. Romaine...

Mon père s'interrompit.

J'attendis. J'étais debout, appuyé contre l'établi et je m'y agrippais des deux mains.

Mon père tourna son visage vers moi.

– Il était déjà marié, dit-il. Il appelait cela une situation à la « Jane Eyre ». On croit rêver. Il comparait son comportement ignoble à une situation romanesque – pouah! J'étais révolté. Enfin, bref, il avait une femme folle, enfermée dans un asile et il y avait Helen, complètement détruite. Oh, tout cela était si mauvais, *si mauvais*, je ne pouvais pas supporter d'y penser et j'ai tout de suite su qu'il fallait que j'arrange les choses. Que pouvais-je faire d'autre? Je ne devais pas laisser le mal l'emporter. C'était contraire à mes principes. Je me suis dit : je vais prouver que le bien finit toujours par triompher... Stupide. Je le comprends maintenant mais, à l'époque, je ne voyais rien d'autre à faire et je fus conforté dans ma décision quand ta mère m'a dit que...

Mon père s'interrompit à nouveau. Il rechaussa ses lunettes, me regarda droit dans les yeux et dit :

– Elle m'a dit alors que Romaine lui avait proposé de l'avorter. Je lui ai dit, moi : « *Il est hors de question que tu avortes!* » Bien sûr, j'avais compris qu'elle avait besoin que quelqu'un lui dise de ne pas le faire car elle savait au fond de son âme qu'elle ne le désirait pas. Je lui ai dit qu'elle ne se remettrait jamais d'avoir assassiné son enfant. Et c'était vrai, je le savais, je connaissais Helen, je savais à quel point elle était sensible au-delà de sa gaieté de façade. Je lui ai dit : « Épouse-moi et personne ne saura rien. » Oh, si tu savais à quel point elle a été soulagée! Elle pleurait, pleurait et me disait qu'elle serait la meilleure des épouses...

J'ai parlé une fois à Romaine. J'avais fait en sorte d'être parfaitement à jeun et d'être parfaitement maître de moi. Alors, je suis allé le trouver et je lui ai dit : « Quittez Epsom et quittez l'Angleterre. Oubliez Harley Street. Oubliez vos rêves de gloire. Si d'ici un mois vous n'êtes pas parti, Dieu m'est témoin que je vous fais rayer du corps médical – et, si jamais vous osez revenir rôder autour d'Helen, vous le regretterez. » Je me souviendrai toujours de cet instant. Il était blanc comme un linge. Évidemment, il avait bu. Je pouvais sentir des relents de cognac. Mais il était calme. Et, soudain, j'ai eu l'impression de voir quelqu'un que personne à Epsom, pas même Helen, n'avait vraiment connu.

Enfin, le lendemain, il s'était suffisamment ressaisi pour faire le joli cœur. Il annonça qu'il se sentait l'envie d'aller travailler en Afrique et il est donc parti; jeune et noble médecin romantique jusqu'au bout... et moi, je suis resté pour recoller les morceaux.

J'ai prétendu que j'étais sur le point de partir pour l'armée et donc, nous eûmes une bonne excuse, ta mère et moi, pour nous marier précipitamment. Mais elle insistait pour se marier en blanc et cela impliquait qu'il fallait attendre quelques jours, le temps que la robe soit prête. J'ai tenté de la persuader que nous ne pouvions nous permettre d'attendre, mais elle trouvait que cela paraîtrait trop bizarre si elle ne se mariait pas en blanc et que, coûte que coûte, il nous fallait sauvegarder les apparences. Finalement, nous sommes passés devant l'autel et, cette nuit-là, après que notre union fut consommée, je lui ai dit : « Voilà. Vous êtes à moi tous les deux maintenant – ce qui signifie que jamais, quelles que soient les circonstances, tu ne mentionneras le nom de cet individu et jamais, quelles que soient les circonstances, tu ne diras que cet enfant n'est pas le mien autant que ceux que, peut-être, nous aurons ensemble. A partir de maintenant, cet enfant est mon enfant et je vais l'élever et en faire un homme bon, honnête et droit; même si ce doit être la seule chose que je doive faire sur cette Terre. »

Mon père s'interrompit. Une fois de plus, il ôta ses lunettes et se mit à les essuyer à l'aide d'un mouchoir sale.

– Fin des préliminaires, dit-il d'un ton brusque. C'est alors que les vrais ennuis ont commencé...

4

– Car, bien sûr, poursuivit mon père, tout se révéla différent de ce à quoi je m'étais attendu bien que je ne sois plus très sûr maintenant de ce à quoi je m'attendais. Je pense que je n'avais pas vu au-delà de la lune de miel, mais la grossesse fut une rude épreuve pour Helen. Le plus souvent, elle ne pouvait faire face au devoir conjugal. Je me disais que c'était à cause de son état, mais... je me doutais qu'elle regrettait Romaine.

Puis, tu es né et elle se morfondit, essayant toujours de savoir ce que pouvaient penser les gens. Elle s'était convaincue que tu naîtrais avec du retard mais non, tu es né à la date prévue. Pendant longtemps, elle n'est pas sortie, n'a vu personne, restait à pleurer dans sa chambre – ce n'était pas seulement parce qu'elle avait peur que les gens ne parlent d'elle. C'était parce qu'elle s'était rendu compte qu'elle s'était jetée à l'eau. Elle avait évité la honte, mais elle vivait maintenant avec un mari qu'elle...

enfin, qu'elle n'aurait pas épousé si elle avait eu le choix. Elle ne m'a jamais aimé comme je l'ai aimée moi, et tout le temps... enfin, j'étais de plus en plus convaincu qu'elle regrettait Romaine.

Elle a eu envie d'avoir un autre enfant aussi vite que possible et je savais pourquoi. C'était parce qu'elle ne pouvait pas supporter la culpabilité, la culpabilité de ne pas pouvoir m'aimer comme elle l'aurait dû. Elle voulait se racheter. Mais bien que la pensée d'avoir un autre enfant l'obsédât, elle ne le conçut pas tout de suite. Il y eut d'autres larmes, d'autres malheurs, d'autres tourments. Et finalement, Dieu merci, Peter arrangea les choses. Mais notre vie commune n'a jamais été facile. Elle a fait son possible mais... je savais qu'elle ne m'aimait pas et j'ai commencé à lui en vouloir. Et puis, il y avait toi. Tu étais là, tu grandissais; souvenir permanent, le coucou dans le nid. Pauvre bonhomme, ce n'était pas ta faute. Tu étais adorable. Je me suis dit : je ne vais pas lui faire payer, à lui. Mais dès que je te regardais, c'était Romaine que je voyais.

Et, soudain, un beau jour, je me suis rendu compte que tu évinçais mon propre fils, toi le petit garçon si exceptionnel. Tu avais vraiment beaucoup de charme. Tout le monde voulait te prendre dans les bras, tout le monde t'idolâtrait; ta mère la première. Alors, j'ai réagi. J'ai vu que tu étais gâté et pourri par des idées bien au-dessus de ta condition et je me suis dit que moi, je ne devais pas te gâter si je voulais être un bon père pour toi. Mais, bien sûr ta mère ne comprenait pas cela; elle pensait que je me vengeais sur toi. C'était faux. Je ne voulais surtout pas que tu ressembles à l'autre en grandissant et j'avais l'impression que tu avais en toi tous les ingrédients... Alors, je suis devenu très sévère. Ta mère me traitait de sauvage et nous avons commencé à avoir ces maudites scènes, toujours à cause de toi; mais j'avais le dessus, je la faisais taire, je l'ai même frappée une ou deux fois. Terrible. Très mal. On ne devrait jamais frapper une femme. Mais je ne pouvais pas supporter la bêtise dans ma maison; pas après tout ce que j'avais enduré. A ce jeu, elle ne gagna qu'une chose : je te mis constamment des bâtons dans les roues tandis que je privilégiais Peter.

Je ne voulais pas que mon fils grandît dans le sentiment d'être inférieur parce qu'il avait un frère aîné exceptionnel. Bien sûr, tu n'as pas apprécié que j'accorde mon attention à Peter – tu détestais quiconque lui accordait son attention; tu voulais que le monde entier tournât autour de ta personne de façon à te pavaner sous les feux de la rampe. Pauvre fou, mais ce n'était pas de ta faute. Tu ne pouvais empêcher les gens de te faire des mamours et je savais qu'il était de mon devoir de rétablir l'équilibre et puis... j'avais si peur que tu deviennes comme Romaine.

Bref, le temps a passé et je vous ai finalement matés, ta mère et toi, et tu as commencé à te montrer exceptionnellement prometteur. Très gratifiant. Mais, naturellement, je n'ai jamais cru que cela durerait. Bientôt, je n'étais plus seulement hanté par le souci de voir triompher ton hérédité malgré tous mes efforts, mais aussi par celui que tu ailles, d'une façon ou d'une autre, découvrir la vérité sur ta naissance et sortir du droit chemin. Tu m'as fait passer un sale quart d'heure quand tu t'es rendu compte que tu étais né peu de temps après le mariage; mais je m'étais préparé à cette crise, aussi ai-je été capable de la juguler sur-le-champ. Il n'y a rien de plus instable qu'un adolescent qui a des états d'âme; et j'étais certain que tu mènerais une vie de patachon si tu découvrais, à ce moment-là, que je n'étais pas ton véritable père.

A cette époque, tu ressemblais beaucoup à Romaine. Je voyais ta mère t'observer et je savais qu'elle aussi se souvenait. Je me suis senti en colère, amer aussi. Mais, je me suis ressaisi en pensant : si ce garçon tourne bien, au moins ce gâchis n'aura pas été vain. Je t'ai pressé de rester honnête et finalement tu as été à Cambridge faire ton droit et je me suis dit : j'ai réussi. Ce garçon a bien tourné et il est prêt à mener une vie honnête, pas tape-à-l'œil, pas fausse, pas fantasque. Mais alors – mon Dieu! tu es arrivé un beau jour pour m'annoncer que *tu voulais rentrer dans les ordres*! Pas étonnant que j'ai failli avoir une attaque! J'ai pensé que tu avais perdu le sens des réalités. Tu as toujours eu une tendance romantique. Dieu merci, la guerre s'est achevée avant que tu n'aies le temps de perdre ta vie en tombant au champ d'honneur! Je me suis dit que cette histoire d'Église n'était qu'une affectation, comme Romaine quand il avait annoncé à tout le monde qu'il voulait partir pour l'Afrique et, mon Dieu, j'ai bien failli tout te révéler alors.

Mais, bien sûr, je ne l'ai pas fait. Cela aurait été comme frapper un homme à terre. Je te voyais, vibrant d'émotion, radotant à propos de Dieu – que faire sinon me taire? Tu avais besoin d'être protégé, pas désavoué et, de plus... si je t'avais dit alors : « Tu n'es pas mon fils », cela eût été un mensonge, car, à ce moment-là, tu *étais* mon fils. C'est *moi* qui t'avais élevé, *moi* qui t'avais inculqué un certain système de valeurs, *moi* qui t'avais fait tel que tu étais... Mais voilà que tu m'annonçais que j'avais fait de toi un de ces sacrés ecclésiastiques! Mon Dieu, quelle ironie! Je ne savais plus si je devais en rire ou en pleurer.

Je t'ai battu pour essayer de te protéger de toi-même, mais tu ne démordais pas et tu refusais de changer d'avis. Je ne pus que t'admirer de rester fidèle à tes idéaux et, au bout du compte, je me suis dit : au moins est-ce une vie décente, honnête et droite. Mais, alors, j'ai pensé : comment va-t-il supporter la vie de pasteur? N'ayant pas les moyens de se marier, il mènera une vie dissolue, se mettra à boire, s'attirera des ennuis avec les femmes et alors, tout mon labeur n'aura servi à rien et mon mariage sera plus que jamais un désastre inutile. Mais c'était te sous-estimer, n'est-ce pas? Tu n'étais pas le jeune pasteur moyen s'enterrant dans un lointain hameau à faire du prêchi-prêcha. Tu étais d'une autre trempe. Tu avais des relations. Et de grandes idées. Et, bien sûr, tu as fini par devenir le protégé de l'archevêque. On croit rêver. Je ne pouvais m'empêcher de t'admirer. Mais, mon Dieu, comme tu me rappelais Romaine...

Je n'arrivais pas à croire que ça pourrait marcher. Je m'attendais toujours à ce que tu t'attires des ennuis, mais non – tu es tombé sur ce poste sensationnel à St. Aidan et tu as épousé cette jeune fille absolument charmante. Merveilleux. Mais alors, j'ai commencé à avoir peur que le mariage ne tourne mal, je me suis dit qu'elle était peut-être un peu trop bien pour toi, que tu finirais peut-être par avoir envie d'une femme plus séduisante encore. Je n'étais pas en paix, tu vois, même à ce moment-là. Quand j'ai épousé ta mère et t'ai reconnu, j'ai cru que mon rôle cesserait le jour de ton vingt et unième anniversaire. Je me trompais. Le rapport filial ne cesse qu'avec la tombe. J'ai continué à me faire un sang d'encre à ton sujet, mais je te voyais toujours gagnant et je pouvais me rassurer en me disant : quand même, j'ai au moins réussi l'éducation de ce garçon. A la fin, tu étais devenu pour moi comme un symbole, celui des idéaux triomphant du drame...

Mais alors, l'année dernière... cette dispute terrible... je me suis senti si déprimé. J'ai pensé : peut-être ai-je échoué, après tout? J'ai repris courage quand tu m'as envoyé cette invitation à venir à Cambridge pour Pâques; mais, ta lettre, dans son ensemble, était beaucoup trop mielleuse et je savais qu'un vieil ecclésiastique t'avait mis le grappin dessus pendant le Carême. Je flaire le mensonge à plus d'un kilomètre. Je t'ai donc écrit ce mot sec dans l'espoir que cela te pousserait à répondre quelque chose de sincère, mais tu es monté sur tes grands chevaux et tu es resté sur tes positions.

Soudain, je me suis senti très vieux. Je venais d'être mis à la retraite. Je n'avais plus de bureau où me rendre, plus rien pour compenser mon malheur. Nous étions fâchés. Peter était trop occupé à jouir de l'existence que j'avais menée autrefois pour m'accorder la moindre attention... Je me suis senti jaloux de lui, qui est jeune et mène la vie que j'aimerais vivre encore... J'ai été un peu dur avec lui à une ou deux reprises. Une erreur. Il s'est vexé. Ce petit idiot mené par le bout du nez par son Annabelle... J'imagine qu'il est heureux ou malheureux, qui sait? Tout ce que je sais, c'est que moi, je suis sacrément malheureux, coincé à Epsom, jour après jour, avec ta mère, la pauvre Helen! Je suis vraiment triste pour elle. Elle a eu une vie décevante, pas celle dont elle avait rêvé. Elle aurait voulu un époux plus séduisant que moi, quelqu'un de romantique, quelqu'un... bref, quelqu'un comme Alan Romaine.

Nous n'avons jamais reparlé de lui. Jamais. Même durant toutes ces disputes dont tu étais la cause, mais il a toujours été entre nous. Il l'est encore. Il est là, en ce moment même, il envahit cette serre, il détruit tout... Et j'imagine qu'après cela, tu vas vouloir le retrouver! Je te vois d'ici, devenant attendri et sentimental, remerciant le ciel d'avoir enfin retrouvé ton vrai père – mais je m'en moque du ciel! Pendant des années, je me suis saigné aux quatre veines pour t'élever correctement et maintenant, ce sale Romaine va resurgir et récolter tous les bénéfices! Écœurant! On croit rêver, non? Tout finit toujours bien pour les salauds et mal pour les honnêtes gens. Le bien ne triomphe pas du mal, pas dans la vie réelle. Le bien est foulé aux pieds. On lui crache dessus. C'est la loi de la jungle. Pas celle de Dieu. Non. Je n'arrive pas à comprendre comment on peut penser autrement.

Il se laissa retomber sur le tabouret et retira maladroitement ses lunettes. A nouveau, il les essuya. Je lui laissai le temps de se calmer. Je courbai la tête afin qu'il ne se croie pas observé tandis qu'il essuyait furtivement ses yeux avec son mouchoir; alors, je m'assis à ses côtés et, me penchant vers lui, je recouvris de mes mains, tendrement, ses mains tremblantes.

5

Un bruit de talons hauts claquant au loin comme autant de coups de feu nous avertit de l'arrivée imminente de ma mère. Nous sursautâmes et, tous les deux, regardâmes vers la porte. A ce moment-là, je n'étais vraiment pas en état de parler mais la peur galvanisa mon père qui, repoussant mes mains, se releva tant bien que mal.

– Pas un mot de tout cela, Charles. Pas un traître mot.

Il parlait farouchement, dans un souffle, les muscles de son visage complètement tendus.

– Ta mère ne doit pas savoir que tu es au courant. Sous aucun prétexte. Jamais. Et si tu devais lui souffler un seul mot de cette conversation, je...

La silhouette de ma mère se dessina dans l'encadrement de la porte avant qu'il ne puisse achever sa phrase.

– Eh bien, vraiment, vous deux! s'exclama-t-elle. Qu'est-ce que vous fabriquez? Je n'attends plus que vous pour boire le champagne! Eric, va enfiler des vêtements plus présentables et laisse Charles sortir de ton trou à rats!

Je réussis, je me demande encore comment, à dire doucement:

– Était-ce Peter qui téléphonait?

– Oui, il t'embrasse et dit qu'il est désolé de ne pouvoir venir pour te voir avant que tu ne repartes pour Cambridge mais lui et Annabelle sont sur le point de filer pour une garden-party à Richmond.

– On croit rêver! dit mon père. Pas de temps pour la famille!

– Quand vient-il voir père? demandai-je avant que ma mère n'ait eu le temps de faire porter le chapeau à Annabelle.

– Demain soir, six heures. Tu vois, Eric? Je savais que c'était une bêtise quand tu disais hier qu'il t'avait oublié!

– S'il vient, c'est juste pour me tranquilliser. « Il vaut mieux ménager le vieux fossile », est-il en train de dire à son horrible Annabelle, « ou bien il serait capable de nous jouer un tour sur son testament ». En fait, je me moque qu'il vienne ou non. Pour moi, c'est du pareil au même.

– Tu n'es qu'un vieux fou! dit ma mère en levant les yeux au ciel pour marquer son exaspération. Ce que tu peux dire comme bêtises!

Mais mon père, la poussant de côté, sortit en trébuchant.

6

– Ce qu'il est devenu insupportable! me dit ma mère. Je n'en peux plus. Cela fait déjà quelque temps en fait, et vraiment, mon chéri, quand j'ai appris que tu venais aujourd'hui, j'ai failli croire à la Providence car j'ai l'impression que, si je ne parle pas à quelqu'un très vite de l'horreur qu'est pour moi la vie en ce moment, je vais finir par grimper aux rideaux! Dépêchons-nous, allons sur la terrasse boire un verre pendant que ton père se change.

– Il avait l'air assez content de me voir...

– Encore heureux! Je l'ai prévenu ce matin : « Tu ferais mieux de te dérider avant que Charles n'arrive, ou alors il n'est pas prêt de revenir. » Mais il s'est contenté de me répondre : « De toute façon, il n'est pas prêt de revenir, alors pourquoi s'inquiéter? » Quel vieillard épouvantable! Il traîne sa grise mine comme la mort personnifiée et c'est si effrayant pour moi d'être enchaînée à quelqu'un qui a tout le temps l'air de chercher son cercueil. Je n'ai pas encore soixante ans et il rend la vie d'une tristesse! Il n'aurait jamais dû prendre sa retraite. Il ne sait pas quoi faire de sa personne, à part bricoler dans cette serre – et, entre parenthèses, je suis certaine que la chaleur est mauvaise pour sa santé. Il pourrait faire un infarctus. C'est peut-être ce qu'il cherche. Dieu seul sait ce qu'il veut, mais ce que je veux, moi, ce sont des vacances dignes de ce nom. Peter et Annabelle emmènent les enfants dans le midi de la France, quelle excellente idée, mais Eric a mis de l'huile sur le feu : quoi que dise Peter, c'était un nigaud non patriote parce qu'il prenait ses vacances ailleurs qu'en Angleterre. Pas étonnant qu'il se soit vexé, je le comprends parfaitement – cela dit, je suis sûre que c'est Annabelle qui est là-dessous. Elle a un je-ne-sais-quoi de très ordinaire, Annabelle, mais nous savons tous que son père a fait fortune dans le commerce.

Nous venions d'atteindre la table en fer forgé, ombragée par un parasol blanc, et je servais les cocktails.

– Je suis désolé que les choses soient si difficiles pour vous, dis-je en m'asseyant à côté d'elle et en allumant sa cigarette.

– N'en parlons plus, mon chéri, et buvons à ta visite – mm, ce champagne, un vrai délice! Et maintenant, ne me laisse pas jacasser sur mes petits problèmes. Parle-moi de toi. Je dois dire que tu as l'air un peu amaigri et fatigué! J'espère que tu n'as pas trop travaillé au moins!

– Je viens d'achever une longue retraite chez les moines Fordites de Grantchester.

– Pauvre amour, cela ne m'étonne plus que tu n'aies pas l'air dans ton assiette! C'est un miracle que tu ne sois pas éreinté – comme moi. Honnêtement, Charles, je n'en reviens pas que tu sois venu. J'espérais tant que tu viennes. J'étais sur le point de t'écrire mais je ne voulais pas t'empoisonner, j'avais peur de jouer les mères crampons – tout le monde sait aujourd'hui que ces mères-là peuvent faire tant de mal. Bien sûr, Eric m'a toujours reproché de trop te gâter, mais je voulais tant être une bonne mère, vraiment, et la dernière chose que je souhaite serait d'être un poids, ou un boulet ou – et puis zut, je t'ennuie, je le vois bien, je dis tout ce qu'il ne faut pas dire mais je suis dans un tel état de nerfs, je t'en prie, surtout ne sois pas fâché...

Et elle fondit en larmes.

– Chère maman...

Je tirai ma chaise vers elle de façon à passer mon bras autour de ses épaules.

– Je suis profondément triste, dis-je. Comme c'est horrible de penser que tu n'osais pas m'écrire et comme c'est horrible de penser que je t'ai laissée seule si longtemps...

– Ne t'inquiète pas, ça va, dit-elle en avalant la moitié de son cocktail. Je ne voudrais surtout pas te faire regretter d'être venu! Tout va pour le mieux, je t'assure... sauf que, de temps en temps, je me dis que je ne vais pas pouvoir continuer comme ça longtemps...

Elle se remit à pleurer.

– En quel sens père est-il difficile? Est-il seulement bourru ou...

– Non, il ne me frappe pas, enfin plus maintenant. Mon Dieu, il lui arrivait de piquer de ces colères... mais j'ai vraiment fait de mon mieux pour être une bonne épouse, vraiment... Il faut croire que ce n'était pas suffisant. Quelquefois, j'étais si désespérée que je me disais que je le quitterais une fois que toi et Peter auriez grandi. Mais le moment venu, j'ai eu peur. L'idée du divorce l'aurait rendu fou et puis, je ne pouvais pas supporter l'idée d'être mise au ban de la société... Peut-être que si j'avais rencontré un homme bien... Mais ces choses-là n'arrivent jamais. Tous les hommes bien étaient mariés et heureux en ménage.

– Tous? Et avant?

– Quand toi et Peter étiez petits? Oui, il y a bien eu un ou deux hommes qui m'ont courtisée... mais je n'ai jamais été infidèle à ton père. J'avais si peur qu'il ne le découvre; il m'avait déjà menacée à ce sujet. Il m'avait dit, une fois : « Si tu t'avises de me tromper, c'est fini entre nous. Et ne crois pas que tu reverras tes enfants. » C'était clair, non? En fait, je pense que Peter n'aurait pas eu de problèmes sans moi, mais toi... Ça, je n'aurais pas pu te quitter. Non, non, c'était tout à fait impossible. Si je suis restée avec lui, c'est pour toi. C'était comme une punition, mais cela n'avait pas d'importance; je l'acceptais. J'aurais fait n'importe quoi pour toi, et tu avais besoin de moi, je le savais. Eric pouvait être si... oh, comme je le haïssais parfois! Mais il n'était pas question de partir et d'ailleurs, je n'ai jamais rencontré quelqu'un que je puisse aimer comme je voulais aimer... comme moi, je savais que je pouvais aimer...

Elle s'interrompit.

– Voulez-vous dire, lui demandai-je après un moment de silence, que vous avez connu quelqu'un autrefois qui fait, en quelque sorte, référence?

– Oui. J'ai connu un homme autrefois... avant mon mariage... mon premier amour... et personne depuis n'a pu l'égaler. C'était comme si je le voyais en noir et blanc alors que ce souvenir était rose.

Elle but une bonne rasade de son cocktail.

– Que lui est-il arrivé?

– Je l'ignore. Il a dû partir, mais c'est étrange, Charles, car j'ai toujours pensé... J'ai toujours pensé...

– Qu'il reviendrait?

Elle acquiesça, luttant à nouveau contre les larmes. Son mascara avait coulé. Des rides creusaient son visage.

– Mais il n'est pas revenu, dit-elle d'une voix neutre. J'ai été bête, n'est-ce pas, de me laisser aller à ces rêveries romantiques? Eric n'arrête pas de me dire que je suis une femme stupide.

– Père dit beaucoup de choses injustes sans réfléchir. Peut-être a-t-il le sentiment que la vie a été injuste envers lui et veut-il rendre coup pour coup.

– La vie injuste envers lui? Tu plaisantes? Il a eu une existence merveilleuse, jalonnée de succès! Il a toujours obtenu tout ce qu'il voulait!

– Oui, mais... Enfin, oublions père pour le moment. Je préférerais de beaucoup parler de vous. Racontez-moi votre premier amour.

– Oh! mon chéri, je ne peux pas. Eric piquerait une telle rage s'il apprenait que je t'en ai parlé et, de plus... Il y a des choses dont il vaut mieux ne pas parler, vraiment.

– En êtes-vous certaine? Je viens de passer des journées entières à parler de ma vie avec l'équivalent clérical d'un psychiatre et je me sens beaucoup mieux.

– Charles, mon chéri, qu'est-ce qui ne va pas? Oh, si seulement tu savais à quel point je me fais du souci pour toi – est-ce que ton problème a un rapport avec Jane? Je sais à quel point sa mort a été terrible pour toi, j'ai bien vu que tu contenais ta douleur pendant toutes ces années, en ne parlant jamais d'elle. Oh, Charles, j'avais tellement envie de t'aider mais je ne savais jamais quoi te dire... J'aimais beaucoup Jane. J'ai pleuré, tant pleuré quand elle est morte...

– Maman...

– Oui, Charles, j'ai pleuré! C'était une femme si bien, toujours si gentille avec moi; pas comme cette Annabelle qui me traite comme une vieille alcoolique! Ceci dit, c'est vrai que je bois trop parfois – surtout quand je dois voir Annabelle. Mais je vais bien, Charles, je vais bien...

– Je reviendrai la semaine prochaine et resterai quelques jours. Je pense qu'il est très important que vous me confiiez votre tristesse.

– Oh, si seulement tu savais à quel point j'ai envie de me confier à toi! me dit-elle. Mais je ne le dois pas. Eric me rendrait la vie infernale s'il savait que je t'ai parlé en cachette.

– Père vous rend déjà la vie difficile. Voyons un peu si nous pouvons changer de disque. Mère, nous devons disposer d'une dizaine de minutes avant son retour – prenez un second cocktail et dites-moi tout sur ce premier amour qui vous a tant marquée.

7

– Je ne peux pas te dire son nom, commença ma mère, parce que ton père a décidé que nous ne devions plus jamais reparler de lui; mais, adolescente, je me disais que c'était le genre de nom que tous les héros romantiques devraient porter... Je devine ce que tu penses, mon chéri. Tu es en train de te dire : ce que les jeunes filles peuvent rêver sur les hommes! Mais ce n'était pas aussi simple que cela. Je traversais une période difficile et le charme exceptionnel de cet homme, ses hautes aspirations amoureuses agirent, comme par magie, contre les choses terribles qui m'arrivaient.

Tu te souviens que je t'ai raconté, déjà, qu'à dix-huit ans, j'avais été envoyée six mois en Allemagne pour parfaire mon éducation. Eh bien, j'ai toujours prétendu que je m'y étais beaucoup amusée mais c'est faux. Moi, je n'étais pas d'accord pour y aller, mais grand-tante Sophie disait qu'il était préférable que je quitte la maison un moment – ma mère était atteinte de tuberculose et mon père entretenait cette maîtresse... Nul ne s'en soucierait aujourd'hui, mais cela se passait en 1898, et tante Sophie était profondément victorienne. Personne ne m'avait mise au courant de la liaison de mon père, évidemment, et je ne comprenais pas pourquoi on m'expédiait à l'étranger – oh, j'étais malheureuse! Mais, au printemps de 1899, on m'autorisa à revenir car la maîtresse de mon père avait quitté Epsom et, à ce moment-là, non seulement ma mère était mourante mais mon père avait un cancer. Je suppose que tu sais déjà tout cela, mon chéri, mais je me demande si tu t'es jamais rendu compte à quel point ce fut épouvantable pour moi.

Eh bien, papa a fini par mourir – pour moi, le vieux Dr Barnes a abrégé ses souffrances avec de la morphine. Et je me retrouvais, à dix-neuf ans, dans une maison qui n'était ni plus ni moins qu'une morgue. Ma mère agonisait et tante Sophie se paralysait dans ses corsets. Je n'étais entourée que de missels et de murmures étouffés. J'avais l'impression de suffoquer.

Et puis... cet été-là... le vieux Dr Barnes se brisa quelques os dans un accident et un jeune médecin vint à Epsom le remplacer pendant trois mois.

Je ne tardai pas à le rencontrer. Il soigna ma mère. Je me souviens que j'étais en train de broder lorsque j'entendis un bruit de roues dans l'allée. J'allai à la fenêtre et je vis ce jeune homme fringant sauter de la carriole, sa sacoche à la main. C'est alors qu'il m'aperçut. Il ne se contenta pas de toucher son chapeau et de poursuivre sa route; il me salua et agita la main. Il me sourit et... Charles, c'était comme le souffle de la vie... J'ai couru à la porte pour l'accueillir.

Il eut un franc succès dans notre groupe. Tout le monde l'aimait, sauf Eric dont tout le monde savait qu'il était jaloux. Je connaissais Eric depuis des années... et je le respectais... mais il me paraissait si vieux – plus de trente ans, tu imagines! – et malgré mon désir de me marier pour fuir ma maison, je ne me voyais vraiment pas épouser un homme vieux. Évidemment, je ne connaissais pas vraiment Eric. Ce n'est que plus tard que j'ai découvert toutes ses merveilleuses qualités et... enfin, je l'ai épousé. Mais avant... après que j'eus rencontré cet autre homme... je ne pensai plus du tout à Eric.

Eric disait que je n'étais attirée par cet homme qu'à cause de son physique, mais il se trompait. Il est vrai qu'il était très attirant. Mais si je suis tombée amoureuse de lui, c'est surtout qu'il était la seule personne qui semblât comprendre l'enfer qu'était ma vie. Il disait que lui-même avait vécu cet enfer car quelqu'un qu'il avait beaucoup aimé venait d'être interné. Il m'a dit un jour : « La vie peut être si affreuse et de tant de manières, tant de choses horribles peuvent se passer qu'il vaut mieux vivre intensément tant qu'il en est encore temps et saisir le bonheur au vol. »

Et moi, je lui ai dit : « C'est ce que je pense aussi. »

Ce fut un moment assez solennel mais, soudain, il m'a embrassée – mon premier baiser –, il a ri et il a dit : « J'ai une irrésistible envie de champagne – faisons une descente à la cave et chipons une bouteille! » Oh, il était tellement drôle! Il n'était que trois heures de l'après-midi – heure absurde pour boire du champagne, mais tante Sophie faisait toujours la sieste jusqu'à quatre heures, aussi personne ne me surveillait. Nous sommes descendus en catimini à la cave et avons chipé une bouteille de champagne. Nous sommes ressortis et avons été le boire dans le pavillon – oh, ce que nous avons pu rire, comme nous nous sommes amusés! Très osé, bien sûr – tante Sophie n'y aurait pas survécu. Je lui ai dit : « Je me sens terriblement espiègle! » et il m'a répondu : « Quelle coïncidence : moi aussi! » et il s'est remis à rire et a récité quelques vers de Browning – extraits de ce poème qui dit qu'on ne doit pas rater les occasions. « La statue et le buste », je crois. Je nous revois encore, assis sur la conversation du pavillon, lui riant aux éclats, une coupe à la main tandis qu'il récitait : « Le péché que nous attribuons à chaque ombre insatisfaite est la lampe éteinte et la ceinture dénouée. » Alors, il a posé sa coupe de champagne et il a dit : « Je ressens un besoin délicieux d'allumer les lampes et de ceindre les tailles. » Oh, mon Dieu, comme cela me semblait romantique! je me pâmais littéralement...

Je te l'ai dit, tout cela était terriblement espiègle et, bien sûr, cela ne pouvait pas durer. Au bout de plusieurs rencontres... bref, j'ai découvert qu'il était déjà marié; la personne internée dans un asile, c'était sa femme. Ma belle histoire d'amour ne menait nulle part. Finalement, il est parti pour l'Afrique et moi, j'ai épousé ton père. Mais Eric a toujours eu horreur de cet épisode de ma vie et c'est pour cela que tu ne dois jamais lui dire que je t'ai... Oh, mon Dieu, le voici! Pas un mot, mon chéri, promets-le-moi, pas un mot...

– J'imagine que vous êtes toujours en train de boire de ces écœurants cocktails, dit mon père, surgissant sur la terrasse un verre de Sherry à la main. Une autre bonne bouteille de champagne d'assassinée... Helen, pourquoi fais-tu cette tête?

– Elle se demande pourquoi elle n'éprouve aucun remords pour ce meurtre! dis-je d'un ton léger.

Ni l'un ni l'autre ne me répondirent. Et, dans le silence qui suivit, je les vis qui me regardaient et j'eus la sensation que c'était le Dr Romaine qu'ils voyaient.

8

Malgré mon tumulte intérieur, je fis de mon mieux pour que le déjeuner soit une réussite. Je les calmais dès qu'ils commençaient à se chamailler, je demandais des nouvelles de leurs amis, j'écoutais patiemment les histoires interminables sur les omissions de Peter et les exagérations d'Annabelle. Finalement, nous parlâmes du couronnement et, une fois que la conversation eut inévitablement débouché sur Lang, qui avait joué un rôle si important dans la cérémonie, nous évoquâmes bientôt l'attitude de l'Église anglicane à la Chambre des Lords au cours du débat sur le projet de loi d'A. P. Herbert.

– Moi, je l'aime bien cet évêque de Starbridge, dit ma mère. C'est le seul qui me paraisse savoir ce qu'est le mariage et j'ai vu une photographie de lui dans l'*Illustrated London News* de la semaine dernière : très séduisant.

– Le rôle des évêques n'est pas de plaire aux femmes, dit mon père. Cet homme est payé pour être un eunuque en soutane, pas un Rudolph Valentino. Et, de toute façon, que s'imagine-t-il gagner en attaquant son supérieur en public? Curieux comportement, si vous voulez mon avis. Jamais dû fréquenter la bonne école.

– Tu le connais, Charles? demanda ma mère.

Je me lançai dans une version censurée de mes récentes activités à Starbridge, et le reste du déjeuner se déroula dans une atmosphère de plaisir diffus, ma mère se délectant à la pensée de mon séjour dans un palais épiscopal et mon père marquant mentalement d'une pierre blanche cette nouvelle étape sur la courbe ascendante de ma carrière. Bref, après que ma mère se fut, à contrecœur, éclipsée comme il convient à la fin du repas, mon père me dit, tout en allumant sa pipe :

– Je ne m'investirais pas beaucoup à Starbridge, si j'étais toi. Cela pourrait te compromettre à Canterbury. En ce moment, tu m'as l'air de fréquenter des gens bien ambigus, Charles, et celui qui m'inquiète le plus, c'est ce moine si spécial.

– Mais je vous assure que c'est un type très bien, père. Vous n'avez absolument aucun souci à vous faire.

– Je vais me faire un sang d'encre, tu veux dire! Je passe mon temps à me faire du souci pour toi, Charles, et maintenant, je vais m'inquiéter plus que jamais – mon Dieu, comment ai-je fait pour me contenir pendant tout ce repas, je ne le saurai jamais. Mais il faut sauvegarder les apparences car, quoi qu'il puisse se passer, ta mère ne doit jamais savoir que nous avons parlé de Romaine.

– Pourquoi?

– *Pourquoi?*

– Oui, pourquoi? N'est-il pas grand temps que nous parlions de lui tous les trois afin qu'il soit exorcisé une fois pour toutes?

– Je n'ai jamais rien entendu d'aussi insensé de toute ma vie! De toutes les idioties...

– Père, j'aimerais tant que vous puissiez bavarder avec ce moine que je connais. J'ai la conviction qu'il pourrait nous aider tous deux. Pourquoi ne viendriez-vous pas à Cambridge et...

– Je ne peux pas abandonner mes plantes et, de toute façon, je refuse catégoriquement de parler de quoi que ce soit avec un vieux fouinard qu'on aurait dû enterrer depuis belle lurette!

– Il n'a que cinquante-sept ans.

– C'est pire. Un moine âgé, c'est déjà beaucoup, mais un moine d'âge moyen, c'est une calamité. Pourquoi ne vit-il pas avec une femme et beaucoup d'enfants dans une jolie maison avec un court de tennis?

– Eh bien, comme sa femme est morte et que ses enfants sont grands, il s'est dit qu'il servirait mieux Dieu en...

– Apparemment, il ne sait pas ce qu'il veut. Je me refuse à le voir. Et je refuse d'aller à Cambridge.

– Cela ne fait rien. J'ai déjà prévenu mère que j'aimerais revenir ici la semaine prochaine et rester quelques jours. Je pense qu'il est important pour nous de...

– Ne me fais pas rigoler! Tu ne vas pas revenir. Nous n'allons pas te revoir pendant des lustres, maintenant! Tu seras trop occupé à retrouver ce sacré Romaine!

– S'il est vivant, j'aimerais le rencontrer, oui, juste une fois, pour satisfaire ma curiosité. Mais vous ne pensez pas sérieusement, n'est-ce pas, que je veuille me lier d'amitié avec quelqu'un qui a voulu me tuer alors que je n'étais qu'un embryon?

– Dieu! Parfois tu me stupéfies, Charles! Comment un homme de ton intelligence peut-il faire une remarque aussi naïve? Pour l'amour du ciel, réfléchis un peu avant d'ouvrir la bouche! Ce sale type va t'avoir au charme et causer ta perte – je vois ça d'ici...

– Père, je ne suis pas une jeune vierge de dix-neuf ans!

– Je me demande si ce ne serait pas préférable. Au moins je pourrais t'enfermer et te garder en sécurité. Il ne manquerait plus que tu tombes dans le ruisseau après que je me suis saigné aux quatre veines pendant près de trente-huit ans pour te garder dans le droit chemin...

– Impossible que je tombe dans le ruisseau. Darrow me soutient, et si seulement vous parliez avec lui, vous finiriez peut-être par vous rendre compte que je ne suis pas une graine de débauché comme vous le croyez.

– Écoute, je ne crois rien...

– Si! Et c'est d'une injustice monstrueuse! Je sais que vous ne voulez pas être injuste; je comprends maintenant que ce n'est pas votre but. Mais vous ne pouvez pas vous en empêcher parce que Romaine hante cette famille comme un fantôme.

– En tout cas, ce n'est pas en allant le déterrer que tu vas l'exorciser – tu ne feras que te mettre dans un pétrin pire que celui dans lequel tu es! Pour l'amour du ciel, Charles, va voir ton cinglé de moine avant de faire quoi que ce soit de catastrophique – peut-être l'écouteras-tu, lui, si tu ne m'écoutes pas, moi!

– J'ai bien l'intention d'analyser la situation avec Darrow quand je le verrai demain, mais il n'est pas cinglé. C'est un des hommes les plus sains que je connaisse. Je vous en prie, père, plus de disputes! Posez cette affreuse pipe et rejoignons mère au salon...

9

À trois heures, quand je partis, ma mère m'enlaça et me dit, les larmes aux yeux :

– Tu reviens la semaine prochaine, c'est sûr, Charles?

– Oui, je vous le promets.

Je l'embrassai et je sentis des larmes rouler le long de ses joues tandis qu'elle me serrait contre elle.

– Pour l'amour du ciel! s'exclama mon père, plus embarrassé que jamais. Cesse de pleurnicher sur son épaule! Écœurant!

– Oh, tais-toi, monstre! lui cria ma mère.

Et elle courut vers la maison en sanglotant.

– Qu'elle est bête! dit mon père. Je ne supporte pas ce genre de mignardise. C'est très mauvais pour toi; une mère ne devrait pas se comporter ainsi. Les parents ne devraient pas extérioriser leurs angoisses ou leurs émotions devant leurs enfants. C'est irresponsable. Cela ne se fait pas du tout.

Nous nous serrâmes la main sans un mot.

Puis, je lui dis :

– Au revoir, père. Dieu vous garde.

Sa bouche, déjà affaissée aux commissures des lèvres, se mit à trembler.

Je grimpai dans ma voiture et démarrai.

10

Je me rendis sans retard à la bibliothèque municipale d'Epsom. L'annuaire médical m'y attendait et ce fut d'une main ferme que je le pris sur l'étagère.

La multitude de destinées qu'avait pu rencontrer Romaine me traversa l'esprit. Il avait pu mourir éthylique en Afrique, en héros à la guerre, de sa belle mort en Angleterre après un long exil. Ou bien, il pouvait être toujours en vie mais n'exerçait plus la médecine. Il avait été radié de la profession, il y a des années, pour alcoolisme et abus de confiance. Il pouvait tenir un bar-tabac à Eastbourne ou bien une librairie à Charing Cross Road ou encore un pub en Cornouailles. Il pouvait être interné dans un asile, être dans une maison de retraite ou vivre dans un meublé. Il pouvait habiter dans un manoir avec sa cinquième épouse et leurs dix enfants. Tout était possible. Mais s'il était vivant et pratiquait encore la médecine en Angleterre, il était forcément répertorié dans le livre que je tenais en main.

L'annuaire s'ouvrit à la lettre M. M pour mère, pauvre maman, comme elle avait souffert. N. N pour naissance, la mienne, venue trop tôt après ce pathétique mariage en blanc. O. O pour l'orgasme dans lequel j'ai été conçu. P. P pour le pénis qui m'a engendré. Q. Q pour les questions : où est-il? Que lui est-il arrivé...?

R. J'étais sûr qu'il était mort. Et, même s'il était vivant, il pouvait très bien être à l'étranger, coulant des jours paisibles aux colonies.

ROM − ROMA − ROMAI− *ROMAINE.*

Il était vivant.

ROMAINE, ALAN CHARLES.

Charles! Mon père ne connaissait pas son second prénom. Il aurait tué ma mère s'il l'avait su.

OAKTREE COTTAGE, STARVALE ST. JAMES.

Je connaissais Starvale St. James de nom. Ce n'était pas loin de chez mon ami Philip Wetherall, le pasteur de Starrington Magna. C'était un village à moins de vingt kilomètres de Starbridge.

Il fallait que je m'asseye. Je demeurai un long moment au beau milieu des gens qui déambulaient d'un rayon à l'autre dans la pièce tranquille. Finalement, je replaçai l'annuaire sur son étagère, quittai la bibliothèque et entamai mon long trajet de retour jusqu'à Cambridge.

XIX

1

Le téléphone était en train de sonner lorsque j'entrai chez moi ce soir-là. Je décrochai, et la voix de mon frère Peter résonna à mon oreille.

– Charlie? C'est moi. Alors, comment te remets-tu de ta visite au paternel?

– Donne-moi le temps de tâter mon pouls pour m'assurer que je suis toujours vivant.

Il se mit à rire puis me dit sans ambage :

– Charlie, que se passe-t-il, à ton avis? Mère semble boire du gin pour six chaque jour et le paternel est au plus profond de son infecte jungle et rien de ce que je fais n'est bien à leurs yeux. Le paternel semble m'en vouloir que je ne parle pas avec lui en détail de ce qui se passe au bureau mais, Charlie, il ne peut quand même pas espérer rester au courant de tout maintenant qu'il est à la retraite! Il faut qu'il se fasse une raison; mais je n'ai pas le cœur à le lui dire comme ça, le pauvre vieux, il me fait de la peine, même s'il est infect à mon égard en ce moment. Annabelle me conseille la fermeté mais... je ne supporte pas l'idée de lui faire de la peine. Annabelle ne comprend pas cela. Honnêtement, Charlie, avec d'un côté Annabelle qui m'asticote et, de l'autre, le vieux qui me fait la tête, je me sens des envies d'émigrer en Australie.

– Je me charge des parents délinquants, charge-toi de l'épouse militante. Je retourne là-bas la semaine prochaine quelques jours et je réglerai le problème.

– Tant mieux. Je savais que tu finirais bien par venir à notre secours, Charlie – ne crois pas que je n'avais pas foi en toi mais, à la vérité, je me suis senti si désespéré...

– Tiens bon, Peter, et oublie tes projets d'émigration. L'Église anglicane est en marche.

2

Je me couchai, dormis jusqu'à six heures, fis taire l'alarme de mon réveil, consacrai l'heure prévue à mes exercices, revêtis mon habit ecclésiastique, assistai à la communion à la cathédrale, pris mon petit déjeuner, retournai à la cathédrale pour l'Eucharistie, m'entretins ensuite avec mon évêque pendant une dizaine de minutes, acceptai son invitation au déjeuner dominical, m'en échappai vers trois heures, tombai sur un de mes étudiants venu à Laud avec ses parents, leur offris le thé chez moi, retournai à la cathédrale à six heures pour l'office du soir, revins en hâte au collège, jetai pêle-mêle quelques vêtements dans un sac, gagnai Grantchester en voiture et arrivai épuisé, mais toujours conscient, au monastère des Fordites à sept heures et demie. Le petit moine aux cheveux blancs m'accueillit comme un vieil ami en me disant qu'il avait fait en sorte que la même chambre fût à ma disposition. Cela me parut être la situation terrestre la plus proche de la conception du Paradis qu'il m'ait été donné de connaître depuis quelque temps. Une fois dans mon sanctuaire, j'ôtai mes chaussures, me renversai sur ma couche et, pendant quelques minutes, y demeurai aussi immobile qu'une baleine échouée sur le sable.

A son arrivée, Darrow ne fit que dire :

– Apparemment, tu as travaillé dur.

Nous échangeâmes un sourire. Je m'étais dressé quand il était entré dans la pièce et, maintenant, nous nous serrions la main.

– T'es-tu acquitté de tes exercices? me demanda-t-il en guise d'entrée en matière.

Je comprenais ses priorités; son souci de mon équilibre spirituel passait avant sa curiosité concernant mes parents.

– Hier, j'ai eu le sentiment que j'allais peut-être aboutir à quelque chose, dis-je, mais ce matin, j'étais revenu dans le désert après avoir entrevu une oasis.

– Nul doute que tu as été perturbé par les événements d'hier. Et en ce qui concerne ta filiation?

– Nous avions raison. Eric Ashworth est mon père, mais j'ai été engendré par un médecin scandaleux nommé Alan Romaine.

3

Nous n'en dîmes pas davantage. Il n'était venu que pour me souhaiter la bienvenue mais il revint plus tard et nous eûmes alors une longue conversation.

– Tu t'en es très bien tiré avec tes parents, fut son verdict final. Et tu as fait plus de progrès que je ne pensais en très peu de temps. Où penses-tu qu'il te faille attaquer maintenant?

– A Starvale St. James.

Darrow demeura silencieux.

– Ai-je tort? demandai-je, ma confiance entamée.

– Tu n'as ni tort ni raison; c'est tout simplement inévitable. Si j'hésite, ce n'est pas que je te désapprouve mais que j'essaie de décider de la meilleure façon d'aborder cette question dangereuse et qui, virtuellement, est un terrain fertile en douloureuses désillusions.

J'étais encore plus troublé. Je me sentis obligé de confesser :

– Cette perspective a inquiété mon père. Il l'a comparée à une boîte de Pandore, mais je pense que ce sont les préjugés et la jalousie qui l'ont fait parler ainsi. A son avis, Romaine va forcément me détourner du droit chemin.

– Cela ne m'étonne pas. J'ai bien peur qu'il ne faille t'attendre à ce que ton père n'en revienne à son cauchemar préféré dès qu'il est angoissé; mais quelles garanties lui as-tu données que tu allais t'approcher de cette boîte de Pandore avec intelligence?

– Je lui ai répété ce que je vous avais dit l'autre jour : je ne veux voir cet homme qu'une seule fois! Ensuite, je pourrai être en paix et me dire : «Voilà, c'est fait!» Et ce sera tout.

– Tu fais du Dr Romaine une étape dans un circuit touristique, Charles, mais va-t-il vraiment de pair avec le palais de Buckingham et la tour de Londres?

Et, avant que je puisse répondre, il ajouta :

– Pourquoi es-tu si déterminé à ne rencontrer Romaine qu'une seule fois?

– S'il en était autrement, ce serait déloyal vis-à-vis de mon père qui, je viens de le découvrir, ne m'a pas du tout rejeté mais a fait tout son possible, d'année en année, à sa manière bourrue et maladroite, mais bien intentionnée, pour être le meilleur des pères pour moi. Je n'ai pas besoin d'un autre père maintenant, et je n'ai certainement pas besoin d'un vieux charlatan qui a essayé de me tuer alors que je n'étais qu'un embryon.

– Alors, pourquoi aller le voir?

J'étais déconcerté.

– Mais il le faut! m'exclamai-je. C'est lui qui est à l'origine de ma vie. Il faut simplement que je le voie.

319

– Oui, c'est une nécessité psychologique. Ainsi, te voilà dans une position inconfortable, n'est-ce pas? Tu veux et tu ne veux pas t'investir.

– Je ne veux pas m'investir du tout!

– Si c'était vrai, tu ne chercherais pas à le rencontrer.

– D'accord, dis-je, m'échauffant. D'accord. Je m'investis! Mais mon implication sera minime. Après tout, il m'a rejeté – il a essayé de me tuer...

– Là-dessus, je suis d'accord, il y a eu rejet. Mais pouvons-nous être certains qu'il aurait pratiqué l'avortement? A quel point était-il sérieux? C'est une question à laquelle ton père ne peut répondre puisqu'il n'était pas là.

– Je reconnais que je n'ai eu qu'un son de cloche.

– Erreur : tu as aussi entendu celui de ta mère et les deux sont très différents, n'est-ce pas?

– Oui. C'est aussi pour cela que je veux voir Romaine. Je veux connaître sa version à lui.

– Bien.

Darrow, content de lui, s'enfonça sur sa chaise.

– Tu cherches la vérité, continua-t-il, c'est pour cette raison que tu veux parler à Romaine et pour cette raison que, malgré ce qu'a pu dire ton père, cet entretien doit avoir lieu. Tu as besoin d'avoir une perception de la réalité qui te permettrait de prendre en compte les faits difficiles que tu as découverts ce week-end.

– Mais une seule conversation avec lui me suffira, insistai-je. Ensuite je pourrai me détourner de lui et m'éloigner.

– Puis-je savoir, me demanda Darrow, quel est ton but, en tant que prêtre, en le rejetant aujourd'hui comme il t'a rejeté hier?

Il y eut un silence. Ma nervosité augmenta tandis qu'un sentiment de culpabilité se mêlait à ma colère.

– Voulez-vous dire que je doive faire de lui une image de père grotesque que j'enferme à double tour et viens inspecter à intervalles réguliers?

– Je veux dire que tu dois garder l'esprit ouvert devant cette situation délicate. Bien que Romaine soit pour toi un étranger, c'est bien de lui que vient l'étincelle de vie qui t'a fait venir au monde et ceci signifie, en un sens très réel, qu'il est avec toi jusqu'à la fin de tes jours. Il te faut donc apprendre à vivre avec lui, maintenant qu'il a été identifié; mais comment quelqu'un peut-il vivre avec quelqu'un d'autre si ce quelqu'un demeure dans un état de colère à la pensée de toutes les mauvaises actions de l'autre?

Après un nouveau silence, aussi douloureux que le précédent, je dis :

– Que dois-je faire?

– A ton avis?

Je dus m'arracher les mots.

– Lui pardonner, dis-je.

– Oui, tu dois lui pardonner pour être en paix avec lui – et cela peut se révéler difficile. Aussi, ne considère pas cette visite à Starvale St. James comme une virée touristique, Charles. Considère-la comme un nouveau supplice dans la logique de tes épreuves – et alors, à mon avis, tu aborderas cette rencontre dans un état d'esprit réaliste.

Le silence s'installa tandis que j'envisageais ma quête sous ce nouvel éclairage.

– Supposons que je ne puisse m'en sortir et que je coure à ma perte, exactement comme mon père l'a prédit?

– Ah, là, nous touchons quelque chose. Revoilà ton démon : ta peur d'être mal jugé.

– Supposons que je l'aime bien mais que lui ne m'aime pas?

– Revoilà ton démon : ta peur d'être rejeté.

– Supposons qu'il ne se souvienne même pas de mon existence?

– A moins qu'il ne soit devenu complètement amnésique, je doute fort qu'il ait oublié la catastrophe qui l'a empêché d'ouvrir un cabinet dans Harley Street, dit Darrow d'un ton sec.

Mais je l'écoutais à peine. Je fouillais enfin mon âme objectivement et j'étais horrifié par ce que j'y découvrais.

– J'aurais envie qu'il m'aime afin de pouvoir le faire souffrir en le rejetant, dis-je. Et si je veux le faire souffrir, ce n'est pas seulement pour qu'il paye pour les souffrances de ma mère mais aussi pour prouver à mon père – et à moi-même – que je suis un fils loyal... Mais, vous vous rendez compte de ce que je suis en train de dire! Dans quel désarroi je suis! Je délire...

– Il vaut mieux être honnête. Alors, tu connaîtras exactement la difficulté de la tâche qui t'attend pour aboutir à un pardon véritable.

– Quelle situation effroyable!

Au bord du désespoir, je lui demandai l'autorisation de demeurer au monastère plus longtemps que prévu afin que sous sa direction je consacre la journée du lendemain à la méditation et à la prière.

– Puis, je partirai très tôt mardi matin, ajoutai-je, et j'irai à Starvale St. James.

– Qu'il en soit ainsi. Très bien, Charles, dors maintenant et demain, nous t'armerons contre les démons.

4

Le détour n'étant pas grand, je fus incapable d'aller à Starvale St. James sans passer par Starbridge. Tandis que peu avant midi, ce matin-là, je descendais par les collines, je vis que la cathédrale ne scintillait plus comme une décoration au sommet d'une pièce montée mais qu'elle était enveloppée d'une brume qui montait des prairies; ce n'était plus une cité mystique inondée de soleil mais seulement une ville de province défigurée par la pluie. Obliquant vers la place du marché, je pris un raccourci afin d'éviter les rues commerçantes autour de l'église St. Martin. Les grilles du domaine de la cathédrale défilèrent devant mes yeux tandis que je traversais le carrefour et m'engageais dans la rue de l'Éternité, puis je passai devant le *Staro Arms,* traversai West Bridge et me retrouvai dans la campagne au-delà de la rivière. Dans mon rétroviseur, je vis la flèche de la cathédrale diminuer et je me pris à imaginer ce que chacun pouvait bien être en train de faire à l'évêché. Je pensai à ce que m'avait dit Darrow : « Tu as jeté un gros pavé dans cette mare » et, tout de suite, je me représentai les cercles concentriques.

Ces pensées me divertirent pendant une bonne dizaine de kilomètres mais, une fois déchiffré mon lieu de destination sur un panneau indicateur, je passai le reste du trajet à essayer de me calmer. J'arrivai au village à midi vingt et une. La pluie avait cessé. La brume s'était levée et le soleil essayait de s'imposer. Je stoppai la voiture et demandai mon chemin. J'appris alors qu'Oaktree Cottage était situé après l'église, tout au bout de la rue.

Ma destination se révéla être une maison sans style, au toit de chaume. Je me dis que le bâtiment avait dû être, autrefois, formé de deux pavillons qu'un constructeur courageux avait réunis. Une allée partait de la rue et traversait un enclos bien entretenu où un jardinier, patriarche rabougri, binait paisiblement une plate-bande. J'ignorai la pancarte qui indiquait aux malades que le cabinet médical était situé à l'aile droite de la maison, et je m'approchai de l'entrée principale. Je tirai la sonnette. Machinalement, je m'essuyai les mains sur ma veste tandis que j'attendais une réponse. Après un moment, qui me parut une éternité, la porte s'ouvrit sur une domestique assez âgée.

– Bonjour, lui dis-je, en lui tendant ma carte de visite. Le Dr Romaine peut-il me recevoir?

Mais avant qu'elle n'ait eu le temps de formuler une réponse, une voix de femme retentit depuis l'entrée ombragée.

– Qui est-ce, Withers?

– Le révérend Ashworth, M'ame, répondit la domestique.

Et elle tendit ma carte à une dame potelée aux cheveux dorés qui, maintenant, s'avançait dans la lumière.

– Révérend Ashworth... Excusez-moi, mais ai-je déjà eu le plaisir de vous rencontrer? Votre visage m'est familier et pourtant je n'arrive pas à...

– Non, dis-je. Nous ne nous sommes jamais vus. Vous êtes Mrs. Romaine?

– Oui... Vous pouvez disposer, Withers, dit-elle, congédiant sa domestique d'un ton sec.

Elle s'exprimait d'une voix agréable de contralto teintée d'un vague accent du Nord. Ses cheveux étaient savamment décolorés.

– Entrez, je vous en prie, révérend Ashworth.

– J'espérais pouvoir parler un moment avec votre époux, lui dis-je tandis que la porte claquait dans mon dos.

Naturellement, j'avais préparé un discours pour chaque cas de figure que j'étais susceptible de rencontrer dans l'antre du Dr Romaine mais, l'espace d'un instant, je craignis de tout oublier. Il faut dire que Mrs. Romaine me regardait avec insistance.

– Il a connu mes parents autrefois, avant la guerre, m'entendis-je balbutier après un moment de gêne. Quand j'ai su qu'il habitait ici, j'ai pensé lui rendre visite. Le pasteur de Starrington Magna est un ami et je connais un peu cette partie de l'Angleterre.

Mrs. Romaine décida de troquer son regard insistant contre un sourire aimable.

– C'est très gentil à vous d'être venu. Mon mari fait sa tournée pour le moment, mais il ne devrait pas tarder à rentrer. Si vous avez le temps d'attendre...

– Merci.

– Vous allez devoir m'excuser, dit-elle, tout en me précédant jusqu'au salon, car j'étais sur le point de sortir déjeuner. Je laisserai votre carte de visite dans l'entrée à l'attention de mon mari et je m'assurerai que Withers lui dise que vous êtes ici. Voulez-vous un verre de sherry en attendant?

Je déclinai son offre. Elle m'invita, fort courtoisement, à faire comme chez moi, me lança un dernier regard inquisiteur et s'en fut.

J'examinai la pièce. Le mobilier était en accord avec le plafond aux poutres apparentes et avec la grande cheminée rustique, mais tous ces meubles n'étaient que des copies d'ancien. Plusieurs bibelots, d'un goût discutable, étaient éparpillés sur le manteau de la cheminée mais il n'y avait aucune photographie. Au mur étaient accrochées plusieurs gravures de facture moyenne dans de lourds cadres dorés, des reproductions de toiles célèbres de Constable représentant la cathédrale de Starbridge. Sur le sol, le tapis était tellement pelucheux qu'il en semblait spongieux. Tout en m'approchant de la fenêtre, je ne pus m'empêcher de me dire que ma mère aurait jugé cette pièce vulgaire dans sa tentative coûteuse de singer le salon d'une grande dame; elle aurait épinglé mon hôtesse de la plus accablante des épithètes, à savoir « commune ».

Je tournai le dos à la fenêtre qui donnait sur le jardin pittoresque de la villa, et je déambulai dans la pièce au point que, tel un homme qui se noie, je finis par sentir mon existence vaciller, comme si la partie de moi-même, que Darrow avait appelée ma psyché assiégée, était engagée dans une tentative complexe pour définir le pourquoi de mon arrivée à Starvale St. James à ce moment précis de ma vie. Je me souvins, avec une précision photographique, du jour de mon ordination à la cathédrale de Cambridge et c'est alors que, très loin, la porte d'entrée s'ouvrit doucement et, doucement, se referma.

Je me figeai sur place. Il y eut un long moment de silence, puis j'entendis la voix de la domestique et le murmure d'une voix masculine. Ensuite, il y eut un autre moment de silence, encore plus long que le précédent. Je compris tout de suite qu'il devait être en train de lire ma carte de visite, incrédule. Finalement, je l'entendis traverser le hall. La porte du salon tourna lentement sur ses gonds. Le Dr Romaine entrait dans la pièce.

5

Instantanément, je reçus le choc épouvantable qui suit le coup d'œil qu'on jette sur sa propre image renvoyée par un miroir déformant et je compris alors la signification des regards insistants de Mrs. Romaine dès l'instant où elle avait eu le loisir d'enregistrer les détails de mon apparence. L'homme qui me faisait face était loin d'être mon sosie mais j'avais pourtant la sensation d'avoir accès à une perception troublante de moi-même tel que j'avais des chances d'être dans les inimaginables années soixante.

Nous avions la même taille – un mètre quatre-vingt-cinq – et, loin d'être un «vieux charlatan décrépit», il était relativement bien conservé. Je reconnus mes cheveux bouclés, passés du brun au gris, mais aux mèches toujours rebelles; la calvitie étant chose héréditaire, je constatai avec soulagement que ses cheveux étaient certes plus clairsemés que les miens, mais toujours abondants. Je reconnus mes yeux sombres marqués de pattes-d'oie, la fente au menton qui, dans l'enfance, était qualifiée de fossette. Il était beaucoup plus épais que moi; avec sa silhouette d'ancien athlète, il avait dû peser quatre-vingt-quinze kilos quand je n'en pesais que quatre-vingts; mais il avait belle allure et, à la lenteur et l'élégance de ses gestes, je comprenais pourquoi il avait séduit Epsom en 1899.

Je restai cloué sur place au milieu de la pièce, poings serrés, bras ballants et je ne doutai pas que, pour lui, je devais sembler être la personnification d'une tension extrême teintée de profonde méfiance et de fascination morbide. Il s'arrêta sur le seuil de la pièce et il me sembla, lui, être la personnification d'un amusement tranquille. Sur sa bouche se dessina un sourire léger et ironique; son regard brillait d'intérêt. Je songeai à mon père me disant tout en refoulant ses larmes : «Les goujats finissent toujours par s'en tirer.» Je songeai à ma mère me disant : «Ce fut comme une horrible punition.» Je regardai fixement cet inconnu à l'apparence joviale qui semblait avoir été épargné par le drame et je le détestai.

Il porta son regard sur ma carte de visite puis me regarda avec un sourire narquois.

– Révérend Ashworth! s'exclama-t-il.

– Oui. Bonjour, docteur Romaine.

Nos voix possédaient un timbre identique mais leurs inflexions étaient dissemblables. Un enfant calque les inflexions de voix sur celles des personnes qui l'élèvent et ma voix intérieure me soufflait les intonations farouches d'Eric Ashworth : toujours grossier, toujours tape-à-l'œil, toujours à poser au séducteur – *écœurant*.

Entre-temps, il avait repris la parole sur un ton admiratif qui me déplut.

– Docteur en théologie à Cambridge! Comme votre mère doit être fière de vous... Au fait, comment va-t-elle? Bien, j'espère.

– Très bien, répondis-je. Mon père également. Mes parents vont bien tous les deux.

Les propos de Darrow sur le pardon me revinrent alors en mémoire. Je me souvins de ces heures que j'avais consacrées à la prière et à la méditation à Grantchester. Je me souvins de la résolution que j'avais prise d'ouvrir ma boîte de Pandore de la main ferme du chrétien mais, à cet instant, je ne contrôlai plus ma colère. Je ne désirai plus qu'une chose : que chacune de mes paroles soit porteuse de ma loyauté vis-à-vis de mon père.

– Elle se plaît toujours à Epsom? Merveilleux! dit Romaine chaleureusement.

Il s'était détourné de moi, et bien que son petit sourire errât toujours sur ses lèvres, ses traits étaient empreints d'une certaine fixité. Puis, il jeta ma carte de visite sur une desserte et, d'un geste élégant, désigna les carafes qui s'y alignaient.

– Prenons un verre, dit-il en souriant. A moins que vous ne jugiez l'alcool comme une invention du diable? Notre pasteur est très strict sur ce sujet – en fait, il nous admoneste si fréquemment et si rudement sur ce thème que, une fois son sermon terminé, je me retrouve toujours avec une envie de boire au goulot de la plus grosse bouteille que je pourrai trouver.

– Vous fréquentez l'église?

– Oui, je suis marguillier.

C'était comme si Dieu venait de me taper sur les doigts. La fureur, le remords, la culpabilité et la peine se mirent à secouer maladivement mon ego assailli en un déferlement d'émotions successives.

– Whisky, gin ou Sherry? s'enquit Romaine d'une voix suave.

– Sherry, merci.

Il me parut incroyable que je pusse parler. Non seulement je parlais, mais en plus, j'avais l'air naturel.

– Eh bien, pour une surprise, c'est une surprise! s'exclama Romaine d'un ton badin tout en me tendant mon verre. Comment avez-vous découvert où j'habitais?

– J'ai consulté l'annuaire médical.

– Évidemment! Quelle question idiote – finalement, je deviens peut-être sénile. Je comprends maintenant que la question que j'aurais dû poser est : quand votre mère vous a-t-elle parlé de moi?

– Oh, ce n'est pas ma mère qui m'a parlé de vous, lui répondis-je, c'est mon père.

– Pas possible! s'exclama Romaine tout en mouillant son whisky d'eau de Seltz. Combien difficile... Assieds-toi, mon petit gars... Tu permets que je te tutoie? Assieds-toi, les chaises ne sont pas aussi dangereuses qu'elles le paraissent. Prends une cigarette. J'espère que tu fumes puisque tu bois.

– Jamais en habit de clergyman.

– Quelle magnifique discipline! Moi, je fume comme un pompier. Très mauvais pour moi.

Tout en disant cela, il alluma une cigarette.

– On est esclave de ses mauvaises habitudes, continua-t-il, mais d'un autre côté, que la vie serait triste sans elles... Bon, où en étions-nous? Ah oui, à ton père... Quel homme extraordinaire! Je l'avais sous-estimé, tu sais. J'avais pensé qu'il n'était qu'un vieux bonze ennuyeux comme la pluie, qu'il prenait plaisir à être grincheux; mais, à l'époque, le problème principal n'était pas que je sous-estimais Ashworth, c'était que je me surestimais, moi. Je me croyais capable de faire des miracles.

– De faire des...

– Des miracles, petit gars. Illusion terrible. Seuls les meilleurs, comme ton père, peuvent faire des miracles. Les autres ne font que des mirages. T'a-t-il parlé de notre dernière rencontre?

– Oui, il...

– Ça ne m'étonne pas, et je suis bien certain qu'il ne s'est pas rendu justice. Il a été superbe. Je le revois comme si c'était hier, très élégant dans son col cassé, pas un épi sur la tête. Quel bourreau! Et après qu'il m'eut pendu haut et court, il s'est contenté de remettre ses gants, son chapeau et de s'éloigner paisiblement, me laissant seul à me demander si je ne ferais pas mieux de me tirer une balle dans la tête. Cela dit, je n'avais pas de pistolet et j'ai été ivre avant de pouvoir m'en acheter un. Quand j'eus repris mes esprits, je me suis retrouvé la proie d'un désir peu galant : celui de survivre... Mais n'est-ce pas caractéristique de la vie? Il n'y a que dans les romans où le vilain rencontre une issue étincelante et ensanglantée qui, au bon moment, lui permet d'échapper à son supplice. Dans la vie, Dieu préfère de beaucoup nous le faire supporter douloureusement – et, en parlant de Dieu, je dois avouer que je suis absolument ravi que tu sois pasteur. C'est beaucoup plus drôle que d'être médecin – tous ces sermons passionnants à rédiger, une belle église où travailler et une jolie femme appréciée de tous... Tu es marié, bien sûr?

– Ma femme est morte dans un accident d'automobile.

– Comme c'est affreux... Des enfants?

– Non.

– Ah! Eh bien, moi, j'ai été marié trois fois, enchaîna Romaine après avoir avalé une bonne rasade d'alcool. Je... mais je parle trop, et je ne voudrais surtout pas être un raseur. L'un des pires aspects de la vieillesse, c'est que l'on se retrouve affligé du besoin de s'épancher avec volubilité sur son passé.

– Mais c'est justement pour encourager ce penchant que je suis venu, docteur Romaine, lui dis-je. Je ne vois aucune raison de vous cacher mon intention : je veux savoir ce qui s'est passé exactement.

– Exactement? Sans fioritures? La vérité toute nue?

Il hésitait, comme s'il pesait le pour et le contre mais il ne se troubla pas.

– Très bien, finit-il par dire. Mais je te préviens, accroche-toi à ton habit de clergyman, mon gars, car c'est là que tu vas éprouver les limites de ta charité chrétienne.

Et, s'enfonçant dans le fauteuil le plus proche, il croisa les jambes et se lança, avec une insouciance des plus révoltantes, dans le récit que j'avais réclamé si instamment.

6

– J'étais fou, bien sûr, dit Romaine. Aujourd'hui, un généraliste un tant soit peu attentif m'enverrait consulter un psychiatre et je passerais un bon nombre d'heures tranquille, allongé sur un divan, à parler interminablement de mon enfance. Mais à l'époque, à moins de délirer complètement, on était tenu pour équilibré, aussi je m'en suis tiré en prétendant que j'étais normal. J'étais toujours en train de jouer un personnage ou un autre. Quand j'étais jeune, je jouais au héros romantique et, quand je me penche sur mon passé, je crois bien que c'est le rôle le plus désastreux qu'il m'ait été donné de jouer.

Tout a commencé quand j'étais petit et que je me suis mis à jouer au pauvre petit orphelin. Rassure-toi, je ne vais pas te raconter une longue histoire sur ma mère morte en couches quand j'avais sept ans ou sur mon père, ruiné au point que même mes jouets furent saisis par de méchants huissiers; tout cela est vrai mais je ne voudrais pas que tu penses que j'ai eu une enfance à la Dickens. En fait, une fois orphelin, j'ai été vivre avec une de mes tantes célibataire qui m'adorait, m'a donné un merveilleux foyer, une nursery pleine de nouveaux jouets et une nounou pour qui j'étais le petit Jésus. Ai-je prié tous les soirs pour rendre grâce à Dieu de cette bonne fortune? Non. En bon enfant gâté que je n'ai pas tardé à devenir, je pensais que tout m'était dû et que la paisible petite maison de ma tante, à l'ombre de la cathédrale, était d'une monotonie insigne. Pour moi, les clefs de la sécurité, ce n'était ni la respectabilité ni le travail, c'était la richesse et la réussite : je n'avais pas oublié la petite pièce dans laquelle mon père s'était fait sauter la cervelle.

Quoi qu'il en soit, je ne me faisais pas à l'idée que mon père se fût suicidé. Alors, j'ai prétendu que ce n'était pas arrivé. A l'école, je me suis inventé quelques relations valorisantes – en me référant à quelques ecclésiastiques rassis que fréquentait ma tante à Starbridge – et j'ai découvert que j'avais le chic pour raconter des histoires que tout le monde gobait. J'ai compris que rien ne m'obligeait à rester collé à mon passé si peu romantique et que, la seule chose que j'avais à faire pour être accepté des personnes qui convenaient, c'était de trouver le rôle qu'il convenait aussi de jouer.

A Oxford, j'ai joué celui de l'aristocrate jeune et fringant mais je n'étais pas assez riche pour le tenir longtemps et, en outre, je tenais vraiment à embrasser cette profession bourgeoise : la médecine. Mais je n'avais pas envie d'être n'importe quel médecin. Je voulais être celui qui laisserait un nom dans l'histoire de cette profession, celui qui aurait le plus fait pour sauver la vie des accouchées. Je souffrais toujours que ma mère soit morte en voulant me donner un frère ou une sœur. Peut-être que la seule façon de dominer le ressentiment né de ce deuil avait été d'accuser la médecine et de jurer ensuite de corriger ce qui n'allait pas.

Finalement, j'ai été à Bart achever ma formation. Comment ma tante a-t-elle fait pour payer tout cela, je ne le saurai jamais, mais elle a financé mes études jusqu'à mon diplôme. Et c'est alors seulement qu'elle mourut heureuse mais ruinée. J'étais si affreusement gâté à cette époque que, lorsque j'ai appris la nouvelle de sa mort, ma première réaction a été de penser : zut, à qui vais-je bien pouvoir emprunter de l'argent maintenant? Il me fallait de l'argent pour devenir un génie de la médecine et, de plus, j'aimais bien faire mon petit effet lorsque j'allais en ville et que j'y côtoyais les personnes qu'il fallait.

Détestable, non? Mais patience – Némésis attendait dans les coulisses. J'ai rencontré cette fille. Elle était une de mes patientes. J'exerçais déjà comme généraliste avant d'entamer ma spécialisation et, à cette époque, j'avais été assigné à ce que l'on nommerait aujourd'hui le pavillon psychiatrique. La fille en question était victime d'hallucinations. Elle était fort jolie – et fort riche. Le spécialiste des maladies mentales pensait qu'elle avait peu de chances de s'en sortir, mais moi je n'étais pas de cet avis. Je me disais : pauvre vieux fou, je peux faire mieux que toi. Je pensais être capable de guérir tout le monde – particulièrement une riche héritière. Je voyais l'eau scintillante à portée de main et je me disais : adorable! Je vais faire un miracle. Il ne me vint même pas à l'idée qu'une telle chose était impossible.

J'avais dit à ta mère que j'étais victime du syndrome de Jane Eyre – j'étais un nouveau Rochester qui, pour les meilleures des raisons, avait épousé une femme en ignorant complètement tout de sa folie. Quel mensonge! Et comme je me suis bercé d'illusions en me racontant que je serais capable de guérir l'inguérissable! Cela dit, j'ai réussi à obtenir une rémission – pour mon malheur. Je fis la cour à cette fille dans le sens le plus démodé du terme, lui tenant la main et plongeant un regard amoureux dans le sien. J'ai réussi à la faire sortir de l'hôpital. Elle semblait aller mieux. Cela tenait vraiment du miracle. En fait, le jour du mariage, elle semblait tout aussi équilibrée que moi. A la vérité, nous n'étions que deux fous qui vivions dans un rêve. Pendant notre lune de miel, elle m'a agressé avec un couteau. Elle fut internée de nouveau. Une semaine plus tard, elle perdait définitivement la raison. La totalité de sa dot a servi à payer les meilleurs hôpitaux psychiatriques et les meilleurs médecins. Un mois après mon mariage, j'étais de nouveau sans le sou – et, de plus, enchaîné, à vingt-sept ans, à une femme qui pouvait bien encore vivre une cinquantaine d'années.

C'était cela la réalité – et, tu t'en doutes, je ne pouvais me résigner à l'affronter. J'aimais les femmes, et la vie privée d'un médecin est presque aussi limitée que celle d'un ecclésiastique. Comment allais-je faire? Je n'en avais aucune idée. Alors, j'ai pensé : rien n'est arrivé; cela disparaîtra si je n'y pense pas. Et, comme tous ceux qui ont besoin d'oublier la réalité, je me suis mis à boire.

J'ai quitté Londres. De toute façon, j'avais droit à des vacances avant d'entamer ma spécialisation et j'avais décidé depuis quelque temps de faire un remplacement car j'avais besoin d'argent. Quel soulagement de s'échapper à Epsom pour assister le bon vieux Dr Barnes! Là-bas personne n'était au courant, pas même Barnes. Il n'avait fait que s'adresser à Bart pour trouver un remplaçant et ils m'avaient recommandé sans faire aucune allusion à mon mariage.

Donc, je suis allé à Epsom et j'y ai commencé une nouvelle vie. Je me disais : c'est exactement comme si j'étais célibataire. Cliniquement parlant, je n'étais pas fou mais il ne fait aucun doute que j'étais profondément dérangé – mais, surtout, ne crois pas que je cherche à me donner des excuses pour ce qui s'est passé ensuite. Rien ne peut excuser ce que j'ai fait. Ce que je veux simplement, c'est expliquer en termes précis ce qui était en jeu. Bref, j'ai rencontré ta mère et... La pauvre, quelle mauvaise période elle traversait! J'avais mal pour elle car personne ne paraissait se rendre compte de l'enfer qu'était sa vie : une mère mourante et une vieille grand-tante qui grinçait comme un cercueil ambulant. J'admirais ta mère de ne pas développer une maladie mentale comme tant de jeunes filles à cette époque où tout le monde était trop bien élevé pour exprimer ses frustrations. Voilà une fille courageuse, me suis-je dit, une fille qui a du caractère, une fille intelligente, sensible – et très jolie... Je me pris à imaginer que ma femme pouvait mourir – et, au bout d'un moment, la réalité se confondit à l'illusion et seuls les rêves me semblèrent réels.

Helen, elle aussi, avait beaucoup de mal à se satisfaire de la réalité, et elle vit dans mes rêves une échappatoire à la douloureuse monotonie de sa vie quotidienne. Plus tard – beaucoup plus tard – je me suis rendu compte que ce fut une excellente chose de ne pas avoir été libre pour l'épouser. Mes rêves ont failli la détruire. Je l'aurais détruite, c'est certain, si je l'avais épousée. Il lui fallait un homme qui puisse lui offrir la réalité qu'elle méritait : un foyer confortable, une vie familiale normale, la stabilité. Moi, la seule chose que je pouvais lui offrir, c'était une série de rêves éveillés qui n'avaient pas la moindre chance de se réaliser.

Enfin... qu'y a-t-il à ajouter? Tu sais ce qui s'est passé ensuite – ta présence parle d'elle-même. Mais peut-être te demandes-tu pourquoi j'ai bien pu laisser les choses se faire. N'avais-je donc pas entendu parler de cette vilaine notion de contraception? Si, bien sûr mais, pour moi, les préservatifs – qui, à l'époque, étaient vraiment immettables – étaient faits pour être utilisés dans un seul but prophylactique avec les prostituées. Le préservatif, ce n'était pas romantique, tu comprends, et moi j'évoluais dans le rêve d'une belle histoire d'amour. J'étais toujours en train d'essayer de me convaincre que je pouvais faire des miracles – ce qui signifiait, dans ce contexte, que je pensais pouvoir exercer un contrôle parfait sur une situation où le contrôle brillait par son absence... Quelle conviction dangereuse chez un homme qui a pris l'habitude de boire trop! Ce fut certainement la dernière fois que je me racontais que je pouvais faire des miracles.

Après que ton père m'eut pendu haut et court, je suis parti à l'étranger, non pas pour jouer les âmes nobles au fin fond de l'Afrique noire – ça, c'était juste l'histoire que j'ai fait circuler pour que mes amis d'Epsom puissent dire à quel point j'étais merveilleux – mais en Afrique du Sud. J'y suis resté jusqu'à la fin des hostilités mais je n'ai gagné aucune médaille car je travaillais à l'abri dans l'ennui d'un hôpital militaire. Après la guerre des Boers, j'ai décidé de rester là-bas, mais comme je n'avais pas les moyens de m'établir à mon compte, je me suis porté volontaire pour travailler dans un hôpital d'une mission catholique en Rhodésie. Bref, au début tout s'est déroulé sans problème, jusqu'au moment où je me suis retrouvé dans un embrouillamini épouvantable avec une nonne – je ne sais pas pourquoi, mais leurs guimpes blanches éveillent en moi les pires instincts – et j'ai été catapulté comme médecin à bord d'un paquebot en partance pour les Indes. Rassure-toi, je t'épargnerai mes péripéties aux Indes mais j'ai eu des ennuis là-bas aussi. J'ai fini par échouer à Hong Kong. Je buvais beaucoup trop – je regrette de devoir le dire – et je fus incapable de conserver un emploi dans l'un des bons hôpitaux. Finalement, j'ai travaillé pour une mission protestante des bas quartiers où je devais m'occuper de beaucoup de maladies auxquelles je préfère ne plus penser. La conséquence de tout cela fut que je me mis à boire plus que jamais car je détestais mon travail sans pouvoir économiser l'argent nécessaire à mon départ.

C'est alors que le miracle eut lieu.

Cette infirmière est arrivée au dispensaire. Elle était chinoise et chrétienne. Au premier regard elle décida que j'avais besoin d'aide et, au premier regard, je décidai que j'avais envie de son aide. Je lui servis mon boniment habituel : « Couche avec moi et tous mes problèmes seront résolus » – mais cela ne rompit pas la glace. J'étais très impressionné. Puis, je lui ai dit en essayant de la convaincre qu'après tout, je n'étais pas un trop mauvais bougre : « Si je bois, c'est parce que je suis seul », et elle me répondit : « Non, ce n'est pas vrai. Si tu bois, c'est parce que tu te sens coupable et que tu n'arrives pas à te pardonner ce que tu as fait. »

Ces Chinois ont quelque chose de très extraordinaire; ils avaient déjà compris le monde quand nous dansions encore autour de Starbury Ring vêtus de bleu de guède. Et un chrétien possède quelque chose de merveilleux, un vrai chrétien, celui qui met sa foi en pratique. Je lui ai dit : « Je ne peux pas me pardonner » et elle a dit : « Le Christ le peut », et elle a cité Confucius. Mon Dieu, j'étais fou d'elle! Finalement, je lui ai dit : « Ne pouvons-nous pas faire comme si ma femme était déjà morte? » Mais elle m'a répondu que nous ne pouvions pas le faire croire à Dieu et que, si Sa volonté était que je l'épouse, Il arrangerait les choses. Et, incroyable mais vrai – tu devines ce qui s'est passé, non? Deux semaines plus tard, je recevais une lettre d'Angleterre m'annonçant le décès de ma femme.

J'ai donc épousé ma belle Chinoise. Elle était plus âgée que moi et, par conséquent, nous ne pouvions pas avoir d'enfant. Néanmoins, nous avons vécu très heureux pendant dix ans. J'ai complètement cessé de boire et j'ai fini par retrouver un emploi dans un bon hôpital. Je travaillais à la maternité et, pour la première fois depuis bien longtemps, j'étais heureux. C'est alors que ma belle Chinoise mourut. Tout s'écroulait. Je n'avais pas le courage de rester à Hong Kong sans elle. J'ai su que, pour moi, le moment était venu de rentrer.

Je ne t'ennuierai pas avec le récit des aventures plus ou moins douteuses qui me sont arrivées tandis que je regagnais l'Angleterre sur une série de vieux rafiots à faire dresser les cheveux sur la tête mais, finalement, je réussis à me frayer un chemin jusqu'aux blanches falaises de Douvres. J'avais quarante-cinq ans. C'était la guerre.

Peu après mon installation, j'ai travaillé dans un hôpital de l'East End qui recevait surtout des blessés. J'ai loué les services d'un détective privé et je l'ai envoyé à Epsom pour qu'il m'apprenne ce qui s'y passait. Par son rapport, j'ai su que Mr. et Mrs. Ashworth vivaient avec leurs deux fils, Charles et Peter, dans une fort jolie villa sur les coteaux d'Epsom. Il me fallait prendre une décision. Allais-je une fois encore briser la vie de plusieurs personnes ou non? Je savais ce que ma belle Chinoise m'aurait conseillé. Elle m'aurait dit que, si je voulais réellement racheter le passé, je devais mettre de côté mon sentiment égoïste de curiosité et laisser la famille Ashworth continuer à vivre en toute quiétude. Bien sûr, si ta mère avait été veuve, je me serais précipité à Epsom pour la voir, mais telles que les choses étaient... Non, je me disais que je n'avais pas le droit de m'interposer.

Après la guerre, j'ai obtenu un meilleur poste dans un hôpital de Manchester – j'étais toujours un peu mal à l'aise à Londres; j'avais toujours peur de me cogner à Ashworth. Et c'est là-bas que j'ai connu mon épouse actuelle, une infirmière elle aussi. Je peux jurer sur la Bible que j'ignorais, quand je lui ai demandé sa main, que son père se faisait une jolie petite fortune en fabriquant des corsets.

Un beau jour le vieil homme est mort et Béa s'est retrouvée avec « un joli petit magot » comme on dit, aussi nous en avons profité pour quitter Manchester et nous lancer dans une vie provinciale de rêve, dans une chaumière. J'avais bien envie de revenir vers Starbridge. C'est curieux comme, vers la fin de sa vie, on aspire à retourner au commencement... Mais c'est un joli coin, tu ne trouves pas? Et s'il m'arrive de m'ennuyer un peu, je me dis que je pourrais très bien être toujours en train de trimer dans un dispensaire de bas quartier en avalant une bouteille de whisky par jour. Mais ne va pas croire que je me plaigne! Loin de moi cette idée! Je ne cesse de me répéter à quel point j'ai eu de la chance et à quel point je dois en être reconnaissant.

Je connaissais cette façon d'aborder la réalité. Moi-même, je l'avais souvent adoptée quand j'avais voulu faire croire que tout allait bien dans ma vie. Et, tout en le regardant se servir un autre double whisky, je dis soudain :

– Avez-vous des enfants?

Il aspergea sa boisson d'une dernière giclée d'eau de Seltz avant de se retourner pour me faire face.

– Non, répondit-il. Je n'ai eu d'enfant d'aucune de mes trois femmes. Mais je considère cela, ajouta-t-il en portant son verre à ses lèvres, comme faisant complètement partie du jugement.

Alors, je regardai au-delà de sa belle apparence et y perçus une tristesse opaque.

7

– Prends un autre verre, me dit Romaine. J'ai bien peur d'avoir bu pratiquement toute la bouteille à moi seul et je commence à avoir l'impression d'avoir été assommé par un sac de sable. Sers-toi de cet innommable Sherry! J'étais dans un tel état, tout à l'heure, que j'en ai oublié de te prévenir que c'était du doux.

– Non, merci, je n'en veux plus. Je pense qu'il vaut mieux que je parte afin que chacun de nous puisse se remettre du choc.

– Déjà? Mais je ne sais rien de toi! Écoute, je viens d'avoir une idée formidable : je vais jeter ce sale whisky et remonter de la cave le meilleur des Veuve Clicquot que je mettais de côté pour les grandes occasions!

– Merci, dis-je, mais je ne puis accepter. J'ai une longue route devant moi.

– Mais tu ne vas pas conduire l'estomac vide. Reste déjeuner.

– Excusez-moi, docteur Romaine, mais il faut que je parte.

– Très bien, dit-il en finissant son verre, fais comme tu voudras. Mais, avant que tu ne prennes la poudre d'escampette, dis-moi au moins quand je pourrai venir t'écouter prêcher. J'aimerais beaucoup venir à Cambridge et m'asseoir « à tes pieds », comme ils disaient quand j'étais jeune.

– Je ne suis pas chanoine résidant en ce moment. Je ne prêcherai pas avant le premier dimanche du mois prochain.

– Parfait! Je viendrai passer le week-end à Cambridge. Où pourrai-je séjourner?

– Le *Blue Boar* est l'hôtel le plus pratique, mais...

– Je ferai une réservation par téléphone. Surtout, ne te crois pas obligé de t'occuper de moi – en fait, tu n'es même pas obligé de me rencontrer si tu n'en as pas envie. Ne t'en fais pas, je comprends. Ce n'est pas parce que j'ai un peu perdu la tête tout à l'heure et que je me suis mis à parler de champagne que tu dois croire que je suis un vieux poivrot qui fera tout pour te casser les pieds. Je ne ferai que me glisser dans la cathédrale pour écouter ton sermon et puis je disparaîtrai – sans tapage, sans problème, sans scandale...

J'eus la surprise de m'entendre lui proposer de venir dîner avec moi au réfectoire après les services du matin.

8

En me raccompagnant à ma voiture, il me dit :

– Comme ce doit être merveilleux pour Ashworth que tu aies si bien réussi! Et ton frère – s'en est-il bien sorti lui aussi?

– Il s'est associé à mon père dans l'entreprise familiale.

– Quel veinard, cet Ashworth! Je suis sûr que ma belle Chinoise dirait : les bons sont toujours récompensés. Quel homme étrange il était! Quand je travaillais dans les bas quartiers de Hong Kong et que je buvais une bouteille de whisky par jour, je pensais parfois à lui qui fonçait triomphalement dans la vie derrière son col cassé. Il m'a hanté, tu sais, et ta mère aussi – ils m'ont hanté pendant toutes ces années... J'imagine que ta mère est toujours aussi séduisante?

– Elle est restée remarquablement jeune, oui...

– J'en suis très heureux, mais je ne tiens pas à la revoir car je préfère la garder dans mon souvenir exactement telle qu'elle était. Quelquefois, il est beaucoup plus sage de ne pas prendre le risque de ressusciter le passé.

Je le dévisageai. Je songeai à ma mère qui, au fil des ans, espérait son retour. Que pouvais-je répondre?

Immédiatement, Romaine se rendit compte qu'il avait commis un impair.

– Cela dit, je suis très heureux que tu sois venu aujourd'hui! ajouta-t-il, craignant apparemment que je n'aie interprété sa remarque comme un rejet.

Il avait retiré sa main droite de sa poche mais, quand il comprit que je n'avais pas l'intention d'échanger une poignée de main avec lui, il fit semblant de chasser un grain de poussière de sa manche.

– Oui, c'était une très belle surprise, ajouta-t-il en désespoir de cause. Je suis ravi de t'avoir rencontré.

– Alors, c'est une chance qu'Ashworth vous ait empêché de faire avorter ma mère, vous ne trouvez pas? demandai-je en claquant la portière de la voiture.

Et je fis vrombir le moteur sans lui laisser la possibilité de répondre.

9

J'étais si troublé que je stoppai la voiture deux kilomètres plus loin sur le bas-côté de la route. J'agrippai ma croix mais j'étais trop bouleversé pour prier. Je voulais chasser Romaine de mes pensées, mais il était là, imprimé à jamais, doucereux, acharné, survivant qui, apparemment, savait exactement comment faire vibrer les cordes sensibles. Je repensai à son courageux effort pour gloser sur sa touchante offre de champagne; je repensai à sa courageuse tentative de cacher sa détresse quand il s'était rendu compte que j'étais décidé à ne pas lui serrer la main; je repensai à son affolement pathétique quand il avait vu qu'il avait éveillé mon animosité, et je sentis que mon équilibre, si douloureusement acquis à Grantchester, avait été démoli. Je pouvais m'arranger sans problème de son personnage de séducteur en ne l'aimant pas, mais le pathos au-delà de cette apparence m'avait vaincu. Je me sentais menacé par lui. J'étais tout à fait prêt à mettre au point une formule intellectuelle pour lui pardonner, ce qui mettrait en repos mon âme tout en me permettant de rester un bon chrétien; mais je ne voulais pas que mes émotions s'en mêlent. Mon instinct me dictait de frapper, de le repousser.

Je me dis que plus vite je retournerais voir Darrow et mieux ce serait. Mais Grantchester était loin et je n'avais pas encore déjeuné. Je savais que Darrow m'aurait conseillé de faire un repas avant de poursuivre la lutte contre mes problèmes. Je redémarrai et repris la route de Starbridge.

Lorsque j'y arrivai, tous les restaurants étaient fermés mais je réussis à convaincre le serveur du *Staro Arms* de me servir des sandwiches et du café. Après cette collation, je me sentis mieux. Je me dis que Darrow m'aurait certainement conseillé de pratiquer quelques exercices spirituels. Aussi, je décidai d'aller marcher au bord de la rivière. Au moment où j'atteignis le pont, j'aperçus la flèche de la cathédrale et je sus que je devais à nouveau tenter de prier. J'avais le sentiment qu'il me fallait prier de toute urgence, non seulement pour trouver la force de dominer mes ennuis mais aussi pour trouver celle du pardon. J'avais blessé cet être vil et pathétique de Starvale St. James et je voulais alléger mon sentiment de culpabilité avant de reprendre mon voyage.

Ayant en tête que ma précédente tentative de prière, dans la voiture, s'était soldée par un échec, je me demandai si je ne devenais pas un peu superstitieux en supposant que je retrouverais miraculeusement mes capacités spirituelles dès que j'aurais posé le pied sur un sol consacré. Pourtant, superstition ou non, j'entendis l'appel de la cathédrale et, l'instant d'après, je remontai la rue de l'Éternité.

J'avais donné ma parole à Darrow que je me tiendrais à distance de l'évêché mais, comme il était maintenant presque trois heures et demie, je me dis qu'il était raisonnablement peu probable que je rencontre Lyle ou les Jardine. Habituellement, l'évêque passait ses après-midi à s'acquitter de ses obligations officielles; Mrs. Jardine, si elle était chez elle, faisait la sieste avant l'heure du thé; et Lyle devait se reposer dans le jardin des fatigues de sa matinée. Tout en pensant à Lyle, j'atteignis le carrefour au bout de la rue de l'Éternité, et elle était toujours dans mes pensées comme je passais sous la voûte du Domaine de l'évêché.

Quelques minutes plus tard, comme je pénétrais dans la cathédrale, je fus tout de suite apaisé par la faible luminosité et la fraîcheur du lieu et, me laissant envahir par l'atmosphère de paix qui y régnait, je remontai lentement la nef vers le chœur.

A l'extrémité du transept sud se trouvait la chapelle réservée à la prière solitaire. Ses grilles sculptées étaient agrémentées de tentures qui recouvraient les espaces de la boiserie et assuraient l'intimité des fidèles. Je poussai la grille et me glissai à l'intérieur. Je m'étais attendu à trouver l'endroit désert, or une femme était agenouillée et priait. A mon entrée, elle se retourna.

Nous eûmes tous les deux le souffle coupé. Pendant un long moment, nous demeurâmes immobiles, les yeux dans les yeux, mais lorsque Lyle se redressa, hésitante, je dis à la va-vite :

– Excuse-moi... Je te dérange.

Et, sous le choc, je battis en retraite et regagnai le transept.

XX

*Maintenant, un mot de vous à moi. Peut-être suis-je
dans l'erreur, mais il m'est arrivé de penser qu'il se
dégageait de vos propos et de vos écrits une inquiétude
précise et particulière qui vous serait propre. Si cela
était, n'allez pas croire une seconde que j'aie l'impertinence de vouloir m'ingérer dans vos affaires : mais
mon affection pour vous est réelle et je serais heureux
de vous aider de quelque façon.*

Autres Lettres de Herbert HENSLEY HENSON,
Ed. E. F. Braley.

1

– Charles...

Lyle se précipita mais je m'étais arrêté avant même qu'elle ne
m'appelle. Un peu plus loin dans la nef, un guide faisait visiter la cathédrale.

– Dis-moi que je ne rêve pas, dit Lyle. Que viens-tu faire dans cette
partie du monde?

– J'avais quelqu'un à voir à Starvale St. James.

Me ressaisissant, j'ajoutai :

– Écoute, nous ne pouvons pas parler ici. Sortons dans le cloître.

La porte massive céda comme à contrecœur et nous sortîmes dans la
cour ensoleillée. Dans un coin herbeux, un banc avait été placé à la
mémoire de quelque bienfaiteur du début du siècle et, à ma suggestion,
nous nous assîmes en face du cèdre qui ombrageait la pelouse.

– C'est la chose la plus extraordinaire qui pouvait arriver, dit Lyle,
toujours sous le coup de la surprise. C'est comme un signe.

– En tout cas, c'est l'occasion pour moi de te dire que je n'ai pas cessé
de penser à toi. Mrs. Jardine a bien reçu ma lettre?

– Oui et ce fut comme un signe aussi. Cette lettre t'a rendu réel à nouveau. Je commençais à me dire que je t'avais créé de toutes pièces.

– Lyle, ma chérie.

Je ne pus m'empêcher de prendre sa main dans la mienne et elle, apparemment, ne put s'empêcher de serrer mes doigts entre les siens.

– Pardonne mon long silence, dis-je, mais j'ai passé une période très difficile depuis la dernière fois que nous nous sommes vus et le père Darrow s'est chargé de clarifier mes idées.

– Nous avons tous été soulagés de te savoir en sécurité chez les Fordites. Le père Darrow est-il réellement aussi intelligent qu'on le dit?

– Je ne ferai jamais assez son éloge.

– J'aimerais, moi aussi, avoir quelqu'un comme lui à qui me confier, répondit-elle de manière tout à fait inattendue.

Ces paroles m'inquiétèrent. L'appel au secours était voilé mais indéniable. Je compris qu'elle hésiterait à révéler à l'une de ses nombreuses accointances ecclésiastiques un problème qui concernait un évêque. Je lui dis, pour l'encourager :

– Peut-être qu'une sœur anglicane pourrait t'aider. Je suis certain que le père supérieur de Starwater pourrait parler de toi à...

– Je ne supporte pas les nonnes. Je ne raffole pas des moines non plus, mais comme le père Darrow semble être à la hauteur de sa réputation, peut-être que... Mais il n'accepterait pas de recevoir une femme, je suppose?

– Je suis certain qu'il recevrait n'importe qui dans l'urgence.

– Oh, il n'y a pas urgence! rétorqua-t-elle. Je vais bien.

– C'est ce que je disais aussi avant de finir ivre mort sur le seuil du père Darrow.

J'étais maintenant très inquiet.

– Lyle, si les choses deviennent insupportables, téléphone-moi quelle que soit l'heure du jour ou de la nuit. Je ferai tout mon possible pour t'aider. Et ne crois pas que cette offre signifie que je joue encore les Casanova, ce n'est pas vrai. Je fais mon possible pour ressembler à un ecclésiastique, c'est tout, et si tu as un jour besoin de mon aide, je te jure de ne jamais te demander aucune espèce de contrepartie romantique en échange.

Elle me décocha un regard pénétrant, puis dit, hésitante :

– Tu as changé.

– Tu ne m'as jamais vraiment connu. Je me cachais derrière un masque – un masque que j'appelle ma belle apparence – mais le père Darrow m'aide à me débarrasser de ce masque pour que je puisse être l'homme que je suis réellement.

Je vis passer un éclair de compréhension dans son regard.

– Oh, si seulement tu savais, souffla-t-elle, si seulement tu savais à quel point je voudrais me débarrasser de ma belle apparence et être la femme que je suis réellement!

Mais, avant que je n'aie eu le temps de répondre, elle ajouta d'un ton brusque :

– Que pense le père Darrow de tout cela?

– Son rôle n'est pas d'avoir une opinion. Son rôle est de veiller à ce que je me fasse des opinions sensées par moi-même.

Le silence s'installa. Et, dans ce silence, s'infiltra le mystère de Starbridge; il flotta entre nous comme un nuage noir qui rompit notre communication. Lyle jeta un coup d'œil à sa montre et se leva.

– Je dois rentrer, dit-elle. Carrie va avoir besoin de moi.

– Ly...

Soudain, l'émotion assombrit son regard.

– Non, pas de questions.

– Permets-moi au moins de te donner d'autres numéros de téléphone au cas où je devrais m'absenter de Laud.

Je trouvai la note de mon déjeuner au *Staro Arms* et y inscrivit au verso le numéro de mes parents à Epsom et celui du monastère de Grantchester. Puis j'ajoutai :

– Si je n'ai pas de tes nouvelles, je te contacterai à la mi-septembre pour que l'on convienne d'un rendez-vous vers la fin du mois. Quel est le meilleur moyen de te contacter? Par courrier?

– Non, surtout pas, dit-elle rapidement. Gerald va à la poste avant moi et il raconte tout à l'évêque. Une lettre en provenance de Cambridge serait impossible à justifier.

Je réussis à censurer un commentaire de consternation et murmurai de ma voix la plus neutre :

– Quel est le meilleur moment pour t'appeler?

– L'après-midi. Si c'est Gerald qui répond, raccroche, mais si c'est Shipton, demande à me parler et si je suis absente, je te rappellerai. Dis que tu es Donald Wilson – c'est un de mes anciens soupirants qui me téléphone de temps à autre et donc, je n'aurai pas à expliquer son coup de fil.

Je ne pus m'empêcher de m'exclamer :

– A t'entendre, on dirait que tu es prisonnière!

– Mais c'est ce que je suis! Une prisonnière! Nous sommes tous prisonniers des circonstances mais, je t'en supplie, ne viens pas ébranler les fondations de l'évêché dans une tentative « donquichottesque » de me délivrer...

– Ne t'inquiète pas, le père Darrow m'a appris que le secours le plus efficace s'offre mais ne s'impose pas.

Nous nous étions éloignés du banc et marchions vers le côté nord du cloître mais, au moment où nous atteignîmes la porte de communication avec le transept, Lyle s'arrêta.

– Il vaut mieux que nous nous disions au revoir ici, dit-elle.

– Comme tu voudras.

J'avais envie de l'embrasser mais je savais qu'elle s'y refuserait; déjà, elle tournait nerveusement la tête pour vérifier que nous n'étions pas observés. Je me contentai donc de prendre ses mains dans les miennes et, un bref instant, le sentiment d'une réalité indéniable flamboya entre nous avant de s'éteindre dans le désespoir qui émanait de Lyle.

– N'oublie pas, lui dis-je. Tu peux me téléphoner à n'importe quelle heure du jour ou de la nuit.

Elle acquiesça. Je lâchai ses mains. Nous revînmes ensemble dans le transept et là, je m'arrêtai et la regardai s'éloigner en direction de la nef. Je ne la quittai pas des yeux jusqu'à ce qu'elle eût disparu; alors seulement, plus troublé que jamais, je retournai prier à la chapelle.

2

Je me sentais trop fatigué pour finir la route jusqu'à Cambridge. Aussi passai-je la nuit à Londres à mon hôtel habituel. Ayant envisagé la possibilité de ne pas rentrer directement chez moi, j'avais emporté les ouvrages nécessaires pour mes exercices. Pourtant, même après une nuit de repos, il me fut impossible de me concentrer.

Plus tard dans la matinée, j'arrivai à l'improviste au monastère où j'appris que Darrow n'était pas disponible. Mais après une demi-heure d'attente, je fus escorté jusqu'au parloir où l'abbé m'attendait. Conscient du fait que je pouvais le déranger, je le priai de m'excuser de cette visite impromptue et lui dis que je reviendrais plus tard pour lui parler de Romaine.

– Mais il m'est arrivé hier une chose très étrange, dis-je, et j'aurais voulu vous dire deux mots au sujet de Lyle.

– Assieds-toi, prends ton temps et donne-moi au moins, je te prie, un résumé de ta rencontre avec Romaine avant de le reléguer aux oubliettes.

Je me rendis compte que je devais lui donner l'impression d'avoir de la fièvre, je fis un effort pour me calmer.

– Pour ce qui est de Starvale St. James, je ne m'en suis pas très bien tiré, lui dis-je. Romaine a réussi à jouer à la fois le vétéran douceureux et malin et le vieillard vulnérable et victime des circonstances. Il était si enchanté de me voir qu'il en devenait pathétique. Cela ne m'a pas plu. Mais le pire, c'est que je l'ai invité à venir à Cambridge le mois prochain et qu'il me tarde de le revoir – et si vous réussissez à comprendre quelque chose à cela, mon père, vous méritez une médaille.

Darrow se contenta de me demander :

– Qu'as-tu fait ensuite?

– Je suis resté sobre, dis-je.

Et je lui contai mes déplacements précédant ma rencontre avec Lyle.

– Au moins tu t'en sortais mieux quand tu étais désespéré, commenta Darrow d'un ton acerbe. Bon, nous reparlerons de Romaine plus tard. Alors, que se passe-t-il avec Lyle?

Je lui fis le récit détaillé de ma rencontre avec elle et, lorsque j'eus terminé, il avait l'air si pensif que je me sentis obligé de dire :

– Mon père, je jure que je n'ai pas rompu ma promesse et cherché à la revoir.

– Non, bien sûr que non. Ne te méprends pas sur le sens de mon silence. Ce n'est pas la rencontre en soi qui m'inquiète; elle semble avoir été bénéfique. Non, c'est elle qui m'inquiète. Enfin, quoi qu'il en soit, tu lui as jeté une bouée de sauvetage et cela pourrait bien se révéler vital.

– Accepteriez-vous de la conseiller?

– Je conseillerais quiconque est dans l'urgence, comme tu le lui as si justement dit, mais cela dit... Non, ce ne serait pas sage de ma part, Charles, pour deux raisons. La première, c'est que je suis justement ton directeur de conscience et que, par conséquent, je ne pourrais pas aborder Lyle de manière vraiment détachée; et la seconde, c'est que la différence des sexes crée souvent des difficultés même si les deux personnes concernées s'approchent avec la meilleure volonté du monde et les plus pures des raisons. Il vaudrait mieux pour elle qu'elle voie une nonne plutôt qu'un moine.

– Elle dit qu'elle ne les supporte pas.

– Lorsque quelqu'un affirme une chose aussi extravagante, c'est peut-être que cette personne est simplement en train de lutter pour exprimer un désespoir indicible. Ce que Lyle veut peut-être dire, c'est que, pour le moment, elle a le sentiment de ne pouvoir exprimer ses problèmes à une religieuse ou à quiconque.

– Il est certain que le fait qu'elle ait des problèmes si graves doit signifier que...

– Nous ne pouvons pas savoir ce que cela signifie. Ce qui semble certain, c'est que Lyle est impliquée avec les deux Jardine d'une manière qui, émotionnellement et spirituellement, est mauvaise pour elle. Mais cela ne signifie pas pour autant qu'elle soit la maîtresse de Jardine.

– Qu'elle le soit ou non, Jardine est dans l'erreur en permettant qu'une situation aussi malsaine dure. Apparemment, il se dit que la situation n'est pas malsaine mais, de toute façon, sa conduite envers Loretta prouve qu'il peut être capable de commettre une faute.

– Je me demandais quand tu allais le remarquer.

Darrow semblait si soulagé de n'avoir plus à garder une opinion pour lui dans le but de maintenir sa neutralité que je rétorquai :

– Je suppose que j'étais si troublé par ma propre faute envers Loretta que je n'ai pas accordé suffisamment d'attention à celle commise par Jardine. Mais, du point de vue spirituel, il est stupide de prétendre qu'il n'a pas commis l'adultère avec elle.

– Jardine a parlé en bon avocat, dit Darrow d'un ton sec, mais non pas, je le crains, en bon ecclésiastique. Ta faute vis-à-vis de Loretta a été grave mais celle de Jardine est pire : un pasteur marié qui approche de manière très charnelle l'une de ses fidèles. Toute l'affaire relève du cauchemar clérical et permet de se rendre compte, à mon avis, Charles, à quel point monseigneur l'archevêque a été perspicace dans cette affaire. Il a senti que Jardine était capable de commettre une erreur monumentale et, comme nous pouvons le constater maintenant, Lang a raison d'avoir peur du scandale. Cela dit, rien n'implique que Jardine et

Lyle soient amants. Aussi, reste calme, ne juge pas trop vite et fais ton possible pour admettre pour l'instant que tu as fait tout ce que tu pouvais pour Lyle.

3

Ce même soir, je revins voir Darrow pour lui parler de ma rencontre avec Romaine. Nous bavardâmes un bon moment.

– Oui, je comprends, conclut Darrow, pourquoi tu éprouves de l'hostilité à son égard; mais le fait que tu sois disposé à le revoir indique peut-être que tu saurais être plus clément, plus tard.

– J'en doute. C'est un insupportable pleurnichard.

– Je suis tout à fait disposé à te croire, Charles, mais pourrais-tu m'expliquer pourquoi tu le trouves si insupportable et si ignoble? En fait, à t'entendre, il paraît charmant.

– Vraiment?

– Tu ne trouves pas? Apparemment, il a fait son possible pour être sincère avec toi; il ne s'est pas dépeint sous un jour avantageux. Il a évoqué tes parents en termes chaleureux. Il t'a couvert de compliments en te disant combien il était heureux que tu sois entré dans les ordres et, finalement, tu as eu du mal à l'empêcher de descendre à la cave chercher une bouteille de Veuve Clicquot. Est-ce là un comportement si inique?

– Tout cela n'était qu'une comédie destinée à gagner ma confiance. Mais je n'ai pas oublié un seul instant le mal qu'il a fait à mes parents.

– Il ne fait aucun doute qu'il les a fait souffrir, dit Darrow, mais, d'après ton récit, il a souffert tout autant qu'eux si ce n'est davantage.

– Il le devait. C'est lui qui a brisé leur mariage.

– Qui dit que leur mariage a été brisé? Pour moi, d'après ce que tu dis, leur union a survécu à beaucoup de difficultés. Après tout, ils sont encore ensemble, après quarante années de vie commune; ils s'adressent toujours la parole et, pour autant que nous le sachions, ils restent toujours fidèles l'un à l'autre. Je ne veux pas dire que leur union n'est pas difficile mais peut-on sincèrement la qualifier de brisée?

– Elle m'a paru plutôt brisée, dimanche dernier!

– Il est évident qu'ils traversent une mauvaise passe mais, comme la plupart des couples qui ont survécu à une quarantaine d'années de mariage, ils ont probablement connu autant de bons moments que de périodes difficiles. Après tout, leur mariage a-t-il vraiment été un tel enfer? Ta mère a mené le genre de vie mondaine auquel elle aspirait et ton père a eu une épouse ravissante qui a été une mère attentionnée pour ses enfants. De plus, les enfants eux-mêmes viennent soutenir les parents et sont, c'est certain, autant une source de joies que de chagrins. A mes yeux, tout cela semble normal – bien que je ne nie pas qu'il y ait en ce moment certaines anormalités. Mais je pense qu'il te faut bien réfléchir à quel point ces anormalités ont vicié le mariage, Charles, avant d'accuser Romaine d'être responsable de l'échec conjugal de tes parents.

Je demeurai silencieux. J'avais l'impression que la vérité avait glissé entre mes doigts et s'en était allée tisser une nouvelle toile hors de ma portée .

– Il est indéniable que Romaine a un effet défavorable sur tes parents, poursuivit Darrow, mais est-ce entièrement sa faute? Quelle part de responsabilité est imputable à ton père qui, en étouffant si impitoyablement le drame, lui a donné l'occasion de supputer à loisir? Et à ta mère, qui s'accroche avec tant de ténacité à ce souvenir très romantique, mais sans doute dangereusement illusoire, de son premier amour?

– Elle m'a dit qu'elle avait toujours pensé qu'il reviendrait. La pensée de son attente, pendant toutes ces années, semble tellement...

Je laissai la phrase en suspens.

– Oui, c'est tragique et tu as parfaitement raison de trouver cela fâcheux, mais je pense que nous devons nous garder de dire que tout le monde aurait nagé dans le bonheur si le Dr Romaine avait tenté de ressusciter sa désastreuse histoire d'amour, dès son retour en Angleterre. Nous ne devons pas oublier que Romaine lui-même semble convaincu que ta mère a eu de la chance de ne pas l'épouser et nous ne devons pas oublier non plus, je pense, qu'il est beaucoup plus à même que nous de juger de la nature exacte de leur histoire d'amour. Quand il a pris la décision de garder ses distances, il semble qu'il ait essayé de faire ce qu'il pensait être juste, pour lui mais aussi pour toi et tes parents. Ce fut une décision regrettable, c'est certain; peut-on honnêtement dire qu'elle fut pernicieuse?

– Non. Mais je maintiens qu'il est un insupportable vieillard et que je le déteste.

Je frissonnai, me signai et soufflai :

– Que Dieu me pardonne.

– Dis-moi, me demanda Darrow tout à trac, t'a-t-il effrayé? Nous détestons surtout ce que nous craignons.

Je restai silencieux.

– T'a-t-il déconcerté en quelque manière? Après tout, être confronté à son géniteur qu'on ne connaît pas peut bien être une expérience profondément déconcertante. Vous ressemblez-vous physiquement?

Je tressaillis.

– Beaucoup? insista Darrow.

Et il ajouta avec une acuité psychologique saisissante :

– Était-ce comme te regarder dans un miroir?

Je frissonnai de la tête aux pieds et enfouis mon visage dans mes mains.

4

– Je le regardais et il était exactement comme moi. J'ai dû l'écouter me parler de son penchant pour la boisson et pour les femmes, de la façon dont il avait fait de sa vie un chaos ; je l'ai vu à travers les yeux de mon père et...

– Tout cela est très joli, Charles, mais tu as tes propres yeux – utilise-les! Cesse de voir Romaine à travers le regard de ton père et fais-toi ton propre jugement!

Finalement, je relevai la tête.

– Mais mon père doit avoir raison!

– Pourquoi? Il se trompe sur ton compte – nous sommes tombés tous les deux d'accord sur le fait que tu es un type beaucoup mieux qu'il n'aurait jamais pu l'espérer. Alors pourquoi ne se serait-il pas trompé sur le compte de Romaine, au moins en partie?

– Mais Romaine boit... ses problèmes avec les femmes...

– Oui, il y a des éléments qui ne trompent pas, mais regarde au-delà de l'image de bon à rien éthylique et peut-être pourras-tu apercevoir l'homme que ton père est beaucoup trop partial pour reconnaître.

Après un gros effort de réflexion, je fus en mesure d'avancer avec prudence :

– Il avait certains idéaux quand il était jeune. Il voulait racheter la mort de sa mère en sauvant la vie d'autres femmes. Je ne vois rien qui puisse faire penser qu'il ne soit pas un bon médecin de campagne.

– Donc, sa vie professionnelle n'a pas été un échec complet, même s'il n'a pu réaliser la promesse qu'il s'était faite.

– Sa vie privée non plus n'a pas été un échec. Il aura connu sa belle Chinoise – ce fut un mariage chrétien et, apparemment, il est toujours chrétien...

– Comme c'est admirable! Malgré ses difficultés, il n'a pas sombré dans le cynisme et le désespoir. A ton avis, serait-il juste de dire qu'il s'est comporté en chrétien avec toi?

Après un nouveau silence, je répondis :

– Je doute qu'il ait été consciemment guidé par des considérations religieuses. Pourtant, je ne peux nier qu'il a été charmant.

A mon horreur, la vilenie de Romaine commençait à se dissoudre.

– Il a tout compris, dis-je, au désespoir. Il a compris ce que je ressentais vis-à-vis de mon père. Il a compris pourquoi j'avais besoin de savoir ce qui s'était passé. Et je crois qu'il a même compris que je ne pouvais pas m'entendre avec lui et devais partir.

Je pris un temps et ajoutai :

– Malgré mon resentiment à son égard, ressentiment qui me vient de mes parents, j'avais peur de le trouver sympathique si nous nous mettions à siroter du champagne, et je ne pouvais pas me le permettre. Cela eût été trop déloyal vis-à-vis de mon père; et il me faut rester loyal envers lui ou alors il serait plus convaincu que jamais que je suis indigne, destiné à quitter le droit chemin, et tant que mon père pensera cela, je serai obligé de me cacher derrière ma belle apparence pour m'entendre avec lui – et dès que je serai à nouveau derrière ma belle apparence, je quitterai le droit chemin...

– Je trouve aussi que, pour le moment, tu as besoin de toutes tes ressources émotionnelles pour régler ton problème avec ton père, dit Darrow. Jusqu'à ce qu'il puisse accepter le vrai Charles Ashworth, avoir confiance en lui et être certain qu'il ne gâchera pas sa vie, ta belle apparence ne dépérira pas. Mais, une fois que tu auras réussi à cicatriser le rapport douloureux que tu as avec ton père, Charles, j'ai le sentiment que tu n'auras plus aucune raison de considérer Romaine comme un insupportable vieillard.

5

Quand j'eus retrouvé mon sang-froid, je m'exclamai :

– Quelle ironie! Après avoir traqué des pères de remplacement pendant tant d'années je me retrouve avec deux pères luttant pour mon affection.

Darrow éclata de rire.

– Très bien, dit-il, oublions Romaine pour le moment et revenons-en à ton père. Quel est ton plan d'attaque?

– Je pars pour Epsom demain. Pour deux jours. De toute façon, je m'attends au pire car, lorsque mon père saura que j'ai vu Romaine, il va être terriblement jaloux.

– Je comprends fort bien, dit Darrow, que ton père soit tenté de mal agir s'il se sent en insécurité par rapport à ton affection. Mais tu dois être ferme, Charles. Ton devoir est d'être bon envers ton père, mais rien ne t'oblige à te laisser imposer quoi que ce soit en ce qui concerne tes relations.

Un seul mot avait retenu mon attention. Je ne fis que répéter avec incrédulité :

– En insécurité? Mon père est bien le dernier homme sur terre à se sentir en danger. Il sait parfaitement bien qu'il a une énorme emprise sur moi.

– Il n'en sait rien du tout. La seule chose qu'il sait, c'est que tu as une énorme emprise sur *lui*. Tu es à ses yeux la preuve absolue qu'il a été ou non un bon père. Pour lui, chacun de tes mouvements a une signification vitale. Tu viens de passer plusieurs mois éloigné de lui. Maintenant, tu sembles prêt à aller au bout du monde avec Romaine. Ton père est terrifié. Tu as correctement diagnostiqué : il est jaloux, mais l'origine de sa jalousie n'est pas un petit ressentiment, Charles. Elle est née de la peur écrasante que tu ne le rejettes en faveur de cet inconnu fascinant, exactement comme ta mère l'a fait autrefois.

– Mais lors de notre dernière rencontre, je n'ai fait que lui assurer que je continuerais à me considérer comme son fils!

– Il ne peut pas croire que tu sois sincère. La terreur lui fait perdre la raison. En fait, ton père semble maintenant avoir deux peurs d'ordre fort différent : l'une est que tu ne le rejettes complètement en faveur de Romaine, et l'autre est le cauchemar qui explique ta belle apparence – celui que tu ne quittes le droit chemin. Je pense que tu seras en mesure de le calmer en ce qui concerne Romaine, mais la seconde peur reste plus problématique car tu auras beau lui jurer que tu ne quitteras pas le droit chemin, il ne te croira jamais. Il a besoin, je pense, que quelqu'un d'extérieur à la famille le rassure sur ce point.

– Si seulement je pouvais le persuader de vous rencontrer! Mais, entre-temps, que vais-je bien pouvoir faire avec ce brave homme quand je serai à Epsom demain?

– N'oublie pas ta mère. Elle est toujours laissée de côté mais elle se sent menacée aussi, ne crois-tu pas, Charles? Elle a peur d'être un boulet pour toi, de t'ennuyer, peur que tu ne lui rendes pas la moitié de l'amour qu'elle a pour toi. Tu as ici deux personnes qui ont une demande identique : le besoin d'être rassurées. Tu dois leur dire que tu les aimes vraiment mais, d'un autre côté, tu n'as pas à les ménager. Il te faut être toi-même, pas le fils modèle engendré par ta belle apparence. Sois sincère, sois aimant et sois vrai – et alors tu seras un bien meilleur fils que n'importe quelle belle apparence pourrait remplacer.

Je ne pus que dire, éperdu :

– Priez pour moi, mon père.

– Bien sûr.

6

Le lendemain matin, je reçus une lettre en provenance de Starvale St. James.

Mon cher révérend Ashworth,

Romaine avait une écriture penchée, presque illisible.

Bien sûr, je n'aurais jamais pu aller jusqu'au bout, mais ta mère parlait de se suicider. Je ne pouvais pas ne pas réagir. Ce fut un moment désespéré, si désespéré qu'aucun de nous n'était responsable de ce qu'il disait. Je te supplie d'avoir pitié de nous dans notre terreur et notre honte, même si le véritable pardon est impossible pour le moment. Évidemment, ce que je viens d'écrire n'enlève rien au comportement sublime de ton père qui a sauvé ta mère du drame – attitude pour laquelle, avec le temps, il a été si justement récompensé par ta loyauté et ton dévouement à son égard. Je te demande de me croire lorsque j'écris que je n'aspire en aucune façon à le remplacer dans ton cœur; cela serait, je l'ai parfaitement compris, impossible. La seule chose que j'espère est que nous puissions, peut-être, nous voir de temps en temps et que j'aie l'occasion de te connaître mieux.

Je suppose que tu as pensé que je vous avais relégués, toi et ta mère, un peu trop sans pitié dans le passé, mais parfois, il faut savoir être impitoyable pour éviter de nouvelles souffrances. Il y a trente-huit ans, j'ai failli gâcher la vie de ta mère. J'ai gâché la mienne pendant toutes les années suivantes. En de telles circonstances, comment aurais-tu pu agir plus tard, en risquant d'aggraver la souffrance que j'avais déjà causée? Bien sûr, à mon retour en Angleterre, j'ai eu envie de te voir, mais je me suis dit que j'avais perdu tout droit de le faire. Je me suis dit que je devais me satisfaire de savoir que tu étais en sécurité avec ta mère qui, j'en étais certain, t'aimait, que tu étais élevé dans un bon foyer par un homme que je savais honnête et honorable. En soi, cela me paraissait déjà être un miracle et l'idée que je puisse avoir des prétentions sur toi et ta mère, en ces circonstances, m'apparut non seulement d'un égoïsme relevant de la vilenie mais aussi d'un mépris de la grâce de Dieu relevant du blasphème. Aussi me suis-je tenu à l'écart. Je suis certain d'avoir eu raison, mais ne va pas croire que cette décision ait été prise d'un cœur léger.

J'attends avec impatience de t'entendre prêcher en septembre. Je t'adresse mes meilleures pensées.

Bien à toi,
Alan Romaine.

Je lus cette lettre deux fois. Puis, je retirai mon col, allumai une cigarette et relus la lettre. Finalement, après plusieurs brouillons, je lui adressai la réponse suivante :

Cher docteur Romaine,

Merci pour votre aimable lettre si bienveillante. Elle est beaucoup plus aimable et beaucoup plus bienveillante que mon comportement de mardi ne le méritait. Je vous demande de me pardonner pour le chagrin que j'ai dû vous causer et vous demande de me croire quand je dis moi aussi que je suis impatient de vous revoir en septembre. J'espère vous montrer en cette occasion que je ne suis ni aussi grossier ni aussi insolent que vous êtes en droit de le croire.

Bien à vous,

Je m'interrompis pour réfléchir à ma signature. Puis, serrant les dents, je reconnus notre amitié en ne signant que par mon prénom :

Charles.

7

– ... et je parie que tu l'as trouvé merveilleux? me dit mon père en attachant furieusement un plant de tomate à un tuteur.

– Vous ne pouviez pas mieux vous tromper. Je l'ai trouvé extrêmement ennuyeux et, si vous ne me croyez pas, venez à Cambridge et allez voir le père Darrow.

– Je ne peux pas abandonner mes plantes, dit mon père machinalement.

Puis, il ajouta :

– Et je ne peux pas croire que cet hurluberlu de moine approuve que tu frayes avec Romaine!

– En effet, il m'a rappelé mon devoir envers vous.

– Encore heureux! Pendant plus de trente-sept ans, je me suis saigné aux quatre veines...

– Mais il dit aussi...

– Je me moque de ce qu'il peut dire. Je désapprouve entièrement ce moine et je pense qu'il a une mauvaise influence sur toi. Maintenant, viens, Charles, arrête de traîner au milieu des pots de fleurs et allons voir si ta mère nous a préparé une nouvelle série de ses cocktails écœurants. Je prie pour qu'elle n'ait pas sacrifié une autre bouteille de champagne.

8

– Assez curieusement, me dit ma mère après que mon père se fut retiré pour se changer, ta visite du week-end dernier a dû lui faire du bien, car il va beaucoup mieux – et quand il va mieux, je vais mieux. Je ne pouvais plus supporter de vivre avec quelqu'un qui avait toujours l'air d'être à la recherche de son cercueil; mais maintenant, il semble penser qu'il valait mieux ne pas mourir tout de suite... mon chéri...

Elle hésita. Puis, elle dit précipitamment :

– Il t'est arrivé quelque chose? J'en ai bien l'impression. Tu as l'air différent, je ne sais pas, plus mûr... plus sage... plus gentil. Oh, Charles, serais-tu de nouveau amoureux? Ton père se mettrait dans une colère noire s'il savait que je te harcèle par mes questions indiscrètes mais j'aurais tellement envie de te savoir heureux avec une autre jeune fille.

– Oui, il y a une personne mais, je t'en prie, garde-le pour toi car il est fort possible que cela ne débouche sur rien. Il y a de gros problèmes.

– Oh, je ne le dirai à personne!

Elle était si touchante, heureuse que je me sois confié à elle.

– Mon chéri, je serais si heureuse que cela se fasse. Je sais que le problème peut venir du fait qu'elle soit divorcée ou bien déjà mariée car, bien entendu, un ecclésiastique ne peut se permettre d'accorder ses attentions à une femme dans l'une de ces deux situations, mais peut-être est-elle enchaînée à un amour perdu comme moi-même je l'ai été?

Je lui souris.

– Peut-être.

– C'est bizarre, cette façon dont tu as amené ce sujet dans la conversation samedi dernier et cette façon avec laquelle tu as insisté pour que nous en parlions. C'était comme si... comme si... Mais non, voilà que mon imagination reprend le dessus. Pourtant, quand je repense à notre discussion, j'ai vraiment la sensation que tu...

Nous nous regardâmes un long moment.

– ... que tu savais déjà, acheva ma mère.

Et, tandis qu'elle lisait la réponse dans mes yeux, je m'avançai vers elle et la pris dans mes bras.

9

– Je n'arrive pas à le croire! Tu veux dire que tu l'as vu – tu l'as vraiment vu –, mais qu'a-t-il dit, que s'est-il passé, t'a-t-il demandé de mes nouvelles?

– Oui, il a dit qu'il était certain que tu n'avais pas changé.

– Oh, il faut que je le revoie! s'écria ma mère. Il le faut! Dire qu'il est vivant – et en Angleterre! Il vient de rentrer?

– Eh bien, pas exactement.

– Comment l'as-tu trouvé? Il était répertorié dans l'annuaire médical? Au début, j'ai cherché son nom dans chaque nouvelle édition mais, finalement, je me suis dit que cela ne servait à rien – j'étais persuadée qu'il me contacterait si jamais il revenait et maintenant que je sais qu'il est enfin de retour et qu'il demande de mes nouvelles...

– Maman, je vous en supplie, pour vous-même, de ne pas voir les choses de manière trop romantique! Il est marié à une blonde pragmatique à l'accent du Lancashire et je suis convaincu qu'elle ne verrait pas d'un bon œil que...

– Était-il content de te voir? Tu lui ressembles tant! Oh, il a dû être si ému, si surpris... Je crois que je vais pleurer.

Ce qu'elle fit.

J'étais toujours en train d'essayer désespérément d'endiguer ce raz de marée d'émotion féminine lorsque la porte du salon s'ouvrit. Mon père entrait.

– Grands dieux! s'exclama-t-il quand il vit l'état dans lequel était ma mère. Tu noies déjà ce garçon. Écœurant! Ressaisis-toi, bougre d'idiote, et comporte-toi correctement! Que diable se passe-t-il?

Ma mère sanglota plus fort et je me sentis obligé de l'embrasser avant de me tourner vers mon père.

– Je suis navré, lui dis-je, mais elle a deviné que j'étais au courant pour Romaine et je viens de lui apprendre que je l'avais rencontré.

– Imbécile! s'écria mon père, rouge de colère. Comment as-tu osé me désobéir?

– Tais-toi! hurla ma mère. J'en ai assez que tu sois cruel avec lui uniquement parce qu'il te rappelle son père!

– Mon père, dis-je, est celui qui se tient devant moi et se comporte en enfant déraisonnable. Maintenant, écoutez-moi bien tous les deux.

– Je n'ai jamais entendu une telle insolence de...

– Calmez-vous, père, et écoutez-moi. Alan Romaine...

– *Je t'interdis de prononcer le nom de cet individu en présence de ta mère!*

– Alan Romaine, insistai-je, couvrant sa voix, a connu une existence souvent très malheureuse. Et je trouve qu'il est vraiment dommage que vous ne puissiez le rencontrer tous les deux de façon à découvrir à quel point vous avez eu de la chance par rapport à lui. De toute façon, vous ne le rencontrerez pas, car les dernières personnes au monde qu'il ait envie de rencontrer, ce sont Mr. et Mrs. Eric Ashworth.

– Charles... *Charles*...

– Excusez-moi, mère, mais c'est ici que le rêve tourne court et que la réalité commence. Romaine n'a pas envie de vous revoir. Ce qui s'est passé entre vous a failli le détruire et j'ai l'absolue certitude que la dernière chose qu'il souhaite est la résurrection de tous ces souvenirs pénibles au cours d'une réunion déchirante.

– Je ne pense pas que ta mère puisse supporter que tu lui parles ainsi, Charles... tu vas la tuer...

– Bêtises! Je lui épargne beaucoup de chagrin au contraire en faisant éclater le fantasme qu'elle entretient d'un Romaine heureux de la revoir. Maintenant, l'autre fantasme que je veux faire éclater, père, est celui qui consiste à penser que je suis le double de Romaine. C'est faux. Je suis moi. Et le troisième fantasme auquel je veux mettre fin...

– Je ne me sens pas bien, dit ma mère.

– Tiens, bois un peu de cet affreux cocktail.

– Du cognac... c'est un cognac qu'il me faut.

Docilement, mon père se précipita vers la carafe de cognac tout en me disant :

– Charles, va chercher un verre dans le bureau, et *ne discute pas!*

Je revins avec un verre à cognac.

– Le troisième mythe que je veux faire éclater...

– Tais-toi! coupa mon père, ou bien c'est toi que je vais faire éclater! Il m'arracha le verre des mains et l'emplit de cognac.

– Tiens, ma chérie, dit-il à sa femme tout en lui mettant le verre dans les mains. Ne fais pas attention aux stupidités que dit ce garçon. Ses intentions ne sont pas mauvaises mais il fait autant de dégâts qu'un éléphant dans un magasin de porcelaine. C'est le choc. Il ne s'est pas encore fait à l'idée de Romaine. Il a provisoirement perdu l'esprit.

– L'autre mythe que je veux faire éclater pendant que j'ai provisoirement perdu l'esprit, repris-je, est celui qui vous fait croire que je vais me détourner de vous pour me consacrer totalement à Romaine. Je ne le ferai jamais. En dehors de ce qui s'est passé entre Romaine et moi, c'est vous qui êtes mes parents et je ne vais pas cesser de vous aimer simplement parce que...

– Pour l'amour du ciel, cesse de parler comme un maudit étranger, Charles. Pas étonnant que ta mère ait l'air d'avoir la nausée.

– Parce que je parle d'amour?

– Comportement sentimental et non britannique. Très déplaisant.

– Mais cela n'épargnerait-il pas beaucoup de malentendus à l'avenir si je disais clairement que je vous aime tous les deux.

– Charles, ta mère va vomir, et je te jure que je la comprends. Vite, va chercher mon trophée de golf... la coupe en argent...

– Non, pas cette coupe! souffla ma mère. Ada a passé sa matinée à l'astiquer.

– Je vous en prie, mère, inutile de vomir, dis-je en lui tendant la coupe et en sachant pertinemment qu'elle n'oserait jamais ruiner le dur labeur d'Ada, car si vous y réfléchissez bien, vous vous rendrez compte à quel point il est beaucoup plus sain de vivre dans une atmosphère d'honnêteté plutôt que dans une atmosphère de mensonges, d'échappatoires et de fantômes. De plus, je pense qu'il est temps que vous cessiez de ressasser les souffrances que vous avez connues à cause du drame Romaine et que vous pensiez un peu à moi pour changer. Moi aussi, j'ai souffert et maintenant je veux qu'on oublie les deux Romaine : et quand je dis les deux Romaine, je ne veux pas dire seulement le vrai – ce vieux médecin au passé malheureux - mais aussi le Romaine mythique – le jeune médecin fascinant à l'avenir brillant qui ne s'est jamais réalisé. Il est temps que le Romaine mythique ait droit à un enterrement en bonne et due forme dans votre souvenir et que le Romaine réel reste gentiment à l'écart, à Starvale St. James, en compagnie de sa femme blonde et de ses doubles whiskies, car je n'ai pas l'intention de continuer à rester là sans rien faire tandis qu'il gâche mes rapports avec vous et votre relation à vous. Cela fait suffisamment longtemps qu'il rôde autour de cette famille; le moment est venu qu'il parte. J'insiste. Hors d'ici, en cet instant! Terminé. Fin. Maintenant, je vais aller faire un tour dans le jardin avec mon martini sec et, à mon retour, je veux que vous vous soyez ressaisis – pour moi et pour vous-mêmes. Allez, viens, Nelson, viens avec moi inspecter le court de tennis!

Laissant mes parents anéantis et sans voix derrière moi, je sortis de la maison, le labrador sur mes talons, et je me dirigeai vers le fond du jardin.

Finalement, ce fut moi qui vomis. Arrivé au bout de la pelouse, je franchis la bordure d'ifs et restituai gentiment mon déjeuner sous le regard attentif mais nullement surpris de Nelson. En revanche, moi, j'étais surpris. Je n'avais pas vomi depuis le jour de mon départ pour l'école primaire, à huit ans. Je jetai le reste de mon martini, recouvris de terre les saletés que j'avais faites, m'affalai sur le banc qui donnait sur le court de tennis et allumai une cigarette. Je me demandai si la scène qui venait d'avoir lieu dans le salon avait été une victoire, un échec ou simplement le triomphe du mauvais goût, passant du sublime au ridicule. Puis je me dis que la seule question importante était de savoir si j'avais fait passer mon message à mes parents. Je continuai à fumer et, de temps à autre, un frisson me parcourait. Comment les autres faisaient-ils pour survivre à leur famille?

J'étais en train de me demander si le moment n'était pas venu de retourner à la maison lorsque j'aperçus mon père qui traversait la pelouse et, comme j'allais vers lui, je sus exactement ce qu'avait ressenti Romaine quand il s'était dirigé vers le salon pour venir à ma rencontre. Extérieurement, j'étais calme, mais intérieurement, j'étais tendu; j'exsudais la confiance en soi mais j'étais tenaillé par la peur que la scène à venir puisse être un échec.

– Heureux de constater que tu as l'air plus calme après cette choquante démonstration, me dit mon père comme j'arrivais à sa hauteur, près du filet. Cela me donne à penser que tu n'as pas complètement perdu la tête. Maintenant, écoute-moi, Charles. Ta mère et moi-même avons fait le tour de la question et nous nous sommes ralliés à ton point de vue. Tu n'as plus besoin de t'angoisser – et plus besoin de crier sans arrêt que tu nous aimes. Très embarrassant. Cela ne se fait pas.

– Très bien, père. Je ne voulais que me faire comprendre...

– D'accord. Maintenant, voici ce que ta mère et moi avons décidé : nous allons continuer exactement comme avant. Bien sûr, nous ne parlerons plus de tout cela...

– Mon cher père...

– ... parce que nous n'aurons plus besoin d'en parler – tout a été dit. Donc, bien que nous continuions comme avant, tout est différent.

– Eh bien, je suppose que cela semble plus prometteur, mais...

– Excuse-moi, Charles, mais ta mère et moi-même sommes tout à fait d'accord – tout en étant ravis que tu aies perdu la tête et exprimé tes sentiments – sur le fait que nous préférerions que cela ne se reproduise pas.

– Mais comment allez-vous vous entendre quand je ne serai pas là? Ne pensez-vous pas qu'il serait préférable que...?

– Serais-tu sur le point de commettre l'impardonnable impertinence de nous dire comment mener notre vie conjugale? Permets-moi de te rappeler que nous nous occupons de cela depuis trente-huit ans; cela ne prouve-t-il pas que nous devons bien nous en tirer? Je connais ta mère beaucoup mieux que tu ne la connais, Charles, et je peux t'assurer que la dernière chose qu'elle veuille est de m'entendre déterrer le passé au nom de l'honnêteté. Ce que ta mère veut, poursuivit mon père d'une voix sévère, est que tu fasses montre de temps en temps d'un peu plus de gentillesse à son égard, histoire de ne pas lui donner l'impression qu'elle est bonne pour la casse maintenant qu'elle aborde le virage de la soixantaine. Mais tu sembles l'avoir compris, Dieu merci, aussi n'ai-je rien à ajouter sur ce point. Apparemment, tu ne t'en étais pas rendu compte avant, mais elle s'est sentie bien seule quand tu t'es enfermé dans ta tour d'ivoire et puis, bien sûr, quand tu as refusé de venir à la maison, c'est moi qui me suis fait incendier. Alors, évidemment, je suis devenu dépressif! Qui ne le serait pas avec une femme malheureuse et un fils qui traite ses parents comme s'ils étaient bons à jeter au panier?

– Je suis sincèrement et profondément navré de notre brouille, père.

– Encore heureux! Moi aussi. Si nous n'étions pas tous deux navrés, nous ne serions pas là à papoter. Mais Charles, si tu veux vraiment faire amende honorable pour m'avoir fait mourir d'inquiétude, tu vas maintenant oublier ce sale type qu'est Romaine avant qu'il ne gâche ta vie, ne brise ta carrière et ne te fasse quitter le droit chemin!

– Seigneur...

– Bon, que t'a vraiment dit ton hurluberlu de moine sur Romaine, j'aimerais bien le savoir? Je ne peux pas croire qu'il approuve ces recherches imprudentes à Starvale St. James mais, d'un autre côté, il est peut-être assez fou pour approuver n'importe quoi. Est-ce lui qui t'a poussé à faire cette scène de tout à l'heure?

– Il m'a conseillé d'être ferme, vrai, aimant et sincère. Est-ce un crime?

– Ça a bien failli tuer ta mère. Moi-même, j'en ai été tout retourné, à dire vrai. Finalement, je crois qu'il vaut mieux que je vienne à Cambridge remettre ce moine à sa place. Il commence à me faire une peur bleue.

– Et vos plantes?

Mon père se pencha pour caresser Nelson.

– Peter pourra bien venir les surveiller pendant un ou deux jours. Bien sûr, il va falloir que je lui laisse des instructions très précises, mais les plantes ne peuvent pas toutes mourir, n'est-ce pas? Il faudra bien que certaines d'entre elles survivent.

Je perçus dans sa voix une note d'optimisme inhabituelle et compris qu'une page était tournée. Je me penchai moi aussi pour caresser Nelson et me contentai de dire :

– Je vais faire une réservation au *Blue Boar.*

11

Après le déjeuner, lorsque mon père se fut retiré dans la serre, je dis à ma mère :

— Pardonnez-moi d'avoir été si brusque tout à l'heure au sujet de Romaine, mais j'étais dans un tel état à l'idée d'affronter père.

— Oui, j'ai bien fini par le comprendre.

Je l'enlaçai et nous demeurâmes assis un moment en silence.

— La femme d'Alan est-elle séduisante ? finit-elle par demander. Une blonde à l'accent du Lancashire, on imagine le pire ! Et je n'arrive pas à me faire à l'idée qu'il soit marié à une femme commune.

— C'est parce que vous ne pouvez vous le représenter que tel qu'il était. Mère, je comprends tout à fait que vous ayez très envie de le revoir mais, sincèrement, je pense que...

— Oh, je ne veux pas le revoir si lui ne le veut pas, dit ma mère précipitamment. Cela serait épouvantable et si humiliant.

— Je suis convaincu que, à bien des égards, il aimerait vous revoir, mais peut-être a-t-il une meilleure perception que vous de la douleur que de telles retrouvailles éveilleraient. Comment cela se passerait-il si vous le revoyiez ? Serait-ce romantique ? Cela soulignerait-il plutôt le drame et rendrait-il insupportables jusqu'à vos souvenirs les plus chers ?

Elle ne répondit pas. Elle luttait pour appréhender la situation et, quand je vis que, finalement, elle se détournait de ses rêves, je tentai de trouver des paroles de réconfort.

— Au moins, si vous vous souvenez de lui tel qu'il était, dis-je, vous conserverez vos chers souvenirs.

Elle acquiesça.

— Je pense que tu disais vrai tout à l'heure quand tu parlais de deux Alan. C'est comme si l'Alan que j'aimais était mort et que l'Alan d'aujourd'hui était quelqu'un de complètement différent.

— Eh bien, dit comme ça, c'est un peu triste, mais...

— La vie est souvent triste, tu ne trouves pas ? Oh, aucune importance ; j'ai eu ma grande histoire d'amour, personne ne peut m'enlever cela et tu es là pour me permettre de m'en souvenir. Charles, mon chéri, poursuivit ma mère tandis que je serrais mon bras autour de ses épaules, comme tu as été gentil avec Eric en le traitant comme s'il était ton véritable père. Personne ne sait mieux que moi à quel point c'est un homme difficile mais il sera bien, tu sais, aussi longtemps que tu lui témoigneras un peu de tendresse de temps en temps.

Je l'embrassai et l'assurai de ma tendresse.

12

Mes parents vinrent à Cambridge par le train le dernier week-end d'août et séjournèrent au *Blue Boar*; ils étaient mes invités. Le samedi, après déjeuner, ma mère se retira docilement dans sa chambre tandis que j'emmenais mon père en voiture jusqu'à Grantchester; j'avais expliqué à ma mère à quel point il était important que mon père voie Darrow seul.

– Nous ne resterons pas longtemps, n'est-ce pas? s'enquit mon père au moment où nous quittions Cambridge. Je ne tiens pas à y rester longtemps. En fait, je préférerais ne pas y aller du tout.

Et il ajouta d'une voix grincheuse :

– Je n'arrive pas à comprendre comment je me suis laissé persuader de venir, Charles.

– Père, c'est vous-même qui l'avez suggéré...

– Je devais avoir perdu la tête.

Nous rejoignîmes Darrow dans le parloir du père supérieur et, après qu'il eut suggéré à mon père de lui faire visiter le jardin, je me rendis à la chapelle prier pendant une dizaine de minutes. Plus tard, ils me rejoignirent au parloir. Mon père arborait une expression de sérénité plutôt inhabituelle. Darrow, lui, était aussi tranquille que d'habitude.

– Un type intéressant, me dit mon père tandis que nous roulions vers Cambridge. Il a servi dans la marine. Il a failli se noyer à Jutland. Il a travaillé dans une prison, après la guerre, où les meurtriers étaient pendus. Il est contre la peine de mort. Très intéressant. Au début, ça ne lui plaisait pas d'être moine. Il me disait qu'il avait détesté recevoir des ordres après avoir été son propre patron pendant des années. Il a commencé sa carrière de moine, ici, à Grantchester, chez les Fordites, mais il a fait un séjour dans leur ferme du Yorkshire car ils ont trouvé qu'il avait une trop haute opinion de lui et avait besoin d'en rabattre un peu. Il m'a dit qu'il avait détesté traire les vaches mais avait aimé en revanche apprendre la menuiserie. Je lui ai demandé pourquoi il avait supporté tout ça et il m'a dit que c'était la seule manière qu'il avait trouvée de servir Dieu une fois ses enfants élevés – il m'a dit qu'il avait connu l'une de ces situations dans lesquelles un homme sent qu'il n'a d'autre choix que celui d'agir d'une certaine façon. Cela m'a rappelé le jour où j'ai pris la décision d'épouser ta mère. Intéressant... Très intéressant. Bien sûr, il est un peu à côté de la réalité mais d'une façon des plus fascinantes. Sais-tu que son fils est comédien?

– Cher père, vous rendez-vous compte que vous en avez appris davantage sur Darrow en une demi-heure que moi après des heures et des heures de discussion?

– Nous avons parlé de nos enfants respectifs et des terribles difficultés

354

que rencontrent les parents. Il me disait justement qu'il se faisait du mauvais sang pour Martin – c'est son fils –, il a peur qu'il ne quitte le droit chemin. Un sale boulot, comédien. Je lui ai demandé s'il se faisait toujours du souci pour lui et il m'a répondu : « Je ne m'en fais plus depuis cinq ans; depuis le jour où il est venu me trouver pour m'annoncer qu'il avait décroché un petit rôle dans une pièce de théâtre du West End. Je me suis dit : voilà un garçon qui s'en sort bien, qui est heureux, qui vient me voir régulièrement, alors pourquoi me torturer l'esprit en imaginant une vie dissolue qu'il ne mènera peut-être jamais? » Darrow reconnaît qu'il traverse toujours des périodes d'inquiétude mais qui ne sont plus que rages de dents passagères, des riens, comparées à l'agonie dont il souffrait avant. Très intéressant. Un type vraiment intéressant. Il m'a donné à réfléchir, je peux te le dire.

Mon père s'interrompit. J'attendis, les mains crispées sur le volant, le regard rivé sur la route. Au bout d'un moment, il me dit d'un ton léger :

– Nous avons parlé de toi, évidemment, en passant, mais nous n'avons pas dit grand-chose. Naturellement je lui ai exprimé tout le souci que je me faisais pour toi à te voir fouiller dans le passé et déterrer un homme que je sais être un sale type, mais Darrow s'est contenté de dire : « Les soucis prennent beaucoup de temps et beaucoup d'énergie. Êtes-vous certain que tout ce temps et toute cette énergie ne pourraient pas être employés à meilleur escient? » Alors, moi, je lui ai dit : « Comment? » et il m'a répondu : « En ayant confiance en lui, en lui montrant votre confiance. » J'ai dit encore : « Comment? » Et Darrow m'a répondu : « En le laissant déterrer le sale type. Vous pouvez être certain qu'il enterrera de nouveau le squelette le moment voulu. » « Et s'il ne faisait qu'un gros gâchis? » ai-je dit alors. Et sais-tu ce que Darrow m'a répondu? Il m'a répondu : « C'est votre fils. C'est vous qui l'avez élevé. C'est vous qui avez fait de lui ce qu'il est. Pourquoi ferait-il un gros gâchis? » Eh bien, tu sais, les choses vues sous cet angle, je n'ai pas su quoi répondre. J'ai marmonné quelque chose du genre : « S'il a perdu le sens des réalités, tout peut arriver », mais Darrow m'a expliqué que la raison principale qui t'avait mis dernièrement dans cet état était que tu n'avais pas confiance en toi. « Mais si vous, vous avez confiance en lui, m'a-t-il dit, alors il saura qu'il est digne de confiance et tout rentrera dans l'ordre. Les enfants subissent fortement l'influence de leurs parents et c'est pourquoi nous avons nous, les pères, le devoir moral, le devoir absolu de nous assurer non seulement que notre opinion est correcte mais aussi que nous la restituons aussi claire que le jour. » Un type vraiment intéressant. Quel dommage qu'il soit moine. C'est tragique. Il aurait pu faire un excellent avocat. Je le vois tout à fait conseillant ses clients et contribuant utilement aux réunions d'associés.

C'était le plus grand compliment que mon père pouvait lui faire. J'étais tellement ébahi par l'habileté de Darrow que je faillis rater la bifurcation vers Laud.

– Enfin, Dieu merci, tu n'es pas comédien, Charles, dit mon père rasséréné tandis que nous approchions du collège. Là, j'aurais de quoi m'inquiéter sérieusement, tu ne crois pas? Mais puisque tu es un ecclésiastique, j'imagine que je n'ai pas à m'en faire et que je dois te laisser te débrouiller tout seul. Après tout, malgré ce qui a pu se passer, tu t'es arrangé pour devenir un type mûr et intelligent; et avec le soutien de cet hurluberlu intéressant, je ne vois pas pourquoi tout ne finirait pas par s'arranger.

Ainsi périt ma belle apparence.

Elle s'éteignit petit à petit et, tandis que je me remémorais la métaphore employée par Darrow, je vis toute la mauvaise herbe, toutes les racines sortir de terre et commencer à sécher au soleil.

Je réussis tant bien que mal à garer ma voiture dans la cour du collège.

– Merci, père.

J'avais envie d'en dire davantage mais les mots me manquèrent et, en même temps, ma belle apparence se desséchait, inutile désormais, expirant à chaque niveau de ma conscience.

– Écoute, me dit mon père, ne commence pas à jouer les étrangers désagréables et sentimentaux, Charles, car, cette fois, mes nerfs ne le supporteraient pas. Écoute, allons chez toi le plus vite possible et sers-moi un whisky bien tassé, sois gentil, avant que mes nerfs ne lâchent complètement. Dieu merci, ce n'est pas tous les jours que je rencontre un hurluberlu de moine!

Ma belle apparence rendit l'âme mais je ne perdis pas de temps à prier pour son repos.

Je souris à mon père :

– Je pense qu'un verre nous fera le plus grand bien.

Et, de concert, nous nous dirigeâmes vers mon appartement.

13

– Mon seul regret, dis-je plus tard à Darrow, est de n'avoir pu me cacher dans le jardin, derrière un fourré, et d'assister au miracle que vous avez opéré sur mon père.

– Quel miracle? fit Darrow amusé. C'était un cas très simple – un brave homme, pas bête, qui brûlait d'envie de savoir comment il pourrait arranger les choses. Bien sûr, je ne prétends pas avoir réglé tous les problèmes mais, au moins lui ai-je offert une nouvelle approche de celui qu'il considérait comme le personnage le plus obsédant pour lui. Parlant de Romaine, es-tu toujours inquiet à la perspective de sa venue à Cambridge le week-end prochain?

– Oui – mais maintenant que je n'ai plus à dépenser toute mon énergie à convaincre mon père que je ne vais pas mener une vie de bâton de chaise, j'ai peut-être une chance de survie.

– Il se pourrait bien que Romaine exige beaucoup de tes nouvelles forces, dit Darrow sans détour. Je pense qu'une légère nervosité n'est pas injustifiée.

– Je préférerais qu'il ne vienne pas.

– Donne-toi du courage en te disant qu'il est dans son intérêt que ce soit un succès.

– C'est bien ce qui me fait peur. Si cela se passe bien, que ferai-je de lui ensuite? Je ne vois toujours pas comment l'intégrer à ma vie.

– Tu t'inquiéteras de cela plus tard. Il est probable que la situation sera plus claire une fois que vous vous serez parlé ce dimanche.

XXI

*L'amitié, de quelque manière qu'elle ait débuté, est
un voyage d'exploration parsemé de dangers et de sur-
prises.*

Correspondance de Herbert HENSLEY HENSON,
Ed. E.F. Braley.

1

Romaine m'adressa un petit mot pour me dire qu'il comptait arriver
au *Blue Boar* dans la soirée du samedi mais ne pourrait me voir
qu'après l'office du dimanche matin. Je passai la plus grande partie de
mon temps à me demander si je devais lui téléphoner pour lui offrir un
verre, puis je me dis finalement que j'avais fait preuve d'une convivialité suffisante en l'invitant à déjeuner au réfectoire le dimanche. Pour
apaiser ma conscience, je pris les dispositions nécessaires : une bouteille
de whisky l'attendait dans sa chambre en guise de cadeau de bienvenue.
Sitôt cet arrangement pris, je commençai à craindre de participer à la
perte d'un grand buveur.

Tout en me livrant à cette gymnastique intellectuelle sophistiquée, je
me lançai dans la rédaction d'un sermon. Je travaillai assidûment,
m'employant à bâtir ce qui, je l'espérais, allait devenir un chef-d'œuvre
d'homélie, mais j'étais constamment envahi par le doute. Les références
n'étaient-elles pas trop hermétiques? N'avais-je pas l'air trop suffisant?
Ma thèse était-elle assez stimulante pour conjurer les toussotements
d'ennui des choristes et la somnolence des fidèles vieillissants? Les laïcs
n'ont pas la moindre idée des angoisses que traversent parfois les ecclésiastiques dans leur lutte pour communiquer la parole de Dieu; et même
un confrère aurait peut-être des difficultés à concevoir le degré d'anxiété
que j'endurais maintenant pour transmettre Sa parole non seulement à
mes ouailles mais aussi à cet inconnu dont l'inefficace technique contra-

ceptive avait, un dimanche, des années plus tard, fait monter en chaire un nouvel ecclésiastique.

L'évêque était absent. Il avait été invité à prêcher à Durham. Les deux autres chanoines étaient en vacances, mais le doyen était là pour assurer avec moi la préparation des offices dominicains. Je remarquai la présence de Romaine dans l'assemblée et, après le troisième cantique, je gravis les marches qui menaient à la chaire et lus un verset emprunté à Isaïe : « L'herbe blanchit, la fleur se fane, mais la parole de Dieu est éternelle. »

2

– J'ai toujours trouvé ce texte particulièrement émouvant, me dit Romaine, un peu plus tard, comme nous rentrions à pied à Laud. Je trouve qu'il met toutes les joies et toutes les tragédies de l'existence bien en place. C'est bien là le thème que tu avais choisi, n'est-ce pas? Ou, du moins, l'un de tes thèmes? Ton sermon a été passionnant. L'anecdote du moine qui a dessiné un chat avec une souris dans la gueule dans la marge d'un manuscrit m'a bien plu. Ma belle Chinoise adorait les chats; en fait, j'ai beaucoup pensé à elle pendant ton sermon. J'ai pensé à ta mère aussi, et à la manière dont je lui avais cité Wordsworth. Je n'arrêtais pas de lui citer Wordsworth, Wordsworth et Browning – alors quand tu as dit : « L'herbe blanchit », j'ai repensé au passage sur la « magnificence de l'herbe » au point que le passé et le présent ont semblé se mêler et que je me suis senti ému. En fait, il se trouve que je suis un type relativement sensible. Ça doit être mon côté français. Mon grand-père avait émigré ici pour enseigner le français chez une famille de marchands, à Londres. Il a épousé une Anglaise, alors il est resté – mon Dieu, me voilà reparti avec mes vieilles histoires! Il est temps que tu places un mot. Comment as-tu fait pour écrire ce splendide sermon? Tu dois travailler dur! Je suis certain qu'il t'a fallu beaucoup de temps pour le rédiger.

Nous arrivâmes finalement chez moi, à Laud.

– Quel endroit magnifique! s'exclama Romaine, tandis qu'il parcourait du regard la salle principale très quelconque qui me servait de salon, salle à manger et bibliothèque. Comme tu as su le rendre confortable et propice à la lecture! Et regardez-moi ces merveilleuses gravures de Cambridge! Si j'étais riche, je dépenserais ma fortune en tableaux – aussi est-ce bien mieux que ma fortune actuelle soit celle de ma femme qui a des idées très personnelles sur la façon dont elle doit être dépensée! Moi, j'aurais tout dilapidé en un rien de temps.

Je lui proposai de prendre un verre avant de descendre déjeuner au réfectoire.

– Ma foi, ce n'est pas de refus, dit Romaine. Mais j'ai vraiment l'impression d'être un voleur de whisky quand tu as été si généreux au point de décorer ma chambre d'hôtel d'une bouteille de Johnnie Walker. Quelle aubaine! Ma femme est contre les whiskies coûteux et elle surveille le niveau de la carafe d'un œil de lynx – elle a bien raison, j'ai besoin que quelqu'un veille sur moi.

– L'avez-vous mise au courant à mon sujet?

– Elle a deviné. La première fois qu'elle m'a vu, je ressemblais davantage à ce que tu es maintenant qu'à ce que je suis aujourd'hui. La première chose qu'elle m'ait dite, quand elle est rentrée à la maison après ta visite, fut : « Mais quand cela est-il arrivé? » et quand je lui eus répondu d'une voix apaisante : « Oh, ce ne fut qu'une petite maladresse du côté d'Epsom à la Belle Époque, ma chérie », elle a sauté au plafond. « N'essaie pas de me faire croire que c'était une petite maladresse quand il est évident que ce fut une grosse catastrophe! » m'a-t-elle dit en me remettant à ma place. J'ai fini par tout lui avouer. « Et combien d'autres petites maladresses va-t-il sortir encore du placard? » a-t-elle demandé, hors d'elle. Alors, je l'ai assurée humblement qu'il n'y en aurait pas d'autres car cette petite maladresse-là m'avait donné une leçon que je n'étais pas près d'oublier. En guise de réponse, elle a proféré cette interjection d'exaspération qui, dans les livres, est transcrite par : P.E.U.H. Il faut que je fasse attention avec elle, pauvre Béa, car c'est une grande tristesse pour elle de n'avoir pu me donner d'héritier. Tout de suite, j'ai su qu'il valait mieux que je vienne seul à Cambridge ce week-end car tu n'aurais fait que lui rappeler qu'une autre femme avait réussi là où elle avait échoué... Mais me voilà reparti à papoter sur ma petite personne! Cette fois, mon cher Charles, il faut absolument que tu places un mot. Tu travailles sur un autre livre en ce moment?

Une question que mon père ne m'avait jamais posée. Je m'arrêtai dans mon geste pour me servir un Sherry et lui demandai :

– Comment savez-vous que j'ai déjà signé un contrat pour un livre?

– J'avais pensé qu'étant donné que tu es docteur en théologie, il était probable que tu aies publié quelque chose. J'ai donc téléphoné chez Blackwells à Oxford et j'ai commandé ton livre dès qu'ils m'eurent informé de son existence. Je dois admettre que tous ces débats houleux qui ont fait rage autour de la Trinité m'ont passionné! Quand on pense à toutes ces choses terribles qui se passent aujourd'hui – Hitler, Mussolini, la guerre civile en Espagne – on ne peut que se réjouir de pouvoir s'échapper dans un monde lointain où le grand sujet de discorde est de savoir si le Fils est de la même substance que le Père!

Enfin quelqu'un qui comprenait. La tentation était irrésistible. Je lui tendis son verre de whisky et me mis à lui parler du Concile de Nicée.

3

– C'est le meilleur repas de ma vie, Charles, et le bordeaux était divin. Comment fais-tu pour résister à la tentation d'un deuxième verre? J'ai vraiment passé un excellent moment! Mais il est temps que je file. Je ne voudrais pas t'ennuyer si tu as quelque chose de plus important à faire.

– Je suis libre jusqu'au service de six heures.

– Pourrai-je y assister aussi?

– Mon cher docteur Romaine...

– Appelle-moi Alan, Charles, j'insiste. Après tout, tu t'es montré si généreux en signant de ton prénom ton gentil petit mot.

– Mon cher Alan, si vous voulez venir à l'office, ce n'est pas moi qui pourrais vous en empêcher. Mais, pour commencer, je suggère que nous buvions un café – un café noir.

– D'accord. En fait, je suis extrêmement sobre – maintenant, je pourrais tenir le bistouri sans trembler. Veux-tu que je te raconte la fois où j'ai fait une appendicectomie très bizarre à Bombay?

– Euh...

– Non, je crois qu'il ne vaut mieux pas; je ne tiens pas à te dégoûter à vie des médecins. Oh, nous revoici dans cette jolie pièce – vivais-tu en pavillon ou en appartement quand tu étais marié? Non, ne réponds pas! Je ne voudrais pas que tu croies que je veuille fourrer mon nez dans ton mariage – à propos, en parlant mariage, que penses-tu du projet de loi d'A. P. Herbert, la loi sur le régime matrimonial, comme on l'appelle maintenant? Par exemple, le divorce en cas de démence du conjoint! Trente-huit années trop tard pour moi mais, au moins, ai-je la satisfaction de savoir qu'un autre jeune fou ne fera pas naufrage simplement parce qu'il croit qu'il peut faire des miracles. Ce que l'Église a pu se donner en spectacle à la Chambre des Lords! Le seul qui ait dit quelque chose de sensé a été l'évêque de Durham – oh, et celui de Starbridge, évidemment. Ça, c'est ce que j'appelle un homme. Tu le connais?

Je me mis à lui parler de Jardine.

4

– Rudement bon, ce cognac, Charles. Rien de tel qu'un peu de cognac dans du café noir, c'est ce que je me dis chaque fois, et je suis heureux de constater que tu en prends une larme pour te ragaillardir le soir. Eh bien, ton histoire est tout bonnement fascinante. Ce n'est probablement qu'un béguin d'écolière de la part de Miss Lyle, tu sais – platonique. Tu veux savoir pourquoi je dis cela?

– Pourquoi?

– Parce que, si elle avait couché avec lui, ça serait fini depuis belle lurette. Dans ce monde, seules les amours platoniques sont faites pour durer. Elles durent comme un disque sans fin et, personnellement, j'ai toujours pensé qu'il valait mieux aller au lit et ne plus y penser après. Oh, je ne devrais pas parler ainsi à un ecclésiastique. Dieu, quel mauvais homme d'Église je ferais! C'était déjà assez difficile de se comporter en médecin... Tu veux que je te raconte l'histoire de cette femme qui avait une poitrine très, très curieuse à Rangoon?

– Racontez-moi ce que vous voudrez. Reprenez donc du cognac.

– Ce n'est pas de refus, mon gars. Tu es un hôte hors pair. Et toi, tu n'en reprends pas?

– Je ne tiens pas à me faire défroquer par le doyen après l'office. Écoutez, Alan, je n'aurais jamais dû vous parler de Lyle – je dois être tombé sur la tête.

– Charles, *ne te fais aucun souci.* Je suis la discrétion même – tu peux demander à Béa. Elle n'a pas la plus petite idée de qui couche avec qui à Starvale St. James, alors que moi...

– J'aurais dû, au moins, ne rien dire sur Jardine...

– Pourquoi? Je suis ravi de penser qu'il y a peut-être une jeune fille appétissante qui lui remonte le moral après son mariage désastreux – je suppose toutefois qu'il a choisi une femme plus âgée pour l'apaiser, tout comme moi j'avais choisi ma belle Chinoise. Moi, je mise sur cette mystérieuse belle-mère même si elle pesait vraiment sa centaine de kilos. J'aime assez les femmes bien en chair. Tu veux que je te raconte? Non, définitivement, non. Il faut que je me contrôle.

– Moi, j'ai l'impression de ne plus me contrôler du tout. Je n'arrive pas à comprendre les raisons pour lesquelles...

– Je mettrai un point d'honneur à te prouver que ma discrétion est exemplaire. Cela dit, je suis absolument enchanté que tu aies déniché une jolie fille – mais comment vas-tu t'y prendre pour la persuader de laisser tomber l'évêché? Bien sûr, si tu n'étais pas un ecclésiastique, je te dirais de la séduire le plus vite possible; une fois qu'elle aurait succombé, elle aurait vite fait d'oublier Jardine, même si elle a été sa maîtresse.

– *Vade retro Satanas!*

– Non, sérieusement, mon gars! N'importe quel jeune rameau de trente-sept ans peut en remontrer à un vieux de la vieille. Quel âge a Jardine?

– Cinquante-huit ans.

– Eh bien, tu vois! Plus de la première fraîcheur, comme moi. Je suis toujours capable de faire l'amour, évidemment, mais, maintenant, c'est surtout tôt le matin que je suis en forme et Béa ne peut rien supporter avant d'avoir avalé son thé – et lu les gros titres du *Daily Express* – et surtout pas moi, mon pantalon de pyjama aux chevilles. C'est cela le mariage, non? Un long compromis. Comment m'as-tu dit que s'appelait ta femme, Charles?

– Je suis navré, mais je n'ai pas envie de vous parler de Jane, pas encore. Je vous en ai suffisamment dit pour cet après-midi.

– Laisse-moi filer au *Blue Boar* – et te laisser souffler un peu.

– Finissez ce cognac et je vous emmène faire une promenade le long des Backs.

5

– Le sermon du doyen est loin d'avoir été aussi bon que le tien, Charles, mais aucune importance. J'ai beaucoup apprécié ce service. Je suis certain que tu étais en train de te dire : comment vais-je bien pouvoir m'y prendre pour me débarrasser de ce vieil enquiquineur? Mais ne te fais aucun souci car le vieil enquiquineur en question va filer au *Blue Boar* et communier respectueusement avec la délicieuse bouteille de Johnnie Walker.

– Raccompagnez-moi au collège et nous partagerons un morceau de pain et de fromage chez moi. Cela ne me plaît pas de vous imaginer seul avec une bouteille de whisky. Ma conscience me dit que vous avez effectivement besoin d'être sauvé de ce destin-là.

– Ah oui, j'adore être sauvé! dit Romaine. Merci mille fois – je boirais bien une autre goutte de cognac avec mon sandwich au fromage.

6

– ... donc, je vais rendre visite à ce moine deux ou trois fois par semaine, je parle et il me tire d'affaire quand je suis perdu. Bon d'accord, mais juste un demi-verre. Ce n'est pas dans mes habitudes d'en boire deux par jour.

– Un petit verre de bordeaux supplémentaire te fera le plus grand bien après tout ton travail. Maintenant, avant que je ne file au *Blue Boar*...

– Vous vous répétez.

– ... Je veux tout savoir sur ce moine. Je suis si heureux que tu aies quelqu'un à qui te confier, Charles, car l'existence est parfois si difficile – je suis bien placé pour le savoir – et j'imagine tellement bien à quel point cela a dû être dur pour toi de grandir avec... enfin, avec ces problèmes.

– Oh, taisez-vous et reprenez de ce bordeaux. Je voudrais ne vous avoir jamais parlé de ces sacrés problèmes. Je ne comprends pas pourquoi je vous parle de ces choses si intimes. Je vais me détester quand vous serez parti...

– Non, surtout pas. Va plutôt voir ton moine et raconte-lui à quel point j'ai été insupportable, t'encourageant à vider ta cave et ne te quittant pas d'une semelle. Tu verras, une fois que tu auras déchargé toute ton agressivité à mon égard, tu te sentiras beaucoup mieux.

Nous échangeâmes un regard par-dessus le carafon de cognac dans la pénombre de la pièce. Au bout d'un long moment, je lui dis :

– Vous êtes très perspicace. J'ai passé la journée à me confier à vous et, maintenant, vous vous êtes fait votre petite idée sur moi.

– Bêtises! Les êtres humains sont beaucoup trop complexes pour être schématisés au bout de quelques heures de fréquentation. Disons seulement que nous avons passé la journée à échanger quelques indices sur nous-mêmes – et puis, dis-toi que nous nous sommes bien amusés, grâce à ta gentillesse et à ta générosité!

– Je n'arrive pas à imaginer ce que je vais faire de vous. Le problème m'échappe complètement.

– Impossible, dit Romaine d'un ton ferme. Car il n'y a pas de problème. Tu n'as rien à faire de moi. Je vais continuer à mener ma petite vie aux alentours de Starvale St. James et, à l'occasion, je ferai un saut à Cambridge pour venir t'écouter prêcher et, pour finir, je ferai le grand saut, et un point c'est tout. C'est Béa qui va devoir se débrouiller avec moi si jamais je deviens sénile ou si je suis cloué au lit; tout ce qu'il te restera à faire en ces circonstances indéniablement sordides sera d'oublier Starvale St. James.

– Aucune chance. Je serai à votre chevet, tout tourneboulé.

J'avalai une bonne rasade de vin.

– Oh, mais je n'aimerais pas cela du tout, dit Romaine. Je serais très contrarié. Jure-moi que tu ne viendras pas sur mon lit de mort! C'est tellement victorien, tellement triste, tellement *ennuyeux*!

– Pas nécessairement. J'apporterai une bouteille de champagne.

– Mon cher enfant, quelle belle pensée! Cela me rappelle Tchekhov. Sais-tu que, sur son lit de mort, Tchekhov a avalé un verre de champagne et s'est éteint, un sourire béat sur les lèvres?

Nous éclatâmes de rire.

– Pardonnez-moi, finis-je par dire. J'ai été impardonnablement impoli une fois de plus.

– Tu t'es racheté en proposant d'apporter du champagne sur mon lit de mort! Ne t'en fais pas, Charles, je te comprends. Je sais que tu n'as pas besoin de moi en ce moment dans ta vie. Je ne fais que te distraire des choses qui te sont vraiment importantes, mais il me plaît de penser qu'un jour, peut-être, je te serai utile d'une manière ou d'une autre. Après tout, si Dieu nous a réunis, c'est sans doute dans un certain but, non? Et s'Il avait voulu que nous demeurions étrangers l'un à l'autre, Il n'aurait pas rendu notre amitié aussi aisée. En fait, pour moi, ce qui arrive est clair : Il me pardonne mon passé en montrant que quelque chose de bien peut naître de ce drame et de cet échec, et Il te donne – pour des raisons que nous ne connaissons pas encore – un nouveau compagnon dans ta vie, un compagnon sur qui tu pourras compter quelles que soient les circonstances. Est-ce là une éventualité tellement sinistre? Je ne crois pas et si tu parles de cela avec ce moine que tu connais, je te parie une bouteille de Johnnie Walker qu'il sera d'accord avec moi. Tiens, en parlant de whisky, je suis sûr que le moment est vraiment venu pour moi de filer au *Blue Boar*.

– Asseyez-vous, lui dis-je. Une fois encore, vous avez besoin d'être sauvé. Le moment d'une nouvelle tournée de café noir est arrivé.

7

Le lendemain après-midi, à quinze heures, je me retrouvai une fois de plus sur le seuil du monastère des Fordites. Je me laissai choir sur la première chaise que je trouvai dans le parloir des visiteurs. J'avais eu une matinée épuisante : célébration de la communion à la chapelle de la Vierge à la cathédrale, adieux à Romaine au *Blue Boar* et réunion du chapitre présidée par un doyen irritable aux prises avec le bedeau en chef. J'avais passé le déjeuner à calmer le directeur du collège de Laud – brouillé lui aussi avec le doyen – et à répondre aux affirmations de son épouse pour qui aucun ecclésiastique ne devait se marier. L'épouse du doyen était universellement détestée. Ce fut avec un profond soulagement que je m'échappai pour Grantchester.

– Je ne vois pas pourquoi vous aviez pensé que la situation serait plus claire une fois que je l'aurais revu, dis-je avec humeur à Darrow après que je lui eus fait part de la visite de Romaine. Je suis plus troublé que jamais. Je ne nie pas que ce vieux fou me soit sympathique, mais il me fait une peur bleue.

– Un peu de méfiance est peut-être préférable à ce stade – en fait, je serais beaucoup plus inquiet si tu m'annonçais que tu lui étais tombé dans les bras et si tu montrais des symptômes de vénération.

Ce commentaire me donna du courage. Une fois rassuré quant à mon équilibre, je pus tenter d'analyser mes sentiments avec plus de précision.

– Il est vrai que je me sens beaucoup mieux vis-à-vis de mes parents, reconnus-je. Ils continueront, c'est certain, à me faire perdre la tête mais, au moins, ai-je le sentiment d'avoir créé une atmosphère de confiance et de sincérité qui me permettra de m'entendre avec eux sans avoir à me dissimuler derrière ma belle apparence. Mais Romaine! En ce qui le concerne, je n'ai aucune certitude.

– Vois-tu toujours en lui la preuve que tu es voué à quitter le droit chemin?

– Non. Ce point de vue est celui de mon père quand il est aveuglé par la colère. Je comprends cela maintenant.

– Pourtant Romaine te fait toujours peur?

– Peut-être serait-il plus juste de dire qu'il m'inquiète au plus haut point. C'est vraiment un épouvantable vieux fou, mon père – je suis sûr que je ne me fais pas des idées.

– Oui, il est peu probable que ce jugement soit entièrement le fruit de ton imagination, mais peut-être ta peur te fait-elle exagérer. Peux-tu préciser un détail qui te met mal à l'aise?

– Il n'a jamais communié.

– Ah oui! je me posais la question, justement.

A nouveau, Darrow m'avait donné suffisamment de courage pour analyser mes sentiments plus avant.

– Après tout, dis-je, il était là, suspendu à mes lèvres pendant les services. Peut-être a-t-il pensé que l'Eucharistie chantée était trop Haute Église pour lui? Mais pourquoi n'a-t-il pas assisté, ni aujourd'hui ni hier, aux communions du matin? Ne serait-on pas en droit de penser qu'il ferait tout pour être le premier à l'autel quand c'est moi qui administre le saint sacrement?

– Peut-être a-t-il cette inclination très protestante de n'assister au culte qu'occasionnellement. Mais, en effet, je trouve curieux qu'il n'ait pas considéré qu'hier pût être une de ces occasions.

– Eh bien, je me suis même demandé s'il était en état de grâce, dis-je, réussissant finalement à approcher les racines de mon doute. J'ai commencé à me demander s'il était entièrement heureux avec sa femme qui ne tient pas seulement les cordons de la bourse mais surveille aussi le niveau de la carafe de whisky. Je sais qu'il est marguillier et doit être respectable mais j'ai ce soupçon désagréable que sa foi ne l'empêche peut-être pas de mener une vie d'adultère, de buveur invétéré et de Dieu sait quoi encore. Peut-être suis-je totalement injuste à son égard.

– Peut-être, mais je ne pense pas que tu sois ridicule, Charles, ni même d'un cynisme excessif. Tes soupçons me paraissent fondés. Supposons que tu aies raison; dans quelle mesure sa conduite dans la vie influerait-elle sur la tienne à Cambridge?

– C'est cela qui m'inquiète beaucoup, dis-je, profondément soulagé de pouvoir enfin non seulement percevoir la vérité mais aussi la formuler. Si son mariage échoue ou s'il est finalement rayé de l'ordre des médecins pour avoir eu des aventures avec certaines de ses patientes, je devrai l'aider – mais quelle perspective! Dites-moi comment m'empêcher de faire des cauchemars à l'imaginer couvert de dettes à ma porte!

– Tu pourrais essayer de te dire que ces cauchemars ne se réaliseront peut-être jamais.

– Je voudrais pouvoir être aussi optimiste que vous le paraissez.

– Écoute, réfléchis, Charles. Romaine, ainsi que tu me l'as dit toi-même, est malin et les vieux malins, comme les vieux chats, ont habituellement un sens très développé du moment adéquat pour ruer dans les brancards ou pour rentrer les griffes. Après bien des vicissitudes, Romaine jouit maintenant d'une maison douillette, d'un cabinet qui marche, d'une femme riche qui lui assure le whisky et l'amour. Pour lui, tout cela ne doit pas être éloigné du paradis terrestre et il est certain qu'il combattra toute tentation qui équivaudrait à un aller simple pour l'enfer. Je pense que tu es en droit de t'autoriser un optimisme prudent, Charles. Vraiment.

Pour la première fois depuis le début de notre entretien, je pus me décontracter sur mon siège.

– Quel affreux type! dis-je. Mais nous avons eu du bon temps. Et, finalement... Eh bien, je n'ai pas pu m'empêcher d'être ému quand il a dit que Dieu lui pardonnait son passé en me faisant entrer dans sa vie. Bien sûr, je me rends compte que cela semble épouvantablement mièvre et sentimental mais, sur le moment...

– ... Sur le moment, le Dr Romaine exécutait une tentative magistrale pour gagner ton affection, et qui pourrait lui jeter la première pierre? Je dois dire qu'il semble très intime avec Dieu, mais il est vrai qu'avec les laïcs, on ne sait jamais s'il faut y voir de l'arrogance, du respect ou de la bêtise.

– Il paraissait assez respectueux mais, bien sûr, il est tombé dans le piège du laïc qui s'imagine connaître les desseins de Dieu. De toute façon, comme Romaine et moi venons de nous rencontrer sans appréhender vraiment ce qui se passe, une discussion sur les intentions de Dieu ne peut être profitable, ou du moins, m'empressai-je d'ajouter, craignant qu'il ne me juge trop dogmatique, il me semble...

Mais Darrow dit sans la moindre hésitation :

– C'est vrai.

Puis, il me demanda :

– Quand dois-tu le revoir?

– Le vieux malin a pris soin de faire en sorte que je ne me sente pas persécuté. Il ne m'a imposé aucun rendez-vous. Mais il reviendra. J'en ai la certitude.

– Quelle intelligence! Et puisque nous en sommes à parler de sa finesse, je dois reconnaître que j'ai trouvé qu'il avait fait quelques remarques intéressantes sur le mystère de Starbridge. Ne penses-tu pas que nous devrions parler un peu de Lyle avant ton départ?

Darrow s'était rendu compte que, puisque mes parents étaient calmés et Romaine gentiment reparti pour Starvale St. James, le mystère de Starbridge affleurait à nouveau à mon esprit.

Je me penchai en avant et, oubliant enfin ma famille, je m'apprêtai à passer à l'étape suivante.

8

– Je sais que j'ai envie de l'épouser, dis-je. J'en ai été certain quand nous nous sommes rencontrés dans la cathédrale. Nos sentiments l'un pour l'autre sont réels et je suis sûr que, la prochaine fois que nous nous verrons, elle me dira ce qui se passe.

– Vraiment? Je me le demande. Tout le problème est truffé de difficultés sérieuses et, avant que tu n'ailles une dernière fois tourner autour du pot à Starbridge, il est vital que tu comprennes la nature de ces difficultés. Peux-tu revenir me voir demain?

C'était impossible. Mon emploi du temps était très chargé et je croulais sous mes obligations de chanoine résident.

Une fois d'accord pour nous revoir le mercredi soir, Darrow me dit :

– Maintenant, sois franc : es-tu tenté de te précipiter à Starbridge ou, au moins, de téléphoner à Lyle sans délai?

– Je suppose que la seule réponse honnête à ces deux questions est oui. Je lui ai jeté une bouée de sauvetage et, tant qu'elle ne l'aura pas utilisée, je peux supposer que tout va bien. Néanmoins, je m'inquiète tant pour elle que je me demandais...

J'hésitai; mais je ne pus m'empêcher de conclure :

– ... Je me demandais si vous pouviez aller en esprit jusqu'à Starbridge et...

– Charles, je te prie de me traiter comme un prêtre, coupa Darrow sévèrement, et non comme un extralucide de fête foraine.

– Excusez-moi, mais je suis parfois si tourmenté.

– Oui, ne crois pas que je ne comprenne pas combien cette attente doit être pénible pour toi.

Il eut pitié de moi.

– Si je savais ce qui se passait, je te le dirais, continua-t-il, mais mes pouvoirs sont, sur nombre de points, très limités. Mon intuition me permet de capter des impressions chez quelqu'un que je rencontre mais je n'ai jamais été très fort pour la télépathie sauf si l'autre personne est sentimentalement proche de moi.

– Pouvez-vous prévoir l'avenir?

– Oui. Mais l'avenir est multiple; tout ne se réalise pas.

Il se pencha en avant et j'eus l'impression qu'il voulait tendre la main pour s'emparer de mon tourment.

– Mercredi, nous nous représenterons tous les avenirs possibles, dit-il. En attendant, essaie de ne pas te tourmenter en te représentant le présent. Souviens-toi que tu pourrais voir une fausse représentation, et même s'il se trouvait que tu voies la vraie, tu serais incapable de l'effacer. Mais le futur est un problème différent. On peut dessiner une image, l'effacer, en dessiner une autre. Ce que j'aimerais faire, c'est t'aider à dessiner plusieurs images de façon que tu disposes d'une palette complète des événements pouvant survenir.

Il se leva, mettant ainsi fin à l'entretien.

– Récemment, tu as trouvé la force de supporter le présent en réexaminant le passé, Charles. Maintenant que le passé a été revu et réajusté, le moment est venu de supporter le présent en voyant et en ajustant le futur. Une fois que cela sera fait, passé, présent et avenir seront libres de converger vers la solution au mystère de Starbridge; solution qui pourra être, en soi, un autre mystère menant à de nouveaux mystères car, comme je te l'ai déjà dit, les mystères de l'existence trouvent rarement de réponses sans ambiguïté. Mais il faut que j'arrête de parler comme un mystique ou – Dieu me pardonne – comme un extralucide de fête foraine, et que je t'encourage, tel est mon devoir, d'avoir foi en la force que tu retrouves et, par-dessus tout, d'avoir foi en Dieu qui, seul, peut repousser le démon de l'angoisse qui te tourmente. Je vais dire une prière pour te soutenir dans cette épreuve et, ensuite, je te donnerai ma bénédiction.

Mon tourment s'apaisa. Quelques minutes plus tard, je roulais en direction de Cambridge. Bien avant d'arriver à Laud, je sentis en moi une force suffisante pour faire face à tous les avenirs qui se dessineraient à l'horizon.

9

– Tout d'abord, me dit Darrow, quand nous nous revîmes deux jours plus tard, je tiens à te rappeler les quatre raisons pour lesquelles tu ne dois pas galoper à Starbridge sur le premier destrier venu pour aller sauver ta damoiselle en détresse.

– Quatre raisons?

– Oui, je me suis demandé si tu les avais cernées. Écoute, Charles, il n'est pas suffisant d'affirmer noblement que tu veux épouser cette femme. Tu dois me donner une analyse satisfaisante de la situation pour prouver que tu sais exactement ce que tu fais.

Je fus immédiatement prêt à lui faire une démonstration de l'équilibre sensé que lui-même m'avait aidé à acquérir.

– Je ne dois pas courir à Starbridge, dis-je, d'abord parce que nous n'avons pas atteint la limite de temps que vous aviez fixée, c'est-à-dire la fin du mois. Autrement dit, l'affaire est encore trop proche et je dois attendre un peu plus longtemps pour être certain de voir Lyle de façon objective.

– Bien.

– Cela est valable même si, aujourd'hui, je suis convaincu, depuis la rencontre dans la cathédrale, que nos sentiments respectifs sont ancrés dans la réalité et que je veux l'épouser.

– Encore mieux. Raison numéro deux?

– Lyle est une adulte de trente-cinq ans. Je ne peux entrer dans sa vie sans y avoir été invité – d'autant plus qu'elle m'a justement prié de m'en abstenir. Je dois m'en tenir à mon projet de la rencontrer discrètement à la fin du mois et la croire quand elle me dit qu'elle me téléphonera si elle a besoin d'aide avant.

– Bravo. Raison numéro trois?

– Je sèche. J'en ai fini avec mon analyse satisfaisante.

– Je vais formuler ma question plus clairement : pourquoi est-il si important que tu donnes toute latitude à Lyle de mettre un terme au ménage à trois sans ton intervention directe?

– Je pourrais embrouiller les choses en intervenant.

– C'est vrai, mais je songeais à un avenir plus lointain. Supposons

369

que Lyle et toi vous vous mariiez et que les choses s'enveniment entre vous. Alors, elle pourrait toujours te reprocher : « C'est toi qui m'as forcée à les quitter alors que je n'en avais pas envie. »

Avisant mon changement d'expression à la révélation de cet avenir déplaisant, il s'empressa d'ajouter :

– Nous en viendrons aux éventuelles difficultés conjugales plus tard. Maintenant, quelle est la quatrième raison pour laquelle il vaut mieux que tu ne galopes pas à Starbridge?

– Navré. J'échoue complètement à cet oral.

– Mais non, tu as trouvé les deux premières raisons, mais elles ne sont liées qu'au présent. Pense au futur. Il est possible, malgré tout, que tu découvres que tu ne veux pas épouser Lyle. Oui, je sais que cela est peu probable mais tu ne dois pas rejeter cette éventualité – et si tu intervenais directement dans le ménage à trois de Starbridge, le mariage serait alors inévitable. Laisse-moi clarifier ma pensée sur un point : as-tu déjà parlé mariage à Lyle?

– Non, mais elle sait que c'est ce que je souhaite.

– Mais tu n'es pas complètement engagé et si le pire devait arriver, tu pourrais toujours te dédire.

– Oui, mais...

– Je sais. Tu dois penser que je suis pervers, Charles, mais la vérité est que tu ignores encore ce que te révélera la solution du mystère; et, si le pire devait arriver, il se pourrait que cette révélation ne rende le mariage impossible.

– Par exemple, si je découvrais qu'elle a été la maîtresse de Jardine?

– C'est à toi d'en juger, pas à moi.

Je demeurai silencieux un moment avant d'ajouter :

– Je pourrais l'accepter si je suis convaincu que leur liaison est terminée. Je ne la taxerais pas d'immoralité car je suis sûr qu'elle n'aurait pas couché avec lui à moins de croire sincèrement qu'elle était sa femme. Un peu comme une femme qui épouse un bigame en toute bonne foi.

– C'est un jugement équitable. Donc, tu ne changerais pas d'avis si tu découvrais qu'on a abusé de sa confiance pour vivre un adultère. Mais supposons que ta théorie de mariage clandestin soit, en fait, complètement fausse. Supposons qu'ils soient tous deux apostats et fassent semblant d'être de bons chrétiens tout en commettant l'adultère en toute connaissance de cause. Alors quoi?

Je répondis, en choisissant bien mes mots :

– Alors, je ne pourrais pas l'épouser. Épouser une femme apostat est chose impossible – il n'y aurait pas de vie spirituelle partagée – et c'est impensable pour un ecclésiastique. Bien sûr, si elle faisait acte de repentir et voulait retrouver le chemin de l'Église, je lui pardonnerais et l'aiderais de mon mieux, mais même en lui ayant accordé mon pardon, il serait très discutable que je puisse épouser une femme qui aurait pu vivre dans l'adultère pendant des années et abuser continuellement de la communion. Pour le bien de l'Église et de mon travail, il est essentiel que j'épouse une femme pieuse.

– En d'autres termes, l'idée d'épouser Lyle serait devenue irréalisable. Je comprends que cette éventualité te paraisse trop improbable pour t'en inquiéter, mais tous les problèmes seront-ils vraiment résolus si Lyle est une victime innocente qui pense sincèrement être la femme de Jardine? En ce cas, tu es en droit de t'imaginer voguant sur une mer tranquille dans un coucher de soleil doré, Charles, mais en fait, tu peux très bien y rencontrer toutes sortes d'orages. Réfléchis bien et vois si tu ne peux pas identifier ces intempéries.

Une fois de plus, je me rendais compte qu'il me mettait à l'épreuve.

– Le souvenir de Jardine pourrait se révéler gênant.

– Oui, c'est une possibilité, au cas où l'un des conjoints a déjà été marié. Ce n'est pas insurmontable mais ce doit être pris en considération. Continue.

– Je pense qu'il se pourrait que je sois hanté par la peur secrète qu'elle n'ait fait que « changer de cheval » – misant sur moi parce que je pouvais lui offrir plus que Jardine. En d'autres termes, j'aurais peur qu'elle ne m'aime pas pour moi-même et alors, ma hantise d'être rejeté resurgirait du placard.

– Bien. Tu te tires très bien de cette épreuve, Charles. Ne t'arrête pas en si bon chemin.

– Il est probable que je me demanderais toujours si j'ai su toute la vérité sur sa relation avec Jardine; et, si j'ai des doutes, je me sentirais insécurisé.

– Excellent.

– Je ne suis pas sûr de pouvoir aller plus loin, sauf pour souligner le fait évident qu'à un moment ou à un autre, il faudrait que j'affronte Jardine et là pourrait être la pierre d'achoppement.

– Jardine, je suis d'accord, présente des problèmes plus qu'épineux. Nous viendrons à lui dans un moment. Est-ce là réellement la fin de la liste de tes difficultés? Jusqu'ici, tu n'as pas mentionné l'un des problèmes les plus cruciaux de tous.

– Lequel?

Je fis de mon mieux pour ne pas laisser paraître mon trouble.

– Tu n'as considéré la situation que de ton point de vue. Et celui de Lyle? Supposons une fois de plus que ta théorie soit exacte et qu'elle considère que Jardine est son époux. Si elle le quitte, elle va inévitablement souffrir d'un certain sentiment de culpabilité, quelles que soient les raisons qu'elle aura invoquées pour mettre un terme à cette liaison. Il est probable qu'elle souffrira aussi d'un état de choc. Il y aura, c'est certain, une période difficile sur le plan sentimental. Bon, comment va-t-elle réagir à cela? Comment, toi, vas-tu réagir? Comment votre mariage survivra-t-il à ces effets destructeurs? Charles, je ne dis pas que ce problème soit insurmontable, mais qu'il est majeur. Il faut que tu sois absolument certain de ton amour pour elle et que tu aies une confiance absolue en ta propre résistance sentimentale et spirituelle avant de t'attaquer non seulement à ce problème, mais aussi à tous ceux que nous avons énumérés jusque-là.

Il s'interrompit pour me laisser le temps de soupeser cet avertissement.

– Il faut que je la persuade qu'elle a besoin des conseils d'un expert, finis-je par dire. Peut-être s'en sortirait-elle mieux avec un psychiatre qu'avec une nonne?

– Je me le demande. Le problème, avec ces analystes, c'est qu'ils peuvent tourner autour de l'enfance d'un patient pendant des années sans appréhender la dimension spirituelle du problème. Je reste convaincu que ton meilleur espoir est de trouver une religieuse qui a l'expérience du rôle de conseillère conjugale et qui aurait été mariée ou aurait survécu à une histoire d'amour longue et douloureuse – ou les deux.

– Comment la dénicher?

– Je vais voir ce que je peux faire, dit Darrow de manière tout à fait inattendue. Je dois bientôt rendre visite, comme chaque année, à l'abbesse de Dunton, et quand je la verrai, je lui demanderai son aide.

Me souvenant de l'a priori de Lyle à l'égard des religieuses, je dis :

– C'est un problème difficile.

– C'est certain, et je suis navré de devoir t'ennuyer avec ça, mais je suis sûr que tu comprends à quel point il est important que tu ne te laisses pas aveugler par le coucher de soleil doré et que tu perçoives quel genre d'union pourrait bien t'attendre sous l'horizon – à condition, bien sûr, que Lyle accepte de t'épouser. Il est possible aussi qu'elle ne puisse s'y résoudre; elle pourrait choisir de vouloir rester avec les Jardine.

– En ce cas, j'interviendrais.

– Si Lyle est, psychologiquement, dans l'impossibilité de partir, une intervention serait probablement inutile. Enfin, nous aviserons le moment venu car ce cas de figure peut très bien ne jamais se présenter. Ce qui va se passer, c'est une confrontation entre toi et Jardine à un moment ou à un autre. A mon avis, elle est inévitable.

– Si j'enlève Lyle, il ne sera pas nécessaire que je le voie.

– Il voudra te voir après le mariage.

– Pourquoi? Sûrement pas pour me donner sa bénédiction!

– Qui sait? Il se pourrait qu'il voie en la désertion de Lyle une punition divine et qu'il l'envisage comme une forme d'expiation, sous les traits d'un gendre.

– C'est écœurant!

– Pas impossible. N'oublie pas que nous passons en revue tous les avenirs possibles. Considérons son caractère : je soupçonne Jardine de collectionner les fils de remplacement comme toi tu collectionnais les pères de remplacement ; et l'une des raisons pour lesquelles vous vous êtes si bien entendus tous les deux est que chacun de vous comblait le manque névrotique de l'autre – vous étiez tous deux en quête d'un rapport père-fils. S'il bénit ton mariage, non seulement rachète-t-il ses fautes passées avec Lyle mais aussi assure-t-il le bonheur de Carrie en gardant Lyle dans la famille; il acquiert du même coup un splendide fils de substitution pour lequel il a déjà beaucoup d'affection. Et, de plus, il acquiert de futurs petits-enfants d'adoption, éventualité que Carrie verrait, elle aussi, d'un très bon œil.

– J'aurai émigré en Australie avant que tout cela n'arrive.

– Je te comprends parfaitement – si ce ménage survit, même sous une forme nouvelle, cela pourrait être émotionnellement désastreux pour Lyle et spirituellement très dangereux pour vous deux. Mais tu comprends, n'est-ce pas, Charles, que du point de vue des Jardine un ménage à quatre est une possibilité attrayante?

– Alors, apparemment, il vaut mieux couper les ponts avec eux.

– Oui, mais comment réussir si Jardine s'efforce de créer un ménage à quatre et que Lyle veuille garder les Jardine dans sa vie? Le fait est que cette situation pourrait très vite compromettre ton mariage, et si tu décides de continuer, il est vital que toi et Lyle vous vous mettiez d'accord bien avant la cérémonie sur ce que sera exactement votre relation avec les Jardine.

Après un long moment de silence, je m'entendis répondre :

– Eh bien, c'est moi qui ai le dessus, non? Il suffirait d'un mot de moi à l'archevêque pour ruiner la carrière de Jardine.

– Je me demandais quand tu allais y penser.

Darrow se pencha en avant.

– Cela ne marcherait pas, Charles. Pour deux raisons. La première, c'est que Lyle ne te le pardonnerait jamais – et ne se pardonnerait jamais la chute de Jardine. La seconde est que, si Jardine adoptait une position arrêtée et niait tout, Lang ne pourrait le forcer à se démettre de ses fonctions sans provoquer un énorme scandale – ce qu'il veut éviter à tout prix.

– Donc, Jardine s'en tire une fois de plus avec les honneurs!

– Pas nécessairement. Confie Jardine au soin de Dieu, Charles. Dieu s'occupera de lui beaucoup plus efficacement que l'archevêque de Canterbury ou toi.

– Jusqu'à présent, Dieu semble occupé ailleurs!

Mais, à peine eus-je prononcé ces paroles, que j'en fus horrifié.

– Pardonnez-moi. Mais la pensée de Jardine se tirant de tout cela et jouissant d'une carrière exemplaire m'a mis dans une telle colère!

– Oui, la colère t'aveugle; si tu te calmais, je pense que tu comprendrais que tu conclus un peu vite. Après tout, que savons-nous exactement du passé de Jardine? Nous savons qu'il a commis une faute grave avec Loretta, mais en a-t-il été quitte pour autant? Qu'est-ce que signifie « être quitte »? Il est certain que Jardine a connu la réussite après sa séparation d'avec Loretta, mais dans quelle mesure a-t-elle contribué à son bonheur ou à son bien-être spirituel? L'effet de cette réussite conduisit son union vers de plus sérieux problèmes car sa femme n'a pu supporter de nouvelles responsabilités et la détresse de Jardine a dû inévitablement augmenter. De fait, si tu assimiles le succès temporel à « être quitte », Charles, je pense que tu te trouves en zone dangereuse.

D'un geste, je signifiai que je n'avais rien à répondre.

– Il est dangereux d'émettre un jugement quand on ne connaît pas tous les faits, poursuivit Darrow, et comme Dieu seul les connaît, on ne peut que conclure qu'il est préférable de Le laisser seul juge. Par exemple, qui sait, à part Lui, quand les ennuis actuels de Jardine ont vraiment commencé? Avec son mariage, mais alors, pourquoi a-t-il foncé dans ce mariage tête baissée? Sûrement aucun homme mûr et équilibré ne demande la main d'une femme qu'il connaît depuis quatre jours seulement. Un tel comportement dénote une certaine instabilité, une certaine détresse. Existait-il vraiment une relation malsaine entre lui et sa belle-mère? Si l'on devait tenter d'émettre un jugement, on pourrait avancer la théorie que le mariage lui-même a pour énigme une faute précédente mais nous n'en savons rien, n'est-ce pas? Et nous n'en saurons jamais rien. Connaître la vérité sur quelqu'un est impossible, Charles, et la seule chose que nous puissions faire, c'est prier pour être éclairés dans la mesure où Dieu nous en jugera dignes. Alors, reste prudent avec Jardine. Repousse la colère venue du démon. Même si Jardine s'est fait piéger dans la plus grave de toutes les fautes, tu dois néanmoins l'approcher avec charité et te garder de le juger.

Après un long moment de silence, je dis à contrecœur :

– Je suppose que je dois aussi me garder de la tentation de penser qu'il y a adultère.

– Oui. Car cela reste à prouver – bien sûr, la dernière éventualité est qu'il n'y a pas adultère mais que Lyle est prisonnière d'un rapport psychologique malsain avec les Jardine, qui l'empêcherait de mener une vie personnelle normale.

– Même si cela était vrai, la situation n'en resterait pas moins semée de difficultés, non? Il faudrait que je m'occupe des Jardine, que je règle le sentiment de culpabilité de Lyle. A savoir, qu'elle les quitte...

– ... Et tu aurais toujours à régler ta peur de ne jamais parvenir au cœur du mystère et celle que, peut-être, Lyle ait vraiment couché avec Jardine, après tout. Non, je reconnais que ce n'est guère mieux que les autres suppositions. En fait, nous pourrions aller jusqu'à dire qu'il serait plus facile de s'occuper de l'adultère involontaire de Lyle que de quelque névrose bizarre qui la tiendrait sous la coupe des Jardine.

– S'il y a adultère, j'imagine que c'est suffisamment bizarre en soi. Pensez aux complications!

Je frissonnai et ajoutai d'un ton brusque :

– Avons-nous épuisé toutes les possibilités ou bien y en a-t-il encore d'autres?

– Il reste toujours l'avenir qu'on ne peut prévoir. Par exemple, Jardine pourrait mourir brusquement. Mais je pense que nous avons envisagé les éventualités prévisibles d'après les faits que nous connaissons.

– Tout cela est assez décourageant.

Je levai les yeux vers lui et croisai son regard.

– Mais si, après cette conversation, je prends la mauvaise décision, ce ne sera certainement pas de votre faute.

– Je prierai pour que tu fasses le bon choix. Et, en parlant de prière, parlons un peu de ta vie spirituelle avant ton départ. Je tiens à ce que tu sois en forme moralement pour le final de ta grande épreuve, Charles, car je suis convaincu que tu auras besoin de toutes tes réserves de force spirituelle.

10

Je me souviens du début de la fin. C'était le quatorze septembre, la veille du jour où il était prévu que je téléphone à Lyle et convienne d'un rendez-vous pour la fin du mois. Le matin, j'avais assisté à une conférence des professeurs de théologie de l'université pour mettre au point une nouvelle politique de travaux dirigés; deux des enseignants s'étaient querellés au sujet de l'hérésie pélagienne. Cet après-midi-là, j'étais chez moi, à faire mon courrier tout en me demandant vaguement comment glisser Pélage dans mon prochain sermon, lorsque, sur mon bureau, le téléphone retentit.

Je décrochai.

– Ashworth, annonçai-je.

– Charles...

C'était Lyle. Je bondis sur mes pieds comme un diable hors de sa boîte.

– J'ai besoin de toi.

– Où es-tu?

– A Londres. Je veux venir à Cambridge.

Je jetai un coup d'œil à la pendule sur le manteau de la cheminée.

– Un train part de Liverpool Street à trois heures vingt. Je t'attendrai à la gare de Cambridge.

– Je te remercie, dit-elle en pleurant.

Elle raccrocha.

Les derniers remous provoqués par le pavé que j'avais jeté dans la mare atteignaient enfin la rive et c'était Lyle en personne qui venait s'échouer à mes pieds. Immédiatement, je me demandai si Darrow avait prévu cette fin inquiétante. L'instant d'après, je téléphonai à la demeure des Fordites de Grantchester.

TROISIÈME PARTIE

L'appel

« ... Les appels suprêmes qu'entendent parfois les âmes ne sont totalement connus que de Dieu seul, et de l'âme, dans une certaine mesure, et seulement quand celle-ci a considérablement avancé sur le chemin spirituel. »

Conseils spirituels et correspondance
du baron Friedrich von Hügel,
Douglas V. Steere.

XXII

*Un sens perverti, confus ou déficient doit pourtant
être manié avec respect, à la manière du Rédempteur,
Qui n'éteindrait pas le lin fumant ni ne briserait le
roseau meurtri.*

Autres lettres de Herbert Hensley Henson,
Éd. E.F. Braley.

1

Darrow n'était pas disponible.

– Le père supérieur est parti en visite, m'informa le moine qui avait répondu au téléphone.

Il insista sur le mot « visite » comme s'il s'était agi d'un acte très risqué, chargé de possibilités dangereuses. Il précisa, dans un souffle :

– Il est allé voir la mère supérieure de Dunton.

Je nous vis tous bougeant comme autant de pièces d'un échiquier – moi à la recherche de Darrow, Darrow à la recherche d'une conseillère pour Lyle, Lyle en route pour Cambridge à la recherche d'une aide.

– Quand doit-il rentrer?

– A six heures, mon révérend.

– Dites-lui que j'ai téléphoné, s'il vous plaît.

Je raccrochai, m'accordai un moment de réflexion, puis téléphonai au *Blue Boar* et y réservai une chambre pour Lyle. J'entrepris ensuite d'annuler mes rendez-vous et, cela fait, je demandai à l'un des autres chanoines de me remplacer à la cathédrale pour deux ou trois jours – à charge de revanche.

Après ces indispensables coups de téléphone, je jetai un coup d'œil sur ma montre. Puis, serrant ma croix dans ma main en quête de réconfort, je me calmai en lisant l'Évangile du soir. Encore deux heures à attendre.

2

Le train entra en gare un peu avant cinq heures. J'étais sur le quai. Je vis Lyle sauter du dernier wagon. Elle se jeta gauchement dans mes bras. Elle ne portait qu'un sac en bandoulière.

– Tes bagages ?

Je craignais qu'elle ne les eût oubliés dans le train.

– Je n'en ai pas. Je suis montée à Londres.

Elle était très pâle mais plus calme que je ne l'aurais cru. Aucune trace de larmes.

– Avant de prendre le train, j'ai expédié un télégramme aux Jardine pour leur dire que je m'absentais jusqu'à demain. Je n'ai pas dit où j'allais ni pourquoi.

Je lui donnai un baiser rapide, la guidai vers la sortie et lui dis qu'une chambre l'attendait au *Blue Boar*.

– Mais allons d'abord à Laud, ajoutai-je. Je te préparerai du thé.

– Je préférerais du whisky, dit-elle rapidement.

Je fis volte-face et la regardai. Elle ajouta :

– Oui, je sais, les dames de compagnie ne devraient pas boire de whisky. Mais, tu sais, Charles, il est temps pour moi de mettre bas le masque – ma belle apparence, comme tu dis. Il est temps que tu me voies telle que je suis.

Elle luttait contre les pleurs.

– ... Peut-être ne voudras-tu plus de moi, mais au moins t'aurai-je libéré et tu pourras rencontrer quelqu'un d'autre.

Tout en faisant démarrer la voiture je lui répondis :

– Quoi qu'il arrive, je te jure que je t'aiderai à surmonter cette crise.

Mais elle était trop bouleversée pour répondre; elle ne fit que détourner son visage pour reprendre contenance et, en silence, nous roulâmes vers Laud.

3

– Peut-être qu'une fine te remonterait plus efficacement que le whisky, lui suggérai-je au moment où nous arrivions chez moi.

– Je crois, oui. Merci. Avec un peu d'eau.

Elle se mit à chercher ses cigarettes dans son sac à main. Je lui donnai du feu.

– Et je ne t'ai même pas remercié pour ta réaction, dit-elle. Je bouleverse ton emploi du temps et tes devoirs à la cathédrale, j'imagine.

– Tu es plus importante pour moi que tous les emplois du temps et toutes les cathédrales du monde.

Je lui tendis un verre de fine et, un verre d'eau de Seltz à la main, je m'installai non pas sur le canapé à côté d'elle, mais dans le fauteuil le plus proche. Je portais mon habit de clergyman et ne pouvais donc pas me permettre de fumer. Je m'assis bien droit dans le fauteuil, mon verre entre les mains. Au-dehors, dans la cour, le soleil brillait. Mon appartement était très silencieux, très tranquille.

– Excuse-moi, dit Lyle. Je dois te donner l'impression d'être dans une sorte de coma. J'ai envie de parler mais je ne sais pas par où commencer.

– « Commence par le commencement, comme dit le roi dans *Alice au Pays des Merveilles,* et continue jusqu'à ce que tu arrives à la fin.» Prends un autre verre de fine.

– Le problème, c'est que je ne suis pas certaine de savoir où est le commencement. Charles, veux-tu t'asseoir à côté de moi? Ou bien te plantes-tu dans ce fauteuil non seulement pour me montrer que tu ne me sauteras pas dessus mais aussi pour te prouver que tu peux te comporter comme un... aïe! J'ai failli dire « comme un eunuque ». Ma belle apparence ternit, j'en ai peur. Les dames de compagnie qui évoluent dans mon milieu ne sont pas censées connaître la signification de ce genre de mot.

– J'imagine que, si elles lisent la Bible et savent se servir d'un dictionnaire, leur innocence est assez difficile à préserver, dis-je doucement.

Elle se mit à rire. Je m'installai à ses côtés et pris sa main tremblante dans la mienne.

– Il y a tant de sexualité dans la Bible! s'exclama-t-elle.

Je compris tout à coup qu'elle avait trouvé comment aborder son récit.

– Et cette horrible utilisation du verbe « savoir »! Je m'entends encore dire à mon grand-oncle de Norfolk : « Tout le monde semble si bien renseigné dans l'Ancien Testament! » Moi, je n'ai rien su du sexe pendant longtemps – enfin, je ne voulais rien en savoir. Un jour, en écoutant aux portes, j'ai entendu ma mère dire à l'une de ses amies : « Pas une seule fille ne se marierait si elle savait tout, c'est sûr. » Dieu, comme elle a dit cela! Je me suis éclipsée en jurant bien de ne jamais me marier, jamais, jamais, jamais. De toute façon, je ne désirais pas avoir d'enfant, donc le mariage me semblait non seulement repoussant mais inutile. T'ai-je dit que ma mère était infirme? Elle avait coutume de répéter : « Avant mon mariage, j'allais bien, mais après la naissance de l'enfant, je n'ai jamais plus été la même. » Quel cauchemar! Mariage, maternité, et tout savoir. J'ai grandi en regrettant de ne pas être née garçon.

Bref, à vingt-quatre ans – je vivais toujours dans cet horrible presbytère de Norfolk – je me suis dit : la vie ne peut pas se limiter à cela, je vais devenir folle, je vais mourir d'ennui si je ne provoque pas quelque chose. Et je me suis mise à envisager raisonnablement le mariage. J'y étais poussée par le fait que mon grand-oncle avait déjà un pied dans la tombe et que, à sa mort, j'allais me retrouver à la rue sans le sou. Aussi j'ai pensé : peut-être devrais-je essayer. Or, il se trouvait que j'avais, parmi mes admirateurs de l'époque, le fils de l'un des riches fermiers du voisinage; pas un rustre mais un garçon cultivé et j'ai pensé qu'il pourrait être la solution à mon problème. La perspective de l'aider un jour à la ferme me plaisait et puis il avait aussi une belle maison dépendante de la ferme qui datait du xviiie siècle, pas le genre deux pièces en haut, deux pièces en bas. C'était intéressant, et j'avais tellement envie d'avoir un vrai foyer, enfin. J'avais calculé que ses parents ne vivraient pas plus d'une dizaine d'années, que ses sœurs seraient bientôt mariées et parties et qu'alors je serais libre de faire la loi. Le dernier obstacle était : pourrais-je supporter de tout savoir?

J'avais pesé le pour et le contre – je suis affreusement calculatrice, Charles, tu vas m'aimer de moins en moins au fur et à mesure de mon récit – mais je ne pouvais pas faire autrement; je n'ai pas eu le choix. Sinon, comment aurais-je pu survivre après que papa nous eut abandonnées pour aller mourir en héros à la guerre? Quelles sales guerres! Quels foutus héros! Pourquoi donc n'a-t-il pas pu revenir à la maison au lieu de me laisser toute seule? Il ne m'a rien laissé, sauf une mère qui se laissait mourir à petit feu sur une chaise longue, et quand elle a été morte, j'ai dû supporter ce trou infâme dans le Norfolk sans argent, sans éducation digne de ce nom, avec pour tout compagnon des vieilles nippes, de l'ennui et du désespoir. Mon Dieu! Toute ma jeunesse, j'ai eu l'impression d'être un petit chat qu'on avait jeté dans un seau d'eau pour le noyer.

Enfin, c'était comme ça. Je vivais, clopin-clopant, en m'arrangeant pour garder la tête hors de l'eau. Je me disais que je pourrais me servir de Thomas pour me hisser hors du seau. Mais j'avais tellement peur de tout savoir que j'ai dit à Thomas : « Avant de prendre la décision de t'épouser, je dois connaître la vérité sur le mariage. » Vraiment, je trouvais que c'était là une suggestion très pertinente, mais lui a été horrifié, évidemment. Il était le jeune homme respectable qui courtisait la jeune fille du presbytère – et tout ça pour découvrir que la jeune fille en question n'était qu'une traînée! Il coupa les ponts dans un bel accès de pharisaïsme puis revint plus tard en rampant. C'est ce qui finit toujours par arriver avec les hommes. Ils peuvent rarement résister à une offre en matière de sexe.

Enfin bref, j'ai fini par tout savoir dans la grange et, naturellement, c'était loin d'être aussi cauchemardesque que je l'avais imaginé. Je crois que ce qui m'a le plus surprise dans ce domaine, c'est la totale banalité de la chose. Je n'étais pas écœurée, j'étais simplement surprise que l'on puisse avoir envie de faire cela plusieurs fois. Moi, en tout cas, je savais que je n'en avais pas envie – non, merci! Aussi ai-je annoncé à Thomas que le mariage n'aurait pas lieu. Le pauvre! Mais je n'ai pas pitié de lui, parce que je sais que, si je l'avais épousé, je l'aurais rendu très malheureux.

C'est alors que le couperet tomba : mon grand-oncle mourut et l'Église me donna l'ordre de quitter le presbytère. Mais je ne me suis pas laissé abattre. J'étais hors de moi et je me disais : ce sacré évêque de Norwich doit faire quelque chose pour moi! J'ai donc été le trouver et je lui ai demandé un emploi. J'ai senti son surplis pourpre frémir de panique, mais le hasard a voulu que l'un de ses invités du moment soit l'évêque de Radbury, et l'évêque de Radbury a tout de suite songé à son nouveau doyen.

Je suis allée à Radbury pour un entretien. Tu connais le doyenné de Radbury? Un bel hôtel particulier du xviiie siècle, avec dix chambres, beaucoup plus joli que la maison campagnarde de Thomas – oh, dès mon arrivée, j'ai su que ce travail offrait des possibilités extraordinaires! J'étais fébrile à l'idée de rencontrer Mrs. Jardine, mais dès que je l'ai vue, j'ai tout de suite compris à quel type de femme j'avais affaire, et j'ai eu la certitude que j'allais pouvoir m'en tirer. Mrs. Jardine représentait pour moi une version plus douce et plus aimable de maman – le type de femme créé par Dieu pour parer les chaises longues ou acculer leur époux à la boisson ou à mourir en héros dans une guerre épique. Et puis, j'ai compris que Carrie m'aimait bien et donc que j'avais franchi le premier obstacle. Il me restait encore à parler au doyen.

Carrie m'a accompagnée à son bureau. Je m'attendais à rencontrer un vieux monsieur grisonnant et ventripotent – as-tu jamais remarqué le nombre d'ecclésiastiques grisonnants et ventripotents? Alors, tu peux imaginer ce que j'ai ressenti la première fois que j'ai vu Adam Alex Jardine.

Il avait quarante-huit ans. J'en avais vingt-cinq. Au premier regard, j'ai enfin compris ce que « tout savoir » pouvait signifier. Je crois que je me suis vraiment sentie défaillir – c'était comme si le sol se dérobait sous mes pieds –, tu imagines! Personne ne s'attendrait à ce qu'un ecclésiastique vous fasse l'effet d'un jeune premier – et pourtant c'est loin d'être un phénomène rare. Je me rappelle avoir lu un jour que, sous la reine Victoria, un pasteur faisait s'évanouir toutes les femmes sur leur prie-Dieu et, en voyant Alex Jardine, je me suis tout de suite dit : lui aussi. Les hommes d'Église ont un pouvoir de séduction particulier car ils s'efforcent de mener une existence honnête, et tel est le rêve secret de toutes les femmes : un type fantastique qui saurait ne pas se vautrer dans la boue avec les autres porcs – tout en voulant, bien sûr, qu'il s'y vautre avec elles. Excuse-moi, Charles, est-ce que ma franchise te choque? Tu ferais peut-être mieux de boire un peu de cognac toi aussi. Mais c'est ainsi, Charles, c'est ainsi que je suis – derrière mon masque – froide, calculatrice, nymphomane. Toute ma bienséance glacée n'était qu'une façade.

Si nous avions été dans un roman de D. H. Lawrence, Jardine et moi, nous aurions tout de suite été au lit, mais la vie est loin d'être aussi simple que les romanciers contemporains ou victoriens semblent le penser. En réalité, les personnages sont beaucoup plus flous et la vie est beaucoup plus incertaine, beaucoup plus imprévisible, beaucoup plus mystérieuse que dans les romans; les gens peuvent s'y révéler pires mais aussi nettement meilleurs.

Elle s'interrompit un instant puis ajouta :

– Alex...

A nouveau, elle s'arrêta.

L'écho intime des deux syllabes de ce prénom resta suspendu entre nous. Le rideau se baissa sur le premier acte; il se releva sur le second mais la seule chose que je dis, tout en ajoutant une larme de cognac dans son verre, fut :

– Continue.

4

– Alex était – et est toujours – un homme bon, dit Lyle, me tendant son verre pour que je le remplisse à nouveau. Je tiens à ce que ce point soit parfaitement clair, car si tu ne comprends pas cela, tu ne comprendras rien. Il est bon – et il est pieux. S'il en avait été autrement, il n'aurait pas pu tenir le coup, il n'en serait pas là où il en est aujourd'hui.

Mais je ne l'ai pas compris lors de notre première rencontre. Tu sais, bien qu'ayant vécu beaucoup de temps dans un milieu clérical, je n'avais pratiquement pas conscience de ce que pouvaient représenter la piété et la vie religieuse pour un ecclésiastique. Mon grand-oncle était si âgé – il n'y avait que les papillons qui l'intéressaient. Pour lui, être ecclésiastique signifiait simplement un toit assuré et devoir être poli envers ses voisins. Pour moi, la religion, c'était une activité du dimanche. En fait, je nourrissais une certaine rancune à l'égard de Dieu qui avait permis la mort de mon père. J'avais des lueurs sur le christianisme mais, spirituellement, j'étais pour ainsi dire illettrée. Alors, quand j'ai compris qu'Alex me trouvait attirante, je me suis contentée d'attendre qu'il me fasse la cour. Après tout, c'est toujours ce qui se passait avec les autres hommes. Mais je ne tardai pas à découvrir qu'Alex essayait de se débarrasser de moi.

Je n'arrivais pas à le croire. J'étais abasourdie. Cela me fit comprendre à quel point j'étais ignorante et à quel point le monde était beaucoup plus compliqué que je ne l'avais imaginé. Je me sentis honteuse. C'était comme si quelqu'un de bien avait braqué un projecteur sur moi et m'avait révélé un répugnant tas de chair et d'os. Te souviens-tu de ce qu'avait ressenti saint Augustin quand il eut compris comment Dieu le considérait avant sa conversion? Eh bien, c'est exactement ce que j'ai ressenti. Et, comme lui, je me suis haïe et je n'ai plus désiré qu'être une bonne chrétienne. Je ne peux sincèrement pas jurer que j'ai été immédiatement transformée par l'appel de Dieu car ce serait faux. Je demeurai à peu près la même mais je grandis un peu, je devins un peu plus modeste, un peu plus consciente de ma propre ignorance, un peu plus déterminée à trouver la signification de l'expression « être un vrai chrétien ».

Entre-temps, finalement, je ne fus pas renvoyée. Carrie avait eu une crise d'hystérie à l'idée de me perdre. Soudain, j'ai eu tellement pitié d'Alex, non seulement parce qu'il avait cet affreux problème avec sa femme – évidemment, j'ai vite compris leur situation conjugale – mais aussi parce qu'il avait cet affreux problème avec moi qui l'aguichais sans arrêt. Alors, j'ai pensé : si je l'aime vraiment, je le sortirai de cette impasse. Je lui ai donc dit que je n'étais pas venue chez lui pour briser sa carrière mais, au contraire, pour lui permettre de faire son chemin jusqu'à la Chambre des Lords. Ma nervosité me rendait insolente et provocante et, au début, j'ai pensé qu'Alex allait exploser de rage, mais non, il a fini par éclater de rire. Il a ri et il a dit : « Quelle fille vous faites! »

Alors, il a pris le ton d'un homme d'affaires. « Vous avez été directe avec moi, m'a-t-il dit, et il vous a fallu du courage. A mon tour d'être franc avec vous. Tout ce que je veux, c'est servir Dieu du mieux que je peux, malheureusement mes problèmes domestiques ne cessent d'interférer dans ma vie religieuse. Si nous arrivons à former une association dans laquelle vous vous occuperiez de mes problèmes et me laisseriez libre de servir Dieu, alors je vous jure que vous ne serez plus sans foyer. Mais la seule manière dont nous puissions former une association, Miss Christie, est d'éviter que notre vie au doyenné ne devienne une histoire semblable à *Barchester Towers* ou à *L'Amant de Lady Chatterley*. Suis-je clair? » Je lui assurai qu'il l'était tout à fait. « Parfait, je prolonge votre période d'essai de trois mois, a-t-il conclu, et nous verrons comment nous nous en sortons », et nous nous sommes serré la main.

C'est ainsi que tout a commencé. Bien anodin, n'est-ce pas? Chacun de nous essayant seulement d'être bon et honnête. Les rues de l'enfer ne sont pas pavées de champagne, de femmes perdues et de voitures de course, comme l'a dit un jour ce vieux fou d'évêque Winnington-Ingram. Elles sont vraiment pavées des meilleures intentions.

Évidemment, Alex aurait mieux fait de s'en tenir à sa première idée et de me congédier. Mais Carrie. La pauvre chérie. Si je n'avais pas été là pour tenir le doyenné et la tirer de sa dépression nerveuse, elle aurait brisé la carrière de son mari. Je ne pouvais m'empêcher de m'attacher à elle – et ce n'était pas simplement parce qu'il était difficile de la trouver antipathique; c'était parce qu'elle m'aimait vraiment comme sa propre fille. N'ayant jamais voulu avoir d'enfant moi-même, je n'avais jusqu'alors pas la moindre idée de l'enfer que traversaient les femmes qui désiraient en avoir un mais ne le pouvaient pas. Carrie était de celles qui avaient connu cet enfer. Alex en souffrait lui aussi, mais il lui était plus facile de le supporter : son travail l'occupait et il avait bon nombre d'occasions de compenser sa paternité frustrée auprès des choristes qu'il avait continuellement auprès de lui. Carrie n'avait eu personne à materner jusqu'à mon arrivée.

Je leur ai demandé pourquoi ils n'avaient pas adopté un orphelin mais Alex avait en tête qu'on ne sait jamais ce qui vous attend avec un enfant né de parents inconnus et il préférait s'intéresser de loin à des gens plus âgés. Bref, tout allait bien pour lui, mais c'était dur pour elle. Quoi qu'il en soit, elle ne se disputait jamais avec lui; pas à cette époque-là. Elle avait essayé, dans les premiers jours de son mariage, à propos de sa belle-mère, mais quand je suis arrivée au doyenné, Alex était un dieu pour elle et ses désirs étaient des ordres. Assez ironiquement, c'était là un des problèmes du couple. Alex avait besoin, parfois, de résistance – il ne supportait pas que Carrie se noie dans ses larmes car il se sentait coupable de ne pouvoir l'aimer comme il l'aurait dû. Quel couple pathétique! J'avais mal pour eux, coincés pour la vie sans rien à partager sauf leur incompatibilité et leurs lits jumeaux.

J'imagine que tu as envie de savoir où en était mon obsession sexuelle à l'époque et la réponse est : elle allait très bien, merci. Comme d'habitude, il y avait toujours un homme pour m'écrire des sonnets mais je ne pouvais m'intéresser à personne d'autre qu'Alex. Je me complaisais dans mes fantasmes. J'allais au lit et me laissais aller à ce que les ecclésiastiques appellent des « pensées impures ». Tu te demandes sans doute comment j'ai pu supporter cette frustration mais, en fait, un amour non partagé peut être très amusant – demande à n'importe quelle écolière qui a un béguin. On se consume et on se languit dans un merveilleux bien-être où la réalité, vicieuse et cruelle, n'a pas sa place. A la vérité, je me sentais parfaitement bien; j'avais un travail qui me plaisait, je voyais l'homme que j'aimais tous les jours, et j'avais – en imagination – une vie sexuelle extraordinaire. C'était ainsi que j'avais envie d'être heureuse. Malgré mes sentiments pour Alex, je ne pouvais toujours pas me débarrasser du soupçon déplaisant que la sexualité vécue, même avec lui, serait forcément une déception. Par conséquent, la situation qui s'était mise en place au doyenné me convenait. Honnêtement, je dois reconnaître que je traversais des périodes de jalousie, mais elles étaient rares, et toujours Carrie en sortait triomphante. Tu comprends, c'est elle la plus chrétienne de nous tous – elle aime Alex, elle m'aime, elle est toujours si magnanime, si bonne. Finalement, ce ne fut pas Alex qui me guida vers une foi véritable. Ce fut Carrie, la pauvre Carrie, stupide et désespérée, mais c'est elle qui me montra comment mener une vie chrétienne et, au bout du compte, je me suis aperçue que je l'aimais beaucoup plus que je n'avais aimé ma mère – inutile, geignarde et égocentrique.

C'est ainsi que nous vînmes à Starbridge. Mais, comprends-tu ce que je veux te dire? J'ai l'impression que tu t'es fait de moi l'idée de l'héroïne innocente mise aux fers par les méchants Jardine; mais, vois-tu, Charles, ce n'est pas cela du tout. Alex et Carrie sont tous deux bons et pieux. S'il y a un vilain dans le mystère de Starbridge, c'est moi. Et c'est ici que ma vilenie commence pour de bon.

5

Elle prit une deuxième cigarette. Je lui donnai du feu en lui disant :
– Est-ce donc vraiment une histoire de bons et de méchants? La vie est loin d'être aussi manichéenne!
– C'est vrai. J'ai dit tout à l'heure, n'est-ce pas, que la vie réelle était beaucoup moins tranchée que dans les romans.
Elle était plus calme maintenant. Ses mains ne tremblaient plus.
– Je me sens mieux. Je me demande si c'est grâce au cognac ou à ma confession. J'imagine que ce doit être le cognac parce que je n'ai encore rien confessé sauf que je suis une aventurière nymphomane.
Je rétorquai, d'une voix apaisante :
– Te rends-tu compte que, si tu étais un homme, ton initiative pour obtenir une bonne situation, ton adresse à la conserver, ton désir de faire de ton travail une réussite, tes préoccupations sexuelles – préoccupations loin d'être inhabituelles chez ceux qui ne sont pas faits pour le célibat –, tout cela serait considéré comme admirable ou pour le moins normal?
Brusquement, ses yeux s'emplirent de larmes.
– Ne me cherche pas d'excuses. Je suis si pourrie, si indigne et si peu méritante.
– Ah oui, dis-je, je jouais moi aussi cette scène-là avant que le père Darrow ne fasse son entrée et ne revoie le script. Courage! Il se peut que tu n'aies pas de mérite mais je doute que tu en aies moins que moi. Peut-être pourrons-nous passer des moments intéressants à devenir méritants à deux. Mais revenons à ton histoire. Tu es finalement venue à Starbridge.
Fin de l'entracte. Le rideau se releva sur le troisième acte.

6

– Nous vînmes finalement à Starbridge, poursuivit Lyle, aspirant une grosse bouffée de sa cigarette, et la crise a éclaté presque immédiatement. En fait, elle couvait depuis quelque temps déjà. J'avais trente ans. Alex cinquante-trois et Carrie quarante-huit – et elle était en pleine ménopause. Physiquement, ce n'était pas dramatique; elle ne présentait pas d'horribles symptômes, mais c'est mentalement qu'elle craquait car c'était l'espoir d'avoir un enfant qui l'avait soutenue dans ce mariage difficile. Alex n'est pas un homme facile à vivre et bien qu'elle fût profondément amoureuse de lui, il lui a souvent fait passer des moments pénibles. Il a un tempérament vif et ne mâche pas ses mots. Quoi qu'il en soit, son désir de maternité lui avait donné la force d'être ce qu'Alex appelle « consciencieuse » – un de ces mots victoriens à vous faire vomir! – et, bien que le sexe n'ait jamais eu beaucoup d'importance pour elle, elle s'était toujours plus ou moins arrangée pour s'acquitter de son devoir dès l'instant où elle n'était pas trop dépressive. Mais comment allait-elle faire maintenant pour affronter un avenir sans enfant?

C'était la grande question, et le problème était d'autant plus grave qu'elle était terrifiée à l'idée de devoir quitter Radbury – où, grâce à moi, elle contrôlait sa vie – pour Starbridge, où l'attendaient un palais épiscopal et douze serviteurs. Bien sûr, je serais toujours auprès d'elle mais je ne pourrais lui épargner d'être désignée comme « Mme l'évêque » dans tout le diocèse.

Tout cela était déjà suffisamment déprimant mais le coup de grâce fut la mort de la sœur d'Alex qui eut pour conséquence la venue de sa belle-mère à l'évêché. Carrie ne détestait pas Mrs. Jardine mère – très franchement, je ne pense pas qu'elle soit capable de détester qui que ce soit – mais elle était profondément convaincue qu'elle ne serait pas capable de s'en occuper. Elle est affligée de ce qu'on appelle, je crois, un complexe d'infériorité qui lui donne le sentiment d'être une incapable. Mrs. Jardine mère était, quant à elle, une femme très forte qui détestait Carrie et, en plus, la méprisait.

A son arrivée, Mrs. Jardine mère se comporta parfaitement. Elle était si heureuse d'être revenue auprès de son Adam. Les vrais problèmes sont nés, non pas d'un comportement hostile de sa part, mais du fait que Carrie n'arrivait pas à croire que sa belle-mère essayait sincèrement d'être magnanime. Tu sais comment sont les gens qui souffrent de la manie de la persécution quand ils sont sur une mauvaise pente. Je ne cessais d'appeler les médecins à la rescousse et, un jour, l'un d'eux suggéra même qu'elle aille consulter un psychiatre. Alex réagit comme s'il avait parlé de sorcellerie. Pour Alex, la psychanalyse, c'est de la foutaise, une espèce d'hérésie qui va de pair avec le spiritisme.

Finalement, la crise atteignit son apogée. Carrie, qui à ce moment-là refusait de sortir et d'affronter le monde, dit à Alex qu'ils devaient faire chambre à part. Plus de rapports sexuels. A quoi bon, disait-elle, puisque rien ne pouvait en sortir. Or, si Alex peut vivre sans l'espoir d'avoir des enfants, il ne peut pas vivre sans l'espoir d'avoir des rapports sexuels. Je le savais. Carrie me disait tout à cette époque – la pauvre chérie, elle n'avait personne d'autre à qui se confier, mais quand Alex a découvert qu'elle m'avait parlé de leur vie intime, il a failli la faire passer par la fenêtre. Nous avons eu une dispute et il m'a accusée d'entretenir avec Carrie une relation malsaine fondée sur la confidence. Je lui ai rétorqué que c'était de la bêtise et qu'il le savait fort bien.

« Vous avez de la chance que ce soit à moi qu'elle se confie et non pas à quelqu'un d'autre, lui ai-je dit, car vous savez parfaitement que je resterai bouche cousue jusqu'au Jugement Dernier. » Il m'a répondu : « Je dois me défaire de vous », ce à quoi j'ai rétorqué : « Oh, ne faites pas cette bêtise! » Ça lui a plu. Alex aime bien qu'une femme lui tienne tête. Il m'a dit : « Que vais-je bien pouvoir faire? » et je lui ai répondu : « Cessez de vous comporter en victorien entêté et envoyez-la chez un psychiatre. »

Alors, il l'a emmenée à Londres – enfin, nous y sommes allés tous les trois – et il s'est trouvé que le psychiatre en question était un homme charmant mais, évidemment, il n'a jamais proposé de traitement; il ne pouvait pas effacer la ménopause d'un coup de baguette magique. Mais enfin, elle l'aimait bien, aussi avons-nous tous commencé à espérer, et quand il suggéra que de petites vacances seraient sans doute profitables, nous nous sommes tous les trois traînés jusqu'à Bournemouth.

Carrie allait un peu mieux; la psychothérapie n'était pas un échec total et quand je l'ai convaincue de sortir s'acheter des vêtements pour les vacances, elle a été presque la même qu'auparavant. Alex la pensait guérie. Il prenait ses désirs pour la réalité... Je lui ai dit : « Vous louez bien trois chambres à l'hôtel, n'est-ce pas, monseigneur Jardine? » et il m'a répondu : « Voilà une question bien impertinente, Miss Christie. Une de celles auxquelles je ne me sens pas obligé de répondre. » Bref, nous sommes allés à l'hôtel et, bien entendu, il avait retenu une seule chambre pour eux. Je savais que ce serait une catastrophe. Et ce le fut. Dès la première nuit, Carrie est venue me trouver en larmes pendant qu'il prenait son bain et elle m'a demandé si je voulais bien la laisser dormir dans ma chambre. Elle était dans un tel état, presque hystérique, que, lorsqu'elle m'avoua, en sanglotant, qu'elle n'osait pas affronter Alex pour le lui dire, j'ai tout de suite répondu : « Ne vous inquiétez pas, ma chère, je vais y aller. »

Leur salle de bains était contiguë à leur chambre – Alex ne regarde pas à la dépense quand il descend dans un hôtel. Je me suis assise, en robe de chambre, sur leur lit et je l'ai écouté barboter dans son bain. Au bout d'un moment, il a surgi, une serviette nouée autour de la taille. Tout d'abord, il ne m'a pas vue; il devait croire que c'était Carrie qui était là et il a dit : « L'évêque de Durham nous en a raconté une bien bonne : un jour, il s'est fait donner le bain en Suède par une jeune masseuse – quel dommage que cet hôtel ne propose pas un service aussi intéressant! » C'est drôle comme je l'entends encore me dire cela. J'imagine que c'est parce que je me souviens aussi parfaitement d'avoir pensé : ça y est, j'ai pris sa place, enfin; il parle à sa femme et c'est moi qui l'écoute. C'est alors que j'ai su que j'avais enfin vraiment envie de faire l'amour.

Une seconde plus tard, il s'est retourné et m'a vue. Il a blêmi, puis il a enfilé soigneusement sa robe de chambre et a noué fermement sa ceinture.

Je lui ai dit ce qui s'était passé. Il a répliqué : « Je ferais mieux d'aller lui parler », ce à quoi j'ai répondu : « Je ne pense pas que ce soit une bonne idée – il vaut mieux la laisser tranquille ce soir et revoir le problème demain matin. » Il a demandé : « Et vous, où allez-vous dormir, si je puis me permettre cette question ? » et là, j'ai dit : « Eh bien, j'ai tout à fait l'habitude de remplacer Carrie quand elle ne peut pas s'en sortir : c'est mon travail, non ? Pourquoi ne pas la remplacer ici aussi ? » Et Alex – le cher Alex – a dit : « Ma chère Miss Christie, il me semble que nous finissons dans les pages de *L'Amant de Lady Chatterley* – permettez-moi de suggérer que nous retournions de ce pas dans celles de *Barchester Towers*. » Et il a ajouté : « Regagnez votre chambre, s'il vous plaît, et dites à Carrie qu'elle doit revenir ici et qu'elle dormira seule dans ce lit. Pour ma part, je dormirai dans le fauteuil près de la cheminée. Dites-lui que je ne serai pas courroucé, que je ne me mettrai pas en colère, que je ne proférerai pas un seul mot de reproche ; je serai trop occupé à prier Dieu pour qu'Il nous sorte tous de ce désordre très embarrassant, absolument catastrophique et apparemment insoluble. »

N'a-t-il pas été merveilleux ?

J'ai regagné ma chambre et j'ai assuré à Carrie qu'elle n'avait rien à craindre. Puis, je lui ai répété mot pour mot les propos que j'avais tenus à Alex. Sa première réaction a été de dire : « Mais bien sûr ! C'est la solution idéale ! » et elle m'a embrassée. Sa deuxième réaction a été de dire : « Mais ce ne serait pas bien et Alex n'acceptera jamais. » Elle a néanmoins ajouté : « C'est si étrange, pourtant, car j'ai le sentiment que ce doit être bien – en avez-vous aussi l'impression, Lyle ? » et je lui ai dit que oui. Au bout du compte, **nous** pensions tous que c'était ce que nous avions de mieux à faire mais nous ne voyions pas comment, moralement, cela pouvait se faire.

Nous avons écourté ces vacances et sommes rentrés à Starbridge sous le prétexte que Carrie ne se sentait pas bien. En fait, elle allait beaucoup mieux. Elle avait vu la lumière au bout du tunnel et moi aussi, mais j'étais si inquiète pour Alex car je savais qu'il était au désespoir. Après des jours de confidences à son journal intime, tout cela pour aboutir nulle part, il s'est résolu à mettre sa discipline de fer au clou et à parler de sa vie conjugale avec sa belle-mère. Évidemment, c'est Mrs. Jardine mère qui nous a tirés d'affaire en un rien de temps. Elle comprit parfaitement qu'Alex ne pouvait pas vivre sans rapports sexuels et elle vit en moi comme un double d'elle-même jouant son rôle dans une réédition de sa grande histoire d'amour avec le père d'Alex. Mais le passé ne se répète jamais tout à fait, n'est-ce pas ? Le père d'Alex était veuf. Alex, lui, était loin d'être disponible.

Mais Mrs. Jardine mère avait reçu une éducation luthérienne et elle savait que, pour Luther, le refus du devoir conjugal constituait un motif de divorce. Elle avait aussi passé vingt-cinq années de sa vie avec le père d'Alex qui avait la conviction que les ecclésiastiques n'étaient pas indispensables, que la bureaucratie était une hérésie et que tout être pouvait s'unir à un autre devant Dieu sans se conformer à toutes ces lois de l'Église et de l'État faites par les hommes. Mrs. Jardine mère n'avait aucun doute sur ce que devait faire Alex, Carrie n'avait aucun doute, moi-même je n'en avais aucun.

Mais Alex était tourmenté.

Un jour, Mrs. Jardine m'a offert la bague de son mariage – cette bague, la chevalière. Alex était présent. Elle avait demandé à nous voir tous les deux et nous étions dans sa chambre. Elle lui a dit : « Je veux que ma bague lui appartienne et je veux que ce soit toi qui la passes à son doigt. »

Elle nous a ainsi mariés plus ou moins. Alex s'est senti obligé de le faire plus protocolairement – il a tendance à être très légaliste et il aime que les situations ambiguës soient clairement définies avant d'être habilement escamotées. Il est allé chercher sa femme. Il était tard dans la nuit et Carrie était sur le point de se coucher mais elle est venue dans un de ses étonnants déshabillés – elle paraissait mieux qu'elle ne l'avait été depuis des mois. Moi, je portais mes vêtements du soir, une robe noire passablement funèbre, mais Alex s'était emparé d'une rose dans le vase de Mrs. Jardine et l'avait fixée sur mon décolleté. Il portait sa tenue épiscopale – surplis, croix pectorale, tout. Mrs. Jardine était, comme d'habitude, en vert-de-gris. Quelle étrange assemblée nous faisions! Et quelle scène étrange aussi! Alex a fait un rapide discours pour définir la situation – à mon avis, il a eu besoin de ce discours pour se convaincre qu'il agissait comme il le devait et, évidemment, quand il eut terminé, tout semblait si logique que l'on s'est demandé pourquoi personne n'y avait pensé avant nous. Il a dit à Carrie qu'il souhaitait divorcer d'elle parce qu'elle refusait de consommer le mariage, qu'il était profondément convaincu que ce refus faisait de leur mariage une affaire purement formelle; l'âme de leur union avait été détruite, ne laissant plus que formalités et Dieu n'avait sûrement pas besoin d'une pléthore d'avocats pour sanctifier cette dissolution. Un consentement mutuel était suffisant pour rompre des nœuds faits par l'homme.

Alex promit à Carrie qu'il continuerait à subvenir à ses besoins et que, tant qu'elle serait vivante, elle resterait sa femme aux yeux du monde. Il lui a alors demandé si elle avait des objections à formuler sur ce qu'il avait dit et elle a dit que non. Elle l'aimait beaucoup et elle était certaine que c'était là la meilleure solution; elle promit de faire de son mieux pour être une bonne épouse en public. Alex dit alors : « Ainsi, devant Dieu, je déclare mon mariage avec Caroline nul et non avenu » et, après un moment de silence, il l'a embrassée et lui a demandé si elle voulait rester pendant qu'il m'épouserait. Elle a répondu : « Évidemment, très cher – pourquoi crois-tu donc que j'ai mis mon plus beau déshabillé? » et nous avons tous éclaté de rire bien que ce fût un moment d'une tension extrême; nous étions même au bord des larmes. Mrs. Jardine mère a enchaîné en disant : « Adam, va chercher du champagne et des verres pour tout à l'heure. » Elle avait compris qu'il était trop bouleversé pour continuer. Il est donc sorti et Carrie est allée dans la salle de bains. Moi, je me suis assise près de la chaise roulante de Mrs. Jardine. Elle m'a pris la main.

Alex est revenu avec le champagne, et nous nous sommes mariés. A nouveau, il a respecté le protocole, ne sacrifiant aucun détail, disant que ce mariage devait rester secret tant que Carrie serait de ce monde. J'acceptai les conditions. Nous échangeâmes nos serments et il me passa la bague au doigt. Carrie pleura, évidemment, dans le rôle de « la mère de la mariée ». Tout cela était très particulier et chargé d'une émotion intense. J'ai enlacé Carrie et lui ai demandé de continuer à m'aimer. Elle s'est contentée de répondre : « Comment pourrait-il en être autrement? Je vous aimerai toujours tous les deux et je veux votre bonheur. »

Ensuite, nous avons tous bu une coupe de champagne et l'impitoyable Mrs. Jardine mère a ordonné à Carrie d'aller se coucher afin qu'elle puisse rester seule avec nous. Alors, elle m'a embrassée et m'a dit : « Maintenant, je peux mourir tranquille : je sais qu'Adam sera enfin heureux » et elle est morte, en effet, quelques mois plus tard, ce qui lui a permis d'assister au bonheur que connaissait Alex avec moi.

Entre-temps, Alex et moi avions terminé notre nuit de noces au lit, ensemble. Là, ça n'eut plus rien à voir avec mes fantasmes – il était dans un tel état qu'il se trouva d'abord impuissant. Il me dit : « J'ai bien peur que, finalement, ce ne soit pas du tout comme dans *L'Amant de Lady Chatterley* » et je lui répondis : « En tout cas, ce n'est certainement pas comme dans *Barchester Towers*! » Nous avons éclaté de rire et tout s'est arrangé.

Lyle écrasa sa cigarette. Cela faisait un bon moment que son regard n'avait pas croisé le mien et maintenant encore son visage se détournait du mien. Elle dit, très rapidement :

– Excuse-moi de rentrer dans ces détails, mais je veux que tu comprennes parfaitement ce qui s'est passé.

– C'est ce que je souhaite moi aussi. Tu veux du thé maintenant? Si nous continuons à boire du cognac, nous serons ivres morts avant le dernier acte.

Elle finit par me regarder. Je lui adressai un sourire réconfortant. Alors, je lâchai sa main, me levai et me dirigeai vers la cuisine pour préparer la bouilloire.

7

A mon retour, Lyle me dit :

– Est-ce que mon récit prend la tournure que tu attendais?

– Oui et non. J'avais deviné en gros les faits, comme tu le sais, mais je n'avais pas mesuré l'énorme tension émotionnelle qui s'y rattachait – et je n'avais pas compris le rôle de chacun. J'avais vu en Jardine l'instigateur.

– Non, ce fut moi, au début. Puis, après, Mrs. Jardine mère lui a fait faire le grand saut. J'aurais voulu que tu la connaisses, Charles. Elle avait sur Alex un terrible ascendant.

– Que s'est-il passé exactement?

– Je l'ignore, dit Lyle. J'ai joué le rôle de l'épouse parfaite attendant les confidences de son époux, mais Alex ne m'a rien dit.

– Peut-être n'avait-il rien à confier?

– Je suis sûre qu'il y a eu quelque chose. Je suppose qu'ils ont connu une relation intense où la sexualité n'était ni nécessaire ni importante – les relations incestueuses peuvent parfois s'inscrire dans cette catégorie, non? Bien que je sois convaincue qu'Ingrid et Alex ne se soient jamais considérés comme frère et sœur. Je sais qu'il ne l'a jamais prise pour sa mère non plus – il m'a dit qu'il se souvenait trop bien de sa vraie mère et, de toute façon, Ingrid n'était pas maternelle. Pendant son adolescence, il a vu en elle l'épouse de son père, mais quand il a découvert que leur mariage était clandestin – c'est-à-dire quand Ingrid a quitté son mari pour venir s'occuper de lui – je soupçonne qu'il n'a plus vu en elle qu'une femme sans attache, amoureuse de lui. Je doute toujours qu'ils aient jamais couché ensemble – Alex est si pieux – mais qui peut savoir? Si leur relation fut totalement innocente, pourquoi ne peut-il en parler librement avec moi? Et pourquoi s'est-il marié précipitamment dès qu'il l'a pu – comme si cela avait été vital qu'il se mît à l'abri de la tentation une fois pour toutes?

– Peut-être quelque chose avait-il commencé entre eux à Starmouth et s'était achevé quand elle était retournée auprès de son vieux mari et puis avait recommencé plus tard à North London à la mort du père?

– Je l'ignore. Tu pourrais tout aussi bien dire qu'il s'est marié précipitamment car il avait peur que cette relation platonique ne finisse par devenir physique. Un homme ne peut épouser la femme de son père; même si le mariage d'Ingrid était vraiment particulier, Alex croyait dur comme fer qu'il était valide aux yeux de Dieu. Aussi ne pouvait-il pas l'épouser – et comme c'était un être pieux, aucune autre relation n'était possible. Mais laisse-moi te dire une chose, Charles : bien que nous ne puissions savoir avec certitude si elle et Alex furent jamais amants, je suis persuadée que la haine que nourrissait Mrs. Jardine mère pour Carrie était fondamentalement enracinée dans la jalousie.

– N'a-t-elle jamais été jalouse de toi?

– Apparemment, elle a décidé d'emblée que c'était inutile. En 1932, quand j'ai épousé Alex, elle avait plus de soixante-dix ans; elle savait qu'il ne lui restait plus beaucoup de temps à vivre; tout ce qu'elle voulait, c'était voir son Adam heureux. Et puis, elle m'aimait bien. Nous nous entendions bien. Le mariage lui a beaucoup plu. En fait, cela peut sembler bizarre, mais je dirais qu'elle éprouvait une joie immense par procuration à me pousser dans les bras d'Alex et à nous imaginer ensemble au lit. Mais qui sait ce qu'elle pensait vraiment? Qui peut savoir où est la vérité? Pense à tous ces philosophes – Berkeley, Hume et...

– Je préfère penser à toi. Du sucre dans ton thé?

– Au moins, ça c'est la réalité! Non, merci. Une goutte de lait, c'est tout.

Je lui versai une tasse de thé.

– Jusqu'à présent, dis-je, je ne vois toujours ni héros ni vilain dans cette histoire, uniquement des victimes.

– Victimes de Dieu ou victimes du Diable?

Et elle ajouta, de manière tout à fait inattendue :

– Comment s'appelle le don de distinguer une manifestation de Dieu d'une manifestation du Diable dans des circonstances ambiguës? Alex m'a dit qu'on appelait cela le don de discernement des esprits.

Nous demeurâmes un moment silencieux, puis je dis :

– Lève le rideau sur le troisième acte et laisse-moi tester mes pouvoirs de discernement.

XXIII

Personnellement, j'ai tendance à penser que, partout
où apparaît une situation dans laquelle la cohabitation
entre mari et femme ne peut raisonnablement ni équi-
tablement être assurée, il faut un motif de divorce rece-
vable.
   Avant que l'on puisse, avec justesse, dire à ces per-
sonnes de partir chacune de leur côté, nous devons être
certains que, spirituellement, elles ne sont pas unies.
Dans la région où la moralité est indispensable, nous
ne pouvons tout miser sur la présence ou l'absence d'un
certificat officiel.

Autres lettres de Herbert HENSLEY HENSON,
Éd. E. F. Braley.

1

— Pendant longtemps, reprit Lyle, tout s'est très bien passé. Ou plutôt,
devrais-je dire, tout s'est très bien passé malgré les circonstances parti-
culières qui, en fait, rendaient les choses vraiment difficiles. Le premier
problème, c'était la discrétion; j'ai changé de chambre et me suis installée dans le coin isolé de la tourelle mais Alex se dit que cela semblerait
bizarre qu'il change de chambre au même moment; alors, lui et Carrie
ont continué à faire chambre commune bien que, à ce moment-là, il
dormît toujours dans le salon. Plus tard, ils ont eu des lits jumeaux afin
de pouvoir, de temps en temps, dormir dans la même pièce et présenter,
pour les domestiques, une intimité de façade.

En fait, le danger est venu d'une tout autre direction. Alex et moi
avions tenté pendant cinq ans de cacher nos sentiments l'un pour
l'autre, mais ce n'était pas si facile que ça d'avoir l'air indifférent, alors
que nous nous donnions l'un à l'autre dans l'intimité – c'était ce changement perpétuel qui était si délicat. Nous avons pris pour loi de ne jamais

nous embrasser, quelles que soient les circonstances, ailleurs que dans ma chambre – et c'était dur car nous mourions d'envie de nous voler de petits baisers. Une autre de nos règles était de ne jamais négliger Carrie – en fait, au début, Carrie posait vraiment un problème car nous nous sentions coupables vis-à-vis d'elle; nous ne pouvions nous en empêcher même si nous savions tous deux qu'elle avait consenti au divorce de son plein gré. Carrie posait aussi un autre problème, la pauvre chérie – Alex et moi étions terrifiés à l'idée qu'elle puisse commettre une indiscrétion. Les premiers temps, je l'ai surveillée étroitement, mais en fait Carrie ne nous a jamais trahis – elle savait bien qu'il était vital de ne pas commettre d'impair.

L'autre difficulté importante, au début, fut le sexe. Cela va peut-être te surprendre – je suppose que tu nous imaginais nous livrant, le cœur léger, à des ébats qui duraient des heures – mais nous étions tous deux paralysés par la peur que je sois enceinte et, pendant un long moment après notre première nuit, nous avons jeûné sur ce plan-là. Mais ce fut un bien car je pus ainsi m'habituer à la sexualité sans être dominée par elle, mais à un moment donné, je suis allée en ville, à la clinique Marie-Stopes. Je m'y présentai comme femme mariée et me fis poser un diaphragme. Tout a été parfait ensuite. Mais le sexe avait toujours un côté un peu sordide – le côté clandestin de l'histoire d'amour qui doit rester secrète. Par exemple, nous nous inquiétions tous les deux de l'état des draps alors; nous avons fini par nous allonger systématiquement sur un châle que je pouvais laver moi-même. Mon Dieu, Charles, pardonne-moi d'entrer dans ces détails mais je tiens à être honnête. Je veux que tu voies la vérité dans tout ce qu'elle a de plus réaliste.

– Il vaut mieux, de beaucoup, que tu sois complètement sincère. Dis-moi, Jardine ne s'est jamais fait surprendre quand il se rendait dans ta chambre? Je m'en serais inquiété à sa place.

– C'est-à-dire qu'il venait rarement la nuit. Il disait que les gens soupçonnaient toujours le pire en voyant un homme rôder dans les couloirs en robe de chambre mais que jamais personne ne sourcille en voyant un homme errer, l'air de rien, vêtu de pied en cap, en plein jour. Habituellement, il venait me rendre visite tôt le matin, vers six heures. La pièce contiguë à ma chambre avait été transformée en salle de bains, aussi n'avais-je pas à m'inquiéter de la venue impromptue d'une domestique qui me porterait un broc d'eau chaude; pendant l'hiver c'est moi qui allumais le feu pour « soulager les domestiques » – le message bien reçu à l'office. Ainsi, aucune femme de chambre ne venait jamais dans ma chambre jusqu'à ce que mon lit fût fait, c'est-à-dire pas avant neuf ou dix heures. Tôt le matin, c'était toujours le meilleur moment – ou alors nous nous rencontrions parfois en début de soirée pendant que tout le monde se changeait pour le dîner. Mais quand nous nous voyions, c'était toujours comme amants, jamais comme mari et femme. Au début, tout cela était très amusant, mais plus tard, j'ai eu envie de passer une nuit entière avec lui, comme n'importe quelle épouse véritable. Mais il disait tout le temps que c'était impossible; il y avait toujours un pasteur déprimé qui pouvait se tirer une balle dans la tête ou alors un incendie qui pouvait détruire la cathédrale – alors, ce serait l'enfer si l'évêque n'était pas trouvé dans le bon lit.

Je suppose que tu devines où tout cela nous mène, n'est-ce pas? A mon insatisfaction. Elle me gagna petit à petit et si graduellement que, pendant longtemps, je n'y pris pas garde; mais plus je réussissais dans mon rôle d'épouse clandestine d'Alex, plus ardemment avais-je envie d'être la femme de l'évêque aux yeux de tous. C'était comme si notre situation avait porté en germe, dès son commencement, sa propre destruction.

Mon insatisfaction affecta ma vie spirituelle – je suppose que, en ta qualité de pasteur, tu te posais des questions à ce sujet. Eh bien, j'allais bien après le mariage; Alex m'avait assuré qu'en aucun cas nous ne commettions d'adultère. Bien sûr, je le croyais. C'était lui l'évêque, après tout! Aussi n'avais-je aucun remords sur ce chapitre et allais communier toutes les semaines, mais quand j'ai commencé à être malheureuse et que la fortune a commencé à devenir amère, ça n'a pas été facile. Je me suis demandé obscurément si je n'étais pas en train d'être punie. Mais je n'aimais pas confier mes doutes à Alex – pas seulement parce que j'avais honte de douter de lui mais parce qu'Alex, pour dire la vérité, n'est pas un conseiller-né. Il est sympathique et capable d'une compréhension intuitive, mais il a du mal à résister à la tentation de se lancer dans un discours brillant qui résout le problème en ramenant provisoirement son interlocuteur à son point de vue. Je savais que, si je soulevais le moindre doute, Alex réussirait à le chasser par la parole, mais je ne voulais pas que quelqu'un me parle. Je voulais qu'on m'écoute, et je n'avais absolument personne vers qui me tourner.

C'est alors qu'une chose très curieuse est arrivée. Comme je te l'ai déjà dit, je n'ai jamais été très maternelle mais, un jour, j'étais sortie en ville et j'ai vu un bébé dans sa poussette. Je me suis dit tout à coup : si j'étais une véritable épouse, j'en aurais un comme lui. Et, tout de suite, j'ai imaginé ce petit enfant me dire : « Maman! Maman! » et tendant ses bras vers moi. Tu imagines? Je n'arrivais pas à le croire. Comment pouvais-je être si désespérément sentimentale? J'en ai parlé à Alex mais je n'ai fait que le contrarier. Il m'a dit : « Ne sais-tu pas qu'un enfant de toi est la chose que je souhaite le plus au monde? » Mais ce genre d'affirmation faite sous le coup de l'émotion ne m'était absolument d'aucune aide. Mon état ne fit qu'empirer et nous en sommes arrivés à nous quereller. Carrie s'est inquiétée. Elle comprenait tout de suite dès que quelque chose n'allait pas entre nous. Un beau jour, je l'ai trouvée en larmes. Au début, elle ne voulait rien me dire mais elle a fini par avouer : « J'imagine que tu souhaiterais me voir morte afin de pouvoir l'épouser officiellement. »

Alors, j'ai vraiment eu honte. J'étais anéantie. Je l'ai enlacée et lui ai dit que non, non, jamais, jamais. Mais, bien sûr, je m'étais souvent demandé combien de temps elle allait tenir le coup.

Tu comprends à quel point cette situation devenait invivable? J'avais l'impression que quelqu'un – Dieu ou le diable – avait pris une cuillère géante et nous touillait lentement. Je ne savais plus où j'en étais, à propos de Carrie, à propos du mariage. Finalement, j'ai cessé d'avoir des rapports sexuels. Alex n'a pas apprécié du tout – et pas seulement pour des raisons égoïstes mais parce qu'il pensait, pauvre Alex, qu'il avait si peu à me donner que le moins qu'il pouvait faire était de me satisfaire au lit. Il m'a fallu un moment pour comprendre cela, mais une fois que je l'eus compris, oh, je me suis sentie si coupable, si malheureuse de le savoir malheureux, que, finalement, je lui ai rouvert mon lit. C'est alors que... Non, je ne peux pas le dire. Il y a certaines choses qui sont vraiment trop spéciales pour pouvoir être exprimées. Mais disons qu'il fit en sorte que nos rapports soient mieux qu'auparavant.

Tu vois déjà comment le trio craquait aux entournures? Nous nous aimions tous les trois mais plus aucun de nous n'était heureux. A ce moment-là – c'était en mai dernier – je ne pouvais plus supporter de voir Carrie jouer les Mrs. Jardine en public : inaugurant des fêtes, présidant les réunions du comité de charité, recevant toutes les attentions des ecclésiastiques importants et de leurs épouses aux grandes fêtes religieuses... C'était devenu intolérable. Je me rendais compte que je devenais de plus en plus amère – c'était moi qui avais fait tout le dur travail. C'était moi qui le rendais heureux au lit. C'était moi qu'il aimait – et, malgré tout, je n'étais personne, simplement une célibataire vieillissante sur qui le bruit courait qu'elle nourrissait une passion pathétique et secrète pour l'évêque. Oh, j'ai souvent eu envie de hurler ma rage et ma frustration, et tous ces sentiments atteignirent leur paroxysme au couronnement quand Carrie a eu droit au siège de l'épouse à l'abbaye. Alors, quelque chose s'est brisé en moi et j'ai déversé tout mon ressentiment sur eux. Puis, je m'en suis voulu car ils étaient terriblement bouleversés – et j'ai tout de suite su non seulement à quel point je les aimais mais aussi à quel point j'étais absolument liée à eux. C'était les aimer tous les deux en même temps – et de manière si différente – qui était si asservissant, et le poids de leur amour commun semblait m'immobiliser dans une position dont il était impossible de m'échapper.

Bref, nous nous sommes réconciliés mais j'ai refusé d'aller à Londres avec eux. Je suis restée à la maison à réfléchir, réfléchir. J'étais dans un de ces états horribles où les pensées tournent et retournent dans la tête. Carrie pouvait bien mourir demain ou vivre encore vingt-cinq ans encore. Combien de temps allais-je pouvoir continuer ainsi? Mon mariage était-il valable aux yeux de Dieu ou non? Je pouvais toujours me raconter qu'il l'était mais je commençais vraiment à me demander si je n'avais pas été piégée dans quelque duperie effroyable. J'avais trente-cinq ans, le temps passait, allais-je jamais avoir mon adorable petit garçon aux yeux d'or? J'ai failli devenir folle en me torturant avec ces pensées-là, et tout le temps, tout le temps, je me répétais : je ne pourrai jamais les quitter.

Et alors, tandis que Dieu – ou le diable – serrait l'étau de mon supplice sentimental – bref, tu sais ce qui s'est passé, n'est-ce pas?

– Apparition du révérend Ashworth, dis-je, sur son blanc destrier. Du thé?

2

– Enfin, je pensais que j'étais au supplice avant que tu ne surgisses, dit Lyle, tandis que je remplissais à nouveau nos tasses, mais en fait ce n'était rien – ce n'était que le préambule de ma torture. Dès que je t'ai vu, j'ai pensé – un peu comme quand j'avais vu le bébé dans son landau : j'aimerais avoir le même. Un chanoine jeune et beau à l'avenir doré... Je voyais ça d'ici, jusqu'aux nouveaux rideaux que je commanderais quand je serais la femme de l'évêque dans un palais épiscopal où je serais vraiment chez moi.

Mais alors, j'ai su que j'étais coupable et je me suis méprisée. Je me suis dit : si j'étais une véritable épouse, jamais je ne succomberais à de tels rêves pervers. Et je me suis sentie indigne, salie par tout cela. Je décidai donc de combattre la tentation et d'être une bonne épouse pour Alex afin que lui et Carrie n'apprennent jamais à quel point mes pensées avaient été viles et déloyales.

Mais tu n'étais pas disposé à me rendre la fidélité facile, n'est-ce pas? Mon Dieu, comme tu m'effrayais! Tu nous effrayais tous. L'un des pires moments fut quand je découvris que tu avais été dans ma chambre avec la rose et le petit poème. Je gardais toujours mes contraceptifs dans une boîte à bijoux que je savais être un endroit sûr, mais le châle révélateur était juste posé dans un tiroir et si tu avais fouillé ma chambre... les taches... j'en bégayais presque de terreur.

Alex m'a calmée. Nous avons tenu conseil, lui, Carrie et moi et il nous a dit : « Il n'y a qu'un moyen d'agir, c'est de faire comme si de rien n'était. Plus nous deviendrions hostiles et plus Ashworth penserait que nous avons quelque chose à cacher. » Puis il m'a dit : « Sois aussi distante avec lui que tu l'es d'habitude avec les chapelains qui s'entichent de toi et il comprendra vite qu'il perd son temps. »

Bien sûr, Alex savait que tu représentais une menace plus sérieuse que les autres mais il avait confiance en ma fidélité et, à ce stade, tu n'étais qu'une gêne. Pourtant, en même temps, et ceci était très étrange, il semblait te trouver fascinant. Il parlait souvent de toi. Il était convaincu que tu avais des problèmes graves par rapport aux femmes et à ton père –

enfin, je me disais qu'il voyait en toi comme un double de lui. Je ne le prenais pas au sérieux et, parallèlement, j'essayais de me convaincre que tu n'étais qu'un théologien téméraire qui jouait les tombeurs. Mais, après notre soirée au *Staro Arms,* je ne pouvais plus jouer la froideur et le détachement. Ce baiser devant la cathédrale! Dieu seul sait comment je ne me suis pas évanouie. Je mourais d'envie de coucher avec toi et de faire l'amour jusqu'à l'aube.

Mais dès que je me suis retrouvée dans ma chambre, j'ai de nouveau été mortifiée par mon sentiment de culpabilité. J'avais l'impression d'avoir trahi Alex, de m'être trahie moi-même – et le lendemain matin, je savais que je ne pourrais pas recevoir la communion. Évidemment, Alex a senti qu'il y avait anguille sous roche. Nous n'eûmes pas l'occasion de nous parler en privé jusqu'à ton départ, mais plus tard, il exigea que nous ayons une conversation et ce fut très pénible. Il avait deviné ce qui s'était passé et la jalousie le rendait fou furieux. Mais nous avons fait l'amour et, après, il m'a dit : « Tu es ma femme devant Dieu. Ne l'oublie jamais. » Et je ne voyais pas comment je l'aurais pu.

Bref, nous nous remettions à peine de ta visite quand eut lieu la véritable catastrophe. Tu refis apparition et je n'ai pas besoin de te dire à quel point ce dîner fut terrifiant. C'était déjà assez que tu aies deviné la vérité mais le pire était que, selon toute apparence, tu étais complètement saoul et très dérangé, et que tu pouvais très bien aller crier tes soupçons sur tous les toits. J'étais aussi horrifiée de découvrir qu'Alex avait eu raison de penser que tu avais des problèmes. Il était évident que tu étais dans une mauvaise passe.

Après ton départ, Alex a dit : « Nous nierons tout en bloc. Ce type est complètement déséquilibré. Ce sera sa parole contre la nôtre et nous, nous serons crus. » C'est alors que resurgit l'élément étrange – décidément, ils pullulent dans cette histoire. Ou bien la vie est-elle plus étrange que nous ne voulons bien l'admettre? Il a commencé à se faire un sang d'encre à ton sujet. Comme tu étais saoul, il devenait fou à l'idée que tu puisses te tuer au volant. Il ne pouvait pas s'empêcher de se faire du souci pour toi. Il n'arrêtait pas de répéter que tout était de sa faute et que son charisme avait été récupéré par le diable – oh, mon Dieu, c'était effrayant! J'ai couché Carrie et j'ai veillé avec lui pendant que la culpabilité le rongeait – *il ne pensait qu'à toi.* Il a même été jusqu'à dire que tu étais tout à fait le fils qu'il avait toujours rêvé d'avoir – et cela deux jours seulement après qu'il eut dit qu'il te détestait parce que tu essayais de m'enlever à lui! Sincèrement, Charles, s'il y avait quelqu'un de plus désorienté que moi par ta faute, c'était bien lui.

Finalement, j'en ai eu assez de cette autoflagellation. J'étais à bout – et j'imagine que j'ai dû montrer quelque signe d'impatience. Il a tout de suite changé d'attitude. Il s'est souvenu que tu étais son rival et m'a lancé : « Au fait, une chose qui devrait t'intéresser : Ashworth m'a avoué qu'il avait couché hier avec Loretta. Tu es sûre qu'il n'a pas couché avec toi le week-end dernier?»

– Oh, ma chérie.

– Nous nous sommes disputés violemment. Je pensais qu'il mentait. Puis, j'ai compris qu'il disait la vérité. Et je me suis sentie complètement bouleversée, perdue, abandonnée.

– Ma chérie, je...

– Ça va maintenant, je me moque que tu aies couché avec elle ou pas – enfin, non, je ne m'en moque pas, mais je ne pense pas que ce soit important. Il est évident que tu étais perturbé et si tu as vraiment couché avec elle, je suis bien certaine que ce fut un accès de faiblesse que tu n'as pas en temps normal. Mais quand Alex me l'a dit, je me suis sentie assassinée. Bien sûr, l'entendre m'accuser d'infidélité alors que j'avais si ardemment essayé de lui rester fidèle m'a mise dans une rage folle.

Là-dessus, Alex a découvert que tu étais allé chez les Fordites et il a failli mourir de soulagement. Mais il était toujours terrifié à l'idée que, dès que tu serais rétabli, tu ne coures porter tes soupçons à Lang et, bien sûr, il ne supportait pas l'idée que le père Darrow sache tout. Alex se tourmentait sans cesse. Comment a-t-il pu continuer à travailler, je n'en ai pas la moindre idée. J'ai assisté aux services comme d'habitude mais ce n'était que pour sauvegarder les apparences. J'étais si perdue, si malheureuse. Je ne voyais pas comment j'allais pouvoir continuer et, un après-midi, je suis allée à la cathédrale supplier Dieu de m'aider mais je n'ai pas réussi à prier. J'étais coupée de Lui. Je n'ai fait que m'agenouiller dans une chapelle et répéter mon Dieu, mon Dieu, mon Dieu, sans fin dans ma tête. C'était comme si j'avais formé un numéro sur un cadran et écoutais la sonnerie à l'autre bout du fil – sans vraiment attendre de réponse. Mais alors, le miracle a eu lieu : quelqu'un, à l'autre bout, a décroché.

Tu es entré. Tu te souviens que je t'ai dit que c'était un signe. J'ai tout de suite su que je devais quitter Alex. Mais je ne voyais absolument pas comment j'allais m'y prendre.

J'ai dit à Alex que je t'avais rencontré. Je ne pensais pas que quelqu'un ait pu nous voir mais je ne voulais pas qu'il l'apprenne par un tiers. Je pensais aussi qu'il apprécierait mon honnêteté. Ce fut loin d'être le cas. Il s'ensuivit une scène affreuse car il ne croyait pas que notre rencontre ait été fortuite. J'ai essayé de lui faire comprendre que notre union touchait à sa fin, mais je n'ai pas pu. Il avait un tel ascendant sur moi, je ne peux pas le décrire, peut-être n'existe-t-il pas de mots qui puissent le décrire? Tout ce que je peux en dire, c'est que je devais toujours lui céder, toujours. Et cela a continué.

Bref, comme les jours passaient, Alex a compris que tu n'avais rien dit à Lang et il a commencé à se sentir mieux. Carrie aussi. Quant à moi... Oh, Charles, c'est maintenant que ça devient très difficile.

J'esquissai un geste pour l'enlacer, mais elle me repoussa.

– Non, dit-elle, tu ne comprends pas. Les choses ne peuvent pas s'arranger par un baiser.

En disant cela, elle s'était levée et m'avait tourné le dos. Je compris qu'elle rassemblait son courage pour affronter quelque épreuve intérieure.

– Dis-moi ce que je peux faire, lui dis-je. Si tu veux que je t'aide à changer ta situation à l'évêché.

– Elle a déjà changé et de manière irrévocable.

Elle parvint à rassembler le courage dont elle avait besoin et se retourna pour me fairer face.

– Ma vie à l'évêché est finie. Il n'y a plus d'alternative maintenant. Je dois partir.

Je devinai ce qu'elle allait m'annoncer avant même qu'elle ne l'ait dit.

– Tu es...

– Je suis enceinte.

Et elle enfouit son visage dans ses mains.

3

En un dixième de seconde, j'entrevis tout : l'impénétrabilité de Dieu, le rachat de la tragédie du passé, la route éreintante qui s'enfonçait vers un avenir à peine concevable. Le temps avait achevé une révolution sinistre; j'étais mon père, Lyle était ma mère et l'embryon en elle, c'était moi, attendant celui qui aurait la volonté de lui donner l'avenir exigé par Dieu. Pourtant, tout était subtilement différent : je n'étais pas mon père, Lyle n'était pas ma mère et l'embryon n'était ni ne pourrait jamais être moi. La partie était la même mais les cartes avaient été redistribuées et la valeur de ma main était difficile à mesurer. La seule chose dont j'étais certain, c'était que j'avais été appelé à jouer avec ce jeu-là. De cela, je n'avais aucun doute.

J'effleurai ma croix pectorale et pris Lyle dans mes bras. Elle fondit en larmes.

– Je t'aiderai, lui dis-je.

Elle se blottit contre moi sans dire mot. Je lui caressai les cheveux et alors je fus comme assommé par le choc au point que je n'arrivais même plus à réfléchir. Je réussis à dire une prière. Je demandai que me soit accordée la grâce d'entrevoir comment continuer plus avant, et les mots familiers « Que Ta volonté soit faite » furent immédiatement réconfortants.

– Ayons l'esprit pratique, finis-je par dire. Tout d'abord, en es-tu absolument certaine?

– Oui, bien que ça ne m'ait pas été confirmé médicalement.

Elle s'éloigna de moi et sortit un mouchoir de son sac.

– Je n'ai jamais plus d'une journée de retard. J'ai tout de suite su ce qui était arrivé. Je me sentais différente aussi, je ne pouvais plus avaler de café. Aujourd'hui, je suis allée au dispensaire Marie-Stopes et je leur ai demandé de me faire passer un test de grossesse mais ils m'ont dit que c'était trop tôt. Mais je suis certaine que j'attends un enfant.

Je pensai aux grossesses nerveuses et au pouvoir de l'esprit sur la matière.

– Quand penses-tu que cela soit arrivé?

– Le jour où je t'ai rencontré à la cathédrale.

– Et la contraception?

– Je ne m'en suis pas servi – c'est pour cela que je sais exactement quand le désastre s'est produit. Ce fut l'une des rares fois où il vint dans ma chambre la nuit. Habituellement, je place toujours le diaphragme avant d'aller au lit pour que, quand il arrive tôt le matin, je ne doive pas me précipiter dans la salle de bains. Ce serait si peu romantique. Mais cette nuit-là, je ne l'ai pas mis et, au matin, j'ai été surprise; avant de pouvoir agir, nous avons eu cette dispute à ton sujet et ensuite, quand il a commencé à me faire l'amour. Oh, Charles, je me sentais si faible, si égarée, si désespérée, que je me souciais peu de contraception, tout m'était égal.

– Tu le lui as dit?

– Non.

Elle saisit son paquet de cigarettes et, maladroitement, en sortit une.

– Je ne l'ai dit à aucun des deux – j'ai senti que je ne pourrais pas affronter leur réaction quand je pouvais à peine affronter la mienne. Comme tu l'as sans doute compris maintenant, la grande caractéristique de ma relation avec les Jardine est que c'est moi qui affronte les problèmes. Personne ne s'occupe de moi et c'est pour ça que je suis ici. J'ai senti que toi, tu pourrais t'occuper de moi, tu pourrais me dire ce que je devais faire.

– Que ressens-tu par rapport à cet enfant?

– Je suis épouvantée. Je trouve que c'est l'erreur la plus terrible de toutes. Je me suis guérie de mon rêve sentimental d'un petit garçon aux yeux d'or; maintenant j'imagine une fillette laide et grincheuse qui sera un boulet pour les vingt et une prochaines années. A moins, évidemment, que je ne me fasse avorter.

– Hors de question!

Et je sentis le temps se refermer sur nous tandis que le passé se répétait en une série de permutations sans fin.

– Ce serait un péché.

– Oh, c'est tellement simple pour toi de dire cela – tu es un homme! s'écria Lyle, adoptant une tout autre attitude que ma mère. Je ne pense pas qu'un homme ait le droit de faire la morale en matière d'avortement!

Cette réaction féministe me surprit. Je réalisai à quel point je la connaissais peu.

– Personne n'a le droit de faire la morale sur quoi que ce soit, dis-je, et je ne te fais ni un sermon ni la morale. J'essaie de te donner des conseils réalistes. Il s'agit de l'enfant d'un homme que tu as aimé et de l'enfant que tu as souvent désiré. Un avortement ne serait-il pas un désastre d'un point de vue physique et psychologique?

Sa défiance s'effrita; elle craqua complètement.

— Oh, mon Dieu, je ne survivrai jamais à cela, jamais. Je pensais que je le pourrais mais maintenant je ne vois pas comment je le pourrais. Je ne peux pas affronter cela, Charles, je ne peux pas, tout simplement.

— Moi, si, dis-je. Cela fait longtemps que je me prépare à cela, peut-être depuis ma naissance. Je peux m'occuper de toi et de cet enfant. Lyle, tu vas m'épouser.

4

Je lui racontai brièvement les circonstances de ma naissance. Elle fut stupéfiée, abasourdie et, finalement, consternée en voyant la situation de mon point de vue.

— Mais Charles. Oh, mon Dieu, je ne sais que penser! Apparemment, je n'avais absolument rien compris en ce qui te concernait — un homme qui peut faire une telle proposition sans y être contraint doit être tellement différent du genre d'homme auquel je te croyais appartenir. Oh non, je ne peux pas accepter, je ne peux pas. Ta proposition est l'acte idéaliste le plus merveilleux qui soit, mais...

— Quel mal y a-t-il à être idéaliste? dis-je tandis que je la prenais dans mes bras et qu'elle recommençait à pleurer. S'il n'y avait pas d'idéalisme, nous serions encore à nous traîner dans la boue avec les animaux. Et, de toute façon, la meilleure forme d'idéalisme, et la plus efficace, prend toujours racine dans la réalité. Je crois que je regorge de sens pratique. Je sais que tu es la femme que je veux. Tu viens à moi avec cet énorme handicap mais, pour autant que je sache, je suis dans une position idéale pour en venir à bout. Évidemment, notre vie sera semée des difficultés les plus inhabituelles, surtout au début, mais je pense qu'avec de la force, de la volonté et l'aide de Dieu nous pourrons surmonter ces difficultés. Pourquoi pas? Je suis censé être chrétien. Il me paraît évident que je suis maintenant appelé à vivre le message chrétien d'amour et de pardon d'une manière spécifique et, de plus, en t'aimant comme je t'aime, je ne vois pas comment je pourrais concevoir l'idée de m'éloigner de toi.

Elle était incapable de répondre. Elle s'accrochait simplement à moi avec une intensité nouvelle et je sus ce que mon père avait ressenti, il y a très longtemps, quand il avait été le témoin du soulagement et de la gratitude qui avaient submergé ma mère.

Mais je pris une autre direction que lui.

— Nous avons besoin d'aide et tout de suite, dis-je à Lyle. Je veux que tu viennes avec moi voir le père Darrow.

Darrow était toujours à l'extérieur lorsque je téléphonai, aussi j'accompagnai Lyle au *Blue Boar* où je confirmai la réservation et commandai des sandwiches.

– Je ne pourrai rien avaler.

– Eh bien moi, si, et tu ferais mieux de manger. Fais un effort, dis-je d'un ton ferme, me souvenant combien Darrow avait été intransigeant à mon égard sur la question de l'alimentation.

Aussi, nous nous assîmes dans le salon pour manger des sandwiches au poulet. Lyle réussit à en avaler la moitié d'un; nous partageâmes le thé plus équitablement.

– J'ai changé d'avis, dit-elle. Je ne tiens plus à rencontrer cet homme. Je comprends parfaitement que tu aies besoin de parler de ton avenir avec ton directeur de conscience et, évidemment, il faut que je sois là car je fais maintenant partie de ton avenir mais, à franchement parler, cette idée ne me plaît pas du tout.

– Je t'assure que tu n'as aucune raison d'être inquiète.

– Mais je ne suis pas inquiète. J'ai tout simplement le sentiment qu'aucune femme ne peut s'empêcher de voir en un moine une atteinte à sa dignité. Qu'est-il arrivé à sa femme? Alex a su qu'il avait été marié autrefois.

– Je n'ai aucune idée de ce qui lui est arrivé. Darrow m'a très peu parlé de lui, mais c'est conforme à toutes les règles d'un bon examen de conscience.

Je mentionnai que Darrow avait tenté de lui trouver une religieuse compréhensive mais, à nouveau, Lyle se montra hostile à cette idée.

– Je ne pourrais parler de tout cela à aucune femme, dit-elle. D'ailleurs, je n'apprécie pas les femmes à part Carrie, et ce n'est pas, du reste, que je l'apprécie, je l'aime, c'est différent.

Ce raisonnement était si tarabiscoté, si typique d'une détresse intérieure et de problèmes psychologiques que je jugeai plus sage de ne rien dire. Je me demandai comment Darrow allait s'attaquer à ce problème.

Nous nous rendîmes à Grantchester en voiture et, au moment où je bifurquai dans l'allée du monastère, Lyle frissonna.

– Chérie.

Je stoppai la voiture, me penchai vers elle et l'embrassai.

– Essaie de ne pas voir en cet homme une atteinte à ta dignité, lui dis-je. Je suis certain qu'il n'est pas misogyne.

– Alors pourquoi reste-t-il enfermé dans cet endroit? Je n'aime pas l'idée de gens cloîtrés dans ce genre d'ordre. C'est tellement sinistre et si peu naturel!

Je commençai à être sérieusement inquiet. Tous les directeurs de conscience connaissaient des échecs et Darrow lui-même avait clairement dit qu'il préférait ne pas conseiller de femmes.

Le jeune moine à l'air joyeux qui m'avait accueilli la première fois nous salua chaleureusement et nous précéda jusqu'au parloir des visiteurs.

– Le père supérieur vient de rentrer, dit-il. Il ne vous fera pas attendre longtemps.

– Le pauvre Darrow, fit Lyle lorsque nous fûmes seuls. J'espère que la perspective d'affronter ton nouveau problème ne va pas le décourager.

– Darrow est assez fort pour affronter n'importe quoi!

– Enfin, il peut peut-être t'aider mais qu'il ne tente pas de m'aider, moi! La dernière chose que je veuille c'est être aidée par quelqu'un qui n'a plus d'activités sexuelles.

Le ton de sa voix était indéniablement hostile et j'étais toujours en train de rechercher fiévreusement les mots qui pourraient la calmer lorsqu'un bruit de pas résonna dans l'entrée.

Tout de suite, le visage de Lyle prit l'expression du condamné à mort qui va affronter le peloton d'exécution.

– C'est lui, n'est-ce pas?

– Lyle, pense à lui comme à un ami.

– Mais ce n'est pas mon ami, dit-elle, très pâle. C'est mon ennemi. Je le sais, je le sais.

Alors, mon exorciste entra dans la pièce et fit face à tous les démons que j'avais obstinément refusé de reconnaître.

XXIV

Le pouvoir de l'illusion est immense chez tous les hommes, mais j'ai tendance à penser qu'il est le plus grand chez une personnalité officielle, tel un évêque, qui n'entend jamais rien que sa propre voix et les échos flagorneurs qu'elle suscite.

Herbert HENSLEY HENSON,
Regard sur une vie sans importance.

1

Je fus surpris en voyant Darrow car il ne s'était pas changé après sa sortie dans le monde. Il portait encore son habit de clergyman. La tenue de moine avait entretenu l'illusion que sa personnalité participait de l'identité d'une communauté mais, en vêtements cléricaux, l'illusion de conformité était perdue au profit de son individualité. Il avait l'air encore plus autoritaire, encore plus sûr de lui – et il semblait aussi impatient qu'un aventurier accoutumé à naviguer dans des eaux inconnues. C'était comme si sa sérénité froide et analytique – un trait si caractéristique de sa personnalité monastique – avait gagné en impétuosité, en dynamisme et, tout à coup, pour la première fois, je vis en lui non seulement cet aumônier qui avait servi dans la marine mais aussi ce novice provocant qui avait affolé ses supérieurs au point que ceux-ci durent l'exiler dans le Yorkshire pour y traire des vaches.

J'entendis Lyle qui, à mes côtés, prenait une profonde inspiration et, comme je comprenais que ce choc avait provisoirement dominé son hostilité, je sus qu'elle était surprise que Darrow fût si différent du « vieux fossile grisonnant » qu'elle avait imaginé. Darrow, quant à lui, s'arrêta net en la voyant. Je m'avançai vers lui.

– Mon père, permettez-moi de vous présenter Miss Lyle Christie. Lyle, je te présente le père Jon Darrow.

Darrow dit précipitamment :

– Enchanté de faire votre connaissance, Miss Christie. Asseyez-vous, je vous en prie.

Il ne lui tendit pas la main, mais s'empara d'une chaise qu'il lui offrit.

– Merci.

Lyle semblait sur ses gardes. Je compris que la rencontre avait mal commencé mais je fus incapable de situer l'origine du malaise jusqu'à ce que Darrow dise :

– Si j'avais su que Miss Christie était avec toi, Charles, j'aurais pris le temps de me changer. Un moine doit être un moine, et non un ecclésiastique un peu excentrique portant ostentatoirement une croix sur la poitrine – cela crée une impression déroutante. Bon, avant que je ne vous quitte pour aller me changer, désirez-vous un rafraîchissement? Miss Christie préfère peut-être une tasse de thé?

D'un ton ferme, Lyle déclina l'offre. Mal à l'aise, j'en fis autant pour celle, plus vague, d'un rafraîchissement.

– En ce cas, si vous voulez bien m'excuser.

Il partit.

A peine la porte se fut-elle refermée derrière lui que Lyle pivota vers moi.

– Mais pourquoi donc ne m'as-tu pas prévenue qu'il était comme ça?

– C'est vraiment un type étonnant, non? Mon père a pensé qu'il aurait fait un bon avocat.

– Un avocat? Certes non! Il aurait fait un excellent acteur – un Prospero menaçant dans *La Tempête* ou bien un Claudius fascinant dans *Hamlet,* le genre de Claudius qui rendrait claires comme de l'eau de roche les raisons pour lesquelles Gertrude ne pense qu'à coucher avec lui.

– Lyle!

J'étais abasourdi. Je n'avais jamais songé qu'une femme puisse trouver Darrow sexuellement attirant. J'avais supposé qu'il était trop distant, trop austère, mais c'était sans compter sur le fait que les femmes sont sensibles à un comportement autoritaire, surtout quand il est exercé avec l'air digne d'un flibustier.

– Je ne peux imaginer rien de plus bizarre, disait Lyle d'un air de bravade, qu'un homme comme celui-là se fasse moine. Il doit jouer la comédie – c'est sa belle apparence à lui! – et je suis certaine qu'intérieurement, il n'a rien d'un moine. As-tu remarqué la manière dont il a sursauté quand il m'a vue? Il est évident que je représente, à ses yeux, la plus grande des tentations. Jézabel ressuscitée!

Je décidai que le moment était venu d'adopter une attitude ferme.

– Si Darrow s'est arrêté net en te voyant, dis-je (et je nie qu'il ait sursauté), c'est que, premièrement, il a tout bonnement été surpris de te voir ici et, deuxièmement, il a tout de suite compris que tu aurais toutes sortes de fantasmes plus ridicules les uns que les autres s'il ne portait pas la tenue asexuée des moines!

– Mais comment un homme comme lui fait-il pour vivre sans sexualité?

– Ma chérie, j'aurais préféré ne pas le dire, mais j'ai bien peur que ce qui t'induise en erreur ici soit le fait que tu aies vécu une relation intime avec un ecclésiastique qui, lui, ne pouvait s'arranger de la chasteté, mais...

– Tu as raison, jette-moi Alex à la figure! s'écria-t-elle au bord de la crise de nerfs. J'aurais mieux fait d'aller au diable plutôt que de venir dans cet endroit infect!

Et elle éclata en sanglots.

J'étais toujours en train d'essayer de la réconforter, et de me demander comment Darrow allait bien pouvoir s'en sortir avec nous, toujours en train de me répéter que je pouvais difficilement espérer nager dans le bonheur au sein d'un éden sans problèmes, lorsque Darrow refit irruption dans la pièce.

2

Lyle bondit sur ses pieds et marcha droit sur lui.

– Je crois qu'il vaut mieux que vous voyiez Charles en tête à tête, lui dit-elle. Ne croyez pas que je me dérobe mais je n'ai tout simplement pas envie qu'un moine fouille dans mon passé, c'est tout. Et pour vous prouver que je ne suis pas une lâche, je vous annonce d'emblée que je suis enceinte et que Charles a proposé de m'épouser. Il est complètement fou, c'est évident, et on ne doit pas le laisser faire. Je me moque de ce qui peut bien m'arriver, je suis trop pourrie pour m'en inquiéter, mais Charles est un homme bon et honnête et il ne mérite pas d'être entraîné dans cet abominable imbroglio – et si vous êtes aussi merveilleux que le monde le prétend, vous voudrez bien intervenir et le sauver de moi.

– Lyle...

J'étais désespéré, mais Darrow me coupa la parole.

– Miss Christie, lui dit-il, ma volonté est totalement sans importance ici. C'est la volonté de Dieu qui est importante. Êtes-vous apostat?

– Non!

Elle fondit en larmes.

– Alors vous conviendrez que votre premier devoir est de servir Dieu et que ce devoir, en cet instant, vous dicte de rester calme afin que vous puissiez entendre Sa voix s'Il souhaite communiquer avec vous. Charles, donne-lui la croix que tu portes. Miss Christie, prenez cette croix et serrez-la fort, comme ceci, et ne relâchez pas votre étreinte. Oui, car vous êtes torturée par les démons de la honte, de la culpabilité, du désespoir, de la colère et de la crainte, mais aucun démon ne peut résister à la toute-puissance du Christ – oui, ne la lâchez pas. Et maintenant, asseyez-vous ici. Charles, assieds-toi aussi et passe un bras autour de ses épaules. Comme ceci. Et maintenant, je vais m'asseoir entre vous et nous allons tous les trois prier qu'au nom du Christ, Notre Seigneur, ces démons soient chassés et vaincus... pas seulement pour vous, Miss Christie, mais aussi pour Charles et pour l'enfant. Fermez les yeux et respirez très profondément, et régulièrement, écoutez ma prière silencieuse, soyez réceptifs à chaque parole de Dieu, ne relâchez pas votre attention... Seigneur, entends notre prière.

Lyle fermait ses yeux très fort et tremblait contre moi de tous ses membres. J'avais très envie de dire à Darrow d'aider le processus de guérison grâce au pouvoir qu'il pouvait faire passer par ses mains. Sans que j'eus dit un mot, il m'entendit. Il dit sévèrement :

– Charles, concentre-toi sur notre prière, je te prie.

– Excusez-moi.

Au début, je pensais que la concentration serait impossible, mais les leçons de Darrow avaient porté leurs fruits et, après avoir prié avec ferveur, j'ouvris les yeux au moment même où il ouvrait les siens. Les paroles étaient « foi » et « confiance ». Je les avais clairement entendues.

A mes côtés, Lyle frissonna une fois encore et ouvrit les yeux. Darrow se pencha vers elle.

– Avez-vous entendu ?

– Non. Je n'ai rien entendu du tout.

Elle cligna des paupières.

– Mais je sais que je dois avoir foi et confiance en Dieu.

– C'est cela. Qu'as-tu entendu, Charles ?

– Vous priiez pour la foi et la confiance. Je crois que je dois avoir confiance en vous; vous allez nous aider et je dois avoir la foi pour servir Dieu de mon mieux dans le cas qui nous occupe.

– Exactement. Et c'est Dieu que nous devons tous servir, n'est-ce pas, Miss Christie ? Je dois servir Dieu en vous aidant tous les deux à trouver une réponse à ces terribles épreuves; Charles doit servir Dieu en suivant la vocation que Dieu lui inspire; et vous devez servir Dieu en concentrant votre énergie à essayer de percevoir ce qu'Il attend de vous.

Lyle répondit, tremblante, tenant toujours ma croix :

– Je veux épouser Charles. Mais j'ai peur que ce ne soit un acte égoïste et mauvais et que ce ne soit pas la volonté de Dieu.

– Il n'est ni égoïste ni mauvais de vouloir trouver la meilleure solution à votre dilemme. Mais ce dont vous devez être certaine est que ce mariage est bien la meilleure solution.

Il y eut un long moment de silence, puis Lyle dit en sanglotant :

– Oh ! Alex, Alex.

A nouveau, elle fondit en larmes.

3

– Maintiens-la, me dit Darrow.

Et, tout à coup, j'eus conscience du soin qu'il prenait pour qu'il n'y ait aucun contact physique entre lui et Lyle. Je la pris dans mes bras et l'embrassai sur la joue. Elle serrait toujours la croix dans sa main et, tout en laissant mon bras droit autour de ses épaules, je posai mon autre main sur la sienne en guise de réponse à la pression de ses doigts.

Lorsqu'elle se fut calmée, elle dit à Darrow :

– Alex est un homme si bon – vous ne devez pas le condamner.

– Ce n'est certainement pas à moi de le condamner, ni à Charles. Il est clair que nous avons affaire à un drame dont les protagonistes ont beaucoup souffert; mais quoique je parle en termes de souffrance et de drame, Miss Christie, vous savez, en chrétienne que vous êtes, que de tout désastre peut naître un renouveau, un nouvel espoir, une nouvelle foi – pas seulement pour vous d'ailleurs mais pour les Jardine aussi.

– Mais ils ne peuvent pas s'en sortir sans moi!

– Gardez-vous de penser qu'il n'y a qu'un seul avenir envisageable; et un avenir défavorable aux Jardine. Ce serait pécher par orgueil. La vérité est que personne n'est indispensable, considérez l'avenir avec humilité; alors je pense que vous pourrez espérer – et pas seulement pour vous-même, mais pour eux aussi. Pensez à la prière que nous venons de faire. Vous devez croire en Dieu et avoir confiance dans le regard qu'Il portera sur nous trois dans les jours difficiles qui nous attendent.

Lyle semblait apaisée. Elle se frotta le bout du nez avec son mouchoir puis murmura :

– Mon mariage n'est pas valide, n'est-ce pas?

– Ah, dit Darrow, oui, voyons exactement où vous en êtes. Si vous avez épousé monseigneur Jardine de bonne foi, vous serez innocentée maintenant que cette union ne s'est pas révélée valide. C'est en continuant à vivre dans ce simulacre de mariage que vous tomberiez dans le péché.

– Donc tout ne fut que mensonge.

– Je pense que nous serions plus proches de la vérité si nous parlions d'un gigantesque numéro d'illusionniste de monseigneur Jardine. Laissez-moi expliquer tout d'abord pourquoi ce mariage ne peut pas être valide. Le défaut ne vient pas de la cérémonie elle-même; on peut toujours avancer que, dans certaines circonstances, il pourrait être possible de contracter un mariage valide aux yeux de Dieu sans l'assistance de l'Église ni de l'État. Par exemple, si un homme et une femme sont abandonnés sur une île déserte et désirent vivre chrétiennement, je ne pense pas qu'ils pourraient être considérés comme pécheurs s'ils échangeaient des serments devant Dieu et entreprenaient de former un bon couple. Le père et la belle-mère de monseigneur Jardine ont apparemment considéré qu'ils étaient sur une île déserte à Putney et on pourrait certainement considérer Mrs. Jardine comme une épouse selon le droit coutumier du vieillard. Mais leur situation religieuse est sujette à caution et dépend beaucoup des mobiles de Mr. Jardine. Cela dit, il est possible qu'il ait agi avec sincérité et respect. Nous ne le saurons jamais. Ce que nous savons, par contre, est que Mr. Jardine père était libre de se remarier mais que son fils, malheureusement, ne l'était pas.

– Maix Alex pensait... il était si catégorique... et Mrs. Jardine, sa belle-mère, pensait que... et elle était si catégorique.

– Je suis bien certain qu'ils pensaient sincèrement qu'ils avaient raison. Mais il est évident que Mrs. Jardine mère pouvait afficher une considérable élasticité spirituelle – pour parler gentiment – et monseigneur Jardine a, selon toute apparence, réussi son fameux tour d'illusionniste de faire prendre le noir pour le blanc avec une élasticité qui n'a rien à voir avec la spiritualité.

– Mais Carrie se dérobait au devoir conjugal. Martin Luther disait que...

– Martin Luther n'était pas Dieu. Et son opinion sur le divorce n'a pas de poids dans la législation britannique.

– Mais si l'âme de l'union a été détruite.

– Je sais qu'il y a, dans l'Église, des voix qui s'élèvent et qui prêchent que certaines circonstances peuvent détruire l'âme d'un mariage et constituer une dissolution spirituelle, mais le refus du devoir conjugal n'est pas un de ces cas et malgré la nouvelle loi de Mr. A. P. Herbert, ce n'est pas en soi un motif de divorce. De plus, je pense que, dans le cas qui nous occupe, il est impossible d'avancer que l'âme du mariage de monseigneur Jardine était détruite alors que Mrs. Jardine se tenait toujours à ses côtés pour le meilleur et pour le pire. Il est certain qu'un aspect de leur union a été un échec; mais hormis cela, on peut difficilement trouver une épouse plus aimante et plus loyale et, vraiment, monseigneur Jardine n'a aucune excuse aux yeux de la loi.

– Mais aux yeux de Dieu, la compassion et le pardon du Christ...

– Je suis sûr que nous prierons tous pour que Dieu veuille bien regarder monseigneur Jardine avec compassion; mais, en termes spirituels, il est absolument impensable, Miss Christie, qu'un évêque puisse contracter un mariage valide à la suite d'un divorce informel par consentement mutuel. En fait, beaucoup penseraient qu'ils ne pourraient pas se remarier, même après un divorce officiel.

Lyle se contenta de répondre :

– Il était si sûr de lui.

– Oui, renchérit Darrow, que d'illusions! Il a bien voulu croire que son mariage était spirituellement nul. Il a bien voulu croire qu'un mariage serait possible après un divorce informel. Il a bien voulu croire qu'il était au-dessus de la loi et qu'une cohabitation frisant la bigamie

412

était recevable par Dieu. Il vous a fait croire, à vous et à sa femme, qu'il avait le droit, en sa qualité d'évêque, d'édicter ses propres lois en négociant avec Dieu comme bon lui semblait. Ceci est le péché d'orgueil et dénote un esprit malsain propice aux lourdes fautes.

Lyle était trop bouleversée et ne put que murmurer :

– Que va-t-il lui arriver?

Elle se remit à pleurer.

– C'est là une question à laquelle aucun de nous ne peut répondre, mais tout comme pour vous, plusieurs voies s'ouvrent devant lui et nous devons tous prier pour qu'il choisisse la meilleure. Cela dit, pour le moment, vous êtes plus importante que monseigneur Jardine. Voulez-vous que nous poursuivions cette conversation ou bien préférez-vous vous reposer un peu et revenir demain?

– Qu'y a-t-il à ajouter?

Lyle posa la croix et, d'une main, chassa ses larmes.

– Je sais maintenant que je suis libre d'épouser Charles. Je sais la vérité entière, enfin.

– Vous oui, mais Charles?

Elle me regarda, le regarda.

– Que voulez-vous dire? fis-je.

Darrow se leva, passa de l'autre côté de la table et s'assit face à nous – à la place traditionnelle du directeur de conscience. Il se contenta de dire :

– « Étroite est la porte et resserré le chemin. »

Le message passa entre nous et, soudain, je ressenti l'effroi nouer mon estomac. Lyle ne comprit pas l'allusion. Elle le regarda avec appréhension.

– Que voulez-vous dire? répéta-t-elle.

– Ne perdez jamais de vue, dit Darrow en s'adressant à elle, que je ne veux que votre bien, à vous et à Charles. Je ne veux que vous aider à aboutir à une solution correcte en accord avec la volonté de Dieu. Souvenez-vous que cela n'est possible que si nous savons la vérité.

– Mais j'ai dit à Charles toute la vérité! Je la lui ai dite, n'est-ce pas, Charles?

– J'en ai eu l'impression, en effet, m'entendis-je répondre.

Je donnai le sentiment d'être catégorique mais tendu.

– Alors, en ce cas, Miss Christie, poursuivit Darrow, vous n'aurez aucune objection à m'éclairer sur un ou deux points que je trouve encore obscurs.

Lyle continuait à le regarder avec appréhension. Alors, elle me dit :

– Je ne suis pas certaine de bien comprendre ce qu'il veut dire, Charles, mais il semble sous-entendre que, d'une certaine façon, je t'ai trompé.

– Je ne pense pas que ce soit cela qu'il veuille dire, avançai-je prudemment. Après tout, il ne sait pas ce que tu m'as dit. Imagine qu'il brandit une torche pour illuminer les zones d'ombre – et toujours pour ton bien.

Elle réfléchit un moment.

– D'accord, finit-elle par dire à Darrow. Posez-moi vos questions. Que voulez-vous savoir?

– Eh bien, tout d'abord, dit Darrow avec beaucoup de douceur, j'aimerais savoir à quel moment vous avez pris la décision de faire cet enfant?

4

J'ai cru qu'elle allait s'évanouir. Moi-même, je chancelai. Avant qu'elle n'ait eu le temps de répondre, je dis à Darrow:

– Ce fut un accident.

Mais Darrow s'inquiétait surtout de Lyle.

– Charles, me dit-il, va dans l'entrée et demande à Barnabé qu'il apporte un verre d'eau.

– Non, cria Lyle.

Elle s'accrocha à moi.

– Ne me laisse pas avec lui!

Darrow sortit lui-même précipitamment pour aller demander le verre d'eau.

– Bon, Miss Christie, dit-il à son retour. Avez-vous réfléchi à ma question?

Elle se pencha en avant, posa ses coudes sur la table. Son visage était crispé et déterminé.

– Il n'est absolument pas dans mes intentions de vous donner les détails de ma vie sexuelle. Il va vous falloir trouver un autre moyen de jouir par personne interposée.

– Lyle! m'exclamai-je.

Darrow intervint.

– Du calme, Charles, dit-il laconiquement. Miss Christie...

– Vous avez un parti pris contre les femmes! s'écria Lyle. Pour vous, je ne suis qu'une nymphomane qui a causé la perte d'un honnête homme et qui s'apprête à causer la perte d'un autre!

– C'est le démon de votre culpabilité qui s'exprime, dit Darrow. Prenez la croix qui est sur la table.

– Vous êtes en train d'essayer de prouver à Charles que je ne suis qu'une femme adultère et calculatrice!

– Ce sont les démons de votre honte et de votre haine de vous. Prenez cette croix.

Lyle bondit sur ses pieds et hurla:

– Taisez-vous! Vous n'êtes qu'un imposteur, caché dans cette horrible maison; vous avez peur – si vous sortiez dans le monde réel – de séduire les femmes que vous croiseriez, alors comment osez-vous avoir l'insolence de vous immiscer dans ma vie privée, comment osez-vous?

Eh bien, sachez que je ne vous laisserai pas me transmettre votre frustration aussi facilement, je ne vous laisserai pas détruire ma dernière espérance de bonheur, *je ne laisserai aucun homme gâcher ma vie.*

– C'est le démon de votre fureur, dit Darrow, mais votre fureur n'est, en fait, pas dirigée contre moi. Dites-moi, combien d'hommes, outre monseigneur Jardine, vous ont si douloureusement déçue?

Lyle avait du mal à respirer. Elle saisit la croix et voulut la jeter au visage de Darrow. Consterné, je me dressai. Darrow s'empara de la croix. Il s'était levé si violemment que sa chaise tomba avec fracas.

– A combien de femmes avez-vous fait traverser l'enfer avant de vous castrer avec ce sale habit de moine? hurla Lyle, le visage grimaçant, tremblant de la tête aux pieds. Je vous hais, *je vous hais,* JE VOUS HAIS!

J'aurais voulu m'approcher d'elle mais j'étais paralysé. J'avais l'impression qu'une force énorme venait d'exploser, laissant un gouffre entre nous mais, l'instant d'après, Darrow jetait un pont au-dessus de l'abysse. Tournant lestement autour de la table, il proféra avec une grande force :

– Ce tourment doit cesser. Au nom de Dieu – au nom de Jésus-Christ – ce tourment doit cesser!

Et il passa la chaîne et la croix au cou de Lyle tandis qu'elle battait l'air de ses bras pour l'en empêcher.

– Non, non, non!

Elle criait très fort mais quand il la saisit à bras-le-corps, ses cris cessèrent, elle eut un sursaut et s'évanouit.

5

L'instant après, le jeune moine arriva, porteur du verre d'eau.

Darrow dit d'un ton sans réplique :

– Allez me chercher le cognac.

– Oui, mon père.

Le moinillon planta le verre dans ma main tendue et déguerpit.

Darrow avait allongé Lyle sur la table. Il agissait avec rapidité et efficacité, l'allongeant bien à plat, tâtant sa taille avec précaution.

– Dieu merci... pas de corset, commenta-t-il.

J'émergeai de mon état de stupeur, posai le verre et demandai :

– Mon père, que se passe-t-il donc?

– Tout va bien. Elle va revenir à elle dans une minute. Avant qu'elle ne s'éveille, réponds rapidement à quelques petites questions. La contraception – a-t-elle prétendu que ça n'avait pas marché?

– Elle n'avait pas pris de précautions.

– Jardine le savait-il?

– Elle dit que non.

– Les Jardine connaissent-ils son état?

– Non. Il se trouve que la grossesse n'a pas encore été confirmée mais Lyle est catégorique. Mon père, je ne comprends toujours pas ce qui se passe.

– Ne t'inquiète pas, Charles, je ne pense pas qu'il y ait un complot entre eux trois pour faire un enfant désiré, mais nous devons être certains... Ah, elle revient à elle. Maintenant, reste tranquille et laisse-moi faire. Oui, Barnabé, entre... Charles, sers aussi un petit verre de cognac, s'il te plaît.

– Ce sera tout, mon père? demanda Barnabé, intrigué à la vue de cette femme prostrée sur la table.

– Oui. Dehors, lui dit Darrow.

Et Barnabé s'enfuit.

Lyle gémit.

– Tout va bien, lui dit Darrow en se penchant vers elle. Buvez d'abord un peu d'eau, ensuite vous pourrez boire du cognac.

– Ai-je fait une fausse couche? demanda Lyle.

Elle avait l'air perdue, comme une enfant.

– Non, dit Darrow d'un ton ferme. Donne-lui un peu d'eau, Charles.

Elle but sans rechigner et après lui avoir fait avaler du cognac, Darrow dit :

– Voyons si vous pouvez vous asseoir sans que la tête vous tourne.

Elle fit une tentative. Je la soutenais toujours. Quand elle se fut ressaisie, elle regarda Darrow.

– Je vous ai dit des horreurs, murmura-t-elle. Je m'en souviens très bien.

Une fois encore, Darrow eut recours au très ancien langage des symboles pour exprimer des vérités psychologiques indéniables.

– Les démons étaient très forts, mais les voilà partis maintenant, dit-il avec une autorité absolue. Vous n'êtes pas encore rétablie, mais vous le serez bientôt car, maintenant, la cicatrisation peut démarrer.

– Et si les démons revenaient?

– Impossible. Aussi longtemps que vous resterez auprès de Dieu. Quand vous vous êtes éloignée de Lui, les démons ont pu forcer la porte de votre âme, mais dorénavant, vous ne vous éloignerez plus de Lui.

Il se tourna vers moi et me dit :

– Redonne-lui un peu de cognac.

Après avoir bu, Lyle dit :

– Je me sens mieux.

– Parfait, dit Darrow. Charles, aide-la à regagner sa chaise.

Lui-même s'appuya, d'un air décontracté, contre la table.

Lyle lui dit à brûle-pourpoint :

– Il faut que je vous parle.

– Vous voulez me dire la vérité sur le bébé?

– Mais vous la connaissez déjà, non?

– Charles, lui, ne la connaît pas et nous avons tous deux le devoir de nous occuper de Charles.

- J'aime Charles, dit Lyle, parlant toujours à Darrow.
J'aurais pu tout aussi bien être à des dizaines de kilomètres.
- Je veux être la meilleure des épouses pour lui, continua-t-elle.
- Et c'est la raison pour laquelle vous devez être honnête. Il vous fait
don de son amour; vous devez lui faire don de votre sincérité pour
prouver que vous le méritez. Très bien, parlons de cet enfant.
Les yeux toujours fixés sur Darrow, Lyle dit :
- Je... je ne sais pas vraiment quand il a été conçu.
- Vous avez arrêté la contraception?
- Oui. Je voulais être enceinte.
- La seule issue, c'est cela?
Elle acquiesça. Des larmes brillèrent dans ses yeux.
- Pouvez-vous m'expliquer comment vous en êtes arrivée à décider
que la grossesse était la seule solution à vos problèmes?
- J'étais allée à la chapelle, dans la cathédrale, dit Lyle, mais je ne
pouvais pas prier car j'étais trop éloignée de Dieu. C'est alors que
Charles a surgi. J'ai compris que je devais quitter les Jardine mais je ne
voyais absolument pas comment j'allais trouver la force de briser mon
mariage. Charles ne comprend pas cela, et je ne peux exprimer la force
de l'emprise qu'Alex a eue sur moi, mais...
- Quand vos relations sexuelles se sont-elles modifiées?
- Tôt cette année. J'ai été lassée du sexe. Je ne savais plus où j'en
étais. Mais, en parlant, Alex m'en a libéré. *Alex aimait bien parler.*
Elle s'interrompit.
- Comme ça, le sexe prenait une allure plus excitante.
Elle acquiesça encore, gênée.
- Je... je ne peux pas l'expliquer à Charles, je ne veux pas le lui expli-
quer.
- Et pourtant, il doit savoir. Sinon, il va se torturer à vouloir deviner
ce que vous lui cachez.
Il se tourna vers moi.
- J'ai bien peur, qu'une fois de plus, monseigneur Jardine n'ait profité de son charisme. Il utilisait l'hypnose pour augmenter son pouvoir,
puis le concentrer dans l'acte sexuel. Ainsi, le rapport sexuel était moins
l'expression de l'amour que la subjugation érotique d'une prisonnière
par son geôlier. Vous êtes d'accord avec moi, Lyle?
Elle acquiesça d'un signe.
- Très bien. Nous avons expliqué à Charles que vous aviez l'esprit
troublé et la volonté diminuée par cette relation d'hypnose extrêmement
malsaine. Quoi qu'il en soit, quand vous avez vu Charles à la cathédrale, il a provisoirement jeté une barrière entre vous et monseigneur
Jardine; ce qui a eu pour conséquence de vous permettre d'entrevoir
votre situation dans sa véritable perspective - et alors vous avez
compris que votre liaison devait cesser. Mais, une fois Charles parti -
une fois l'obstacle éloigné - vous êtes tombée à nouveau sous la coupe
de monseigneur Jardine.

– Oui, cette nuit-là, quand il est venu dans ma chambre, je savais que je n'aurais pas la force de refuser. Par hasard, il se trouvait que je n'avais pas mis mon diaphragme et tout à coup, j'ai compris qu'il ne me restait plus qu'une chose à faire : rien. J'étais incapable d'agir en disant, par exemple : « c'est impossible ». La seule chose dont j'étais capable, c'était de rester silencieuse, passive, et pendant qu'il me faisait l'amour, je me disais : si j'avais un enfant, il ne pourrait pas me garder, aucun discours au monde ne me ferait rester, si j'avais un enfant, il faudrait que je parte. C'est à ce moment-là que j'ai décidé de ne plus utiliser de moyens de contraception. Le pauvre petit enfant. J'ai eu tort, je n'aurais pas dû faire ça.

– Il est facile d'être sage a posteriori, c'est moins facile quand nous sommes en pleine crise. Comment avez-vous envisagé l'avenir quand vous avez su que vous étiez enceinte?

– Je pensais persuader Charles de m'épouser. Je savais que j'allais devoir lui annoncer que j'étais enceinte – je n'ai jamais songé à le tromper à grande échelle – mais j'avais décidé de lui dire que la grossesse était le résultat d'un simple petit écart.

– Dites-moi, comment envisagiez-vous de persuader Charles de vous demander en mariage?

– Je n'arrêtais pas de lui répéter à quel point j'étais calculatrice et nymphomane, sous-entendant qu'il ne voudrait plus de moi une fois qu'il saurait qui j'étais vraiment. Je me disais que cela le rendrait encore plus enthousiaste. Les hommes séduisants sont toujours fascinés par une femme qui les défie.

– Mais tout de même, vous deviez craindre qu'il ne jette l'éponge quand il saurait pour l'enfant?

– Oh oui, je pensais bien que j'allais devoir lui forcer la main, au bout du compte. Mais vous comprenez, je l'attirais dans ma toile jusqu'au moment où j'allais pouvoir lui assener le coup de grâce. Et alors... Ô mon Dieu, ô mon Dieu, il m'a devancée.

– Comment cela?

– Il m'a tout raconté, à propos de ses parents, dit Lyle en se mettant à pleurer. Il m'a parlé de ses idéaux. Il a pris mon parti... Il vivait selon sa foi – oh, je me suis sentie alors si honteuse, si méchante, si mauvaise. Je pouvais à peine parler. La culpabilité me mettait au supplice. Et j'ai compris alors que je l'aimais. Avant, je n'étais pas amoureuse de lui. Je le trouvais attirant physiquement, mais à la vérité...

– Oui, un dernier effort, Lyle.

– A la vérité, je le détestais. Je lui en voulais tellement; je voulais le faire payer.

– Quoi?

– Le fait d'avoir couché avec Loretta! dit Lyle, le visage ruisselant de larmes. Je pensais que je n'étais pour lui qu'un divertissement, que j'avais été trompée, il me décevait. Les hommes m'ont toujours déçue, même papa! Il partait et ne rentrait jamais, et je ne pouvais pas supporter l'idée que Charles puisse me trahir alors que je l'aimais tant. Je me disais : je me vengerai de lui, je le ferai payer, je lui dirai qu'il doit m'épouser ou alors je ferai un scandale en disant que l'enfant est de lui. J'étais tout à fait prête à le faire; j'avais amassé suffisamment de courage. Oui, j'étais ainsi, folle de rage, de haine et de méchanceté, totalement investie par ces démons que vous venez de reconnaître. Alors... Qu'est-ce que vous avez dit au début de notre conversation?

– « Aucun démon ne peut résister à la puissance du Christ. »

– Oui, Charles était si bon, si honnête, si chrétien – tous les démons se sont enfuis et je fus capable de l'aimer, mais alors les démons sont revenus, ils ont tenté de me réclamer car ils savaient que je ne méritais pas un homme comme lui, ils m'ont réclamée mais, par miracle, vous les avez chassés. Oh, mon père, aidez-moi, je vous en supplie, aidez-moi, j'ai été si malade.

– Si vous vous en rendez compte, répondit Darrow, c'est que vous allez déjà mieux.

– Je voudrais que toutes les terribles choses que j'ai faites puissent être balayées!

– Ce sera peut-être moins difficile que vous ne le craignez. Une fois que vous vous serez repentie vraiment, la route sera ouverte pour une nouvelle vie.

– Mais sans Charles. Il n'y aura pas de vie nouvelle avec Charles, maintenant – je vais le perdre, n'est-ce pas, mon père? Je vais perdre ce que je désire le plus au monde et ce sera une punition méritée pour tous mes mensonges, toutes mes tromperies et toute ma méchanceté.

Darrow ne dit rien. Il tourna son visage vers moi et je me souviendrai toujours que, lorsqu'il fallut prendre la décision finale, il était non seulement silencieux mais insondable.

– Si tu peux me pardonner pour Loretta, dis-je à Lyle, je peux te pardonner d'avoir voulu te venger. Et même si tu ne peux pas me pardonner, je te pardonnerai maintenant que je sais à quel point tu as souffert.

– Oh, Charles. Charles.

– Retournons à l'hôtel et préparons notre mariage.

XXV

1

Lyle et moi avons parlé de notre mariage, mais peu de temps. Elle était épuisée et, à neuf heures, nous nous séparâmes dans le foyer de l'hôtel. Le lendemain matin, j'allai la délivrer de la salle à manger où elle avait essayé de prendre un petit déjeuner. Nous retournâmes à Grant-chester. Elle alla faire un tour dans le village pendant que je voyais Darrow en tête à tête.

— Elle est très fatiguée, lui dis-je en guise de réponse à sa première question, mais elle est beaucoup plus calme.

J'hésitai, puis ajoutai :

— A quel moment avez-vous compris ce qui se passait dans sa tête?

— J'ai tout de suite vu qu'elle était en difficulté et quand j'ai compris qu'elle m'utilisait pour extérioriser sa colère envers le sexe opposé, je me suis demandé si toi, tu pouvais être à l'abri de cette hostilité. Elle a encore besoin d'aide, Charles.

— Lui avez-vous trouvé une interlocutrice?

— Oui. Une religieuse, la cinquantaine, veuve, très intuitive, très humaine.

— J'espère que Lyle acceptera de la rencontrer.

— A mon avis, dès que les tensions actuelles se seront apaisées, elle ressentira peut-être un nouveau besoin de se confier à quelqu'un.

— J'aurais tant aimé que vous puissiez continuer à la conseiller!

– Ce serait trop dangereux. Tu as toi-même été témoin de la tournure qu'a prise la séance quand elle a eu sa crise et si je devais la conseiller seul... Non, Charles, cela ne ferait que la perturber davantage – et ce serait très imprudent de ma part. Les moines sont des hommes comme les autres et Dieu ne les a certainement pas destinés à conseiller les jolies femmes sur leur vie privée.

Il m'adressa un grand sourire et ajouta :

– Explique-moi ton plan de bataille.

– Nous allons à Starbridge. Elle a des affaires à y prendre et je crois qu'il vaut mieux qu'elle se sépare des Jardine le plus tôt possible. Je verrai l'évêque seul à seul, bien sûr.

– Comment penses-tu qu'il va réagir?

– C'est exactement la question que j'allais vous poser. Qu'en pensezvous, mon père? Je ne vous demande pas d'exercer vos dons de voyance mais simplement de me donner votre avis.

– La plupart du temps, c'est ce que fait la voyance, ni plus ni moins. Darrow réfléchit un moment.

– Il sera ébahi – mais non pas, je crois, par la nouvelle que Lyle le quitte. Il y a déjà quelque temps qu'il doit avoir compris qu'ils avaient des problèmes. Mais il sera ébahi en apprenant la venue de l'enfant, et la première chose qu'il voudra savoir, c'est s'il pourra le voir souvent. C'est là que se pose le problème du rôle que vont jouer les Jardine dans ton couple, Charles.

– Lyle accepte l'idée d'une cassure complète, répondis-je, et j'avoue que, sur ce point, je suis inflexible. Ils doivent garder leur distance; s'ils pensent pouvoir venir roucouler autour du berceau de mon enfant, ils se trompent lourdement.

Darrow examinait son anneau mais ne disait mot.

– Suis-je un mauvais chrétien? dis-je, mal à l'aise.

– Pas nécessairement. Qu'en penses-tu?

– Je pense que Dieu m'a demandé de faire ce mariage – qui, au début, sera sans doute très difficile – et, par conséquent, mon premier devoir est de m'assurer que ce mariage aille bien. Et je ne pense pas que ce sera le cas si nous voyons les Jardine.

– Je dois reconnaître, dit Darrow, que c'est la seule conclusion à laquelle tu puisses aboutir tant que Lyle et toi ne vous êtes pas remis de vos épreuves, le temps d'apprendre à vous aimer. Mais garde-toi de l'intransigeance, Charles. Souviens-toi des problèmes que ton père a causés quand il était incapable de renoncer à sa conviction que tu étais la copie conforme de Romaine.

Ce fut à mon tour d'être silencieux. Darrow demanda :

– Qu'allez-vous faire pour la cérémonie?

– C'est un autre problème. Nous sommes tous les deux d'accord pour nous marier le plus rapidement et le plus discrètement possible – j'obtiendrai une autorisation spéciale, évidemment – mais cela va sembler bizarre si Lyle ne se marie pas à l'évêché. Il y aura des ragots.

– Ah oui? Ne perds pas de vue qu'elle n'est que leur employée, pas leur fille, et employeurs et employés se brouillent fréquemment. Évidemment, il y aura peut-être quelques cancans si les Jardine n'assistent pas à la cérémonie, mais les gens ont la mémoire courte; ils oublieront vite. L'important est de se comporter normalement, comme si vous faisiez la chose la plus naturelle du monde. Et cela m'amène à ma nouvelle suggestion : pourquoi ne pas demander à monseigneur Lang de vous unir dans la chapelle de Lambeth? Qu'y a-t-il de plus respectable que d'être mariés par l'archevêque de Canterbury? Et cela aiderait aussi à justifier l'absence des Jardine : tout le monde sait que Lang et Jardine sont fâchés.

Cette idée frisait le génie.

– Mais que devrai-je raconter à Lang?

– Rien.

– Et s'il me pose des questions sur la relation de Lyle et Jardine?

– Mon cher Charles, tu es un ecclésiastique – rien ne t'oblige à répéter le moindre mot des récents aveux de Lyle à quiconque, même à l'archevêque de Canterbury! Tout ce que tu auras à dire est que le couple Jardine exigeait tant de Lyle qu'elle était tout à fait incapable d'avoir une vie privée. Cela semble déjà si malsain qu'il n'insistera pas.

Mon esprit s'éclaira. Je me rendis compte alors à quel point j'étais épuisé par la tension des dernières vingt-quatre heures et la clairvoyance de Darrow était encore plus réconfortante que d'habitude.

Il dit, tout à coup :

– Vas-tu attendre que la grossesse soit confirmée pour fixer la date de la cérémonie?

– Non, répondis-je, sachant qu'il avait posé cette question pour voir si j'envisageais de me dérober. Je veux l'épouser de toute façon, grossesse ou non, et le plus tôt sera le mieux.

Il semblait satisfait.

– Et comment te sens-tu maintenant, demanda-t-il, me mettant une fois de plus à l'épreuve, à l'idée d'être père toi-même?

Je lui souris.

– Maintenant que je ne perds plus de temps à essayer d'être le fils modèle de tous mes pères de remplacement, je suis sûr que j'aurai l'énergie nécessaire pour m'attaquer à la paternité.

Darrow acquiesça mais attendit.

– Je ne pouvais pas m'en tirer dans mon mariage, dis-je, je ne pouvais pas m'en tirer avec ma famille, je n'étais pas capable de m'en tirer avec moi-même. J'avais peur d'affronter qui que ce soit, et surtout un enfant qui aurait dépendu de moi. Mais, maintenant, je serai capable de m'en tirer, mon père. Cela ne va pas être facile mais je ne me sens plus indigne et sans mérite. J'ai été appelé par Dieu pour mener cette vie de famille – peut-être pour me préparer à un autre appel pour Le servir dans un autre domaine – et, en m'envoyant ces épreuves, Il m'a rendu digne et méritant.

Darrow se pencha en arrière avec l'air satisfait de celui qui a ramené un bateau à bon port après une traversée particulièrement dangereuse. Mais il se contenta de dire, en guise de conclusion :

– Dieu soit avec toi – et je suis sûr qu'Il le sera. Bravo, Charles.

2

Quand nous revînmes à Laud, je fis mes bagages pour partir pour Starbridge puis, quand Lyle et moi fûmes assis face à face à mon bureau, je téléphonai à l'évêché. Gerald Harvey me passa tout de suite la bibliothèque. Dès que Jardine répondit, je me lançai dans le discours que j'avais préparé.

– Je vous téléphone pour vous dire que Lyle et moi allons nous marier. Je vous appelle de chez moi, à Laud, mais nous sommes sur le point de partir pour Starbridge. Je peux être chez vous ce soir pour parler de tout ça. J'arriverai vers six heures et demie.

Un lourd silence suivit cette déclaration de guerre puis Jardine dit d'un ton égal :

– J'aimerais parler à Lyle, s'il vous plaît.

– A ce soir. Merci, monseigneur.

Je raccrochai.

Il n'était pas dans mes intentions de lui donner l'opportunité de parler à Lyle sans que j'aie la possibilité de contrôler leur conversation.

– Qu'a-t-il dit? demanda Lyle sur le qui-vive.

Je le lui dis.

– Semblait-il abattu?

– Pas spécialement.

Ignorant sa pâleur, j'ajoutai pour parler d'autre chose :

– As-tu écrit la lettre?

Elle ouvrit son sac et en sortit une enveloppe non cachetée qu'elle me tendit.

– Je peux? lui demandai-je poliment avant de sortir la lettre qu'il y avait à l'intérieur.

Je pensai qu'il était important que mon comportement demeurât courtois tandis qu'augmentait la pression que j'exerçais.

– Évidemment, dit-elle.

Elle lui avait écrit pour confirmer qu'elle voulait m'épouser et pour le mettre au courant au sujet de l'enfant. C'était une lettre courte et sèche. Je soupçonnai qu'elle ne s'était autorisé aucune émotion de peur qu'elle ne transparaisse tout au long du message.

– Ça va? demanda-t-elle nerveusement.

– Parfait.

Je cachetai l'enveloppe et la glissai dans la poche intérieure de mon veston. En silence, nous partîmes.

3

Ainsi, nous arrivâmes enfin à Starbridge, lumineux et sinistre Starbridge, la ville qui avait caché une réalité tourmentée derrière la luminosité de ses belles apparences. A nouveau, la cathédrale scintillait sous le soleil tandis que nous descendions des collines, et la rivière étincelait dans la chaleur de septembre. Nos deux chambres nous attendaient au *Staro Arms* mais je ne pris pas le temps de défaire mes bagages. Je bus un verre d'eau pour me rafraîchir et partis pour l'évêché. Lyle me dit au revoir et au moment où nous nous séparions, elle ne put s'empêcher de me dire d'un ton désespéré :

– Sois bon avec lui.

Moi, je voulais en finir une bonne fois pour toutes avec l'évêché mais j'acquiesçai, ravalai ma jalousie dans un dernier baiser, quittai l'hôtel et m'engageai dans la rue de l'Éternité.

4

Lorsque j'arrivai au palais épiscopal, j'étais plus tendu que jamais mais je contrôlais parfaitement mes émotions. J'avais rendu à Darrow, lors de notre dernière rencontre, la croix qu'il m'avait prêtée, mais j'en avais acheté une que je portais sous ma chemise. Je la touchai à travers l'étoffe afin de garder mon calme.

Dès mon arrivée, je fus conduit à la bibliothèque.

Jardine était près de la fenêtre et ce ne fut qu'au moment où la porte se referma qu'il se tourna vers moi. Son visage était pâle et crispé. Il avait l'air déterminé. Je gardai mes distances.

– Bonsoir, monseigneur.

D'un geste, il m'invita à m'asseoir et, une nouvelle fois, nous nous fîmes face à son bureau. Au bout d'un moment, après un silence gêné, il dit avec prudence :

– J'espère que Lyle va bien. Cela va faire quelque temps déjà que je m'inquiète pour elle.

– Elle va mieux maintenant qu'elle a pris la décision de m'épouser.

J'attendis afin de lui laisser le temps de se justifier; j'étais prêt à utiliser tous les arguments contre son mariage clandestin; j'étais prêt à affronter la puissance de son charisme, mais il s'esquiva.

– Le plus important, dit-il, est que Lyle recouvre sa santé spirituelle.

Il toucha sa croix sur sa poitrine. Je compris tout de suite qu'il recherchait la force de continuer et, soudain, j'eus peur qu'il ne réussisse à pénétrer mon moi profond et ne me plonge une fois encore dans la confusion.

– J'aimerais beaucoup voir Lyle, reprit-il, car je pense qu'il est important que je la libère pour qu'elle puisse être heureuse dans sa nouvelle vie. Je tiens à lui dire qu'au mieux nous avions contracté ce que les hommes de loi appellent un mariage nul, un mariage que les parties peuvent rompre quand elles le désirent, et je veux qu'il soit clair que je la libère des vœux qu'elle a prononcés il y a cinq ans. Bien sûr elle me manquera beaucoup, mais il n'y a aucune raison qu'elle se sente coupable parce qu'elle me quitte. Je dis cela, car en observant les événements de ces derniers mois, il me semble évident, révérend Ashworth, que vous avez été envoyé dans nos existences dans un but précis. Je serais, c'est certain, l'apostat que vous pensez sans doute que je suis, si je ne comprenais pas que c'est la volonté de Dieu que Lyle devienne aujourd'hui votre épouse.

Il m'était impossible de dire quoi que ce soit. J'étais incapable de décider s'il était prodigieusement intelligent – tentait-il de faire de moi un gendre malléable? Ou bien prodigieusement héroïque – renonçant à la femme qu'il aimait de la meilleure manière possible. J'avais la terrible intuition qu'il était héroïque.

– Je ne suis pas apostat, dit-il, quand il comprit que j'étais trop décontenancé pour répondre. J'en étais arrivé à la décision d'épouser Lyle car je pensais que j'avais discerné la volonté de Dieu. Les arguments raisonnables en faveur de cette décision sont faibles mais je suis un ecclésiastique, pas un avocat, et j'en étais arrivé à la conclusion que Dieu m'avait fourni cette étrange solution à mes problèmes pour me permettre de continuer à Le servir de mon mieux. Les événements ont prouvé que j'avais tort. « La vérité est fille du temps », dit le vieil adage. Il y a cinq ans, j'ai fait ce que je pensais sincèrement être juste; juste pour moi, pour Carrie et pour Lyle.

Il s'interrompit, mais comme je ne réagissais toujours pas, il tapota sa croix une fois encore et ajouta :

– En regardant en arrière, il semble que j'ai commis une faute très grave, mais nos erreurs prennent si souvent racine dans des circonstances sur lesquelles nous n'avons pas de contrôle, et l'origine de mon erreur remonte loin, comme vous le comprenez sans doute. Mon père et ma belle-mère avaient une grande influence sur moi et, bien que je me sois toujours félicité d'avoir échappé au milieu dans lequel j'étais né, je vois clairement aujourd'hui que toute ma carrière fut inévitablement teintée par mon hérédité et par l'environnement très singulier de ma jeunesse. Cela dit, je vous supplie de ne pas croire que je cherche à me trouver des excuses; ce serait faux. Je ne fais qu'essayer de replacer mon comportement dans une perspective vraie car je crois important que vous ne soyez pas dégoûté de l'Église en pensant à moi. Je ne suis pas le premier ecclésiastique à tomber dans l'erreur et je ne serai certainement pas le dernier, mais vous devez comprendre que je ne suis pas un émissaire de Satan mais tout simplement un homme pieux qui a commis une faute consternante.

Il s'interrompit et, à nouveau, je fus impressionné mais restai sceptique. La situation exigeait beaucoup de discernement mais, en cet instant, j'étais tout à fait incapable de dire si son discours émanait de Dieu ou du diable.

– Lyle va se faire du souci pour Carrie et pour moi, dit Jardine. C'est inévitable. C'est aussi une des raisons pour lesquelles j'aimerais la voir. Je veux lui expliquer que nous irons bien. Il faudra, bien sûr, que je démissionne de ma fonction d'évêque. J'invoquerai une raison de santé et me retirerai dans un lointain village – quelque part vers Oxford – où, avec Carrie, nous coulerons des jours tranquilles. J'ai toujours eu envie d'écrire une thèse de théologie et l'isolement me donnera le temps nécessaire pour le faire. Quant à Carrie, elle finira par se remettre, c'est sûr. Elle n'a jamais apprécié d'être l'épouse d'un évêque mais j'imagine qu'elle prendra maintenant une part active dans la vie du village et qu'elle deviendra très populaire tandis que tout le monde la plaindra en secret d'avoir un vieil époux ennuyeux et irascible. Et comme Carrie sera plus heureuse qu'elle ne l'a été depuis des années, notre mariage ne pourra que s'améliorer. Du moins, je l'espère. Peut-être, en de telles circonstances, mes espérances ne seront-elles pas vaines.

Maintenant, je contrôlais mon trouble. Grâce à la force développée auprès de Darrow, j'avais aussi suffisamment de concentration pour entendre ce que Dieu avait à me dire. Puis, je priai pour le don de discernement.

Enfin, Jardine demanda :

– Quand vous mariez-vous?

– Très vite. J'ai demandé une autorisation spéciale.

Il eut l'air contrarié. Il dit, avec circonspection :

– Pardonnez-moi, je ne voudrais pas me mêler de ce qui ne me regarde pas, mais cette précipitation est-elle vraiment sage? Je me suis marié moi-même à la hâte et je vous presse de ne pas suivre mon exemple.

Sans un mot, je lui tendis la lettre de Lyle.

Il chercha ses lunettes. Quand il ouvrit l'enveloppe, la chevalière tomba et je le vis tressaillir avant qu'il ne la glisse dans sa poche. Je continuai à le regarder et je l'entendis prendre une inspiration rapide au moment où il arrivait à la phrase cruciale. L'instant d'après, il bondissait sur ses pieds. Sur la desserte était posée une carafe de cognac, témoin muet de la tension qu'il avait endurée depuis mon coup de téléphone de la matinée, et il se servit une bonne rasade d'alcool dans le verre qu'il avait, j'en étais certain, déjà utilisé. Finalement, il ne sut que dire :

– J'ai besoin d'être seul.

Je me retirai dans le hall. Je faisais toujours de mon mieux pour garder une conscience claire tout en poursuivant ma prière intérieure pour être guidé, mais je demeurai perplexe. Ainsi que Darrow l'avait si justement fait remarquer, j'étais un ecclésiastique très ordinaire et je me sentais maintenant tout à fait sorti de mon gouffre spirituel. Je priai encore pour que Dieu m'accorde Sa grâce qui transformerait ma faiblesse en force et, à nouveau, la prière familière du Christ trouva son écho en mon âme : que Sa volonté soit faite, et non la mienne.

La porte de la bibliothèque s'ouvrit. Je n'étais probablement pas resté dans le hall plus de cinq minutes mais j'avais l'impression qu'elles avaient duré des siècles.

– Revenez, je vous en prie, me dit Jardine de la porte.

Il se retourna tout en parlant et ce ne fut que lorsque je l'eus rejoint que je vis qu'il avait les yeux rouges. Immédiatement, le don de discernement me submergea; je regardai au-delà du masque de résignation héroïque que son discours impeccable avait projeté et je ne vis pas un émissaire du diable mais uniquement un homme bon qui luttait pour dominer ses émotions.

– Merci de m'avoir accordé ces quelques instants de solitude.

C'est au moment où je trouvais qu'il avait tant d'assurance que je me rendis compte qu'il n'arrivait plus à continuer. Bref, nous nous assîmes à nouveau et il parvint à dire :

– Excusez-moi, je suis bouleversé; j'ose à peine le croire. C'est comme si tout le drame avait été racheté – même la perte de Lyle me devient plus facile à supporter. C'est la compensation la plus miraculeuse qui soit.

Je compris tout à coup ce qui allait se passer et, comme les paroles de Darrow : « Laisse Jardine au soin de Dieu » me revenaient en mémoire, je crus lire en moi ces mots divins. Je pouvais à peine supporter de les lire, mais je savais qu'il n'était pas en mon pouvoir de les effacer. J'étais contraint par ma vocation et une voie, une seule, s'ouvrait devant moi.

– J'ai toujours voulu avoir un enfant, dit Jardine. Même maintenant, c'est la chose que je voulais le plus au monde. Cela a été si dur d'accepter que Dieu nous retire Sa bénédiction en ce domaine, et je me suis souvent dit que l'acceptation eût été plus facile s'il n'y avait pas eu cet enfant mort-né. Ce cruel aperçu d'un avenir qui n'arriverait jamais. C'était presque insupportable de savoir qu'on avait créé un enfant pour le perdre avant qu'il n'ait respiré en ce monde.

Je ne pouvais que le regarder en silence. Dans mon âme, rien ne s'inscrivait plus.

– Comme c'est merveilleux que vous vouliez l'épouser! dit Jardine, trop absorbé par ses émotions pour remarquer mon silence. En ces circonstances, c'est miraculeux. Je me suis senti détruit par ce drame, mais maintenant je reprends espoir.

Il se servit nerveusement un autre verre de cognac.

– Après votre coup de téléphone, ce matin, poursuivit-il, je ne savais pas comment j'allais supporter de la perdre. Puis, petit à petit, après avoir beaucoup prié, j'ai compris que mon devoir n'était pas de penser à moi mais d'aider Lyle en la libérant. Aussi, j'ai décidé de faire face – mais c'était très difficile car je savais à quel point vous deviez me mépriser. Je me suis senti honteux quand vous êtes entré dans cette pièce, c'était affreux de vous regarder et de *savoir que vous saviez*... Pardonnez-moi, je me rends compte que ma franchise vous embarrasse mais j'ai tant souffert; surtout n'allez pas croire que je n'ai pas souffert, et c'est pour cela que cette nouvelle est merveilleuse, c'est parce qu'elle transforme toute cette souffrance et la rend, enfin, supportable.

Il hésita avant d'ajouter, un peu gêné :

– Il me tarde de le voir grandir.

Je ne dis mot.

Il changea d'expression. Il avait reconnu son bourreau mais n'arrivait pas à croire que l'heure de son exécution avait sonné.

– J'espère, dit-il, que vous m'autoriserez à le voir de temps en temps?

J'eus vraiment l'impression de voir un homme devant un peloton d'exécution dont les balles voleraient au ralenti. Je parlai, non parce que je le voulais mais parce que je n'avais pas le choix. Il fallait que je délivre le message.

– J'ai bien peur que vous ne deviez comprendre que cet enfant sera le mien et non le vôtre. Je suis navré mais j'ai été appelé à faire ce mariage et, à cause de la nature même de votre liaison avec Lyle, je ne vois pas comment je pourrais me permettre de risquer que vous jouiez le moindre rôle dans ma vie conjugale. C'est hors de question.

J'hésitai mais me forçai à ajouter :

– Pour le moment, du moins.

Il s'accrocha à cette bouée de sauvetage.

– Mais ensuite?

– Ensuite, nous verrons. Cela dépend beaucoup de la façon dont ça se passera entre Lyle et moi, ce qui dépend de la façon dont vous saurez rester à l'écart de notre vie.

– Il ne me sera pas nécessaire de voir Lyle, mais je pourrais de temps en temps voir l'enfant... par un intermédiaire.

– Non. Ne vous laissez pas emporter par l'idée sentimentale que le lien biologique vous donne le droit de traiter mon enfant comme s'il était le vôtre.

J'entendais la férocité de mon père résonner dans ma voix. Je touchai ma croix et fis un nouvel effort pour rester calme.

– Bien évidemment, il apprendra un jour la vérité. Et quand il saura, il voudra vous connaître mais jusque-là, vous devrez garder vos distances à moins que je ne considère que vous puissiez vous manifester sans risque.

Il lutta contre son émotion et il lui fallut attendre un bon moment avant de dire :

– Lyle pourra-t-elle m'envoyer une photographie, de temps en temps?

– Lyle ne vous enverra rien du tout. Et je vous interdis d'entrer en contact avec elle.

Je dus m'armer de courage pour ajouter :

– C'est moi qui vous les enverrai.

Il fit une tentative pour me remercier mais je l'interrompis. J'avais été forcé de prendre cette attitude inflexible et je ne voulais pas qu'il me culpabilise en faisant preuve d'humilité.

– Ne verrai-je donc pas Lyle? Même pas pour lui faire mes adieux?

– Je l'amènerai ce soir après le dîner et vous pourrez en ma présence lui faire votre discours. D'ici là, peut-être Mrs. Jardine aura-t-elle eu la bonté de préparer quelques affaires pour Lyle – et dès que nous saurons notre nouvelle adresse à Cambridge, je vous serais obligé de nous faire parvenir le reste de ses affaires à mes frais.

Il acquiesça. Je me dis qu'il n'y avait plus rien à ajouter mais, au moment où je me levai, il déclara de manière inattendue :

– Voulez-vous boire quelque chose avant de partir? Cet entretien a dû être aussi pénible pour vous que pour moi.

– Merci, monseigneur, mais étant donné que j'étais ivre la dernière fois que vous m'avez reçu, je pense que la moindre des politesses est de m'abstenir.

Nous échangeâmes un sourire, et tout à coup, contre toute attente, une étincelle de complicité jaillit entre nous. Il dit, spontanément :

– Je regrette de vous avoir mal conseillé ce soir-là. Je voulais vraiment vous aider mais j'étais trop éloigné de Dieu par toutes mes craintes et mes angoisses. J'ai bien peur que cela n'ait été un immense échec spirituel.

– Nous connaissons tous des échecs.

– Eh bien, ne manquez pas de tirer la leçon du mien.

Il me précéda jusqu'à la porte.

– Au moins, vous avez perdu votre manie de poser des questions impertinentes! me lança-t-il, distraitement, par-dessus son épaule. Je devrais sans doute être reconnaissant pour chaque petite grâce qui m'est accordée.

– Je pourrais trouver un bon nombre de questions impertinentes à vous poser, dis-je, essayant de me mettre au diapason, afin d'adoucir ma sévérité précédente. Mais je ne vois pas ce qui vous obligerait à me répondre. Vous ne direz jamais à personne toute la vérité à propos de votre belle-mère, n'est-ce pas?

– Et quelle est-elle, si je peux me permettre, « toute cette vérité », selon vous?

– Je pense que c'est elle qui a été votre grand amour. Personne d'autre. Lyle ne fut qu'un substitut, quelqu'un que votre belle-mère a approuvé quand elle a su qu'il ne lui restait plus très longtemps à vivre. Je pense que, si vous aviez vraiment aimé Lyle, vous n'auriez pas pu vivre chastement sous le même toit à Radbury.

– Quelle théorie bizarre, révérend Ashworth! Vous avez une imagination bien fertile!

– La vie est parfois bizarre, monseigneur Jardine...

– ... et parfois innocente. Ingrid était la femme de mon père. Le début et la fin de l'histoire sont contenus dans cette phrase.

– Mais quelle phrase complexe et ambiguë!

Jardine me sourit à nouveau. C'était douloureux de voir l'amusement revenir dans ses yeux encore rouges. Cela ne faisait que souligner le pathétique de la situation.

– Vous avez retrouvé votre impertinence coutumière, dit-il. Je suis heureux de voir que vous, au moins, vous êtes sorti indemne de la bataille!

– Personne ne sort jamais indemne d'une bataille. Je reviendrai plus tard avec Lyle.

Et je sortis, blessé au-delà du supportable, meurtri au-delà de l'imaginable.

5

Je présidai un peu plus tard à la dissolution du ménage à trois des Jardine. Ce fut une réunion triste et difficile. Jardine dit ce qu'il avait à dire mais son débit était hésitant. Lyle pleura. Je lui permis d'embrasser Carrie mais, après cela, je mis fin à la rencontre.

Jardine était pâle, il était incapable de dire un mot et les deux femmes étaient en larmes. J'entassai dans la voiture les nombreux sacs qui avaient été préparés pour Lyle et je quittai rapidement le palais épiscopal de Starbridge. Lyle pleura silencieusement tout le long du trajet jusqu'au *Staro Arms*.

Après que le réceptionniste eut monté les bagages de Lyle dans sa chambre, je commandai du cognac et nous nous assîmes à côté de la fenêtre dans le crépuscule grandissant. La lumière du soleil couchant avait presque disparu et je me souvins des paroles de Darrow à propos des ténèbres derrière l'horizon qu'allait représenter la réalité du mariage après l'euphorie des fiançailles.

Pendant que nous buvions notre cognac, Lyle dit rapidement :

– J'imagine que tu veux coucher avec moi. Tu le peux si tu le désires. Cela n'a pas vraiment d'importance si nous anticipons, n'est-ce pas?

– Justement si! Ce serait comme si je fumais une cigarette alors que je suis encore en habit de clergyman. Il y a des choses que les ecclésiastiques ne doivent pas faire s'ils veulent être respectés et si je veux racheter cette erreur désastreuse avec Loretta...

– Je t'en prie, ne parlons plus de cela.

Elle me prit la main.

– Tu t'es expliqué. J'ai compris. Nous nous sommes pardonné nos fautes. Je me demandais simplement si...

– Eh bien, évidemment que j'ai envie de faire l'amour avec toi, mais soyons réalistes pour une fois. Tu proposes cela parce que tu te sens coupable d'avoir révélé tout à l'heure combien tu tenais encore à lui. Si j'acceptais ton offre, ce serait parce que je veux noyer mon sentiment d'insécurité en te subjuguant physiquement. Mais réfléchis, Lyle – réfléchis une minute! Avons-nous vraiment envie de commencer ainsi notre vie conjugale?

Elle secoua la tête et serra plus fort ma main dans la sienne.

– Tu préfères attendre, n'est-ce pas? lui dis-je. Tu as aspiré, pendant toutes ces années, à être une véritable épouse, tout comme j'ai aspiré à me remarier, alors pourquoi devrions-nous nous contenter de moins?

– Je me disais que tu voulais peut-être m'essayer?

– Pourquoi? Nous n'avons pas besoin de coucher ensemble avant le mariage pour savoir qu'au début l'aspect physique de notre relation sera difficile! Ce qui est important n'est pas que nous confirmions cette évidence avant le mariage, mais que nous soyons prêts à faire de notre mieux pour surmonter le problème après la cérémonie.

Je l'embrassai et ajoutai :

– De toute façon, nous avons tous les deux besoin de temps. Tu es épuisée. Moi aussi. Finissons notre cognac et allons nous coucher. Ce n'est peut-être pas la plus romantique des fins pour cette rude journée, mais je suis certain que c'est la plus intelligente.

– Je ne trouve pas que cela manque de romantisme, dit Lyle. Je pense que, si tu ne m'avais pas autant aidée, la rude journée aurait connu une fin encore plus rude.

Mais, dans un éclair de clairvoyance, je perçus mon comportement sous un jour plus complexe et plus trouble. Je reconnus mon désir de faire ce qui était juste, de protéger Lyle de tensions nouvelles mais je reconnus aussi ma frayeur secrète d'être comparé à Jardine – à mon désavantage. De toute façon, cette connaissance de soi était, pour le moment, trop difficile à maîtriser. Je fermai mon âme à toute pensée éprouvante, j'embrassai Lyle dans le crépuscule et, plus tard, en regardant par la fenêtre, je vis que, dans la nuit, enfin tombée, les étoiles commençaient à briller.

6

Deux semaines plus tard, monseigneur Lang nous unit dans la chapelle de Lambeth en présence de mes parents, de mon frère, de ma belle-sœur, de mes deux nièces, de mon neveu et d'un ami de Lyle – un vieil ecclésiastique charmant qui avait été chanoine à la cathédrale de Radbury quand Jardine y était doyen. C'est lui qui accompagna la mariée à l'autel. Peter était mon témoin. Lang assura la cérémonie avec son habituel sens de la théâtralité et fit un sermon à la gloire du bonheur conjugal pour ceux qui n'étaient pas faits pour le célibat. Il m'apparut qu'il avait peut-être deviné plus que je ne l'aurais voulu sur ma vie de veuf. L'archevêque demeurait un Écossais rusé sous sa pompeuse façade anglaise et je me rappelai que le temps avait donné raison à ses soupçons sur l'évêque de Starbridge.

Vu les circonstances, il parut plus sage de ne pas avoir une trop longue lune de miel. Nous ne partîmes qu'un week-end dans ce petit hôtel que je connaissais dans le Cotswolds. Nous y fûmes un peu avant l'heure du dîner. Un peu plus tard, entendant Lyle dire à quel point elle avait apprécié le repas, je savais qu'elle faisait de son mieux pour me faire croire qu'elle était heureuse; de mon côté, je faisais de mon mieux pour m'en convaincre. Je me dis que je devrais être rassuré de la voir partager mon désir de faire de ce week-end une réussite; pourtant, quand nous nous retirâmes dans notre chambre, je me rendis compte que j'avais besoin d'être rassuré. Je m'entendis dire rapidement :

– Écoute, si tu ne t'en sens pas le courage, par pitié, dis-le. Nous ne devons pas commencer à nous jouer la comédie et à être malhonnêtes l'un vis-à-vis de l'autre.

– J'ai envie de faire l'amour. Avec toi. Maintenant. Nous pourrons peut-être ainsi mettre un terme à cette tension insoutenable.

C'était certainement de la franchise et je fis de mon mieux pour lui apporter une réponse franche.

– Je pense exactement comme toi.

Mais j'étais blessé par sa froideur. Je me disais que, si j'avais été Jardine, elle m'aurait appelé chéri et m'aurait tendu les bras. Une perspective longue et amère s'ouvrit devant moi; je m'appliquai à ne plus la voir. Je n'avais pas connu toutes ces années difficiles de célibat impur pour avoir peur le soir de mes noces. Pourtant, le démon du doute rampait dans mon esprit. Je regardai Lyle qui donnait l'impression de faire une tentative courageuse pour se détacher de son passé mais je me demandais si, même maintenant, Jardine ne lui manquait pas secrètement. Et à peine cette terrible pensée se fut-elle immiscée en moi que je fus saisi par la frayeur de savoir que Lyle aurait toujours des secrets qui me tiendraient éloigné d'elle, des secrets qu'elle ne me confierait jamais.

Je touchai ma croix et me demandai jusqu'où il était possible de connaître toute la vérité sur quelqu'un. Je pensai au silence final et ambigu de Jardine sur sa belle-mère. Un silence qui pourrait bien indiquer non la culpabilité mais un désir de garder une part de sa vie complètement privée; plus personne ne saurait ce qui s'était vraiment passé entre eux. Peut-être cela valait-il mieux? Je pensais aux propos de Darrow : « Tout ce que nous pouvons faire, c'est prier Dieu pour qu'Il nous éclaire autant qu'Il le jugera bon. » Soudain, je compris que Darrow lui-même était une énigme, une énigme encore plus grande que Jardine, un homme qui gardait ses secrets dans le but de se détacher de son passé. Que cachait-il derrière sa vocation religieuse? Avait-il été heureux en ménage? Avait-il été un bon père pour ses enfants? Lyle avait-elle vu juste quand elle avait dit que le fait qu'il soit célibataire ne lui était pas naturel? Et, si elle avait raison, sa vie était-elle une lutte perpétuelle pour maintenir une sérénité qui paraissait si naturelle? Je ne serais probablement jamais capable de répondre à ces questions et pourtant mon rapport à Darrow était intact justement parce qu'il représentait, sur beaucoup de points, un mystère.

432

Je me rendis alors compte que, si Lyle avait toujours ses secrets, le moyen de vivre avec eux n'était pas de me torturer l'esprit à vouloir les élucider mais de les accepter comme une limite mise par Dieu à ma connaissance. Le démon du doute battit en retraite. Je lâchai ma croix et me préparai à me coucher.

7

Enfin, j'étais face à face avec ma peur secrète d'être incapable d'égaler le talent illicite mais attirant qu'avait Jardine de jouer de son pouvoir charismatique. J'entrevis l'avenir et à nouveau je chassai cette vision de mon esprit. J'étais maintenant la proie de ce vieux démon, ma peur d'être indigne. Je tournai le dos à Lyle et, dans l'obscurité, je cherchai à tâtons la croix que j'avais laissée sur la table de chevet.

Tout en la passant autour de mon cou, je pensai une fois de plus à Darrow. Je nous revis dans le jardin. Je me souvins de la façon dont le mot « courage » avait résonné dans mon âme et, soudain, je fus capable de prier pour que me soient accordées la patience, la force et la volonté pour supporter toutes mes difficultés et la sagesse pour les surmonter.

Les démons quittèrent mon âme qui s'ouvrit devant Dieu et, une fois de plus, je franchis la porte étroite et m'engageai sur l'étroit chemin en réponse à mon appel mystérieux. Devant moi, ma nouvelle vie au service de Dieu; je savais que je ne pourrais pas revenir en arrière. Je ne pourrais qu'avancer avec la foi absolue qu'un jour, ses buts me seraient révélés. Et, à la lumière de cette foi, mes doutes s'éteignirent. Les belles apparences du monde d'ici-bas se dissipèrent dans les Vérités au-delà, et ces Vérités n'étaient pas un beau rêve comme Loretta l'avait cru mais la réalité ultime. Amour et pardon, vérité et beauté, courage et compassion brillaient d'un éclat qui éclipsait la pauvre étincelle de l'illusion. Je sus alors, avec une conviction encore plus forte, que, en servant Dieu, l'homme ne fait que combler son besoin de lutter pour vivre dans Sa lumière éternellement puissante. La célèbre parole de saint Augustin résonna dans mon âme : « Dieu, Tu nous as faits pour Toi-même, et notre cœur sera sans repos jusqu'à ce qu'il trouve le repos en Toi. »

Je fus immédiatement apaisé. Je retrouvai ma confiance et, revendiquant pleinement ma femme et mon enfant, je pensai comme mon père l'avait pensé avant moi : ils sont à moi tous les deux, maintenant.

Puis, je dis prudemment à Lyle :

– Je crois sincèrement que tu arriveras à m'aimer un jour.

– Chéri !

Et elle me tendit les bras.

Un obstacle difficile avait été franchi. Quel serait le prochain ?

Je m'endormis et rêvai d'un petit garçon qui me dévisageait de ses doux yeux couleur d'ambre.

NOTE DE L'AUTEUR

Le personnage de Charles Ashworth est fictif.

Le personnage d'Alex Jardine s'inspire de la vie et de la carrière de Herbert Hensley Henson (1863-1947) qui fut l'une des figures de proue de l'Église d'Angleterre au début du siècle. Henson était fils d'un homme d'affaires autodidacte qui, très tôt, prit sa retraite et vécut alors au-dessus de ses moyens tout en se consacrant à une religion excentrique et pessimiste. La mère du jeune Henson mourut alors qu'il avait six ans et, trois années plus tard, son père se « remaria »; aucun acte de mariage ne fut toutefois jamais retrouvé. Lorsque Henson eut quatorze ans, sa belle-mère, allemande, persuada son père de l'envoyer à l'école – étape décisive qui le mit sur la route d'Oxford où il devait devenir chargé de cours à All Souls College. Il reçut l'ordination à vingt-trois ans et lorsqu'il devint pasteur à Barking, Essex, sa belle-mère vint s'installer au presbytère pour s'occuper de la maison.

Après des années obscures durant lesquelles Henson dut entretenir sa famille et fut, par voie de conséquence, trop pauvre pour se marier, il reçut un avancement décisif : il fut nommé recteur de St. Margaret à Westminster et devint chanoine de Westminster Abbey. Enfin délivré des contingences matérielles, il épousa Isabella Dennistoun qui, deux ans plus tard, mettait au monde un enfant mort-né. Le couple ne devait pas avoir d'autre enfant. En 1912, Henson devint doyen de Durham et, en 1916, une jeune femme, Fearne Booker, arriva au doyenné afin d'assister Mrs. Henson. Elle demeura au doyenné pendant plus de trente ans. En 1918, Henson devint évêque de Hereford mais, en 1920, il fut transféré à Durham où il resta jusqu'à sa retraite en 1939. Sa belle-mère passa les derniers jours de sa vie à ses côtés dans la résidence épiscopale, Auckland Castle. Il convient de préciser qu'aucun écart de comportement n'a existé, que ce soit entre Henson et sa belle-mère ou entre Henson et Miss Booker.

Le personnage de Lyle Christie est né de mon imagination et toute ressemblance avec Miss Booker ne serait que pure coïncidence.

William Cosmo Gordon Lang fut archevêque de Canterbury de 1928 à 1942. En 1938, lors d'une session de la Chambre des Lords, Henson s'opposa à Lang avec une agressivité sans précédent. Leur antagonisme était toutefois déjà connu du public; une année auparavant, au cours d'un débat autour du projet de loi sur le divorce, à la Chambre des Lords, Lang s'était contenté d'adopter une attitude neutre tandis que Henson s'était exprimé en faveur de l'extension de cette loi avec une éloquence qui, plus tard, fut citée avec reconnaissance et admiration par l'auteur de la loi, A. P. Herbert.

Les belles apparences est le premier d'une série romanesque sur l'Église d'Angleterre au XXe siècle. Le volume suivant, dont le titre original est *Glamourous Powers*, débute en 1940 et s'articule autour du personnage de Jon Darrow.

Dépôt légal : septembre 1988
No d'édition : 31228 – No d'impression : 9591

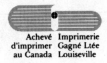

Achevé   Imprimerie
d'imprimer Gagné Ltée
au Canada Louiseville

Couverture : illustration de G. Konkoly.